Sigrid Damm

# Das Leben des Friedrich Schiller

*Eine Wanderung*

Insel Verlag

Frontispiz: Philipp Friedrich Hetsch: Friedrich Schiller als Regimentsmedikus. 1781/82
Deutsches Literaturarchiv, Marbach


Satz: Libro, Kriftel
Druck: GGP Media GmbH, Pößneck
Printed in Germany
Erste Auflage 2004
ISBN 3-458-17220-3

5 6 – 09 08 07 06 05 04

# Das Leben
# des Friedrich Schiller

# Erstes Kapitel

## I

Ich gehe mit dem Gedanken um, über Friedrich Schiller zu schreiben.

Entsinne mich, wie meine Schwester mir als Kind – ich ging noch nicht zur Schule – Schillers »Bürgschaft« beibrachte. Es war das erste Gedicht, das ich auswendig konnte. Auf einem Bein hüpfend lernte ich es. Die Geschichte von *Möros,* der *den Dolch im Gewande* zu *Dionys dem Tyrannen schlich*, und, zum Tode verurteilt, den Freund ihm als Bürgen ließ, um die *Schwester dem Gatten zu freien,* beeindruckte mich zutiefst. Sie hat wohl meine Vorstellung von Freundschaft fürs Leben geprägt. Und der Widerstreit von Versmaß und Hüpfrhythmus ist bis heute in mir.

Dann kam von den Erwachsenen die Geschichte von den faulen Äpfeln in Schillers Schreibtischschublade, die Geschichte seines enormen Fleißes und fortwährenden Krankseins. Wurde er nicht gegen den anderen, Goethe, ausgespielt? Ich sah ihn Tag und Nacht über seinen Papieren sitzen und Schnupftabak in die große Nase ziehen. Ich wandte mich dem anderen zu, der es weniger mit dem Fleiß hatte und mehr Heiterkeit versprach und den meine Großmutter einen *Schürzenjäger* nannte.

Später, als ich an einer Universität studierte, die den Namen Friedrich Schiller trug, änderte sich das kaum. Im Gegenteil, mit den jungen Romantikern wäre ich gern vor Lachen vom Stuhl gefallen, wenn sie Schillers »Lied von der Glocke« rezitierten, mit ihnen mokierte ich mich über Schillers biederes Frauenideal. Goethe war mir stets näher, und ich solidarisierte mich mit Georg Büchner, der Schillers Dramenfiguren *Marionetten mit himmelblauen Nasen und affektiertem Pathos* nannte.

Als ich als Studentin in Weimar ein Praktikum machte, Vierzehn- bis Achtzehnjährige waren zu den »Weimartagen der Jugend« innerhalb von zwei Stunden durch Goethe-Haus, Schiller-Haus und Fürstengruft zu führen, begnügte ich mich stets mit dem Haus am Frauenplan.

Erzählte dort von der Freundschaft Goethes und Schillers. Mehrfach, entsinne ich mich, wurde ich dabei von älteren Herren unterbrochen, die sich mit dem Hinweis einmischten, ich solle doch sagen, wie es wirklich gewesen sei: Goethe habe Schiller umgebracht. Ich wußte damals nichts von Mathilde von Ludendorffs Machwerk »Der ungesühnte Frevel«, in dem sie behauptete, Schiller sei durch den in jüdischem Solde stehenden Freimaurerorden vergiftet worden und Goethe habe als Logenbruder von der Ermordung Schillers Kenntnis gehabt und sei daher der Mitwisserschaft schuldig. Ich ahnte nicht, welche Verbreitung diese absurde Behauptung in der Zeit des Nationalsozialismus gefunden hatte. Empört wies ich die Einwände der Herren zurück.

Wenn ich das Goethe-Haus nach anderthalb Stunden verließ, nahm ich nicht den Weg zur Fürstengruft, sondern den über die Esplanade – ein kurzer Blick auf Schillers Wohnhaus – zum Jakobsfriedhof. Ich betrat ihn stets durch die kleine Seitenpforte, neben der links das Kassengewölbe liegt. In ihm habe Schiller seine erste Ruhestätte gefunden. Und 1827 sei er dann in das Mausoleum auf dem Neuen Friedhof in Weimar, in die Fürstengruft, gebracht worden.

Die Geschichte, daß zwanzig Jahre nach Schillers Tod der Weimarer Bürgermeister Carl Leberecht Schwabe das Kassengewölbe öffnen, in den übereinandergeschichteten, eingefallenen Särgen nach den Gebeinen Schillers suchen ließ – und: unter den dreiundzwanzig geborgenen Totenschädeln glaubte, den Schillers identifiziert zu haben –, erzählte ich nicht. Auch nicht, daß Goethe den Totenschädel des Freundes über Monate in seinem Haus behielt, bis Herzog Carl August ihm einen Platz in der Weimarer Bibliothek in einem verschlossenen Behältnis zuwies. Obgleich im Studium und in der Einführung zum Weimar-Praktikum ausführlich von diesen Geschichten die Rede war, gerade hatte ein russischer Professor angeblich die Echtheit des Schillerschen Schädels nachgewiesen, schwieg ich darüber.

Entließ die Gruppe in das von Blüten übersäte Junigrün des Jakobsfriedhofes. War mein Schweigen eine Art Solidarität? Schiller konnte sich gegen dies alles nicht zur Wehr setzen.

Theatererlebnisse. Unvergeßlich »Die Räuber« in lettischer Sprache, eine Aufführung in Riga. Es war noch Jahre vor der Loslösung von der Sowjetunion. Auf der Bühne wurde das Leben geprobt. Die Luft brannte.

»Die Räuber« dann wieder und wieder. Die letzte Inszenierung sah ich in den Ruinen des Klosters Hirsau unter freiem Himmel in einer Augustnacht 2003; eine Inszenierung der Landesbühnen Sachsen, unspektakulär, ganz auf den Text gestellt. Mein Herz flog dem Autor zu, Schillers »Räuber« sind *das* Stück seiner Stücke.

Aufführungen von »Kabale und Liebe«, die kaum Spuren hinterließen. »Don Carlos«, einzig die Erinnerung an den donnernden Applaus bei dem Satz: *Geben Sie Gedankenfreiheit.* Eine beeindruckende Inszenierung der »Maria Stuart« im Deutschen Theater.

Und jene »Wilhelm Tell«-Aufführung im Naturtheater Bauerbach, einem kleinen Dorf im südlichen Thüringen unweit von Meiningen. Mit ausländischen Germanisten besuchte ich die Aufführung. Es waren die Dorfbewohner, Arbeiter und Bauern, die auf der Bühne unter freiem Himmel standen. Geßler kam auf einem Pferd geritten; das Pferd bekam den meisten Applaus.

Den »Demetrius« habe ich nie im Theater gesehen. Auch Schillers »Wallenstein«-Trilogie nicht.

Im Herbst und Frühwinter 2002 führen mich meine Lesungen aus den »Tage- und Nächtebüchern aus Lappland« an Schillers Lebensorte. Ein Zufall? Mir scheint es keiner zu sein.

Mannheim, der Ort der Uraufführung seiner »Räuber«, die Stadt, in der er als junger Theaterschriftsteller lebte. Ich stehe in einem kleinen Park plötzlich vor seinem Denkmal. Groß und abweisend wirkt es auf mich; in Höhe meiner Augen Schillers Waden. Der Bildhauer Johann Heinrich Dannecker fällt mir ein, der nach Schillers Tod schrieb, er wolle ihn *lebig machen, aber der kann nicht anders lebig sein, als colossal. ›Schiller muß colossal in der Bildhauerei leben‹, ich will eine Apotheose.*

Dresden. Neustadt, Kohlmarkt. Nicht weit davon begegnet mir Schiller auf einem hohen Sockel in einem Rondell, zu seinen Füßen im Rund Szenen aus seinen Werken. Die eiserne Tür ist wegen der Graffiti-Sprüher verschlossen. Ich sehe durchs Gitter, sehe zu ihm hinauf. Stolze Kopfhaltung, wallendes Haupthaar, nackte Schulter, ein dramatisch drapiertes antikes Gewand, das er mit einer Hand zusammenhält. Seine Füße stecken in römischen Sandalen.

Die nackten Zehen sehen mich an. Es hat geregnet. In den Falten des Gewandes badet ein kleiner Vogel; das ist das einzig Tröstliche an diesem steinernen Anblick.

Lesung in Jena. Wenigenjena, die Kirche, in der Schiller geheiratet hat. Vergeblich meine Bitte im Pfarramt, einen Blick hineinwerfen zu dürfen. Es werde gebaut. Schillers Gartenhaus, ich gehe durchs Haus, durch den Garten. Die umschließende Mauer. An ihr führte mich einst mein Weg vom Westbahnhof zum Studentenheim wöchentlich zweimal vorbei. Später, entsinne ich mich, nach Abschluß des Studiums, als junge Assistentin, ich erwartete mein erstes Kind, hielt ich mich öfter in diesem Garten auf, vor Abfahrt meines Zuges vom Paradiesbahnhof nach Saalfeld; die lärmabweisende Mauer, Geruch nach Quitten, Ruhe, eine Oase.

Zwischen zwei Lesungen fahre ich am Wochenende nach Bauerbach. Das Naturtheater liegt verlassen. Hier betrat der junge Schiller erstmals den Boden des Landes, das ihm Heimat werden sollte: Thüringen. Er betrat es als Deserteur, Unperson, Staatenloser, geflüchtet aus seiner Heimat Schwaben. Bauerbach war ausländisches Territorium, bot ihm Schutz, Sicherheit. Erste Fremde. Ich gehe durchs Haus; seine Kammer, Bett, Arbeitstisch. Hier also schrieb er »Kabale und Liebe«, begann er den »Don Carlos«.

Weimar. Das Denkmal der beiden Freunde auf dem Platz vor dem Theater. Der Nacken wird mir steif. Man weiß um den unterschiedlichen Körperbau der beiden, schlank der eine, beleibt der andere, Schiller hat Goethe zudem um Haupteslänge überragt. Aber gleich groß stehen sie nebeneinander. Der Größenunterschied wird negiert. Einer Gerechtigkeit wegen? Welcher? Die Anmaßung, dem einen, Goethe, den Lorbeerkranz in die Hand zu geben, den andern nur danach greifen, ihn den Lorbeer nicht einmal berühren zu lassen. Die schulmeisterliche Geste, die man Goethe zugedacht hat, gleichsam beruhigend legt er die Hand auf die Schulter des Freundes. Schiller hat sein Gesicht abgewandt. Sie stehen beziehungslos nebeneinander. Das Offizielle, Unpersönliche; die klassische Kälte des Standbildes. Lebendig ist es allein auf seinen steinernen Stufen. Mehrere Halbwüchsige nutzen sie als Sprungbrett für ihre Künste mit ihren Skateboards.

Langsam biege ich in die Schillerstraße, die einstige Esplanade, ein. Geruch von über Kohlefeuer gebratenen Thüringer Würsten. Der Brunnen mit dem Gänsemännchen. Ich stehe vor Schillers Haus.

Zögere. Seit einer Klassenfahrt habe ich es nie wieder betreten.

Dann der Entschluß. Ich gehe hinein. Die Räume zu ebener Erde. Das erste Stockwerk. Das zweite. Die Mansarde, Schillers Arbeits- und Sterbezimmer. Ich bleibe im Türrahmen stehen. Eine Gruppe von Abiturienten, dichtgedrängt. Kichern. Knarren von Dielen. Die Erklärungen der Museumsführerin.

Und mit einemmal weiß ich, weshalb ich das Schillerhaus über fünfzig Jahre gemieden habe. Auch ich stand damals eingekeilt zwischen meinen Mitschülern, ich stand, entsinne ich mich, in dem schmalen Zwischenraum zwischen Schreibtisch und Bett. Dem Bett, in dem Schiller gestorben war. Diese räumliche Nähe erschien mir unzulässig; obszön, als Verletzung seiner Intimsphäre. Ebenso das, was ich hörte und was ich jetzt wortwörtlich wieder höre, die Führerin liest es von einer Karteikarte ab: den Bericht von Schillers Obduktion. Dann die Schädel-Geschichte.

Ich warte, bis der Raum leer ist, das Knarren der Treppe sich verliert, die untere Tür sich schließt. Ich bin allein. Trete ins Zimmer. Auch im Alleinsein diese Fremdheit. Die Vergeblichkeit, über Gegenstände Nähe erzeugen zu wollen. Mein Blick fällt auf den Schreibtisch, auf die Stelle, wo Schillers Schnupftabakdose ihren Platz hat, wo der Federkiel liegt. Damals war die Stelle voller Flecken, Vertiefungen und Kratzer. Ich erinnere mich genau an dieses Detail. Es war das einzige, was mich wirklich berührte, diese kleine Fläche auf seinem Schreibtisch, die seine Spuren zu tragen schien. Ich sah ihn ein Messer nehmen, um die Feder zu beschneiden, sah ihn die Tabakdose öffnen und schließen. Kein Kratzer mehr, eine glatte Fläche. Das Fatale der biographischen Annäherung. Für jede Generation wird der Schreibtisch offenbar neu aufpoliert.

Ich verlasse das Haus.

Draußen im Novemberlicht stehe ich, Schillers Wohnhaus im Rücken, unvermittelt vor Wieland Försters Schiller-Statue.

Ich gehe um die Bronze herum. Ein menschliches Maß. Ein nackter Körper in der Qual seiner physischen Existenz, die Arme erhoben, kein Gesicht, kein Kopf sichtbar. *Es bleibt nichts als das Werk*. Es ist die Person und ist nicht die Person; es ist das Werk, das aus ihr hervorging.

Der Körper als Metapher für das Werk. So, wie Wieland Förster Schiller geschaffen hat, über ihn schreiben …

## II

Ich lese Schiller. Lese, lese. Der Dramatiker. Der Lyriker, Erzähler, Historiker, Kritiker, der Herausgeber, Theoretiker, der Ästhetiker und Philosoph. Der Bearbeiter von Stücken, Übersetzer. Der Briefschreiber Schiller.

Vieles lese ich zum ersten Mal. Eine Wanderung durch seine Texte. Räume öffnen sich. In manche blicke ich nur hinein, in anderen halte ich mich lange auf, durchwandere Satz für Satz. Landschaften tun sich auf. Der Horizont der Gedanken dehnt sich.

Abwehr und Faszination.

Abwehr. Ich finde meine Vorurteile bestätigt. Mich befremdet die Hochgestimmtheit von Schillers Ton. Befremdet sein *Emporschwingen* in *die Welt der Ideale*, seine *Idealisation*. Schiller, der *Astralgeist*. Der Idealist. Der Moralist. Mich irritiert der rhetorische Pomp, die Didaktik, der Gestus des Künders, ermüdet das Erhabene, Edle, Große, das er strapaziert. Jahrhundertferne.

Faszination. Das Werk, die Kunstwelt, die sich vor mir ausbreitet. Der große Spannungsbogen von den frühen zu den späten Dramen, von den »Räubern« zu »Wallenstein« und »Demetrius«. Die Brüche, Risse, Abgründe. Schiller sagt sich von seinen »Räubern« los, bezeichnet seinen »Don Carlos« als *Machwerk*. Warum? Dann seine Abkehr vom Theater. Für zehn Jahre. Nebenwege, warum geht er sie? Was läßt ihn später zurückkehren zum Eigentlichen, zur *Poesie*? Dann der unaufhaltsame Erfolg seiner Dramen auf den deutschen Bühnen. Die Geschichte seines Erfolges, immer auch die Geschichte seiner Verunsicherung. Das Publikum als Richter?

Die aufregende Landschaft von Schillers Gedankenwelt. Die Lauterkeit dieses Mannes. Mich berührt am stärksten seine Wahrheitssuche. Wie er sich die kleinen Bleigewichte an die Füße bindet, die ihn erden und ihn bei seinen Höhenflügen befähigen, die Geschichte seines Absturzes stets mitzuliefern; zeitgleich zuweilen, meist aber zeitversetzt.

Schiller, der Weltverbesserer, der den *Weg zu der Freiheit* über die *Schönheit* gehen will, der in der *ästhetischen Erziehung des Menschen* den Schlüssel zur Weltveränderung sieht. Der dieser Idee vertraut und ihrer Ausarbeitung viel Lebenszeit widmet. Und sie zunehmend in Zweifel zieht, sie am Verlauf der Geschichte – den europäischen Umwälzungen von 1789 und ihren Folgen – prüft: unerbittlich Analyse des Schönen und Zeitanalyse verbindet.

Beim erneuten Wandern durch Schillers Texte, diesmal in der Abfolge ihrer Entstehung, mache ich eine verblüffende Erfahrung: wie eine Verkleidung, ein fremdes Kostüm fällt die Jahrhundertferne von ihnen ab.

Erregungen, Widersprüche, die mir aus seiner Biographie entgegentreten. Die Kargheit seiner Lebenslandschaft. Fast könnte man von Ereignislosigkeit sprechen.

Die Enge der äußeren Koordinaten. Die Längen- und Breitengrade, innerhalb deren er sich bewegt, ergeben ein kleines deutsches Geviert: Württemberg, Pfalz, Sachsen, Thüringen. Kurze Reisen nach Böhmen und Preußen; Karlsbad der östlichste, Berlin der nördlichste Punkt.

Von seiner *eingeschloßene⟨n⟩ LebensArt* spricht er. Die *Thürschwelle* sei die *Grenze* seiner *Wünsche* und *Wanderungen*. Er bezeichnet seine Existenz als eine *zwischen papiernen Fensterscheiben*, im Gegensatz zu Goethe, der *in die Welt hineingeworfen* sei.

Ist diese Existenz *zwischen papiernen Fensterscheiben* allein Schillers Krankheit und seinem Geldmangel geschuldet, oder ist sie nicht vielmehr die ihm auf den Leib geschneiderte, die ihm gemäße Lebensform?

Nie hat Schiller die Schauplätze seiner Dramen, das Frankreich der »Jungfrau von Orleans«, das Schottland seiner »Maria Stuart«; nie Spanien, Rußland, die Schweiz, nie das Rütli und den Vierwaldstätter See, die Schauplätze seines »Wilhelm Tell«, gesehen.

Er ist in seinem Leben nicht nach Italien gereist; niemals hat er an einer Küste gestanden, nie das Meer gesehen.

Schiller, ein Suchender in der Welt der Bücher, ein Abenteurer auf dem Papier?

Den Mangel an sinnlicher Welterfahrung hat er selbst stets beklagt, von sich als einem *Thier* gesprochen, dem *gewiße Organe fehlen*. Sich als *eine Zwitter-Art zwischen dem Begriff und der Anschauung* gesehen, *zwischen der Regel und der Empfindung, zwischen dem technischen Kopf und dem Genie.*

Schillers früher Tod. Mit fünfundvierzig Jahren stirbt er.

*Alles, was der Dichter uns geben kann, ist seine Individualität*, schreibt er und fügt hinzu: *Diese muß es ... wert sein, vor Welt und Nachwelt ausgestellt zu werden.*

Anders als Goethe, der der Welt und der Nachwelt in »Dichtung und Wahrheit« meisterlich-raffiniert aufgedrängt hat, wie er gesehen zu werden wünscht, hat Schiller niemals an eine Selbstdarstellung gedacht. Bis zum letzten Atemzug hat er an seinem Werk gearbeitet.

Hat er nicht sogar Werk und Person entschieden voneinander abgegrenzt? *Wenn mich je das Unglück oder Glück träfe, sehr berühmt zu werden*, schreibt der Neunundzwanzigjährige einer Freundin, *wenn mir dieses je passirt, so seyen Sie mit Ihrer Freundschaft gegen mich vorsichtiger. Lesen Sie alsdann meine Schriften, und lassen den ›Menschen‹ übrigens laufen.*

Genau darauf aber richtet sich meine Neugier, von der meine Wanderung bestimmt sein wird: auf die *Individualität*, die dieses Werk hervorbringt. Das Verwobensein der *Schriften* mit dem *›Menschen‹*. Wie eines mit dem anderen verbunden ist, sich beflügelt, stört, verwundet, beglückt, stranguliert und fördert.

Nicht das Werk ist Gegenstand meines Buches, es sind die Umstände und Bedingungen seiner Entstehung.

Dabei beschäftigt mich die Verbindung von Werk und Leben nicht aus dem Blickwinkel der Nachwirkung, nicht aus der Sicht auf Schaffenshöhepunkte oder besondere Ereignisse.

Ich gehe den unspektakulären Weg, mein Blick richtet sich auf den Arbeitsalltag Schillers. Die Zeit als Erzählraum zieht mich an. Ich wandere die Linien seiner Lebenszeit entlang, erschließe mir die Landschaft seiner Jahre.

Für diesen Weg ist ein authentischer Zeuge mein Begleiter: Schiller selbst.

Ich finde ihn in seinen Briefen. Sie sind Werkstattberichte, sind das Buch seiner Tage, fast ein Tagebuch, ein Psychogramm seiner Person; das Werk steht darin an erster Stelle. Suchen, Verwerfen,

Krisen; und nach kurzem Glück über die Vollendung einer Arbeit erneute Schreibqualen. Schreiben als seine Daseinsform, das Tagesablauf, Lebensordnung, das die Gesamtheit seiner Existenz bestimmt. Jede Alltagsverrichtung, alles scheinbar Private ist ihm zu- und untergeordnet.

Die äußeren Bedingungen dieses Schreibens: ein ewiger Kampf. Bestimmt von Existenznöten, Geldmangel. Ein Lebenskünstler ist Schiller keineswegs. Aber er ist auch kein Poet in der Dachstube. Er versteht zu leben. Hat Ansprüche. Sein Lebensstil übersteigt stets seine Verhältnisse. Ich sehe seinen allzu laxen Umgang mit Geld, besonders in jungen Jahren. Und als Folge davon: seine ständigen Schulden.

Aber auch fehlende oder knausrige Mäzene. Schiller fällt nichts zu. Um alles muß er bitten; erniedrigende Anfragen, diplomatisch gewundene Gesuche.

Sein Schreiben ums Brot. Schiller ist einer der ersten Autoren, die einen wesentlichen Teil ihres Unterhalts durch Einnahmen als freie Autoren erzielen. Sein Sichbehauptenmüssen auf dem Literaturmarkt. Marktorientierung. Publikumsstrategien. Verführung durch den Markt. Distanz zu ihm. Ich sehe seinen Witz: er schreibt sich selbst Verrisse, die die beste Werbung für seine Werke sind. Seine zunehmende Beherrschung der *Kaufmanns Materie*. Und das Glück großzügiger Verleger. Am Ende seines Lebens ist er einer der bestverdienenden deutschen Autoren.

Schiller, der *citoyen*, der Ehrenbürger der Französischen Revolution. Der Mann, der von Kaiser Franz II. in den *heiligen römischen ReichsAdelstand* gehoben wird.

Schillers Stimme: ironisch, sarkastisch, bitter, heiter, verzweifelt, böse, scharf.

Niemals ein Entweder-Oder, immer ein für ihn charakteristisches Sowohl-Als-auch, der Blick von zwei Seiten. Sein stetes Geworfensein zwischen Erwartung und Enttäuschung, Hochstimmung und Depression. Zwischen, wie er selbst sagt, *Opiumsschlummer* und *Champagnerrausch*. Der Fünfunddreißigjährige schreibt, daß er sich jetzt *vor dem Extrem der Nüch-*

*ternheit ... zu fürchten* habe *wie ehemals vor dem der Trunkenheit.*

Ein Mann der Verbindlichkeit, des Ausgleichs war er nicht. Eher einer der Schroffheiten. Seine scharfen Urteile über Kollegen. Eine Schärfe, mit der er auch mit sich selbst ins Gericht geht.

Die Anziehungskraft, die von all diesen Widersprüchen ausgeht. Ich lasse den *›Menschen‹* nicht *laufen.* Meine Neugier.

Schillers Verhältnis zu seiner Mutter, einer starken, beeindrukkenden Frau. Sein Verhältnis zum Vater, zu den drei Schwestern.

Schiller, der Mann, der Liebhaber. In jungen Jahren seine leidenschaftliche Beziehung zu der verheirateten Charlotte von Kalb; der Versuch, zu dritt zu leben. Seine Liebe zu zwei Frauen, den Schwestern Caroline und Charlotte von Lengefeld. Auch da die Utopie eines gemeinsamen Lebens. Schließlich, nach den ungewöhnlichen Experimenten, das Einschwenken in eine bedachte, wohltemperierte Ehe, die seiner Arbeit dient.

Schiller als Vater. Ein heiteres Kapitel.

Schiller und der Weimarer Herzog. Carl Augusts lebenslange Vorbehalte gegen den Autor der »Räuber«. Seinem Namen als Vorsteher eines Musenhofes macht er Schiller gegenüber keineswegs Ehre. Carl Augusts großzügiges Mäzenatentum beschränkt sich allein auf Goethe.

Schillers Männerfreundschaften, in seiner Ode »An die Freude« beschworen. Über weite Lebensstrecken die Freundschaft zu Christian Gottfried Körner und Wilhelm von Humboldt. Sie sind erste Leser, geduldige Zuhörer, Kritiker, sind ihm Ratgeber im Literarischen wie im Alltäglichen.

Und in Schillers letzten zehn Lebensjahren Goethe als sein Weggefährte. Die Beglückung durch diese Freundschaft. Die geistige Ebenbürtigkeit. Ihr durch *Geistesreibung* einander *Electrisieren*, ihre *praktische und theoretische Vereinigung.* Die Neidlosigkeit gegenüber dem Werk des anderen.

Das *wohlthätigste Ereignis* seines *ganzen Lebens* nennt Schiller die Freundschaft zu Goethe. Sie ist ihm nicht in den Schoß gefallen: sieben bittere Wartejahre, in denen Goethe ihm die kalte

Schulter zeigt. *Eine stolze Prude* (Prüde) nennt er Goethe da, *der man ein Kind machen müsse um sie vor der Welt zu demütigen.*

Auch hier interessiert mich der Alltag dieser Arbeitsfreundschaft: die kleinen Gesten der Zuneigung, des Einverständnisses, Goethe, der sich wie ein zärtlicher Liebhaber um den kranken Freund sorgt, Schiller, der stets Treibende im Schöpferischen. Die kleinen Verwerfungen dieser Freundschaft, die Versuche Dritter, die Freunde auseinanderzubringen. Und der große Dissens, der Schatten, der, bedingt durch Schillers rigide moralische Haltung gegenüber Goethes *Ehstand ohne Zeremonie*, auf die Freundschaft fällt.

Das letzte Jahrfünft ihrer Gemeinsamkeit, in dem Schillers enorme Produktivität und Goethes Schaffenskrisen das Schrittmaß der Freunde divergieren lassen. Goethes: *Ich tanze auf dem Drahte: Fatum congenitum* (vorbestimmtes Schicksal) *genannt: mein Leben so weg!* Schillers: *Nulla dies sine linea* (Kein Tag ohne Zeile).

Schiller geht dem Tod entgegen, die magische Grenze des fünfzigsten Jahres, die er sich selbst gesetzt hat, erreicht er nicht. Seine letzte Krankheit: die Lebenssubstanz wird von der Literatur aufgezehrt. Sein Tod am 9. Mai 1805.

Ich betrachte Schiller-Porträts. Den getuschten Schattenriß, das früheste Bild, dreizehn ist Schiller da vielleicht. Er ist im Profil zu sehen, auffällig die starke Nase, die vorgeschobene Unterlippe; ein modischer Zopf nach den Vorschriften der Carlsschule.

Dann ein Gemälde von Philipp Friedrich Hetsch, 25 x 10,9 cm groß. Es zeigt Schiller als Regimentsmedikus, zweiundzwanzigjährig. Hochsensibel das Gesicht, in den Augen Zukunftserwartung. Der Blick ist direkt auf den Betrachter gerichtet. Eine starke Ausstrahlung.

In Dresden wird Schiller 1786 von dem berühmten Anton Graff porträtiert. Er wirkt eigenartig verhalten, jenes Offene, Erwartungsvolle gibt es nicht mehr. Graff, der das Bild wohl nicht ganz vollendet hat, bezeichnet Schiller als *unruhigen Geist*, der *kein Sitzfleisch* hatte.

Während Schillers Aufenthalt in Schwaben 1793/94 entsteht das großformatige Ölgemälde (106 x 90 cm), geschaffen von seiner Jugendfreundin Ludovike Simanowiz. Der vierunddreißigjährige Schiller auf einem Stuhl sitzend, nachdenkliche Geste, gesenkter Blick.

Der Bildhauer Johann Heinrich Dannecker modelliert in Stuttgart Schillers Kopf, eine Gewandbüste von 79,8 cm Höhe. Es ist jener stolze Schiller mit der charakteristischen Nase, der vorgeschobenen Unterlippe, mit dem wallenden Haar.

In der Jenaer und Weimarer Zeit entsteht nichts Nennenswertes, eine kleine Hinterglasmalerei, ein Schattenriß. Christian Friedrich Tieck vollendet seine Büste erst nach Schillers Tod. Auch weitere Porträts, darunter das bekannte von Gerhard von Kügelgen, werden erst nach dem Ableben Schillers geschaffen.

Wie fragwürdig erscheinen mir diese späteren Arbeiten, die Bildnisse überhaupt. Weder in dem von Graff, noch in denen von Simanowiz und Dannecker, finde ich den Schiller, den ich mir vorstelle. Alle Arbeiten haben für mich etwas Offizielles. Liegt es daran, daß sie den schon Berühmten vorzeigen wollen, oder sind es die gestalterischen Grenzen der Künstler (was im Falle Graffs keineswegs zutrifft)? Ich vermisse in ihnen die hochsensible, schöpferische Spannung, die in Schiller gewesen sein muß.

Einzig in dem Gemälde des zweiundzwanzigjährigen Regimentsmedikus finde ich sie, dieses Porträt ist mir nah. Und in der späten Zeichnung von Gottfried Schadow. Der Maler und Bildhauer zeichnet Schiller 1804, als der sich in Berlin aufhält. Über diese Arbeit notiert Franz Kafka in sein Tagebuch: *Fester als bei dieser Nase kann man ein Gesicht nicht fassen.* Das Porträt zeigt den vierundvierzigjährigen, ein Jahr vor seinem Tod. Eine Bleistiftzeichnung. Das Profil. Ein Mann, vorzeitig gealtert, erschöpft wirkend, und dennoch voller Energie. Eine berührende Zeichnung.

## III

Ende Mai/Mitte Juni 1781 publiziert der einundzwanzigjährige Schiller sein erstes Drama: »Die Räuber«. Es erscheint anonym, wie es damals üblich ist. Schiller veröffentlicht es im Selbstverlag, auf eigene Kosten – mit geborgtem Geld –, 150 Gulden Schulden bürdet er sich auf. Er gibt einen fingierten Druckort an: Frankfurt und Leipzig. Läßt eine Auflage von 800 Exemplaren in Stuttgart drucken.

*Es mag beim ersten in die Hand nehmen auffallen, daß dieses Schauspiel niemals das Bürgerrecht auf dem Schauplatz bekommen wird*, heißt es in der Vorrede. Er hält sein Stück für ein Lesedrama, spricht ihm jede Theaterwirkung ab.

Die Buchausgabe vom Sommer 1781 findet wenig Beachtung. Aber ein wichtiger Mann bekommt sie in die Hand, der Mannheimer Theaterdirektor Wolfgang Heribert von Dalberg. Der Buchhändler Schwan empfiehlt ihm das Stück. Dalberg wendet sich an den völlig unbekannten Autor, bekundet, daß er sich auch für seine *noch in zukunfft zu verfertigende Stücke* interessiere. Er will »Die Räuber« zur Aufführung bringen, fordert aber von vornherein Änderungen; Entschärfung der Kritik an Obrigkeit und Kirche.

Schiller arbeitet um. Zwischen August und Oktober 1781. Die geänderte Fassung, *der ›Verlorne Sohn‹, oder die umgeschmolzenen Räuber*, sendet er am 6. Oktober an Dalberg.

Diesem gehen die Änderungen nicht weit genug. Er legt selbst Hand an.

»Die Räuber« spielen in der Gegenwart, der Verweis auf den Siebenjährigen Krieg läßt keinen Zweifel daran. Der Theaterausschuß beschließt, das Stück in Zeitkostümen zu spielen. Dalberg aber verlangt die Verlegung der Handlung ins Spätmittelalter, *als Kayser Maximilian den ewigen Landfrieden für Deutschland stiftete.*

Schiller protestiert, schreibt Dalberg, sein Stück werde *zu einem fehlervollen und anstößigen Quodlibet, zu einer Krähe mit Pfauenfedern.*

Sein Protest ist vergebens. Gegen den Autor und das Votum der Schauspieler setzt sich der Theaterchef durch. Will er sich die Gunst seines Publikums, das an Ritterspielen Gefallen findet, nicht verscherzen? Oder hat die Aversion gegen das Gegenwartsstück politische Hintergründe?

Dalberg, einunddreißig Jahre jung, noch nicht lange Theaterchef, selbst von Adel, Reichsfreiherr, untersteht dem katholisch pfalz-bayrischen Hof. Die Kurpfalz wird von München aus regiert. Vermutlich denkt er an die Obrigkeit.

Seine Begründung gegenüber Autor und Schauspielern: *Denn, wo ist nur der geringste Grad von Wahrscheinlichkeit, daß in unsern jetzigen politischen Umständen und Staaten-Verfassung sich eine solche Begebenheit zutragen könne. Dies Stück in unserer Tracht wird Fabel und unwahr.*

Im überlieferten Mannheimer Soufflierbuch kann man nachlesen, in welcher Textgestalt das Stück auf die Bühne kam.

Trotz alledem am 13. Januar 1782 eine aufsehenerregende Uraufführung.

Nicht in Schillers Heimat, auf württembergischem Territorium, findet sie statt, sondern auf pfälzischem Boden.

Das Mannheimer Theater, 1779 eröffnet, ein neugebautes, festes Haus, faßt über tausend Zuschauer. Weitaus mehr sind am 13. Januar gekommen. Von Heidelberg, Worms, Speyer, Frankfurt am Main, Darmstadt und Mainz sind sie *zu Roß und zu Wagen* herbeigeströmt. Um fünf Uhr beginnt die Vorstellung, um ein Uhr nehmen die ersten ihre Plätze ein, viele müssen draußen bleiben.

Die Vorstellung habe *das Menschenblut erfrieren und die Nerven sowohl beim Schauspieler als Zuschauer erstarren lassen*, berichtet ein Besucher, es ist der Mannheimer Arzt Franz Anton May. Ein weiterer Augenzeuge schreibt: *Das Theater glich einem Irrenhause, rollende Augen, geballte Fäuste, stampfende Füße, heisere Aufschreie im Zuschauerraum! Fremde Menschen fielen einander schluchzend in die Arme, Frauen wankten, einer Ohnmacht nahe, zur Türe. Es war eine allgemeine Auflösung wie im Chaos, aus dessen Nebel eine neue Schöpfung hervorbricht.*

Von einem *allgewaltigen Feuerstrome* spricht ein junger Schauspieler, wie Schiller 1759 geboren, es ist August Wilhelm Iffland, er spielt den Franz Moor, steht am Beginn seiner Karriere; *Publikum, Acteure und Statisten* seien *mit fortgerissen worden in dem allgewaltigen Feuerstrome.*

Was ist es, das die Besucher der Uraufführung so erregt; eine Erregung, die sich über zweihundert Jahre hinweg fortsetzt, das Stück an jedem Ort und zu jeder Zeit lebendig werden läßt?

*Die Räuber – das Gemählde einer verirrten großen Seele* – Schiller in »Der Verfasser an das Publikum«, einem Text zur Uraufführung. Karl Moor, ein Mann, *ausgerüstet mit allen Gaben zum Fürtrefflichen, und mit allen Gaben – verloren*, ein Mann, der *von Abgrund zu Abgrund stürzte, in alle Tiefen der Verzweiflung – Einen solchen Mann wird man in Räuber Moor beweinen und hassen, verabscheuen und lieben ...*

Franz und Karl Moor, Selbstprojektionen des Dichters, wie Norbert Oellers sagt? Karl Moor, der über fünf Akte den Aufstand probt, gegen Willkür von Herrschaft, gegen die dreifache Welt der Väter: gegen den Landesvater, den leiblichen Vater und Gott-Vater.

Der wilde Gestus des Aufbegehrens. Schiller stellt das Vollkommenheitsversprechen der christlichen Weltordnung in Frage, greift jegliche Autoritäten und Institutionen an. Ist es das?

Ein Experiment mit der Freiheit? Das gegen den Schrecken der Herrschaft die Schrecken der Herrschaftsbekämpfung setzt?

Diese jungen Männer handeln um ihrer Ideale willen. Idealistische Schwärmer, die verwirrt im Leeren stehen, deren Menschlichkeit stets gefährdet ist. In ihrem Handeln ist es nur ein kleiner Schritt vom Guten zum Bösen. Größe und in die Irre Gehen liegen dicht beieinander.

Es sind zu Ideologen pervertierte Idealisten. Ein Thema, das sich in jeder Gesellschaft, in jeder Zeit neu stellt.

Schillers Stück ein Theater des Terrors, der hochgepeitschten

Gefühle? Ein grandioses Experiment mit der menschlichen Seele, ihrer Manipulierbarkeit, Verführbarkeit.

Das *Beispiel einer Geburt ..., die der naturwidrige Beischlaf der ›Subordination‹ und des ›Genius‹ in die Welt setzte*, nennt Schiller seine »Räuber«.

Mit diesem Drama wird der völlig Unbekannte mit einem Schlag berühmt. Wie zehn Jahre davor Goethes »Die Leiden des jungen Werthers« avancieren »Die Räuber« zum Kultstück einer jungen Generation.

»Die Räuber« bestimmen fortan Schillers Leben, im Positiven wie Negativen. Sie werden Schiller *Vaterland und Familie kosten*. Der frühe Erfolg ruft den Konkurrenzneid der etablierten Autoren auf den Plan.

»Die Räuber« werden ihm vom höchsten Gremium des revolutionären Frankreich den Titel *Bürger Frankreichs* eintragen, mit der Begründung, daß er die *Befreiung der Völker vorbereitet* habe.

Schiller ist bei der Uraufführung seines ersten Stückes zugegen.

Heimlich hat er das Land verlassen, ist über die Grenze gereist. Er ist Untertan des württembergischen Monarchen Carl Eugen, der seine Landeskinder als sein Eigentum betrachtet. Genau acht Jahre war Schiller Zögling seiner Militär-Akademie, der Carlsschule. Carl Eugen hat als eine Art Übervater persönlich seine Entwicklung überwacht, ihm nach dem Studium von Jura und Medizin eine Stelle als Regimentsmedikus zugewiesen.

Die Reise. Das Theater. Die Erregung. Erstmals sieht Schiller seine im Kopf entworfenen, auf das Papier gebannten Gestalten lebendig vor sich, sprechend und handelnd. Erlebt die Reaktionen der Zuschauer: *der stille, der große Augenblick in dem Schauspielhaus, wo die Herzen so vieler Hunderter ... nach der Phantasie des Dichters beben ... wo ich des Zuschauers Seele am Zügel führe und nach meinem Gefallen einen Ball gleich dem Himmel oder der Hölle zuwerfen kann.*

Schiller neben dem Mannheimer Intendanten Dalberg in der

Ehrenloge des Theaters. Der Applaus, die Begeisterung. Das Danach. Die Aufwendungen für das Stück seien bereits durch die Einnahmen der ersten Vorstellung gedeckt, hört er, beim Essen mit den Schauspielern, beim Feiern mit ihnen.

Und in den Kritiken zur Uraufführung kann er lesen: *Haben wir je einen teutschen Shakespear zu erwarten, so ist es dieser... Da tritt ein junger Mann auf, der mit dem ersten Schritte schon Caravanen von Theaterschriftstellern hinter sich schleudert ...*

Er reist zurück nach Stuttgart. Der Alltagstrott. Im Grenadierregiment Augé in der Legionskaserne dient er seit dem 15. Dezember 1780. Sein Vorgesetzter, General Johann von Augé, ist vierundachtzig. Das Regiment besteht aus 240 invaliden Soldaten. Sprichwörtlich heißt es in Württemberg, wer bei Augé ist, der taugt nicht viel. Der verhaßte Dienst als Regimentsmedikus.

Beruf und Berufung; *der Artzt, der Dichter* hat der achtzehnjährige Schiller in das Stammbuch seines Freundes Weckherlin geschrieben. Bereits als Vierzehnjähriger hat Schiller Gedichte verfaßt. Später die Betätigung als Redakteur und Kritiker. Nun der Erfolg als Dramatiker. Zweifellos fühlt er sich dem *dramatischen Genius* mehr verbunden als den Verpflichtungen eines Regimentsarztes.

Tag und Nacht wird ihn von nun an die Theaterwelt beschäftigen.

*... ich glaube wenn Teutschland einst einen Dramatischen Dichter in mir findet, so muß ich die Epoche von der ›vorigen‹ Woche zählen*, schreibt er, wenige Tage nach der Rückkehr am 17. Januar 1782, nach Mannheim an Herrn von Dalberg.

Sein Blick richtet sich über die Grenzen nach der Pfalz. Sein *Lieblingsgedanke* sei, läßt er Dalberg wissen, sich *dereinst zu Mannheim, dem Paradiß dieser Muse, zu etablieren ...*

Im Mai fährt er, wiederum heimlich – er weiß Carl Eugen auf Reisen –, nach Mannheim. Am 4. Juni heißt es an Dalberg, *daß* ihm *Stuttgardt und alle schwäbische Scenen unerträglich und ekelhaft werden. Unglücklicher kann bald niemand seyn, als ich.*

Schiller richtet fortan seine ganze Hoffnung auf den Mannheimer Intendanten. *Noch bin ich wenig oder nichts ... Darf ich mich Ihnen in die Arme werffen, vortreflicher Mann?*

Ersetzt er den einen Übervater durch einen anderen? Der Ton seiner Briefe an Dalberg legt es nahe. Emphatisch trägt er ihm an: *mein ganzes Schiksal in Ihre Hände zu liefern, und von Ihnen das Glük meines Lebens zu erwarten.*

In Bayern, Württemberg und Sachsen hätten sich *gefährlich schwärmende Jünglinge* zu Mordbrennerbanden zusammengeschlossen, um dem zweifelhaften Vorbild Karl Moors nachzueifern, ist in einem Bericht des Leipziger »Magazins der Philosophie und schönen Literatur« zu lesen.

Ist es Dalbergs Gespür für das Subversive der »Räuber«, das ihn veranlaßt, Vorsicht walten zu lassen, sowohl dem Stück als auch dem Autor gegenüber?

Sind es Schillers immer drängender werdende Briefe, dessen dezidierte Bitten, daß Dalberg sich persönlich bei Carl Eugen für ihn verwenden möge? ... *Sie würden – ja, ich weiss gewiß – Sie würden eine Hilfe nicht verzögern, die durch einen oder zwei Briefe an den Herzog geschehen kann.*

Dalberg schweigt.

Auch dem württembergischen Monarchen wird die antiabsolutistische Gesinnung seines jungen Regimentsarztes nicht verborgen geblieben sein.

Nach der Uraufführung der »Räuber« gibt es keine Reaktion von seiner Seite. Schillers dreitägige Abwesenheit vom Regiment bleibt unentdeckt. Erst seine zweite Reise vom 25. bis 29. Mai 1782 nach Mannheim wird – offenbar durch eine Indiskretion einer der beiden Frauen, die ihn begleiten – dem Herzog hinterbracht.

Hinzu kommt ein weiteres Ärgernis. Daß Schiller Graubünden in den »Räubern« das *Athen der heutigen Gauner* nennt, löst empörte Reaktionen in der Schweiz aus. Im April wird *der anonyme Comödienschreiber* in einem scharfen Artikel von dem Graubündener Arzt Amstein angegriffen und zu einer Stellungnahme aufgefordert. Offene Briefe folgen. Schiller reagiert nicht. Nun wird Carl Eugen dieser Protest hinterbracht, und zwar durch eine Denunziation des Garteninspektors Walter, eines Untergebenen von Schillers Vater.

Die Graubündener Affäre als Vorwand? Die unerlaubte Reise als Vorwand?

Der Herzog bestellt den *Comödienschreiber* zu sich; eine Unterredung findet statt, in deren Verlauf Carl Eugen Schiller jegliche künstlerische Betätigung untersagt. Er belegt ihn, bei *Strafe der Kassation*, mit Schreibverbot. Verbietet den Kontakt zum Ausland.

Daß die Drohgebärde der Inhaftierung keine leere Formel ist, beweist das Beispiel des Dichters und Komponisten Christian Friedrich Daniel Schubart, den Carl Eugen ohne Anklage und Prozeß zehn Jahre auf der Festung Hohenasperg gefangenhält. Schiller weiß es, er hat den von ihm verehrten Schubart, dessen Sohn einer seiner Mitschüler ist, in den düsteren Kasematten von Hohenasperg besucht.

Um seiner Warnung Nachdruck zu verleihen, ordnet Carl Eugen am Ende der Unterredung eine Strafe an. Vierzehn Tage Arrest lautet sein Befehl. Noch am selben Abend wird Schiller inhaftiert, vom 28. Juni bis 11. Juli 1782 sitzt er seine Strafe ab, nicht auf dem Hohenasperg, sondern in der Stuttgarter Hauptwache.

Am 15. Juli wendet er sich flehentlich an Dalberg. Teilt ihm den Tatbestand des *Arrests* mit. Kündigt ein neues Stück, »Die Verschwörung des Fiesko zu Genua«, an, berichtet von Plänen zur Dramatisierung der *Geschichte des Spaniers Dom Carlos*.

Am 1. September wendet er sich mit einem Gesuch an Carl Eugen: *Eine innere Überzeugung, daß mein Fürst, und unumschränkter Herr zugleich auch mein Vater sey, gibt mir gegenwärtig die Stärke ›Höchstdenenselben‹ einige unterthänigste Vorstellungen zu machen, welche die Milderung des mir gnädigst zugekommenen Befehls: nichts litterarisches mehr zu schreiben, oder ⟨mit⟩ Ausländern zu communicieren, zur Absicht haben.* Er schließt: *Nocheinmal wage ich es ›Höchstdieselbe‹ auf das Submisseste anzuflehen ...*

Der Herzog verweigert die Annahme des Schreibens. Verbietet, bei Androhung erneuter Strafe, weitere Bittgesuche. Die Sprache ist eindeutig: Kein Dialog.

Ebenso eindeutig ist Schillers Reaktion. Er sieht sich zum Verlassen seines Landes gezwungen. Plant die Flucht.

In der Nacht vom 22. zum 23. September 1782 flieht er mit seinem Freund Andreas Streicher aus Württemberg.

Auf Schloß Solitude findet zu dieser Zeit zu Ehren des russischen Großfürsten Paul, des späteren Zaren, und seiner Gemahlin, einer Nichte Carl Eugens, ein rauschendes Fest statt. Mit Feuerwerk und Böllerschüssen. Mit vielen geladenen Gästen. Unter ihnen ist – Schiller weiß es, er hat ihn kurz gesprochen – auch Reichsfreiherr von Dalberg, der Intendant des Mannheimer Theaters.

Gegen 21 Uhr verlassen die jungen Männer in einer Kutsche, beladen mit Büchern, Habseligkeiten und einem kleinen Klavier (Streicher will nach Hamburg, um bei Philipp Emanuel Bach zu studieren), Stuttgart. Am Tor geben sie falsche Namen an. Können passieren.

Gegen acht Uhr morgens sind sie an der Landesgrenze. Überqueren auch die ohne Probleme. Sind auf dem Boden der Kurpfalz. Am Abend Schwetzingen. Übernachtung. Am folgenden Morgen, am 24. September, erreichen sie ihr Fluchtziel Mannheim.

Schiller wird von Dalbergs Hausregisseur Wilhelm Christian Dietrich Meyer empfangen. Ob dieser ihm die Machtkonstellation vor Augen geführt hat? Ihm bewußt gemacht hat, daß dem Theater und seinem Leiter, Dalberg, keineswegs an diplomatischen Verwicklungen mit dem benachbarten württembergischen Hof gelegen sein kann, dadurch, daß ein Flüchtiger, ein Deserteur aufgenommen oder gar am Theater beschäftigt wird.

Er könne auf keinen Fall in Mannheim bleiben, wird ihm

Meyer bedeutet haben. Ihm geraten haben, unverzüglich nach Stuttgart zurückzukehren und sich mit seinem Landesherrn auszusöhnen.

Noch am Tag seiner Ankunft in Mannheim, am 24. September, schreibt Schiller zwei Gesuche nach Stuttgart.

Eines richtet er an Herrn von Seeger, den Intendanten der Carlsschule. Er sei *der unglüklichste Flüchtling, wenn mich Serenissimus nicht zurükkommen lassen*, schreibt er, betont aber zugleich, daß die Aufhebung des Schreibverbotes die Bedingung für seine Rückkehr sei.

Das zweite ist an den Monarchen gerichtet. Auch hier die Bitte um die *Erlaubniß Schriftsteller seyn zu dörfen* und sich *civil zu tragen ... Ich erwarte die gnädigste Antwort mit zitternder Hoffnung, ungedultig aus einem fremden Lande zu meinem Fürsten zu meinem Vaterlande zu eilen ...*

Als man in Stuttgart Schillers Flucht entdeckt, bemüht man sich zunächst um eine diplomatische Lösung. Von Seeger und Augé vermitteln, unterrichten den Herzog vom Stand der Dinge.

General Augé notiert in sein Tagebuch: *den 26. Sept. 1782 habe ich auf befehl Sr. Herzogl. Durchl. an den Regiments Medicus Schiller nacher Mannheim geschrieben, daß er sich hierher begeben möchte. Er werde von der Gnade Sr. Herzogl. Durchl. dadurch profitiren.* Ein zweiter Brief Augés folgt. Ein dritter. In diesem stellt er die Erörterung des Gesuchs um Schreibfreiheit für den Fall von Schillers Rückkehr in Aussicht. Am 17. Oktober versichert er nochmals, der Herzog werde keine Sanktionen verhängen, wenn er zurückkehre und seinen Dienstpflichten wieder nachkomme.

Schiller, mißtrauisch, mit berechtigter Angst vor Willkür, fordert eine schriftliche Zusicherung. Überspannt er den Bogen? Oder erwägt er die Rückkehr nie ernsthaft?

Am 27. Oktober untersagt Carl Eugen General Augé jede weitere Korrespondenz mit dem Flüchtigen. Am 31. Oktober läßt er ihn von den Regimentslisten streichen, neben seinem Namen steht: *ausge-*

*wichen.* Damit ist offiziell der Tatbestand der Fahnenflucht fixiert. Er hat den Status eines Deserteurs. Ist fortan persona non grata.

## IV

Jeden Augenblick kann er gefangengenommen werden. Alles ist möglich.

Ob Carl Eugen den Apparat seines Geheimdienstes in Gang setzt, Häscher ausschickt, um den Flüchtigen zu suchen, kann niemand sagen.

Schiller lebt in Angst. Unter fremdem Namen. Gibt falsche Adressen an. Macht über seine Aufenthaltsorte irreführende Angaben, um Nachforschungen zu erschweren.

Ein Flüchtling, Fremder, ein ins Exil Gezwungener.

Am 3. Oktober verläßt er, weil ihm der Boden zu heiß wird, Mannheim. Zu Fuß erreicht er mit Streicher Darmstadt, gelangt nach Frankfurt.

*Sobald ich Ihnen sage, ›ich bin auf der Flucht‹, sobald hab ich mein ganzes Schiksal geschildert*, schreibt er am 6. Oktober an Dalberg, fleht um Geld, *um gütigsten Vorschuss ... Schnelle Hilfe ist alles was ich izt noch denken und wünschen kann.*

Von einem Wechsel über 30 Gulden, den Streicher am 10. Oktober bekommt, halten sich die Freunde über Wasser. Sie gehen von Frankfurt aus zurück in südliche Richtung. In Oggersheim verbergen sie sich vom 13. Oktober bis 22. November. Mitte des Monats ist Schiller so mittellos, daß er seine Uhr versetzen muß. *Ich logiere hier im Viehof, unter dem Nahmen Schmidt*, läßt er Dalberg wissen.

Wartet auf dessen Antwort.

Ende November trifft sie ein. Über Meyer, seinen Regisseur, läßt Dalberg den Autor wissen: er lehnt die Aufführung der »Verschwörung des Fiesko zu Genua« ab. Zahlt keinen Vorschuß.

Schiller gerät dadurch in größte Bedrängnis.

In seiner Not verkauft er Ende November seinen »Fiesko« für 10 Louisdor an den Mannheimer Buchhändler Schwan.

Als in den Novembertagen ein Offizier in württembergischer Uniform sich im Oggersheimer Viehhof nach Schiller erkundigt, glaubt dieser sich entdeckt, versteckt sich zuerst, verläßt dann in Panik den Ort. (Später stellt sich heraus, es war sein Freund Leutnant Ludwig Wilhelm von Koseritz.) ... *bei dem neulichen schnellen Aufbruch von Oggersheim, haben wir beide vergeßen die Zeche im Viehhof zu bezahlen*, schreibt er an Streicher. Dieser hat ihn bis Worms begleitet. Dann trennten sich ihre Wege.

In einer Reise von sechs Tagen, bei Schnee und Kälte, teils zu Fuß, teils mit der Kutsche, erreicht Schiller am 7. Dezember 1782 das im südlichen Thüringen gelegene Dorf Bauerbach.

Eine Frau hat hier auf ihrem Landgut, auf ausländischem Territorium, dem Flüchtigen Schutz angeboten. Es ist Henriette von Wolzogen, eine der beiden Frauen, die ihn im Mai des Vorjahres nach Mannheim begleitet haben. Diese Frau riskiert viel. Sie hat vier Söhne, und alle werden in der Carlsschule erzogen. Ihre Bedingung ist, Schiller darf seinen Namen nicht preisgeben. Als *Chevalier Dr. Ritter* wird er in Bauerbach leben.

Sicherheit. Eine Unterkunft. Das Ende der Not?

Keineswegs.

Schiller ist nicht nur *leer an Börse* von Stuttgart *hinweg*, sondern hat Schulden hinterlassen.

100 Gulden muß er der Frau des Generals Holle zurückzahlen, 50 dem Hauptmann von Schade, 150 Gulden der Korporalsgattin Fricke; mit der Bürgschaft der letzteren hat er den Druck seiner »Räuber« finanziert.

300 Gulden, eine beträchtliche Summe für einen Zweiundzwanzigjährigen, der seit fast zwei Jahren in Lohn und Brot ist. Sein monatliches Salär beträgt 23 Gulden, das ist ein Jahresgehalt von 276 Gulden. (Andere Quellen sprechen von einem jährlichen Zufluß von 216 Gulden.)

Schillers Vater Johann Caspar bezieht als Intendant der Hofgärtnerei Carl Eugens ein jährliches Gehalt von 390 Gulden. Davon muß er die gesamte Familie ernähren. Er hatte, nach vielen ärmlichen, ruhelosen Berufsjahren als Soldat, mühselig, unter Entbehrungen, eine Barschaft von 330 Gulden und 24 Kreuzern zusammengespart, um heiraten zu können.

Und der Sohn häuft in kurzer Zeit diese Summe als Schulden an.

Ist es die Carlsschule, die dem Jungen keinerlei Umgang mit Barschaften abverlangt? Unterkunft, Verpflegung vom Landesfürsten bezahlt. Um die kleinen Dinge kümmert sich die Familie. Im letzten Halbjahr in der Militäranstalt – Schiller ist immerhin schon zwanzig – schreibt er seiner Schwester Christophine: *Die Wasche besorge bald. Auch die Schuhe. Bitte den lieben Papa daß er mir ein Buch Papier schike und einige Kiele. Mahne die liebe Mama an Strümpfe, und bitte Sie sie möchte mir ein Hemd ohne Manschetten zum Nachthemd zurecht machen.*

Dann das erste Gehalt als Militärarzt. Offenbar Sorglosigkeit im Umgang damit. Wirtshaus. Kartenspiel. Meist ist das Geld schon in der Monatsmitte aufgebraucht. Während seines vierzehntägigen Arrests in der Stuttgarter Hauptwache verliert er zum Beispiel – wie überliefert ist – beim Spiel 15 Gulden, das sind zwei Drittel seines Monatssalärs.

Ob er allerdings in jenem *Triumphzug der Sinnlichkeit* gelebt, jenes *wüste Leben* mit *Soldatenweibern* und *alkoholischen Ausschweifungen* geführt hat, von dem in zumeist späteren, nach Schillers Tod verfaßten Berichten seiner einstigen Kommilitonen die Rede ist, scheint mir sehr fragwürdig.

Wird vom wilden Gestus seines Frühwerkes auf die Person des Autors geschlossen? (Man denke etwa an Spiegelbergs Bericht in den »Räubern« über die Vergewaltigungen im Nonnenkloster.) Schiller ist längst berühmt. Und die Verführung, die Biographie anekdotisch zu illustrieren, ist groß. Dem Berühmten verzeiht man die Jugendsünden und kolportiert sie genüßlich.

Als dann das Piedestal immer höher wird, Schiller zum Heros der Nation aufsteigt, werden diese Berichte unterdrückt, was

Gegenreaktionen geradezu herausfordert. Alfred Kerrs ironischer Zweizeiler, den er Schiller 1909 zu seinem 150. Geburtstag widmet, kann dafür stehen: *Nichts an dir war scheel und niedrig,/ Teurer Schiller, edler Friedrich.*

Tatsache ist: die Schulden, die er hat, als er im September 1782 aus Stuttgart flieht, sind der Anfang einer Kette von fatalen finanziellen Abhängigkeiten, die ihn in ausweglose Situationen drängen und ihn über ein Jahrzehnt hinweg belasten.

Doch Schiller hält Mittellosigkeit und Schulden für keine Schande. *Es könnte mich schaamroth machen, daß ich Ihnen solche Geständniße thun muss, aber, ich weiss, es erniedrigt mich nicht*, heißt es an Dalberg.

Selbstbewußt bringt er seine finanzielle Situation in Zusammenhang mit dem Wagnis, seinen *Dichterberuf* (er ist einer der ersten, die diesen Terminus verwenden) zum Brotberuf machen zu wollen. Seine *erste Pflicht* sei es, als Theaterautor Fuß zu fassen, *sein Glük zu etablieren*, das heißt, vom Schreiben zu leben.

Dabei hofft er auf die Hilfe anderer. Auch auf die seiner Familie. Ihr gegenüber beschönigt er seine Lage. Am 18. Oktober schreibt er an Christophine: *Ich habe schon einen artigen Strich durch die Welt gemacht, Du soltest mich kaum noch kennen Schwesterchen. Meine Umstände sind gut. Frei bin ich und gesund wie der Fisch im Waßer, und welchem freien Menschen ist nicht wohl. Auch geht mir nichts ab; meine Schulden bezahl ich sobald sie verfallen* ... Ein Brief, um die Familie zu beruhigen.

Am 6. November nochmals an Christophine: *Für meine Schulden können meine Eltern stehen, denn ich hätte bereits schon die Hälfte davon abgetragen, wenn es nicht meine ›erste Pflicht wäre‹, zuerst mein Glük zu etablieren. Meinen Schuldnern verschlägt es nichts, ob sie 3 Monat früher oder später bezahlt werden, da die Zinse fortlaufen, mich aber kann das Geld, das ich ihnen izt schiken würde, an den Ort meines Glüks bringen. Das ist eine Billigkeit, die jedermann erkennen mus, und wofür wäre ich denn ›solang‹ ein rechtschaffener Mann gewesen, wenn mir dieses Prädikat nicht einmal auf ein Viertel- oder Halbjahr Credit machte? Sage dieses den Leuten ...*

Aus einem *Viertel- oder Halbjahr* wird ein Jahr, ein zweites Jahr... Er zahlt nicht.

Das hängt zum einen mit der Härte seines Existenzkampfes zusammen: immer wieder rechnet er mit Einnahmen, die nicht fließen; Tantiemen für Theateraufführungen sind noch unbekannt, Raubdrucke an der Tagesordnung. Zum anderen ist Schiller unbekümmert in finanziellen Dingen, sein Umgang mit Geld ist lax.

Einen *leichtsinnigen Verschwender* wird ihn seine Gönnerin Henriette von Wolzogen nennen.

In den sieben Monaten seines Bauerbach-Aufenthaltes macht er neue Schulden. Vom Schulmeister borgt er Geld, im Gasthof läßt er anschreiben. Beim Wirt Johann Georg Debertshäußer und dessen Sohn sind Rechnungen über 23 Gulden offen, unter anderem für einen Eimer Bier (ein Eimer entsprach etwa 60 Litern). Der Gastwirt fordert Pferdemiete, beziehungsweise er macht Schiller für den Tod eines Pferdes verantwortlich, er habe es zuschanden geritten, müsse zahlen.

Beim Bauerbacher Geldverleiher Israel nimmt Schiller einen Kredit in unbekannter Höhe zu 5 % Zinsen auf, wohl einige hundert Gulden. Auch für den bürgt Henriette von Wolzogen.

Strapaziert er ihre Großzügigkeit nicht zu sehr? Sie ist die Besitzerin eines Gutes, aber das Anwesen ist verschuldet. Henriette von Wolzogen gehört zum sogenannten armen Adel, sie verfügt nur über geringe Einnahmen, die ihr ein eher bescheidenes Leben erlauben. Sie hat fünf Kinder allein großzuziehen, bereits mit dreißig ist sie Witwe geworden.

Sie bietet Schiller in Bauerbach freie Unterkunft, eine warme Stube. *Ich habe alle Bequemlichkeit, Kost, Bedienung, Wasche, Feurung, und alle diese Sachen werden von den Leuten des Dorfs auf das vollkommenste und willigste besorgt*, berichtet er.

Er kommt zur Ruhe. Kann sich völlig auf seine schriftstellerische Arbeit konzentrieren.

Eine Zeit intensivsten Schaffens. *Meine L⟨ouise⟩ M⟨illerin⟩ jagt mich schon um 5 Uhr aus dem Bette. Da siz ich, spize Federn, und käue Gedanken*, berichtet er dem im nahen Meiningen lebenden Wilhelm Friedrich Hermann Reinwald, Hofbibliothekar an der dortigen fürstlichen Bibliothek.

Reinwald ist es – Frau von Wolzogen hat die Bekanntschaft vermittelt –, der Schiller Bücher beschafft. Er braucht viele. Arbeit an der »Luise Millerin«. Andere Pläne. Beschäftigung mit verschiedenen Stoffen. Erste Entwürfe zum »Don Carlos«.

Oft sind es Listen von zwanzig und mehr Buchtiteln. Schiller übergibt sie Judith, der Gutsmagd. Sie ist seine Botengängerin, transportiert die Bücher von Meiningen nach Bauerbach und zurück.

Der Hofbibliothekar verschafft Schiller auch das Schreibpapier. Um *ein Buch recht gutes Schreibpapier, meine ›Louise Millerin‹ darauf abzuschreiben*, bittet er am 14. Februar 1783. *Das holländische stumpft mir die Federn so ab.*

Auch für den bei der poetischen Arbeit unentbehrlichen Schnupftabak sorgt Reinwald. ... *schiken Sie mir wiederum ein 1/2 Pfund von dem guten Schnupftobak, den ›Sie‹ mir schon etliche mal ausgemacht haben*, schreibt Schiller am selben Tag. Bereits am 23. Dezember, dann am 29. Januar hatte er darum gebeten. Am 8. Mai 1783 verlangt Schiller von Henriette von Wolzogen 2 *oder* 4 *Pfund Maroccoschnupftobak*. Wie beim Papier bevorzugt er auch beim Tabak die besten Sorten. Sein Lebensstil entspricht kaum seinen finanziellen Möglichkeiten.

Der fünfundvierzigjährige Reinwald wird Schillers Vertrauter. Die beiden treffen sich auf halbem Wege in Untermaßfeld. Reinwald kommt aber auch nach Bauerbach.

Wenn Schiller Gäste hat, kocht die Gutsköchin für sie, es wird geschlachtet. *Morgen bekomme ich Visite von Rheinwald, Herrn Hofprediger und seiner Frau, wo eine Zinshenne bluten wird*, heißt es einmal.

Frau von Wolzogen selbst ist während Schillers Bauerbacher Zeit nur zweimal auf ihrem Gut. Im Januar 1783 und einige Tage im Mai. Zusammen mit ihrer Tochter Charlotte.

In sie, die Sechzehnjährige, verliebt Schiller sich Hals über Kopf.

Er hält sogar um ihre Hand an. ... *könnte ich ›Sie‹ beim Wort nehmen, und Ihr Sohn werden*, schreibt er der Mutter. *Reich würde freilich Ihre Lotte nie – aber gewiß glüklich.*

Er spielt mit dem Gedanken, das Schreiben aufzugeben und mit Charlotte in der ländlichen Idylle zu leben. *Wie klein ist doch die höchste Gröse eines Dichters gegen den Gedanken ›glüklich‹ zu leben.*

Er will seinen *Dichterischen Lorbeer* in den Rinderschmorbraten, *in die nächste Boeuf a la Mode* geben, seine *tragische Muse* zur *Stallmagd* machen.

Charlotte wird auf Kosten der Herzogin von Sachsen-Gotha erzogen. Als Schiller erfährt, daß die Herzogin ihre finanzielle Zuwendung aufkündigt, will er für den Unterhalt des Mädchens sorgen. *Es bleibt dabei, ich schreibe eine Tragödie mehr, sobald die H⟨erzogin⟩ ihre Pension zurüknimmt, und die Lotte soll die prænumerazion* (Vorauszahlung) *davon haben.*

Überschwang, Selbstüberschätzung? Als ein *Jüngling*, der *ungestüm glüht*, der alle *Fehler der übereilten Hitze* macht, sieht er sich selbst.

Henriette von Wolzogen dämpft seine Erwartungen. Zwei andere Bewerber sind bei Mutter und Tochter im Gespräch. Schiller wird eifersüchtig. Frau von Wolzogen muß ihm die Abreise nahegelegt haben. Als einer der Bewerber sein Erscheinen ankündigt, verläßt Schiller gekränkt und trotzig Bauerbach.

Die Verletzung seiner männlichen Eitelkeit auch ein Vorwand?

Wirklich ausschlaggebend für den Weggang ist wohl anderes. Als Dalberg sichergehen kann, wegen Schillers Desertion nichts mehr befürchten zu müssen, er erfährt, ein Drama ist fertig, nimmt er den Kontakt wieder auf. Im März 1783 bekundet er sein Interesse an Schillers neuem Stück.

Mannheim, das *Paradiß* der *Muse*, lockt erneut.

Rückblickend auf den Bauerbacher Aufenthalt wird Schiller sagen, es sei *ein Gebüsch* gewesen, *wo* er *auf* seiner *Wanderung hangen blieb, um desto stärker wieder mitten in den Strom gerissen zu werden.*

# V

Am Morgen des 24. Juli 1783 verläßt Schiller – die fertige »Luise Millerin« im Gepäck – Bauerbach. Eine Reise von nur vier Tagen. Er benutzt die teure Extrapost. Am Abend des 27. Juli ist er vor den Toren Mannheims.

Zwanzig Monate in der Stadt liegen vor ihm.

Erinnerung an das Vorjahr, als er – vier Tage nach seiner Flucht, am 27. September – den Schauspielern in Abwesenheit von Dalberg seinen »Fiesko« vorlas, keiner der Zuhörer eine Regung zeigte, einer nach dem anderen den Raum verließ. Am Ende blieb Iffland als einziger zurück, der das Gehörte ebenfalls tadelte. Waren es sein schwäbischer Akzent, seine Gestik, seine Überbetonung, die Unsicherheit dem eigenen Text gegenüber, die den Eklat provozierten?

Jetzt, am 13. August, liest er im Beisein des Intendanten sein neues Stück vor. Zustimmung. Lob. Iffland schlägt als werbewirksameren Titel »Kabale und Liebe« vor. Dalberg stellt die Aufführung in Aussicht. Beauftragt Schiller, von dem abgelehnten »Fiesko« eine Bühnenfassung zu machen.

Er nimmt »Die Räuber« wieder in den Spielplan. Bietet Schiller eine Stelle als Theaterautor mit Vertrag und festem Gehalt an. Am 1. September 1783 tritt der in Kraft. Er ist auf zwölf Monate begrenzt; innerhalb dieser Zeit hat Schiller drei Stücke für den Spielplan zu liefern.

Unmittelbar nach seiner Anstellung als Bühnenautor erkrankt er schwer. Der heiße und trockene Sommer 1783 hat das mit Morast durchsetzte Wasser in den Festungsgräben Mannheims faulen lassen, ein veraltetes Kanalisationssystem führt zur Vergiftung des Trinkwassers. Ein epidemisches Fieber bricht aus, innerhalb weniger Wochen werden 6000 Menschen, fast die Hälfte der Bewohner Mannheims, davon erfaßt. Der mit Schiller befreundete Regisseur und Schauspieler Wilhelm Christian Dietrich Meyer stirbt, vierunddreißigjährig, am 2. September 1783 an der zunächst harmlos erscheinenden Infektion. Es gibt weitere Opfer der Epidemie.

Schiller unterwirft sich einer rigorosen Fastenkur. Wassersuppen, Brechmittel, Hungern. Um das Fieber zu senken, nimmt er Chinarinde, die den Magen angreift. Noch im November 1783 heißt es nach Bauerbach: *Wassersuppen heute, Wassersuppe morgen, und dieses geht so mittags und abends. Allenfalls gelbe Rüben oder saure Kartoffeln. Fieberrinde eß ich wie Brot, und ich habe mir sie expreß von Frankfurt verschrieben.*

Trotz des hohen Fiebers arbeitet er unermüdlich. Er steht unter enormem Zeitdruck: Bühnenfassungen von »Kabale und Liebe«, die Revision des »Fiesko«.

Noch bis in den Januar 1784 hinein laboriert er an den Folgen der Erkrankung. Sein Körper muß durch die Gewaltkur äußerst geschwächt gewesen sein.

Am 8. Januar 1784 wählt die »Kurpfälzische Deutsche Gesellschaft« in Mannheim Schiller zu ihrem Mitglied. Da dies vom Hof in München bestätigt werden muß, wird damit sein Status als persona non grata in gewisser Weise aufgehoben. *Kur Pfalz ist mein Vaterland*, frohlockt er, *denn durch meine Aufnahme in die gelehrte Gesellschaft, deren Protector der Curfürst ist, bin ich nazionalisiert, und kurfürstlich Pfalz bairischer Unterthan.*

Am 11. Januar wird in Mannheim Schillers »Die Verschwörung des Fiesko zu Genua« gespielt. Mit einem nach Dalbergs Wünschen versöhnlichen Schluß. Das Stück fällt beim Publikum durch. Nach zwei Aufführungen wird es abgesetzt. Schiller kommentiert: *Den Fiesko verstand das Publikum nicht. Republika-*

*nische Freiheit ist hier zu Lande ein Schall ohne Bedeutung, ein leerer Name – in den Adern der Pfälzer fließt kein römisches Blut.*

Er fügt hinzu: *Aber zu Berlin wurde er vierzehn mal innerhalb 3 Wochen gefodert und gespielt. Auch zu Frankfurt fand man Geschmack daran.*

In Frankfurt am Main findet unter Leitung von Friedrich Wilhelm Großmann am 13. April 1784 die Uraufführung von »Kabale und Liebe« statt. Zwei Tage später folgt die Erstaufführung in Mannheim. Das Stück findet Anklang. Bereits nach dem zweiten Akt muß Schiller sich in seiner Loge dem jubelnden Publikum zeigen.

Wendet sich alles zum Guten?

Die *Unbestimmtheit* seiner *Aussichten* sei beendet; er habe eine feste Anstellung als Theaterautor mit einer *fixen Pension von 300 fl.*, hatte er Henriette von Wolzogen Anfang September 1783 berichtet, zehn Tage nachdem er sein Amt angetreten hatte. *Mein Clima ist das Theater, in dem ich lebe und webe, und meine Leidenschaft ist glüklicherweise auch mein Amt.*

Der *nagende Gedanke* seiner *Schulden*, der ihn *unaufhörlich* verfolge, würde nun aufhören, ihn zu quälen; er werde sich aus *dem Wirrwar* seiner *Schulden reissen.* Neben seinem *Jahreshonorar* rechne er mit Bühneneinnahmen. Er *bekomme* von *›jedem‹ Stük, daß* er *auf die Bühne bringe die ganze Einnahme einer Vorstellung.* Er hofft auch auf den Verkauf seiner Stücke an auswärtige Theater. *Nach diesem Anschlag habe ich bis zu Ende August 1784 die unfehlbare Aussicht auf 12- biß 1400 Gulden, wovon ich doch 4 biß 500 auf Tilgung meiner Schulden verwenden kann.*

Er verrechnet sich völlig. Die Einkünfte fließen nicht in der erwarteten Höhe, sie bleiben weitgehend aus. Und von den 300 Gulden Jahresgehalt am Theater bekommt er 200 als Vorschuß und gibt sie auf einen Schlag für standesgemäße Garderobe aus.

*Aber sie glauben nicht*, gesteht er Reinwald am 5. Mai 1784, *wie wenig Geld 600-800 fl. in Mannheim, und vorzüglich in theatralischem Zirkel, ist ... welche Summen nur auf Kleidung, Wohnung, und gewiße Ehrenausgaben gehen, welche ich in ›meiner‹ Lage nicht ganz vermeiden kann. ... ohne Führung* müsse er sich durch seine *Oekonomie hindurch kämpfen, zum Unglük mit allem versehen, was zu unnötigen Verschwendungen reizen kann.*

Henriette von Wolzogen gegenüber hatte er seine Sparsamkeit betont, ihr am 13. November 1783 detailliert Einblick in seine Lebensführung gegeben: *In einem Wek wird mein Frühstück bestehen, um 12 h. habe ich aus einem hiesigen Wirthshauß ein Mittageßen zu 4 Schüßeln, wovon ich noch auf den Abend aufheben kann. Notabene ich habe mir einen zinnernen Einsaz gekauft. Abends eße ich allenfalls Kartoffeln in Salz oder ein Ey oder so etwas zu einer Bouteille Bier. Dem ohnerachtet sind meine Ausgaben sehr gros. Wenn ich auch Monats nicht über 11 Gulden fürs Maul aufgehen laße, so kostet mich mein neues Logis 5 Gulden, das Holz 2 fl. 30. und darüber, Lichter 1 Gulden, Friseur einen Thaler, Bedienung von einem Tambour einen Thaler, Wasche einen Thaler, Bader 30 g. Postgeld 1-2 Gulden, Tabak, Papier und tausend Kleinigkeiten ungerechnet.*

Bereits im September 1783, dann Anfang Februar 1784 mahnt Frau von Wolzogen ihn an seine Schulden.

Am 11. Februar 1784 antwortet er dann, daß es ihm *ganz unmöglich* sei, *jezt zu bezalen.* Als Grund gibt er an, der Rhein sei über die Ufer getreten, es habe Überschwemmungen in der Stadt gegeben, das Theater habe für einige Tage schließen müssen; *das unglükliche Schiksal mit dem Waßer hat auch mittelbar auf mich den schlimmsten Einfluß gehabt ...*

*Wenn es möglich ist, daß Israël biß Ostern wartet so ist alles gut – wo nicht, so mus ich Geld auf Judenzins aufnehmen, um Sie nicht steken zu laßen ... Proponieren Sie es Israel, ich gebe mein Ehrenwort auf Ostern 8 Carolin zu schiken ...*

Er fährt fort: *Auf Ostern hoffe ich auch den Wirth und den Schulmeister bezalen zu können – wenigstens doch zu Ende Aprils. ... gestern mußte ich 50 fl. nach Stuttgardt schiken, weil das unaufschieblich gewesen.*

Trotz seines Ehrenwortes zahlt er nicht.

*Der verdrüßliche Vorfall mit des Grünenbaumswirths Schimmel*, schreibt er in seiner Antwort vom September 1783, *kommt mir recht ungeschikt, und eigentlich bin ich nichts zu zalen gebunden, weil der Gaul hätte geöfnet werden sollen. Doch können Sie, um sich aus dem Handel zu ziehen, dem Kerl etwas versichern, das ich bezalen will, aber so wenig als möglich.*

Noch immer steht ein Teil der Stuttgarter Schulden aus. So die 150 Gulden, mit denen er den Druck seiner »Räuber« finanziert hat. Inzwischen beläuft sich die Summe durch Zinsen auf 200 Gulden.

Im Sommer 1784 gerät Schiller dadurch in eine äußerst unangenehme Situation.

Die Korporalsgattin Fricke, die die Bürgschaft übernommen hatte, wird von den Stuttgarter Gläubigern bedrängt und flieht nach Mannheim. Dort wird sie von der Polizei in Haft genommen. Die Sache erregt öffentliches Aufsehen, Gerüchte verbreiten sich, Schiller habe mit der Frau des Korporals Wechsel gefälscht, betrügerische Bürgschaften ausgestellt. Es droht ein Prozeß.

Weder der Intendant des Theaters noch einer der Schauspieler hilft ihm, es ist Schillers Wohnungsvermieter, der Maurermeister Anton Hölzel, der seine Ersparnisse uneigennützig für den Fremden als Sicherheit anbietet und damit den drohenden Prozeß von ihm abwendet. Schillers Vater befriedigt dann wohl zum Teil die Forderungen der Stuttgarter Gläubiger. Aber er ist verärgert, glaubt den *Aussichten, Hofnungen, Plane, Versprechungen* des Sohnes nicht mehr, zu oft sei er getäuscht worden, schreibt er unwillig.

Auch Frau von Wolzogen verliert die Geduld. Am 8. Oktober 1784 versucht Schiller sie zu beruhigen. *Entziehen Sie mir... Ihre Liebe nicht*, fleht er.

*Jezt gleich kann ich Ihnen unmöglich etwas von meiner Schuld bezahlen. Es ist schreklich, daß ich das sagen muß, aber schämen darf ich mich nicht, denn es ist Schiksal ... Ich komme in Ordnung, und werde in den Stand gesezt seyn, auf den letzten Heller zu bezahlen. ... Meine Lebensart ist rangiert, und ich darf sagen, daß ich kein leichtsinniger Verschwender mehr bin!*

Mit *Schiksal* sind zu diesem Zeitpunkt Krankheiten gemeint, *Ewig nagender Gram, Ungewißheit* seiner *Aussichten*, später dann der *Dichterberuf*; von dem er sagen wird, er habe ihn gewählt, ohne die Gefahren zu kennen.

Man muß sich vorstellen: Das Manuskript des »Fiesko« verkauft Schiller, nachdem Dalberg die Aufführung ablehnt, in größter Geldnot für 10 Louisdor (das sind 50 Reichstaler) an den Verleger Schwan. Mit der Übergabe des Manuskriptes veräußert er alle Rechte uneingeschränkt an den Verleger.

Er beraubt sich damit jeglicher Chance, weitere Einnahmen von Theatern zu beziehen. Denn die einzige Möglichkeit, von Aufführungen der eigenen Werke zu profitieren, besteht darin, das Manuskript vor der Drucklegung an Bühnen zu verkaufen. Ist das Werk im Druck erschienen, kann jedes Theater es frei spielen. Die Honorierung über Tantiemen ist Ende des 18. Jahrhunderts noch unbekannt.

Schillers »Fiesko« findet – abgesehen von dem Mißerfolg in Mannheim – auf den deutschen Bühnen große Resonanz. Als erster spielt Großmann das Stück am 20. Juli 1783 in Bonn. Am 8. Oktober desselben Jahres kommt es in Frankfurt heraus. Am 25. Januar 1784 hat es in Wien Premiere, am 8. März in einer vielbeachteten Aufführung in Berlin. In Bayreuth und Dresden, Hannover und Innsbruck, Osnabrück und München wird es gespielt. (Vielerorts in der Fassung eines Herrn Plümicke, die Schiller als *Verhunzung* bezeichnet.) Nahezu fünfzig Bühnen nehmen den »Fiesko« Ende der achtziger Jahre in den Spielplan; eine Resonanz, die zu der Zeit kaum ein zweites Drama deutscher Sprache erzielen kann.

Schiller hat von diesem Theatererfolg finanziell keinerlei Vorteile, nicht einen Groschen erhält er.

Auch als Schwan im Sommer 1784 eine zweite Auflage des »Fiesko« druckt, bekommt er weder Honorar noch Belege, selbst die für seine Arbeit benötigten Exemplare muß er käuflich erwerben.

Ist unter diesen Umständen Schillers Haltung zu Schulden und Geldnot – *aber schämen darf ich mich nicht ... es ist Schiksal* – nicht allzu verständlich?

Er beruft sich auf seine Leistung, ist sich seines künstlerischen Wertes bewußt, pocht *auf eine innere Kraft.*

*So lang mich unter den mannichfaltigen Bizarrien des Schiksals das Gefühl meiner selbst nicht verlassen wird, hoffe ich alles*, schreibt er der Schwester.

Und stolz: *Laut genannt zu werden, haben manche mit Aufopferung ihres Lebens und ihres Gewißens gesucht, mich hat es nichts als drei Jünglingsjahre gekostet.*

Erfolg. Öffentlichkeit. Berühmtheit.

In eklatantem Widerspruch dazu seine persönliche Misere.

Selbstüberschätzung und Selbstzweifel werden in ihm gewechselt haben, ein Zustand zwischen Hitze und Kälte, Höhenflug und Depression.

Er ist der berühmte Autor der »Räuber«. Wird vorgestellt. Wird aufgesucht. Sein Verleger Schwan reist mit ihm nach Speyer, zu Sophie La Roche. Fremde kommen von weit her nach Mannheim, um ihm ihre Aufwartung zu machen.

Unter diesen Fremden ist auch seine spätere Ehefrau Charlotte von Lengefeld. Mit Mutter und Schwester macht sie auf dem Rückweg von einer Bildungsreise in die Schweiz in Mannheim Station. Eigens um eine Audienz bei dem Dramatiker zu erbitten.

*... mein Zimmer war selten von Besuchern leer*, berichtet Schiller.

Mit dem *laut genannt werden* umzugehen, muß er erst lernen. Und er lernt. Ironisch heißt es dann im April 1785: *Vielen wollte es gar nicht zu Kopfe, daß ein Mensch, der die Räuber gemacht hat, wie andre Muttersöhne aussehen soll. Wenigstens rund geschnittene Haare, Kourierstiefel und eine Hetzpeitsche hat man erwartet.*

*Es ist so eine eigne fatale Sache mit einem schriftstellerischen Nahmen ... Die wenigen Menschen von Werth und Bedeutung, die sich einem auf diese Veranlaßung darbieten, und deren Ach-*

*tung einem Freude gewährt, werden nur allzu sehr durch den fatalen Schwarm derjenigen aufgewogen, die wie Geschmeißfliegen um Schriftsteller herumsumsen, einen wie ein Wunderthier angaffen und sich obendrein gar, einiger vollgeklekster Bogen wegen, zu Kollegen aufwerfen.*

Mit »Kabale und Liebe« versucht er sich im »bürgerlichen Trauerspiel«, im modischen Erfolgsgenre des Familienrührstücks. Will er dem Geschmack des Publikums entgegenkommen? Denkt er auch an die Möglichkeiten, die die Bühnen haben?

*Wenn der liebe feurige Mann*, äußert sich der Prinzipal Großmann Schillers Verleger gegenüber, *nur mehr Rücksicht auf Theater-Konvenienz nehmen, und besonders vom Maschinisten, bey dem gewöhnlichen Gang unserer Dekorationen nicht schier unmögliche Dinge verlangen wollte.*

Schiller entgegnet Großmann mit Blick auf »Kabale und Liebe«: *Ich darf hoffen, daß es der teutschen Bühne keine unwillkommene Aquisition seyn werde, weil es durch die Einfachheit der Vorstellung, den wenigen Aufwand von Maschinerien und Statisten, und durch die leichte Faßlichkeit des Plans, für die Direction bequemer, und für das Publikum genießbarer ist als die Räuber und Fiesko.*

Zeitgleich mit »Kabale und Liebe« hat in Mannheim ein Stück, verfaßt von Iffland, Premiere, ebenfalls ein bürgerliches Trauerspiel, ein wirkliches Familienrührstück. Es gefällt dem Publikum besser, hat den weitaus größeren Erfolg; auch die größere Resonanz unter den Kritikern. Das wiederholt sich, als Schiller Ende April mit den Mannheimer Theaterleuten zu einem Gastspiel in Frankfurt weilt, wo beide Stücke auf dem Spielplan stehen.

In einem Brief vom 19. Mai beklagt Reinwald, daß in der Presse *aus Ifflands Stücke ›Das Familiengemälde‹ mer Rühmens gemacht wurde als aus Ihrem herrlichen letzten Trauerspiel.*

Ich lese »Kabale und Liebe«. Nichts von Versöhnung eines Familienrührstückes, wie es Iffland bietet, kein Abgleiten ins Rührselige und Sentimentale. Ich lese auch ein anderes Stück als mir die Schule aufgedrängt hat. Eine Welt des Schreckens breitet sich vor mir aus, die Menschen erleben und erleiden Schreckliches.

Am stärksten berührt mich der Dramenschluß: dunkel, pessimistisch ...

Die Frage nach der Schuld bleibt offen; indem Schiller sie von einem zum anderen schiebt, radikalisiert er sie noch. Ein ungeheuerlicher Schluß.

Schiller, ein Bruder von Lenz und Büchner? Einer, der wie sie, seiner Zeit voraus ist und nicht verstanden wird? Er erlebt: der Weg, den Wünschen von Publikum, Bühne und Kritikern nachzugeben, ist nicht der seine; er führt ihn von seinem künstlerischen Wollen weg. Erfolg ist eine verräterische Kategorie; mit Versuchungen verbunden, die dem Anspruch auf Qualität entgegenwirken.

Am 20. Juli 1784 erscheint in der »Königlichen privilegirten Berlinischen Staats- und gelehrten Zeitung« eine Kritik, in der »Kabale und Liebe« *ein Product* genannt wird, *was unsern Zeiten – Schande macht! Mit welcher Stirn kann ein Mensch doch solchen Unsinn schreiben und drucken* lassen ... Der Verfasser, kein Geringerer als der Dichter und Kritiker Karl Philipp Moritz, Goethes Freund, bezeichnet das Stück als *167 Seiten voll eckelhafter Wiederhohlungen gotteslästerlicher Ausdrücke*.

Noch fünfzig Jahre später empört Karl Friedrich Zelter sich über diese Kritik: *Ich hätte den Rezensenten totschlagen können*, schreibt er 1830 an Goethe und erinnert sich der *elektrischen Macht*, die »Kabale und Liebe« *auf* ihn und *sämtliche Sprudeljugend ... ausgeübt* habe.

Es ist der aufbegehrende Gestus, der die Begeisterung auslöst und Schiller zugleich verdächtig macht.

Er holt den »Sturm und Drang« zurück. *Ich hasse Schillern, daß er wieder eine Bahn eröffnet, die der Wind schon verweht hatte*, so Friedrich Ludwig Schröder, Theaterdirektor und Schauspieler in Hamburg, am 22. Mai 1784 an seinen Mannheimer Kollegen Dalberg. Und drängend, ein Jahr später, am 20. Juni 1785: *Denn – erlauben ... Ew. Ex. folgenden Vorwurf: Sie haben das jetzt lebende größte dramatische Talent, Schillern bey sich und zwängen ihn nicht von dem Wege ab, auf dem er bist izt wandelt.*

Alle frühen Stücke Schillers bis hin zum »Don Carlos« haben mit Verschwörung gegen die Ordnung beziehungsweise deren Repräsentanten, mit Aufstand und Rebellion zu tun.

Auch »Kabale und Liebe« ist eine vehemente Anklage gegen eine verlogene und mörderische Welt. In der Kammerdienerszene (die Schiller wohl nie auf der Bühne sieht, meist wird sie weggelassen oder allenfalls mit Strichen gespielt) nimmt er mit der Anspielung auf den Verkauf der Landeskinder den Gestus Christian Friedrich Daniel Schubarts auf.

Schillers Vater schreibt seinem Sohn im Juli 1784 – die Buchausgabe von »Kabale und Liebe« ist erschienen –: *Daß ich ein Exemplar von dem neuen Trauerspiel besitze, habe ich noch Niemanden gesagt, denn ich darf es gewisser Stellen wegen nicht merken lassen, dass es mir gefallen.*

Jahre später, am 28. Dezember 1792, wird »Kabale und Liebe« in Schillers Heimat, in Stuttgart, gegeben. Nach der ersten Vorstellung erteilt Herzog Carl Eugen dem Theaterintendanten einen Verweis und verbietet jede weitere Aufführung.

Nicht nur in Schwaben gilt ein Verbot; öffentlich ruft man zu Beginn der neunziger Jahre dazu auf, Schillers frühe Dramen nicht zu spielen. So wird im August 1792 in dem in Weimar erscheinenden »Journal des Luxus und der Moden« vor den schädlichen Folgen von »Kabale und Liebe« für die Gemüter junger Menschen gewarnt.

Zurück in das Mannheim von 1784. Die Kunst und das Leben. Die Kunst ist es nicht allein, die Schiller umtreibt. Er ist jung, feiert gern, genießt, was ihm Freunde und Publikum angedeihen lassen.

Als er sich mit den Schauspielern Iffland und Beil zu jenem Gastspiel in Frankfurt am Main aufhält, berichtet er von Tagen, in denen er *von Freßerei zu Freßerei herumgerißen* wurde und kaum *einen nüchternen Augenblick* hatte.

Er verliebt sich in Sophie Albrecht, die Darstellerin seiner Luise.

Auch in Mannheim ziehen ihn die Schauspielerinnen an; die siebzehnjährige Karoline Ziegler und die nur wenig ältere Katharina Baumann. *Diese und einige andre machen mir zuweilen eine angenehme Stunde*, schreibt er Frau von Wolzogen, *denn ich bekenne gern, daß mir das schöne Geschlecht von Seiten des Umgangs gar nicht zuwider ist.*

Der Tochter des Buchhändlers und Verlegers Schwan, der achtzehnjährigen Margaretha, macht er ebenfalls den Hof. Seit Frühsommer 1784 verkehrt er in Schwans Haus, liest Margaretha und ihrer jüngeren Schwester oft vor. Auch um Margarethas Hand hält er an. Am 24. April 1785 wird er *Schwan vom kühnen Wunsch ihr Sohn sein zu dörfen* schreiben. Schwan wird später an den Rand von Schillers Brief notieren: *Ich gab derselben* (seiner Tochter Margaretha) *diesen Brief zu lesen und sagte Schillern er möchte sich gerade an meine Tochter wenden. Warum aus der Sache nichts geworden ist mir ein Rätsel geblieben. Glücklich wäre Schiller mit meiner Tochter nicht gewesen.*

Existentiell entscheidend aber wird für Schiller in Mannheim die Begegnung mit einer verheirateten Frau, mit Charlotte von Kalb.

Sie sei eine *große Bewunderin* seiner *Geistesprodukte; so wie sie überhaupt das Schöne und Gute enthusiastisch fühlt*, schreibt Reinwald ihm. Der Lorbeerkranz allerdings, den sie Schiller – so will es die Legende – übersandte, war wohl eher für den von ihr ebenfalls verehrten Reinwald gedacht.

Charlotte, eine geborene Marschalk von Ostheim, ist nach dem frühen Tod von Vater und Mutter bei Pflegeeltern in Meiningen aufgewachsen. Ihre Ehe mit Heinrich von Kalb, einem Offizier, wurde aus ökonomischen Erwägungen heraus geschlossen.

Charlotte von Kalb ist zweiundzwanzig, als Schiller sie mit ihrem Mann am 9. Mai 1784 kennenlernt. *Die Frau besonders zeigt sehr viel Geist, und gehört nicht zu den gewöhnlichen FrauenzimmerSeelen*, schreibt er nach der ersten Begegnung.

Er besucht mit ihr den Mannheimer Antikensaal. Charlotte hat Kunstsinn und Kunstverstand, sie ist eine junge Frau von intellektuellem Format. Zugleich ist sie sehr weiblich. Und in ihrer Verehrung für das Werk Schillers auch dessen Urheber zugeneigt.

Im August verlegt sie ihren Wohnsitz nach Mannheim. Der Ehemann absolviert weiterhin seinen Militärdienst in der Garnison Landau. Schiller besucht Charlotte fast jeden Abend. Sie ist hochschwanger. Am 8. September 1784 bringt sie in Mannheim ihr Kind zur Welt. Sie gibt ihm den Namen Friedrich.

Diese Frau bekommt für Schiller eine ähnliche Bedeutung wie Charlotte von Stein für den jungen Goethe. Sie wird Schiller, obgleich jünger als er, Erzieherin, Kritikerin, Gesprächspartnerin, Freundin, Vertraute. Und sie wird wohl auch seine Geliebte.

Sie ist es auch, die ihm den Weg zu gesellschaftlich einflußreichen Hofkreisen bahnt.

Noch immer haftet der Makel, sein Vaterland als Deserteur verlassen zu haben, an ihm. Diesen zu beseitigen ist die strikte Forderung seines Vaters.

Zu Neujahr 1784 hatte Schiller seiner Schwester Christophine entgegnet: *Du äuserst in Deinem Briefe den Wunsch, mich auf der Solitude im Schooß der meinigen zu sehen und widerholst den ehemaligen Vorschlag des lieben Papa, beim Herzog um meine freie Wiederkehr in mein Vaterland einzukommen. Ich kann Dir nichts darauf antworten, liebste, als daß meine Ehre entsezlich leidet, wenn ich ohne Connexion mit einem andern Fürsten, ohne Karakter und dauernde Versorgung, nach meiner einmal geschehenen gewaltsamen Entfernung aus Wirtemberg, mich wieder da bliken laße.*

Genau diese *Connexion mit einem andern Fürsten* nun verschafft ihm Charlotte von Kalb.

Von Neujahr gerechnet dauert es noch fast ein Jahr. Im Dezember aber ist es soweit. Charlotte vermittelt eine Verbindung zum Darmstädter Fürstenhof. Schiller kann dort am 26. Dezember 1784 den ersten Akt seines »Don Carlos« in einer Lesung vorstellen.

Unter den Zuhörern ist auch der zu Besuch bei seinen Verwandten weilende Herzog von Sachsen-Weimar-Eisenach, Carl August. Am nächsten Tag gewährt er Schiller eine Audienz. Ein kurzes Gespräch, in dessen Verlauf Carl August dem Fünfundzwanzigjährigen den Titel eines »Weimarischen Rates« verleiht.

Ein herzogliches Handschreiben besagt: *Mit vielem Vergnügen, mein lieber Herr Doctor Schiller, erteile ich Ihnen den Charakter als Rath in meinen Diensten. Ich wünsche Ihnen dadurch ein Zeichen meiner Achtung geben zu können.*

Für einen, der von seinem Landesvater mit Schreibverbot belegt wurde, bedeutet diese Geste viel. Die Öffentlichkeit nimmt sie zur Kenntnis. In der berlinischen »Vossischen Zeitung« vom 11. Januar 1785 ist von der Ehrung zu lesen.

Zu diesem Zeitpunkt ist Schillers Beziehung zum Mannheimer Theater schon auf einem Tiefpunkt angelangt und seine finanzielle Situation ausweglos.

Zum 31. August 1784 war sein Theatervertrag ausgelaufen. Bereits im Mai hatte Dalberg ihn wissen lassen, daß er nicht erneuert werden würde. Hatte ihm geraten, sein Medizinstudium fortzusetzen.

Ein schwerer Schlag.

Ist es das noch ausstehende dritte Stück, das er laut Vertrag zu liefern hat, das zur Kündigung führt?

Sind es Gründe, die nicht ausgesprochen werden?

Ist möglicherweise ein Schreiben des Landesherrn der Grund, den Vertrag nicht zu verlängern? Es geht um einen anonymen Bericht, den der Hof in München erhalten hat. Darin wird Schiller als *württembergischer Deserteur mit subversiven Absichten* bezeichnet. Eine Denunziation. Dem Hof ist bekannt, daß der Verdächtigte in Mannheim engagiert ist. Der Kurfürst verlangt von Dalberg Aufklärung über dessen Funktion und Besoldung.

Oder sind es die zunehmenden Spannungen zwischen Hausautor und Schauspielern, ist es die gegen ihn gerichtete Stimmung?

Schroff und arrogant soll er zuweilen in der Mannheimer Zeit aufgetreten sein.

Wen wundert das?

Seine hochfliegenden Theaterträume werden immer wieder enttäuscht, seine künstlerische Phantasie wird beschnitten, seine Stücke durch politische Vorbehalte, Zensur, Zeitgeschmack, Publikumswünsche, Marktgesetze kastriert.

Der Konflikt zwischen geistigem Entwurf und Theaterrealität ist vorprogrammiert.

Sein künstlerischer Anspruch kollidiert mit den dürftigen Theaterverhältnissen seiner Zeit, den Launen und Nachlässigkeiten der Schauspieler, der profanen alltäglichen Theaterpraxis.

Schiller ist kein Leisetreter, kein Anpasser. Hält mit Kritik nicht hinter dem Berg. Rügt zum Beispiel die dürftige Textkenntnis der Schauspieler. Viele der *Akteure*, beschwert er sich, müßten sich den *Dialog* mühsam *aus der Soufleurgrube* heraufholen.

Dalberg gegenüber äußert er bereits im Januar 1784 selbstbewußt: *denn ich glaube behaupten zu dürfen, daß biß jezt das Theater mehr durch meine Stücke gewonnen hat, als meine Stücke durch das Theater.*

Dies zu hören wird weder Intendant noch Ensemble gefallen haben.

Die Schauspieler mokieren sich über den Sturm-und-Drang-Gestus ihres Hausautors, sehen in ihm das bereits aus der Mode gekommene *Originalgenie*.

In einer Aufführung am 3. August 1784 greifen sie Schiller direkt an. Die Möglichkeit dazu bietet die Posse »Der schwarze Mann« des Gothaer Autors Friedrich Wilhelm Gotter. Eine Bearbeitung eines französischen Boulevardstücks, in dem ein Theaterdichter namens Flickwort vorkommt. Gotter, Verfasser von Dutzendware, Neider des begabten Schiller (zu seinen »Räubern« äußerte er: *der Himmel bewahre uns vor mehr Stücken dieser Gattung*), montiert Bezüglichkeiten auf diesen in den Text. Iffland, der den Flickwort spielt, parodiert in Kleidung, Habitus und Sprache den Autor.

Öffentlich wird Schiller bloßgestellt und der Lächerlichkeit preisgegeben.

Iffland ist es, der spürt: der Bogen ist überspannt, man ist zu weit gegangen. Am 19. September 1784 schreibt er an Dalberg: *Wir hätten dieses Stück niemals geben sollen. Aus Achtung für Schiller nicht. Wir selbst haben damit im Angesicht des Publikums, (daß ihn ohnehin nicht ganz faßet) den ersten Stein auf Schiller geworfen ... Schon damit ist die Unfehlbarkeit von Schiller genommen, die Unverletzlichkeit des großen Mannes. Wie soll er nun mit seinen Werken auftreten? Je mehr Erhabenheit und Plattheit sich nahe grenzen, wie soll der Pöbel ihn iezt distinguiren, da die Bahn geöffnet ›scheint‹, ihn zu perßifliren? Ich darf hoffen, das Stück werde niemals wiederholt werden.*

Dalberg setzt das Stück ab.

Schiller selbst verliert nie ein Wort über das Vorkommnis. Aber eine Wunde ist geschlagen.

Nach der Entlassung als Hausautor muß er versuchen seinen Unterhalt auf andere Weise zu bestreiten.

Er macht Dalberg den Vorschlag, ein Theaterjournal zu gründen, dann den für eine Art Theaterzeitschrift mit Werbecharakter, eine »Mannheimer Dramaturgie«. Dalberg lehnt beide Projekte mit dem Hinweis auf die kurfürstliche Theaterkasse, die diese Unkosten nicht tragen könne, ab.

Verweist Schiller auf den freien Markt.

Zum Jahresende 1784 gründet dieser die Zeitschrift »Rheinische Thalia«. Ihr erstes und einziges Heft wird im März 1785 erscheinen.

In diesem Heft veröffentlicht Schiller den Text »Was kann eine gute stehende Schaubühne eigentlich wirken?«. Es ist der Vortrag, den er am 26. Juni des Vorjahres in der »Kurpfälzischen Deutschen Gesellschaft« gehalten hatte, vor den Honoratioren der Stadt; etwa 30 Mitglieder gehören der von Dalberg gegründeten Gesellschaft in Mannheim an, zu ihren auswärtigen Mitgliedern zählen Lessing, Klopstock und Wieland.

Optimistisch geht Schiller in seiner Rede von einer beinahe unbegrenzten Wirkungsmacht des Theaters aus, weist der Bühne einen gleichberechtigten Platz neben Staat und Kirche zu. Plädiert für einen Rollenwechsel, die Bühne solle die Funktion der Kanzel übernehmen. Die gesellschaftliche Bedeutung sieht er in einer ethischen Erziehung von Staat und Obrigkeit; das Theater soll einem sittlich fundierten Staatsgebilde zur Geltung verhelfen: *die Schaubühne* übernehme, heißt es, *Schwert und Waage, und reißt die Laster vor einen schrecklichen Richterstuhl,* wo die Obrigkeit versagt.

Eindeutig ein politischer Auftrag. Und auf sich bezogen heißt es selbstbewußt: *Ich schreibe als Weltbürger, der keinem Fürsten dient. Das Publicum ist mir jezt alles, mein Studium, mein Souverän, mein Vertrauter.*

Sind es die diplomatisch verpackten subversiven Grundgedanken, die politisch-kritischen Töne, die mißfallen? Die »Deutsche Gesellschaft« jedenfalls druckt den Vortrag in ihrer Schriftenreihe nicht.

Zusammen mit diesem Text von 1784, einer Vision von den Wirkungsmöglichkeiten des Theaters, einer Utopie, veröffentlicht Schiller in der »Rheinischen Thalia« eine nüchterne Bilanz.

Er unterzieht das Mannheimer Bühnenrepertoire einer kritischen Prüfung. Zwischen dem 2. Januar und dem 3. März 1785 besucht er siebzehn Aufführungen und beurteilt diese. Seine Herangehensweise beschreibt er in der »Ankündigung« der Zeitschrift: *In einer schwankenden Kunst, wie die dramatische und mimische ist, wo des Schauspielers Eitelkeit den beschimpfenden Beifall des rohen Haufens oft so hungrig verschlingt, so gerne mit der Stimme der Wahrheit verwechselt, kann die Kritik nicht streng genug sein.* Weder die Schauspieler – Iffland ausgenommen – noch die Stücke kommen bei seiner Prüfung gut weg. Zuviel *Theaterflitter,* zu oft konzentriere sich die Auswahl auf durchschnittliche Unterhaltungsware.

Schiller bevorzugt zu diesem Zeitpunkt noch den direkten Kontakt, schreibt einen Tag nach der »Kabale und Liebe«-Aufführung, die er am 18. Januar sieht, einen Brief an Dalberg, in dem er heftige Vorwürfe gegen die Schauspieler erhebt. Statt seines Textes habe er häufig *Unsinn anhören müssen*, weil die Schauspieler *ihrer Bequemlichkeit mit Extemporiren zu Hilfe kamen.*

Dalberg reicht dieses Schreiben an Iffland weiter. Dieser verteidigt sich und seine Kollegen, die Vorstellung sei, schreibt er an Schiller am 19. Januar, *im Ganzen genommen, die Beßte* gewesen; er *entsinne* sich – für sein eigenes Spiel – nur *des Weglaßen eines Komma.* Er banalisiert Schillers Einwände, weist sie als Autoreneitelkeit zurück; er wisse *aus Erfarung wie schwer, wie selten Verfaßer zu befrieden sind.*

Der Graben ist unüberbrückbar. Als das erste Heft der »Rheinischen Thalia« erscheint, kommt, was bisher zwischen Ensemble und Hausautor beziehungsweise zwischen Schiller und dem Intendanten im engen Kreis des Theaters besprochen wurde, an die Öffentlichkeit. Die Schauspieler sind empört; immerhin gelten sie als ausgezeichnete Vertreter ihres Faches, gilt das Mannheimer Theater als eines der besten in Deutschland.

Dalberg versucht zwischen den Parteien zu vermitteln, bittet Schiller am 27. März 1785 um Rücknahme seiner scharfen Kritik, da sie *zerrüttungen und endlich gar den zerfall eines theater Instituts bewürken* würde.

Schiller hat nichts mehr zu verlieren. Den Winter 1784/85 und das Frühjahr 1785 verbringt er in düsterer Gemütsverfassung. Mannheim, das erhoffte *Paradiß* der *Musen*, ist für ihn zum *Kerker* geworden: der *hiesige Horizont ligt schwer und drükend auf mir.*

# Zweites Kapitel

## I

In dieser Situation erinnert Schiller sich an ein *Paquete aus Leipzig*, das ihn Anfang Juni 1784 erreicht hatte. Von ihm ganz fremden Menschen. Christian Gottfried Körner, Minna und Dora Stock und Ludwig Ferdinand Huber sind die Absender. Sie verehren Schiller, senden ihm Briefe, eine Komposition von Körner zu den »Räubern«, eine von Minna Stock gestickte Tasche und vier kleine Porträts von Dora Stock, die Körner, Huber, Minna Stock und die Malerin selbst zeigen.

Unbeantwortet liegt dies alles unter Schillers Papieren.

Am 7. Dezember 1784 bedankt er sich, bekennt, *daß Ihre Briefe und Geschenke das angenehmste waren, was mir ... in der ganzen Zeit meiner Schriftstellerei widerfahren ist ...*

Er deutet seine schwierige Lage an, *das deutsche Publikum* zwinge *seine Schriftsteller, nicht nach dem Zuge des Genius, sondern nach Speculazionen des Handels zu wählen.* Schreibt von der *Verwünschung* seines *Dichterberufes.*

*Wenn ›solche‹ Menschen, solche ›schöne‹ Seelen den Dichter nicht belohnen, wer ›thut‹ es denn?*

*Für ›Sie‹ spricht ihr erster freiwilliger Schritt*, heißt es an Körner in einem am 10. Februar 1785 begonnenen Brief, den er am 22. Februar beendet; *diese 12 Tage ist eine Revolution mit mir und in mir vorgegangen, die Epoche in meinem Leben machte.*

Er ist zu dem Entschluß gekommen, Mannheim zu verlassen. In einer *traurigen Stuffenreihe von Gram und Widerwärtigkeit*, hieß es schon im Dezember, sei an diesem Ort sein *Herz für Freundschaft und Freunde* vertrocknet.

Und jetzt: *Ich kann nicht mehr in Mannheim bleiben. In einer unnennbaren Bedrängniß meines Herzens schreibe ich Ihnen ... Zwölf Tage habe ichs in meinem Herzen herumgetragen, wie den Entschluß aus der Welt zu gehn. Menschen, Verhältniße, Erdreich und Himmel sind mir zuwider. Ich habe keine Seele hier, keine einzige die die Leere meines Herzens füllte, keine Freundin, keinen Freund ...*

Das bezieht sich nicht nur auf die Enttäuschung über Dalberg, die Schauspieler, den Theaterbetrieb, die ihn bedrängenden Schulden, sondern auch auf seine immer schwieriger werdende Liebesbeziehung zu der verheirateten Charlotte von Kalb. Auf letztere spielt er an, wenn er fortfährt: *und was mir ›vielleicht‹ noch theuer seyn könnte, davon scheiden mich Konvenienz und Situationen.*

*... ich muss Leipzig und Sie besuchen.* In seiner ausweglosen Lage klammert er sich an die Unbekannten. Der *Gedanke ...: ›Diese‹ Menschen gehören Dir, diesen Menschen gehörest Du,* verlasse ihn nicht mehr. *Werden Sie mich wol aufnehmen?*

*Ich war noch nicht glüklich, denn Ruhm und Bewunderung, und die ganze übrige Begleitung der Schriftstellerey wägen auch nicht ›einen‹ Moment auf, den Freundschaft und Liebe bereiten,* heißt es hochgestimmt. ... *in Ihrem Zirkel will ich froher und inniger in meine Laute greifen. Seien Sie meine begeisternde Musen, laßen Sie mich in Ihrem Schooße* vom *Lieblingskinde meines Geistes* – gemeint ist der »Don Carlos« – *entbunden werden.*

Seine existentielle Not verschleiert er. Gibt die Kündigung, die das Theater ausgesprochen hat, als seinen Entschluß aus. *Mit dem Theater hab ich meinen Contract aufgehoben, also die oekonomische Rücksicht meines hiesigen Auffenthalts bindet mich nicht mehr.*

Auch von Schulden schweigt er. Doch in einem *Nachtrage* vom 28. Februar schildert er seine Situation, schreibt, daß er Mannheim nicht verlassen könne, *ohne wenigstens 100 Dukaten verschleudern zu müssen.* Bittet: *Ist es nicht möglich daß Sie mir (auf Ihren oder meinen Nahmen – von Buchhändlern oder von ›an-*

*dern‹ Juden) ohngefehr 300 Thaler Vorschuss verschaffen können.*

Er macht die Unbekannten, den »Zirkel der Vier«, am 25. März mit seinen Wünschen bekannt. An erster Stelle steht – und das zeigt in berührender Weise seine Einsamkeit in Mannheim –: er möchte *nicht mehr allein ... wohnen*, möchte einen Freund in seiner unmittelbaren Nähe haben, dem er alle Gedanken sofort mitteilen kann.

Dann schildert er die Bedingungen seines Schreiballtags. *Ich bin Willens, bei meinem neuen Etablissement in Leipzig einem Fehler zuvorzukommen, der mir in Mannheim bisher sehr viel Unannehmlichkeit machte.* Er möchte keine *eigne Oekonomie ... führen ... Das* sei *schlechterdings* seine *Sache nicht – es kostet mich weniger Mühe, eine ganze Verschwörung und Staatsaktion durchzuführen, als meine Wirthschaft ... Meine Seele wird getheilt, beunruhigt, ich stürze aus meinen idealischen Welten, sobald mich ein zerrissner Strumpf an die wirkliche mahnt.*

Er bittet um Leute, *die sich* seiner *kleinen Wirthschaft annehmen mögen ... Ich brauche nichts mehr als ein Schlafzimmer, das zugleich mein Schreibzimmer seyn kann, und dann ein Besuchzimmer. Mein ›nothwendiges‹ Hausgeräthe wäre eine gute Commode, ein Schreibtisch, ein Bett und ›Sopha‹, dann ein Tisch und einige Seßel. Hab ich dieses, so brauche ich zu meiner Bequemlichkeit nichts mehr. Parterre und unter dem Dach kann ich nicht wohnen, und dann möcht ich auch durchaus nicht die Aussicht auf einen Kirchhof haben. Ich liebe die Menschen und also auch ihr Gedränge. Wenn ichs nicht so veranstalten kann, daß wir (ich verstehe darunter, das fünffache Kleeblatt) zusammeneßen, so würde ich mich an die Table d'hôte im Gasthofe engagieren, denn ich fastete lieber, als daß ich nicht in Gesellschaft ( ›großer‹ oder auserlesen ›guter‹ ) speisste.*

Er schreibe dies alles, um *Ihnen allenfalls Gelegenheit zu geben, hier und dort einen Schritt zu meiner Einrichtung voraus zu thun.*

Durch seinen Freund, den Leipziger Verleger Georg Joachim Göschen, übermittelt Körner einen Wechsel von 300 Talern. In der letzten Märzwoche trifft er ein. Schiller begleicht damit einen Teil seiner Schulden bei seinem Wohnungsvermieter, dem Maurermeister Anton Hölzel. Er trägt wohl auch die Schulden ab, die er für den Druck der »Rheinischen Thalia« hat machen müssen. Den Rest verwendet er als Reisegeld. Am 9. April verläßt er mit der teuren Extrapost Mannheim.

Schlechtes Wetter, Schnee, Regen. Schlammige Wege, die Vorspannpferde erforderlich machen. 5 Carolin muß er zulegen.

Eine Reise von acht Tagen. Am 17. April 1785 trifft er, *zerstört und zerschlagen*, im sächsischen Leipzig ein.

Ludwig Ferdinand Huber empfängt ihn. Er ist mit einundzwanzig Jahren der Jüngste im »Zirkel der Vier«, übersetzt aus dem Französischen; seine Mutter ist Französin, sein Vater Professor für französische Sprache in Leipzig. Da die Übersetzungen ihm keine Existenz als freier Autor sichern, hat er nebenbei Jura studiert.

Verlobt ist er mit Dora Stock, der Malerin. Ihre Schwester Minna ist Körners Braut. Beide Frauen lernt Schiller am 18. April kennen.

Schiller wohnt in Leipzig zunächst in einem Studentenzimmer in der Hainstraße, im Kleinen Joachimsthal. *Meine angenehmste Erhohlung ist bisher gewesen, Richters Kaffehauß zu besuchen, wo ich immer die halbe Welt Leipzigs beisammen finde, und meine Bekanntschaften mit Einheimischen und Fremden erweitere*, schreibt er am 24. April.

Aus dem Quartier in der Hainstraße zieht er in das eine Viertelmeile von der Stadt entfernte Dorf Gohlis. Am 3. Juli schreibt er von dort an Körner, daß er *höchst nothwendig Geld* brauche. *Ich habe mich hier ganz aufgezehrt ... bin jezt ganz auf dem Sande, und ich habe keine Hoffnung vor einem Vierteljahre einen Pfennig von Subscriptionsgeldern zu sehen ...*

Das ist zwei Tage nach der ersten Begegnung mit Christian Gottfried Körner, die am 1. Juli auf dem Gut Kahnsdorf bei Borna stattfand. Körner, drei Jahre älter als Schiller, ist der Sohn eines wohlhabenden Leipziger Superintendenten und Theologieprofessors, er hat Jura studiert, promoviert, sich habilitiert. Ist umfassend gebildet, musiziert, komponiert, liebt die Sturm-und-Drang-Literatur. Das hat ihn zu Schiller geführt. Seit 1783 ist Körner als Rat am Oberkonsistorium, seit 1784 als Assessor der Landes-Ökonomie-, Manufaktur- und Kommerziendeputation in Dresden tätig.

Zwischen ihm und Schiller große Sympathie offenbar, sofort das vertraute Du. Der Beginn einer lebenslangen Freundschaft.

Schiller redet nicht über Geld. Körner reagiert am 8. Juli auf dessen Brief: *Warum sagtest Du mir nicht ... ein Wort davon.*

Und vorsichtig tastend bietet er seine Unterstützung an. *Wenn ich noch so reich wäre, ... Dich aller Nahrungssorgen auf Dein ganzes Leben zu überheben; so würde ich es doch nicht wagen, Dir eine solche Anerbietung zu machen. Ich weiß, daß Du im Stande bist, sobald Du nach Brod arbeiten willst, Dir alle Deine Bedürfnisse zu verschaffen. Aber ein Jahr wenigstens laß mir die Freude, Dich aus der Nothwendigkeit des Brotverdienens zu setzen ... Auch kannst Du mir meinenthalben nach ein paar Jahren alles wieder mit Interessen* (mit Zinsen) *zurückgeben, wenn Du im Ueberfluß bist.*

Am 11. Juli geht Schiller mit *Freimüthigkeit und Freude* auf das Angebot ein. Am 27. Juli nimmt er beim Leipziger Geldverleiher Beit mit Körners Bürgschaft einen Kredit in Höhe von 300 Talern zu 5% Zinsen auf.

Neue Freunde, eine neue Umgebung, die Aussicht auf Sicherheit.

Schiller rekapituliert am 3. Juli das Bisherige. Mit *Beschämung*, die ihn aber *nicht niederdrükt, sondern männlich emporraft*, sieht er *rükwärts in die Vergangenheit*, die er *durch die unglüklichste Verschwendung mißbrauchte*. Er spricht von der *kühne⟨n⟩ Anlage* seiner *Kräfte*, dem *mißlungene⟨n⟩ (vielleicht große⟨n⟩) Vorhaben der Natur mit* ihm. *›Eine‹ Hälfte wurde durch die wahnsinnige Methode meiner Erziehung und die Mißlaune meines Schiksals, die ›zweite‹ und ›größere‹ aber durch mich selber zernichtet.*

Jetzt würden *Kopf und Herz* sich *zu einem herkulischen Gelübde* vereinigen, *die Vergangenheit nachzuhohlen, und den edlen Wettlauf zum höchsten Ziele von vorn anzufangen. ... Ich sage mit Julius von Tarent: In meinen Gebeinen ist Mark für Jahrhunderte.*

Vom *Extrem der Trunkenheit*, vor dem er sich *zu fürchten* hatte, wird er Jahre später Körner gegenüber sprechen.

Am 7. Mai hatte er ihm geschrieben: *Glük zu also, glük zu, dem lieben Wanderer, der mich auf meiner romantischen Reise zur Wahrheit, zum Ruhme, zur Glükseligkeit so brüderlich und treulich begleiten will.*

Nach Mannheim, wo er die Kunst *zur feilen Sklavin reicher und mächtiger Wollüstlinge herabgewürdigt* sieht und darauf bezogen sich fragt, *ob es seine Zeitgenossen werth wären, daß er für sie arbeitete*, sieht er nun im Zusammenschluß von *freien Geistern* im privaten bürgerlichen Kreis eine Alternative.

Er *weine*, schreibt er Körner, *über* die *organische Regelmäßigkeit des grösesten Theils in der denkenden Schöpfung, und ›den‹ preiße* er *selig, dem es gegeben ward, der Mechanik seiner Natur nach Gefallen mitzuspielen, und das ›Uhrwerk‹ empfinden zu laßen, daß ein ›freier Geist‹ seine Räder treibt ... Tausend Menschen gehen wie Taschenuhren, die die Materie aufzieht ... der Körper usurpiert sich eine traurige Diktatur über die Seele, aber sie kann ihre Rechte reclamieren, und das sind dann die Momente des Genius und der Begeisterung.*

*Freier Geist, Genius* werden Schlagworte. Vom *stolzen Gebäude einer Freundschaft*, die *vielleicht ohne Beispiel* sei, vom *Glük unsrer wechselseitigen Vereinigung* ist die Rede, davon, daß der *Himmel in unserer Freundschaft ein ›Wunder‹ gethan* habe.

Ein trunkener Freundschaftskult. Die Stilisierung der Freundschaft zur Religion.

Der Brief vom 3. Juli an Körner ist an einem Tag geschrieben, an dem Schiller am Morgen mit Göschen und Huber von Gohlis durchs Rosenthal nach Leipzig fuhr. Die Freunde halten an, frühstücken. *Wir fanden Wein in der Schenke. Deine Gesundheit wurde getrunken ... Göschen bekannte, daß er dieses Glas Wein noch in jedem Gliede brennen fühlte, Hubers Gesicht war feuerroth … und ich dachte mir die Einsezung des Abendmahls – »Dieses thut, so oft ihrs trinket, zu meinem Gedächtniß.« Ich hörte die Orgel gehen und stand vor dem Altare.*

Es ist jene Atmosphäre, aus der das Lied »An die Freude« hervorgeht, jenes: *Laßt den Schaum zum Himmel sprützen: / Dieses Glas dem guten Geist.* Nach Körners Zeugnis ist das »Lied an die Freude« in Gohlis entstanden. Als »Ein Rundgesang für freye Männer von Friedrich Schiller« erscheint es mit der Musik von Körner 1786.

In der ersten Fassung des Liedes »An die Freude« ist die Hoffnung auf die Überwindung sozialer Gegensätze noch lebendig, *Bettler werden Fürstenbrüder*, heißt es, später dann, in der Version, die Beethoven in seiner Neunten Sinfonie vertonen wird: *alle Menschen werden Brüder.*

Auf Schillers Brief vom 3. Juli erwidert Körner am 8. Juli: *Meine Seele kann Dir jetzt nicht mit dem Grade von Begeisterung entgegenströmen … Du mußt jetzt Nachsicht mit mir haben, Freund. Ich bin zu voll jetzt von dem Gedanken an meine Minna …*

Am 7. August 1785 heiratet Körner Minna Stock in Leipzig. Das junge Paar zieht nach Dresden. Schiller folgt einen Monat später.

Am 11. September früh vier Uhr verläßt er mit der Extrapost Gohlis.

Zeitlebens ist Schiller mit Äußerungen über Landschaften sehr zurückhaltend. Die Landschaft aber, durch die er an diesem Septembertag fährt, überwältigt ihn: *Als auf einmal … die Elbe zwischen 2 Bergen heraustrat, schrie ich laut auf.* Ihn berührt die *schwesterliche Ähnlichkeit dieser Gegend mit dem Tummelplatz* seiner *frühen dichterischen Kindheit … Meißen, Dresden und seine Gegenden gleichen ganz in die Familie meiner vaterländischen Fluren.*

Gegen Mitternacht kommt er in Dresden an. Steigt in der Altstadt ab.

Am anderen Morgen, weil es *ganz entsezlich regnete*, läßt er sich, *in einer porteChaise*, nach der Neustadt tragen. Körner wohnt dort am Kohlmarkt; *äuserst niedlich und bequem*, berichtet Schiller Huber. *Die Zimmer sind freilich etwas niedrig, aber alles was ihnen abgeht wird durch das schöne ameublement ersezt, und die Außicht über die Elbe ist über alle Beschreibung schön.*

Noch am selben Tag fahren Körners mit Schiller nach Loschwitz hinaus, wo sie ein Weinberggrundstück mit einem Wohn- und Gartenhaus besitzen.

Dort verbringt Schiller im wesentlichen den Herbst und das Frühjahr. Während des Winters bezieht er mit Huber eine Wohnung unweit von Körners Stadthaus. Mit *Dresden Neustatt auf dem Kohlenmarkt im Fleischmännischen Hausse* gibt er seine Adresse an.

Die Dresdner Jahre sind für Schiller eine Zeit materieller Sicherheit.

Durch Körners Mäzenatentum wird ihm das Überleben als freier Autor möglich. Er ißt oft an dessen Tisch. Körner sorgt auch für seine Unterkunft. Bezahlt, als der »Don Carlos« sich dem Abschluß nähert, drei Schreiber.

Er ist auch in indirektem Sinne Schillers Förderer. Durch seine Beteiligung an Georg Joachim Göschens Verlag. Mit einem Kredit von Körner hatte dieser 1785 sein Unternehmen in Leipzig eröffnet. In der Gründungsphase gibt Körner regelmäßig aus seinem ererbten Vermögen Zuschüsse zu Druck- und Vertriebskosten in Göschens Kasse. Die großzügigen Verträge, die der junge Verleger mit Schiller macht, die ständigen Vorauszahlungen wären ohne die Sicherheiten Körners nicht denkbar.

Schiller muß Körner zumindest einen Teil seiner Schulden offenbart haben. Über die aus der Bauerbacher Zeit schweigt er wohl. Körner, in Finanzdingen erfahren, stellt für Schiller eine Art Entschuldungsplan auf.

Dennoch kommen zu den alten Schulden neue.

An Schillers finanzieller Unbesorgtheit ändert sich auch in der

Dresdner Zeit kaum etwas. Ausgaben für teure Weine. Für ausländischen Tabak. Verlorenes Geld beim Kartenspiel: *Das Whist geht ganz verflucht schläfrig und jezt habe ich immer zehen Treff in der Charte wenn Karo Trumpf ist. Rok und Wamms verliere ich.*

Selbst den begüterten Freunden scheinen seine Ansprüche zuweilen zu hoch. Er sei *erstaunlich mäßig geworden*, schreibt er einmal. Es geht um Kaffee, wie der Tabak ein Luxusgut. *Dorchen hat mich gebeten, weil so viel Kaffe aufgehe halb Kaffe und halb Möhren zu trinken damit mehr erspart werde.* Er tut es mit Widerwillen, nennt den aus Möhren oder anderen Wurzeln hergestellten Kaffee-Ersatz eine *Jammerbrühe.*

Bei akutem Mangel an Geld findet er immer Helfer: Körner, Göschen, den Leipziger Kaufmann Kunze. Und stets hat er es eilig. Am 24. Juli 1786 bittet er – er soll Pate bei Körners erstem Kind werden – Kunze, ihm *ohngefähr 50 R⟨eichs⟩th⟨a⟩l⟨e⟩r dazu vorzuschießen.* Er brauche das Geld; *unter andern* um sich *ein Kleid* anzuschaffen, *das* er *zum Degen tragen kann ... Goeschen wird Dir die Summe in der Michaelismesse zurükbezahlen. Sei so gut und schike mir das Geld wo möglich mit rükgehender Post in einer Aßignation, weil wir keinen Augenblik vor der Niederkunft sicher sind.*

Das Leben im »Zirkel der Vier«, im privaten Kreis.

Schiller arbeitet am »Don Carlos«.

Nicht immer entspricht sein Schreiballtag den Wünschen und Vorstellungen, die er von Mannheim aus geäußert hat. In Loschwitz richtet man ihm ein Zimmer zu ebener Erde ein, *daneben war die Küche, in welcher gebacken, gebraten und gesotten wurde*, überliefert Minna Körner, *und, was für Schiller das allerwiderwärtigste war*, wo *von Zeit zu Zeit vier Weiber am Waschfaß standen und klatschten.*

Der *Haus- und Wirtschafts-Dichter Schiller* reagiert mit einem Scherzgedicht »Unterthänigstes Pro Memoria an die Consistorialrath Körnerische weibliche Waschdeputation in Loschwiz«: *Die Wäsche klatscht vor meiner Thür / es scharrt die Küchen-*

*zofe – / und mich – mich ruft das Flügelthier / nach König Philipps Hofe.*

Weitere heiter-satirische Verse. Anlässe sind meist Familienfeiern. Zu Körners Geburtstag entsteht das kleine Stück »Körners Vormittag«, in dem alle fünf, auch Schiller, namentlich vertreten sind. Auch als Zeichner, Aquarellist und Karikaturist erleben wir Schiller. Er malt eine Bildergeschichte, Huber verfaßt die Texte.

Schillers Eingebundensein in den Familienalltag.

Er erlebt Minnas Schwangerschaft, teilt die Freude über das Neugeborene. Teilt den Schmerz, noch keine fünf Monate alt, am 10. Dezember 1786, stirbt der kleine Johann Eduard an Scharlachfieber. *Ich schreibe Ihnen mit Betäubung, denn ich komme von dem Todenbett des guten Kindes.* Schiller fühlt sich der Familie zugehörig. Von *uns* und *wir* ist in seinen Briefen die Rede. Oberflächlich betrachtet, scheint alles harmonisch.

Doch bereits im Frühjahr 1786 hatten sich erste Ermüdungserscheinungen angekündigt. Die Dresdner nennt er ein *seichtes … zusammengeschrumpftes, unleidliches Volk.*

Bietet das Leben im privaten Kreis nicht genug Reibung, Spannung?

Die Arbeit am »Don Carlos« stockt.

*Ich bin mürrisch und sehr unzufrieden. Kein Pulsschlag der vorigen Begeisterung. Mein Herz ist zusammengezogen, und die Lichter meiner Phantasie sind ausgelöscht*, heißt es am 1. Mai an Huber. Schiller ist allein in Dresden, die Freunde sind nach Leipzig gereist.

Dann formuliert er einen Satz, wie ihn ähnlich Georg Büchner seinem Danton in den Mund legen wird. *Ich könnte des Lebens müde sein, wenn es der Mühe verlohnte zu sterben.*

Depressionen, Schreibkrisen, wie sie ihn schon in seiner *Einsiedelei* in Bauerbach, in anderer Weise in Mannheim, selbst in Leipzig überfallen haben und immer wieder überfallen werden? Dafür könnte stehen, daß er hinzufügt: *Ich bedarf einer Krisis – die Natur bereitet eine Zerstörung vor, um neu zu gebähren.*

Aber es ist wohl weit mehr, ist ein Signal, daß Körners Großzügigkeit, ihn *aus der Notwendigkeit des Brotverdienens* zu setzen, ihn beengt, bedrückt. *Unabhängigkeit, die ich sonst für das höchste Gut halte, wird mir eben dadurch lästig, weil sie mir aufgedrungen wird*, schreibt er in jenem Mai.

In der von ihm gemalten Bildergeschichte zu Körners Geburtstag stellt Schiller auf einem Blatt, betitelt: *Körners Familienleben*, sich selbst dar. Und zwar auf dem Kopf stehend. Huber schreibt darunter: *Fig⟨ur⟩ 2. ist der berühmte Dichter, Körners adoptiver Sohn, welcher hier abgezeichnet ist, wie ihn verschiedne vernünftige Leute gesehen haben.*

Der drei Jahre jüngere Schiller als *Körners adoptiver Sohn*. Das legt nahe, daß Körner sich für den Freund, dem er die Freiheit des Schreibens ermöglicht, väterlich verantwortlich fühlt; wohl auch Erwartungen an sein künstlerisches Schaffen hat. Als *Aufseher* bezeichnet Schiller ihn; *weil Du doch von uns Dreien mit Dir selbst am meisten fertig geworden bist.*

Es kommt zu Spannungen und Verstimmungen. Vermutlich auch durch Schillers Affäre mit Henriette von Arnim, der neunzehnjährigen Tochter einer Gardedame des Dresdner Hofes. Schiller begegnet ihr im Februar 1787 auf einem Maskenball, den er mit Körners besucht. Er trifft Henriette bei Sophie Albrecht wieder, der Schauspielerin, in die er sich in Frankfurt verliebt hatte, sie ist 1785 zur Bondinischen Truppe gewechselt, die ihren Sitz in Dresden hat und zu Messezeiten in Leipzig spielt.

Nach dieser zweiten Begegnung mit Henriette bei Sophie Albrecht verbringt Schiller seine Abende regelmäßig auf Teegesellschaften im Haus der Familie von Arnim. Zur Besorgnis von Körner und dessen Frau. Als Außenstehende sehen sie, daß es für den mittellosen Dichter keinerlei Zukunft mit der Adligen gibt. Die Mutter achtet auf die Vermögensverhältnisse der Bewerber, sie steht allein da, ihr Mann ist verstorben, sie hat nicht nur die eine, sondern drei Töchter zu versorgen. Sie schmücke sich lediglich in ihrem Salon mit Schiller, meinen die Körners, er verstricke sich nur, werde ausgenutzt.

Körners Sorge um den *Adoptivsohn* geht so weit, daß er in die

Affäre eingreift, eine räumliche Trennung des Verliebten von dem Mädchen herbeiführt. Er bringt Schiller am 17. April höchstpersönlich an einen Ort der Arbeitsruhe, nach Tharandt, einem Dorf unweit von Dresden.

Bis Mitte Mai 1787 hält Schiller sich dort auf. Das Wetter ist schlecht, die Wege sind aufgeweicht, sechs Tage ist er ins Zimmer gebannt; *hier aber ist alles Morast, und wenn ich, Motion halber, in meinem Zimmer springe, so zittert das Hauß und der Wirth fragt erschrocken, was ich befehle.* Nicht ohne Vorwurf an Körner ist die Rede vom *Nachtheil* seiner *Gesundheit*, er habe sich *dumme Geschichten im Unterleib zugezogen ...*

Körners Aktion. Vielleicht hat auch Göschen sich über seinen Autor bei Körner beklagt. Zwar redet Schiller seinen Verleger stets mit *Liebster Freund* an, aber er behandelt ihn keineswegs wie einen solchen. Immer wieder hält er Termine und Versprechungen nicht ein, führt angekündigte Vorhaben nicht aus; vielfach wechseln seine schriftstellerischen Pläne. Göschen hat Schillers in Mannheim gegründete Zeitschrift »Rheinische Thalia« übernommen, sie als »Thalia« mit dem gleichen Herausgeber fortgeführt, in den Heften 2 bis 4 sind vom »Don Carlos« die Akte II und III, Szene 1-9 veröffentlicht. Göschen wartet ...

Der »Don Carlos« ist noch immer nicht fertig.

Das Wetter bessert sich in Tharandt. *Ich bin auf den Bergen, Dresden zu, herumgeschweift*, schreibt Schiller.

Findet in die Arbeit hinein. *Es war eine Zeit wo ich Monate sündlich verwarf, darum muß ich jezt mit Tagen und Wochen geizen.* Wie in Bauerbach steht er um fünf Uhr am Morgen auf. Sitzt am »Don Carlos«. Kommt voran. *Eine einzige schöne Frühlingswoche muß nun alles thun.*

Noch während Schiller an den letzten Akten schreibt, bevor das Stück beendet ist, arbeitet er bereits an Bühnenfassungen für verschiedene Theater. Im Gegensatz zur Mannheimer Zeit ist er nun mit der *KaufmannsMaterie* vertraut.

Er wird dem Hamburger Schauspieldirektor Friedrich Ludwig

Schröder das Drama anbieten. Weiterhin dem Theaterprinzipal Koch in Riga, dem Intendanten von Mannheim und Großmann in Leipzig. Er sichert sich damit vor dem Druck des Stückes Einnahmen. Etwa 100 Taler je Manuskripteinrichtung. Nur Großmann lehnt ab, da er die Honorarforderung nicht erfüllen kann.

Für die Buchfassung verlangt Schiller von seinem Verleger zwölf Taler pro Bogen oder 50 Louisdor als Gesamtbetrag. Göschen – mit Körners Finanzen im Hintergrund – stimmt zu.

In Tharandt wird Schiller von Frau von Arnim und ihrer Tochter Henriette besucht. Sie sind in Begleitung eines Grafen Waldstein-Wartenberg, dessen Vermögensverhältnisse ihn zu einem aussichtsreichen Heiratskandidaten machen.

Was wirklich zwischen den Verliebten vor sich ging, ob die Mutter die Trennung erzwungen hat oder Schiller es war, der sich zurückzog, wie die beiden überlieferten Briefe des Mädchens und sein Gedicht »An Marie Henriette Elisabeth von Arnim« nahelegen, bleibt offen.

Ein halbes Jahr später resümiert Schiller: *Es ist sonderbar, ich verehre ich liebe die herzlich empfindende Natur und eine Kokette, jede Kokette, kann mich feßeln. Jede hat eine unfehlbare Macht auf mich durch meine Eitelkeit und Sinnlichkeit, entzünden kann mich keine, aber beunruhigen genug.*

In Tharandt erreicht Schiller auch ein Brief von Charlotte von Kalb. Er ist nicht überliefert. Daß Schiller mit ihr in Kontakt blieb, geht aus Zeilen an seine Schwester Christophine hervor. Auch Körner, dem gegenüber er vertraulich von *Charlotte* spricht, weiß offenbar um seine Liebe zu der verheirateten Frau. Charlotte hat Mannheim verlassen, lebt seit April 1786 im Thüringischen auf ihrem Gut in Artern im Unstruttal. Im Juni 1787 wird sie mit ihrem kleinen Sohn Friedrich nach Weimar ziehen. Möglicherweise teilt sie Schiller das mit, lädt ihn nach Weimar ein.

Ende Mai 1787 kehrt Schiller nach Dresden zurück. Anfang Juni schließt er den »Don Carlos« ab. Bereits im Februar hatte Göschen mit dem Druck begonnen. Ende Juni 1787 bringt er dann die Buchausgabe unter dem Titel »Don Karlos Infant von Spanien« auf den Markt.

In einem äußerst langwierigen Prozeß über einen Zeitraum von vier Jahren hat Schiller das Stück geschrieben. Es ist sein erstes, das historische Studien zur Grundlage hat, das erste, in dem er seine Prosa durch Verse ersetzt.

Schiller ist unzufrieden mit dem »Don Carlos«. In mehreren Briefen wird er – im Bewußtsein der Schwächen des Stücks – es in der Öffentlichkeit verteidigen. Die lange Entstehungszeit habe *in ihm selbst vieles verändert*, schreibt er, Brüche zwischen den ersten und letzten Akten damit erklärend. Stecken nicht mehrere Tragödien in diesem einen Stück, und ist nicht gerade dies Schillers Schwierigkeit, daß er zwischen verschiedenen Konzeptionen schwankt und keine ganz aufgeben will?

»Don Carlos« bleibt ein ungeliebtes Stück; Körner gegenüber wird er es als *Machwerk* bezeichnen, das ihn anekele. Von den ersten Entwürfen in Bauerbach bis zum Frühjahr 1805, kurz vor seinem Tod, wird ihn das Stück beschäftigen. Nach der Erstausgabe von 1787 eine Fassung von 1801, eine von 1805. Von keinem anderen Drama Schillers liegen so viele und so unterschiedliche Fassungen vor. Überliefert sind auch die Theatermanuskripte für Hamburg und Riga, ebenso die Regiebücher des »Don Carlos« von Hamburg, Mannheim, Frankfurt, Breslau und Weimar.

Das Mannheimer Regiebuch enthält neben Schillers Grundtext – vom Mannheimer Souffleur und Kopisten Johann Daniel Trinkle abgeschrieben – Dalbergs Textbearbeitung, seine teils massiven Änderungen. Das Rigaer Theatermanuskript ist eine Abschrift mit eigenhändigen Korrekturen Schillers und einem von ihm selbst geschriebenen Personenverzeichnis. Die Hamburger Bühnenfassung ist durchgängig von Schillers Hand, am 13. Juni 1787 schickt er sie an Schröder.

Sommer 1787: Abschluß und Erscheinen des »Don Carlos« als Zäsur. Die anstehende Klärung der künftigen literarischen Bestimmung. Das dringende Bedürfnis nach Unabhängigkeit.

Die Loslösung von Körner scheint einzig durch eine Ortsveränderung möglich.

Wohin aber?

Hamburg steht zur Debatte. Schröder hat ihm Ende 1786 ein Engagement in der Hansestadt angeboten. Eine erneute Existenz als Theaterdichter aber reizt Schiller nicht. *In Mannheim* habe er *beinahe allen Enthousiasmus für das Drama verloren*. Er lehnt ab mit dem Argument, die trivialen Seiten des Bühnenbetriebes beschränkten seine literarische Phantasie. Er *glaube überzeugt zu seyn, daß ein Dichter, dem die Bühne, für die er schreibt immer gegenwärtig ist sehr leicht versucht werden kann, der augenblik-lichen Wirkung den daurenden Gehalt aufzuopfern …*

Er wolle sich *die glükliche Illusion bewahren …, welche wegfällt sobald Coulissen und papierne Wände mich unter der Arbeit an meine Gränzen erinnern. Beßer ist es immer wenn der erste Wurf ganz frei und kühn geschehen kann …*

Weimar. Der Entschluß, dorthin zu gehen.

Die Finanzierung der Reise vom Honorar der Hamburger Bühnenfassung des »Don Carlos«. *Könnten Sie mir*, schreibt er Schröder am 13. Juni 1787, *eh ich abreise noch Geld schicken, so würde mir das sehr willkommen seyn. Ich brauch es zur Reise …* Am 21. Juni sendet Schröder das Geld.

Am 20. Juli 1787 verläßt Schiller Dresden.

## II

Weimar. Es gibt mehrere Gründe für die Anziehungskraft dieser Stadt.

Schiller weiß seine Geliebte in Weimar, der Ehemann versieht seinen Dienst in dem weit entfernten Landau.

In der thüringischen Residenz leben Goethe, Herder und Wieland, die bedeutendsten deutschen Autoren.

Weimar gilt als Musenhof Deutschlands. Herzog Carl August residiert hier.

Zweieinhalb Jahre liegt es zurück, daß er Schiller in Darmstadt den Titel eines *Rath⟨s⟩* in seinen *Diensten* verliehen hat. Auch wenn damit keine finanziellen Zuwendungen verbunden waren, so hat das *Zeichen* der *Achtung* in dem Begünstigten doch Hoffnung auf weitere Hilfe geweckt. Der Herzog taucht seitdem in seinen Briefen immer wieder auf. Schiller sieht sich bereits an Carl August gebunden; *mich mit dem Herzog v. Weimar auf einem gewißen Fuss zu arrangieren*, heißt es, und, als es um eine mögliche Anstellung als Theaterdichter in Hamburg geht: *ausserdem müßte ich doch, der Form wegen, mit dem Herzog von Weimar darüber übereingekommen seyn* ... Von einer Reise nach Weimar ist mehrfach die Rede; die *Connexion mit dem guten Herzog von Weimar* verlange, *daß* er *selbst dahingehe, und persönlich für* sich *negotiere*.

In seinem Gepäck wird er als Geschenk für Carl August die 6282 Verse umfassende Buchausgabe des »Don Carlos« haben. Schiller widmet, als er Mitte März 1785 den ersten Akt in der »Rheinischen Thalia« publiziert, ihm das Stück mit folgenden Worten: *Wie teuer ist mir zugleich der jetzige Augenblick, wo ich es laut und öffentlich sagen darf, daß Carl August, der edelste von Deutschlands Fürsten und der gefühlvolle Freund der Musen, jetzt auch der meinige sein will, daß Er mir erlaubt hat, Ihm anzugehören, daß ich Denjenigen, den ich lange schon als den edelsten Menschen schätzte, als meinen Fürsten jetzt auch lieben darf.*

Die Reise von Dresden nach Weimar. Ein kurzer Aufenthalt bei Göschen in Leipzig. Naumburg, die letzte Poststation vor Weimar. Ein Sommertag. Der 21. Juli 1787.

*In Naumburg hatte ich das Unglück den Herzog von Weimar um eine Stunde im Posthauße zu verfehlen, wo er mir beinah die*

*Pferde weggenommen hat.* Carl August reist in entgegengesetzter Richtung, nach Potsdam, zu Manövern der preußischen Armee.

Ein schlechtes Omen? Eine erste Enttäuschung. *Was hätte ich um diesen glücklichen Zufall gegeben!* schreibt Schiller.

Am Abend des 21. Juli kommt er in Weimar an, nimmt im Hotel »Zum Erbprinzen« am Markt sein Nachtquartier, wie es ein Jahrzehnt vor ihm der Dichter Jakob Michael Reinhold Lenz tat.

Hat Schiller am Stadttor seinen Titel genannt, sich im »Erbprinzen« damit vorgestellt? Das Dokument des Herzogs vorgewiesen? Wir wissen es nicht, der Reputation des Ankommenden hätte es gewiß gedient.

Noch am Abend des 21. Juli besucht er Charlotte von Kalb in ihrer Wohnung an der Esplanade Nr. 98. Der kleine Friedrich ist inzwischen fast drei Jahre alt. *Es ist ein liebes Kind aus ihm geworden, das mir viele Freude macht*, berichtet Schiller den Dresdner Freunden. Und, daß ihr *erstes Wiedersehen ... soviel gepreßtes, betäubendes* hatte, *daß mirs unmöglich fällt, es euch zu beschreiben. Charlotte ist sich ganz gleich geblieben, biß auf wenige Spuren von Kränklichkeit, die der Paroxysmus der Erwartung und des Wiedersehens für diesen Abend aber verlöschte ... Sonderbar war es, daß ich mich schon in der ersten Stunde unsers Beisammenseins nicht anders fühlte als hätt ich sie erst gestern verlassen.* Wenig später: *Mit jedem Fortschritt unsers Umgangs entdecke ich neue Erscheinungen in ihr, die mich, wie schöne Parthien in einer weiten Landschaft überraschen, und entzücken.*

Anders als in Mannheim verbergen die beiden in Weimar ihre Liebe nicht: *Wir haben uns vorgesetzt, kein Geheimniß aus unserem Verhältniß zu machen.*

Denkt Frau von Kalb an Scheidung? Sie planen ein gemeinsames Leben. Bereits wenige Tage nach der Ankunft heißt es: *Charlotte hat alle Hofnung daß unsre Vereinigung im October zu Stand kommen wird.*

Und: *Mein Verhältniß mit Charlotten fängt an, hier ziemlich laut zu werden und wird mit sehr viel Achtung für uns beide behandelt.*

Schillers Neugier gilt den literarischen Größen der Stadt. *Göthe ist noch in Italien*, heißt es lapidar. Aber Christoph Martin Wieland und Johann Gottfried Herder sind in Weimar.

Am Morgen des 23. Juli schickt Schiller ein Billett an Wieland mit dem Ersuchen, von ihm empfangen zu werden.

Bereits am Nachmittag des 23. Juli lädt Wieland ihn in sein Haus. *Ich besuchte also ›Wieland‹, zu dem ich durch ein Gedränge kleiner und immer kleinerer Kreaturen von lieben Kinderchen gelangte.* An Wieland hatte Schiller sich schon aus Mannheim gewandt; auch sein Intendant Dalberg und sein Verleger Schwan hatten Wieland, dessen Urteil Gewicht hat, zu einer Einschätzung des jungen Dramatikers gedrängt.

Wieland reagierte zurückhaltend, äußerte sich erst nach mehrmaligen Anfragen. Die Wahrheit ist: Er mag die »Räuber« nicht, hat einen *großen Greuel ...* vor *der seltsamen Hirnwut, die man itzt am Neckarstrom für Genie zu halten pflegt*, ihn stören die aggressiven Züge, für ihn ist es ein anarchisches Frühwerk. Dennoch schreibt er diplomatisch und verbindlich an Schillers Verleger: *Ich halte Hrn. Schillern für einen Mann von seltnem Genie, gebohren mit allen Anlagen zu einem großen dramatischen Dichter.*

Schiller geht, als er nach Weimar kommt, von einer hohen Wertschätzung seiner Arbeiten durch Wieland aus, obgleich dieser ihn in seiner Antwort vom 23. Juli bittet, er *möge seine Erwartungen so tief als möglich herab ... stimmen.*

Freundlich empfängt Wieland den sechsundzwanzig Jahre Jüngeren.

Nichts von Einwänden. Nichts davon, daß er auf Befehl seines Herzogs eine Expertise über den »Don Carlos« anzufertigen hatte. Unmittelbar nach jener Lesung am Darmstädter Hof hat Carl August sie in Auftrag gegeben. Reute ihn die Spontaneität seiner Handlung, wollte er sich rückversichern, wem er da einen Titel verliehen hatte? Rein literarisches Interesse war es keinesfalls. Am 8. Mai 1785 legte Wieland seinem Herzog ein ausführliches Dossier vor. Er betonte die *formalen Mängel* des Stückes, charakterisierte Schiller als jemanden, der noch viel zu lernen habe; nur durch eine *Ausbildung des Autors* könnten diese *Mängel* behoben werden. Der Grundton ist nicht unfreundlich. Aber die Distanz ist unverkennbar.

Ist diese Expertise Wielands einer der Gründe, die Carl August zeitlebens Abstand zu Schiller halten lassen?

Schiller wird Wielands Dossier nie zu Gesicht bekommen. Bis zum Tod Carl Augusts verbleibt es in dessen Privatbesitz. Dann geht es, wie aus einem Begleitschreiben Goethes vom 21. September 1827 ersichtlich ist, in den Besitz der Weimarer Bibliothek über, um *bey den übrigen Wielandischen Reliquien zu einem freundlichen Andenken* aufbewahrt zu werden.

Wielands Vorbehalte gegenüber dem »Don Carlos« äußern sich auch darin, daß er im Mai 1787 eine Besprechung für die in Jena erscheinende »Allgemeine Literatur-Zeitung« ablehnt, mit der Begründung, er fürchte, den Autor damit zu brüskieren.

Diplomatisches Überspielen all dieser Dinge. Eine Woche nach der Ankunft schreibt Schiller nach Dresden, *daß Wieland mich vor den meisten schriftstellerischen Menschen unsers Deutschlands auszeichnet und hohe Erwartungen von mir hegt.*

Der zweite Besuch des Weimarankömmlings gilt Johann Gottfried Herder. Am 25. Juli wird er von dem Kirchenobersten empfangen. Seine spontane Sympathie für den fünfzehn Jahre älteren, mit Geschäften überhäuften Mann.

*Er hat mir sehr behagt*, schreibt Schiller, zeigt sich aber verstört, daß Herder kaum etwas von ihm weiß. *Ich muss ihm erstaunlich fremd seyn, denn er fragte mich ob ich verheurathet wäre ... Ich glaube, er hat selbst nichts von mir gelesen.* Als er Herder mit Frau und Kindern Wochen später zufällig auf einem Spaziergang trifft, bestätigt es sich. Herder kennt keines seiner Werke. Schiller schickt ihm seinen »Don Carlos«, bittet um ein Urteil. Seine Geliebte ist Vermittlerin. Herder *versicherte Charlotten, daß ich ihn sehr interessiere*, berichtet er nach Dresden, *er sagte ihr daß er ehemals gegen mich gesprochen hätte, aber er hätte mich nur vom Hörensagen beurteilt ... Was er biß jezt im Carlos gelesen, habe ihm diese bessere Meinung von mir bestätigt.*

Später dann, Herder habe ihm *viel schönes und geistvolles über den Carlos gesagt.*

Am Hof der Herzoginmutter wird Schiller von Wieland eingeführt. Bereits am 27. Juli gehen die beiden zu Fuß nach Tiefurt, wo Anna Amalia ihren Sommersitz hat. *Charlotte versichert mir ..., daß ich es hier überal mit meinen Manieren wagen dürfe.*

Am 28. Juli wird Schiller mit Charlotte von Kalb *zum Thee, Conzert und Soupee* zu Anna Amalia geladen. Es gibt eine erste Verstimmung. *Charlotte will behaupten, daß ich mich diesen Abend zu frey betragen habe, sie zog mich auch auf die Seite und gab mir einen Wink.*

Nach dem Theatermilieu in Mannheim und dem privaten bürgerlichen in Dresden sieht sich Schiller nun mit der Etikette eines winzigen Fürstenhofes konfrontiert. Durchaus selbstbewußt reagiert er auf Charlottes Vorwurf, er habe die *Herzogin stehen lassen ... Es kann mir begegnet seyn, denn ich besann mich niemals, daß ich Rücksichten zu beobachten hätte.* Charlotte verläßt nach dem Konzert die Gesellschaft, Schiller bleibt.

Seinem Freund Körner gegenüber nimmt er kein Blatt vor den Mund. Er stellt fest, daß am Hof *viel schaales Zeug geschwazt* werde. ... *wieviel flache Creaturen kommen einem da vor*, heißt es wenig später; von *seichten hiesigen Cavaliers* ist die Rede, von langweiligen Spaziergängen *in großer adlicher Gesellschaft,* die er habe *machen müssen.*

Auch Anna Amalia beurteilt Schiller wenig schmeichelhaft: *Sie selbst hat ›mich‹ nicht erobert. Ihre Physiognomie will mir nicht gefallen. Ihr Geist ist äuserst borniert, nichts interessiert sie als was mit Sinnlichkeit zusammenhängt, diese gibt ihr den Geschmack den sie für Musik und Mahlerei und dgl. hat oder haben will.* Unter *dgl.* mag er auch ihre Theatervorlieben subsumieren. Instinktiv spürt er, daß der Geschmack des Zirkels um Anna Amalia vom französischen Klassizismus geprägt ist und daß er kaum Verständnis für seine Arbeiten erwarten kann.

Es wird sich bewahrheiten. Wenig später wird in seiner Abwesenheit der Gothaer Schriftsteller Gotter den »Don Carlos«

am Hof Anna Amalias vortragen und sich süffisant über dessen Schwächen äußern. Wieland ist zugegen und scheint nicht zu widersprechen. Eine Kränkung für Schiller. Zudem die unangenehme Erinnerung an die Flickwort-Affäre in Mannheim. Gotter *haßt ... mich schon seit vier Jahren ... vielleicht gerade darum* habe er sich *zur Vorlesung des Carlos erboten.*

Wichtiger als die Hofhaltung der Herzoginmutter ist die des regierenden Fürsten. Auch wenn Carl August nicht in Weimar ist, möchte Schiller der jungen Herzogin vorgestellt werden.

Er richtet, beraten von seiner adligen Freundin, seine Lebensführung danach aus. Verläßt den Gasthof, nimmt ein *Logis auf der Esplanade*, es ist die vornehmste Gegend von Weimar. Seine Wohnung im Haus der Frau von Imhoff *kostet* ihn *das Vierteljahr mit den Moeubles 17 und 1/2 Thaler. Viel Geld für 2 Zimmer und eine Kammer. Einen Bedienten der zur Noth schreiben kann, habe ich für 6 Thaler angenommen.*

Seine Geliebte bringt ihm die Spielregeln bei. *Charlotte kündigt mir an, daß ich als Weimarischer Rath sobald ich in der Stadt selbst mich dem Hof präsentieren wolle, beim hiesigen Adel und den ersten bürgerlichen CeremonienBesuche machen müsse. Ob das gleich nun durch bloße Carten ausgerichtet zu werden pflegt und ich meinen Bedienten habe, so stehe ich doch in Gefahr, bei einigen angenommen zu werden, und wenn auch nicht, so ist eine halbe Woche schändlich verloren. Ich kann ›mich‹, ohne einen großen Fehler gegen die Lebensart zu begehen, nicht davon ausschließen.*

Er läßt sich in den wichtigsten Häusern melden, macht *CeremonienBesuche*, lernt Friedrich Justin Bertuch kennen, den Weimarer Unternehmer, Verleger, Übersetzer und herzoglichen Schatullverwalter. Macht sich mit den Mitgliedern der Weimarer Regierung, den Geheimen Räten Johann Christoph Schmidt und Christian Gottlob Voigt bekannt. Er besucht den Weimarer Herrenclub, spielt dort Karten, geht zur Mittwochsgesellschaft der Bürgerlichen, zu der im Gegensatz zum Club auch Frauen zugelassen sind.

Er begegnet dem Schriftsteller und Übersetzer und einstigen Hofmeister des Prinzen Constantin Karl Ludwig von Knebel, der ihm nicht behagt. Als er hört, daß dieser nach Goethe den größten Einfluß auf den Herzog hat, forciert er den Kontakt. Geprägt von der höfischen Carlsschule, verhält er sich durchaus taktisch.

Er denkt über seine Kleidung nach. Hat er Geld umsonst ausgegeben? *Das schwarze Kleid hätt ich ganz entbehren können. Ich kann im Frack zum Herzog und zur Herzogin. Annonciert werde ich heute*, schreibt er am 24. Juli. Vier Tage später: *Nunmehr freue ich mich auf die junge Herzogin ...*

Die Zeit vergeht. Zu Hofe wird er nicht geladen. Am 18. oder 19. August notiert er: *Die regierende Herzogin ist hier, ich habe mich aber noch nicht vorstellen lassen, weil es mit erstaunlichen Ceremonien verbunden ist ... Es geschieht also vielleicht gar nicht, es sei denn, daß sie nach mir fragte.* Am 28. August trifft er die Herzogin Louise im Park. *Sie begegnete mir im Stern ..., aber es blieb nur beim bloßen Vorbeigehen.*

Im Weimarer Park läßt Carl August im Sommer 1787 für seinen abwesenden Freund Goethe den Schlangenstein mit der Inschrift: *Genio huius loci* errichten.

Am 28. August wird in Goethes Gartenhaus Geburtstag gefeiert. Schiller ist mit Charlotte, Knebel und anderen unter den Gästen. *Wir fraßen herzhaft und Göthens Gesundheit wurde von mir in Rheinwein getrunken*, berichtet er Körner. *Nach dem Soupee fanden wir den Garten illuminiert, und ein ... Feuerwerk machte den Beschluß ... Schwerlich vermuthete er in Italien, daß er mich unter seinen Hausgästen habe ...*

In Rom verfaßt Goethe an diesem Tag ein an seinen Herzog gerichtetes Dankesgedicht: *Du sorgtest freundlich mir den Pfad / Mit Lieblingsblumen zu bestreun. / ... So geh' ich ohne Wünsche fröhlich hin.*

Die so unterschiedlichen Situationen. Der eine vom Herrscher begünstigt, der andere in der Hoffnung auf ein Wort.

Als Schiller erfährt, Carl August wird erst im Herbst zurücksein, notiert er: *Der Herzog ... kommt erst im September. Eine unangenehme Neuigkeit für mich.* Vom 30. September bis zum 5. Oktober ist Carl August dann in Weimar. Schiller läßt sich über Knebel melden; er wird nicht empfangen. *Gesprochen habe ich ihn nicht ... Gestern Abend ist er fort,* heißt es resigniert am 6. Oktober.

Weimar ist nicht mehr jener Musenhof, mit dem der damals achtzehnjährige Herzog sich vor dreizehn Jahren bei seinem Amtsantritt einen Namen in ganz Deutschland gemacht hat; jener, auf den sich Schillers Hoffnungen richten.

Im Februar 1788 wird Schiller Zeuge, wie ein Soldat öffentlich gezüchtigt, fast zu Tode geprügelt wird. Ein Erlebnis, das ihm die Veränderungen drastisch vor Augen führt. *Weimar,* berichtet er Körner, *hat dieser Tage einen Auftritt erlebt, der die Menschlichkeit intereßiert. Ein Husarenmajor nahmens ›Lichtenberg‹ liess einen Husaren, eines höchst unbedeutenden Fehltritts wegen, durch 75 Prügel mit der Klinge so zu Schanden richten, daß man an seinem Leben zweifelte. Vorfälle dieser Art sind in dieser Stadt freilich sehr neu ...*

Schiller stellt sich vor, wie der abwesende Herzog reagieren würde. *Man weiss noch nicht gewiss ob der Herzog davon unterrichtet ist; auf allen Fall, fürchte ich, wird er sich nicht bei dieser Sache auf eine seiner würdige Art benehmen, weil, unglücklicher weise dieser Lichtenberg, der ein guter Soldat seyn soll, ihm jezt unentbehrlicher ist als seine Minister.* Er spielt auf Carl Augusts militärische Ambitionen an. Im Herbst hat er am preußischen Feldzug gegen Holland teilgenommen. Im Dezember 1787 ist er zum Chef des 6. Preußischen Kürassierregimentes ernannt worden.

Wie Schiller vermutete, geht der Husarenmajor straffrei aus. Carl August erläßt lediglich eine *Ordre*, daß künftighin nicht 75 Schläge ausgeteilt werden dürfen, sondern eine Höchststrafe von 25 Schlägen festgelegt wird.

Weimar hat sich verändert. Die Vorherrschaft des Militärischen. *Ich schreibe Dir diesen Auftritt*, schließt Schiller seinen

Bericht an Körner, *weil er ein gutes Gegenstück zu den vorhergehenden Epochen Weimars abgeben kann, wo man im Conseil wertherisierte.*

Über den abwesenden Goethe geht die Rede in Weimar. Von Herder hört Schiller nur Gutes. Auch von anderen. *Göthe wird von sehr vielen Menschen … mit einer Art von Anbetung genannt, und mehr noch als Mensch denn als Schriftsteller geliebt und bewundert.*

Aber er hört auch gegenteilige Urteile, der Favorit des Herzogs hat viele Neider in der Stadt. Gibt er nur deren Meinung wieder, oder ist es sein Kommentar, wenn er schreibt: *Während er in Italien mahlt, müssen die Vogts und Schmidts für ihn wie die Lastthiere schwitzen. Er verzehrt in Italien für nichtsthun eine Besoldung von 18 000 thal. und sie müssen für die Hälfte des Gelds doppelte Lasten tragen.* Im Eifer notiert er eine Null zuviel, verzehnfacht Goethes Besoldung; 1800 Taler beträgt dessen Jahresgehalt.

Verblüffend ist, wie präzise Schiller bereits in den ersten Wochen in Weimar, allein durch Beobachtung der Goetheschen *Sekte*, die Unterschiede zwischen Goethes und seinen Auffassungen erfaßt: *Göthens Geist hat alle Menschen, die sich zu seinem Zirkel zählen, gemodelt. Eine stolze philosophische Verachtung aller Speculation und Untersuchung, mit einem biß zur Affectation getriebenen Attachement an die Natur und einer Resignation in seine fünf Sinne, kurz eine gewiße kindliche Einfalt der Vernunft bezeichnet ihn und seine ganze hiesige Sekte.*

Schiller, für den *Idee* und *Speculation* alles ist, der *Intuition* und *Erfahrung* geringschätzt, beobachtet eine Verachtung der Philosophie und eine übertriebene Naturverehrung; ironisch schließt er: *Da sucht man lieber Kräuter und treibt Mineralogie als daß man sich in leeren Demonstrationen verfienge.*

Nach der erfahrungsarmen Dresdener Zeit sind ihm die vielfältigen Begegnungen in Weimar wichtig. Er vergleicht, ordnet ein. Spricht von *Weimarische⟨n⟩ Göttern* und *Götzendiener⟨n⟩.* …

*die nähere Bekanntschaft mit diesen Weimarischen Riesen* habe seine *Meinung von* sich *selbst ... verbeßert.*

*Das Resultat aller meiner hiesigen Erfahrungen ist*, schreibt er an Ferdinand Huber, *daß ich meine Armut erkenne aber meinen Geist höher anschlage, als bisher geschehen war ... Mich selbst zu würdigen habe ich den Eindruck müssen kennen lernen, den mein Genius auf den Geist mehrerer entschieden-großer Menschen macht. Da ich diesen nun kenne und den Vereinigungspunkt ihrer verschiedenen Meinungen von mir ausfindig gemacht habe, so fehlt meinem Urtheile von mir selbst nichts mehr. Um nun zu werden was ich soll und kann werd ich beßer von mir denken lernen und aufhören mich in meiner eigenen Vorstellungsart zu erniedrigen.*

Dem *Mangel*, den er *in Vergleichung mit andern* in sich *fühle*, werde er *durch Fleiß und Application begegnen*. Er spricht vom *Vermögen*, das die *Zeit* sei, vom *richtigen Gebrauch der Zeit, die unser Eigenthum ist*, davon, *sich selbst, und ohne fremde Hilfe ohne Abhängigkeit von Außendingen, ... alle Güter des Lebens erwerben zu können*. Ein selbstbewußter Entwurf. Die Vision einer freien Schriftstellerexistenz.

Zwiespalt der Gefühle. Weimar, die Hoffnung, die Enttäuschung. *Wie wenig ist Weimar, da der Herzog, Göthe, Wieland und Herder ihm fehlen!* notiert er Ende August 1787.

Er spricht von zwei Abwesenden und zwei Anwesenden. Obgleich es Schillers Wunsch ist, gestaltet sich sein Verhältnis zu Johann Gottfried Herder nicht enger. Zu Wieland erkaltet es fast gänzlich. Schiller hat Wieland die Buchfassung seines »Don Carlos« überreicht, wartet begierig auf eine Reaktion. Wieland hält den »Don Carlos« für ein *sonderbares Opus*, er weicht aus, meidet über Wochen den persönlichen Kontakt; es kommt zu Verstimmungen, schließlich zum Bruch. Davon, *daß er und ich auseinander kamen*, schreibt Schiller in einem Brief. Und: *ich mag mit solch einem Menschen nicht leben.*

Dann einlenkend: *Mit Wieland habe ich seit einiger Zeit wie-*

*der sprechen müssen, weil wir einander an fremdem Ort trafen.* Schiller gewinnt Distanz zu Wielands Urteil: *Im Dramatischen vollends gestehe ich ihm gar wenig Competenz zu.* Und Wieland ringt sich zu einer kollegialen Geste durch. Entgegen seiner ursprünglichen Weigerung rezensiert er den »Don Carlos« im »Merkur«. Er spricht dem Werk wegen seiner Länge zwar die Bühnentauglichkeit ab, empfiehlt dem Autor, sich den *Gesetzen des Aristoteles und Horaz* zuzuwenden, betont aber entschieden – nun in der Öffentlichkeit – das dramatische Talent Schillers.

Anfang Oktober kommt es zu einer Aussprache, der Ältere erläutert dem Jüngeren seine Einwände. Am 14. Oktober schreibt Schiller: *Mit Wieland bin ich ausgesöhnt.*

Wieland wird in der folgenden Zeit viel für Schiller tun. Er schlägt ihm vor, Mitherausgeber seines »Teutschen Merkur« zu werden. Der »Merkur« geht gut, die Subskriptionsquote liegt bei 1400 Exemplaren. Seine eigene Zeitschrift, die »Thalia«, soll Schiller aufgeben, als Manövriermasse in den »Merkur« einbringen, das heißt, Wieland hofft insgeheim, auf diesem Wege auch die Konkurrenz ausschalten zu können.

Schiller ist begeistert.

Am 13. November spielen die beiden eine genaue finanzielle Kalkulation des Projektes durch. *Wieland meynt daß mich der M⟨erkur⟩ ... in den Stand setzen müsse, das Nothwendigste zu bestreiten*, heißt es einen Tag später an Körner. Schiller rechnet sich einen Jahresprofit von 1000 Talern aus.

Das gemeinsam edierte Journal wird es nie geben. Wieland schreibt unwillig, Schiller sei *nicht dazu gemacht, lange an einem Faden zu spinnen, man* könne *ihn rasch begeistern, doch* fehle *ihm die Ausdauer.*

Wovon lebt er? Seine laufenden Kosten in der thüringischen Residenz sind hoch. *Hat Koch geschickt?* fragt Schiller Körner bereits nach vier Wochen Aufenthalt in Weimar. Sein *Geld* sei *auf 5 Laubthaler herabgeschmolzen.* Er bittet Körner: *Schicke mir wenn Du kannst von dem Deinigen weil ich nicht Zinsen auf*

*Zinsen bezahlen mag ... Ich brauche zwischen 6 und 8 Louisdor. ... Aber sei so gut und besorge daß ich das Geld vor Morgen (das ist Montag) über 8 Tag haben kann.* Körner hilft, wie seine Briefe vom 24. August und 7. September 1787 belegen. Das Geld von Koch, dem Rigaer Theaterprinzipal, wird erst im Februar 1788 eintreffen.

... *Zinsen auf Zinsen* ... Das bedeutet, Rückzahlungen stehen noch immer aus. So die Summe von 300 Talern zu 5 % Zinsen, die Schiller am 27. Juli 1785 in Leipzig vom Geldverleiher Beit mit Körners Bürgschaft aufgenommen hat. Körner mahnt; am 20. Oktober 1788 entgegnet Schiller: *Beiten jezt etwas zu zahlen ist mir ganz unmöglich.* Inzwischen borgt er bei Bertuch in Weimar. Lebt von Vorschüssen, die Göschen und Wieland ihm für noch zu liefernde Arbeiten zahlen.

Geldnot. Schulden. Hilft Charlotte von Kalb ihm? Es gibt darüber keine Belege.

Das Verhältnis der Liebenden zueinander gestaltet sich schwierig. Die *Vereinigung*, die im Oktober zustande kommen sollte, steht aus. Von *Launen* und *Stimmungen* Charlottes ist die Rede, vom *eigensinnigen Hang ihres Wesens*, das sein *Bild in ihrer Seele tiefer und fester gegründet* habe, *als bei mir der Fall seyn konnte mit dem ihrigen.*

Schillers Liebe kapituliert schnell vor Schwierigkeiten; wenn es Charlotte nicht gutgeht, zieht er sich von ihr zurück, vergräbt sich in seine Arbeit. *Alles* sei, schreibt er, *nur Zurüstung für die Zukunft. Jezt erwarte ich mit Ungeduld eine Antwort von ihrem Mann auf einen wichtigen Brief den ich ihm geschrieben.* Der Brief ist nicht überliefert. Wenig später, als Herr von Kalb seinen Besuch in Weimar ankündigt, heißt es bei Schiller: *Seine Freundschaft für mich ist unverändert, welches zu bewundern ist, da er seine Frau liebt und mein Verhältniß mit ihr nothwendig durchsehen muß.*

Noch geht Schiller von der Vorstellung eines gemeinsamen Lebens aus. Als Charlotte im November auf ihr Gut Kalbsrieth im Unstruttal reist, um sich zunächst dort mit ihrem Mann zu treffen, verläßt auch Schiller – die Abwesenheit seiner Geliebten, seinen *Interims-Wittwerstand* nutzend – Weimar.

## III

Ende November 1787 bricht er auf. Nicht nach Dresden, wie mehrfach angekündigt, nicht nach Hamburg, wie dem Theaterchef Schröder versprochen, führt die Reise ihn. Südthüringen ist sein Ziel.

In Meiningen will er seine Schwester Christophine besuchen, die inzwischen die Ehefrau seines einstigen Vertrauten und Freundes Reinwald geworden ist.

In Bauerbach Henriette von Wolzogen. *Die Dame hat sich große Rechte auf meine Dankbarkeit erworben; sie bittet mich in mehr als 20 Briefen, solang ich in Weimar bin, unaufhörlich um diesen Besuch*, schreibt er an Körner.

Und: *Von dieser Reise erwarte ich neue kostbare Empfindungen – Gefühle meiner Kindheit und frühen Jugend – auch heilige Pilgrims Gefühle durch die Ideen die diesem Ort von meinem ehemaligen stillen Aufenthalt angeheftet sind.*

Die Reise wird ein existentieller Einschnitt, allerdings in anderer Weise, als er es erwartet.

*Vier Tage war ich auf dem Weege, hin und zurück und 12 blieb ich in der Gegend.* Vom 21. November bis zum 7. Dezember 1787 ist er unterwegs.

Eine ungewöhnliche Reise. Zu Pferde. Von dem in der Ebene gelegenen Weimar aus reitet er südwestlich über Berka, Blankenhain, Ilmenau und Suhl. Er muß den Kamm des Thüringer Waldes überqueren, den Nordhang hinauf und die südliche Hangseite hinab. Das bei Minusgraden; Wind auf der Gebirgshöhe, Schneetreiben. Ein Ritt von zwei Tagen.

In Meiningen begegnet er dem Landschaftsmaler und Radierer Johann Christian Reinhart. Er kennt ihn von Leipzig her. *Mit*

*Reinhardt war ich oft zusammen* ... Jetzt ist er als Maler am Meininger Fürstenhof. *Er hat mich gezeichnet und ziemlich getroffen.*

Eine Federzeichnung zeigt die Rückenansicht des reitenden Schiller. Für einen Winterritt durchs Gebirge ist er nicht ausgerüstet. Man spürt förmlich die Kälte. Er hat einen leichten Mantel an. Im Sommer kam Schiller mit einem von seinem Freund Ferdinand Huber geborgten Reisemantel nach Weimar. Als Huber den Mantel selbst benötigte, schickte er ihn auf dem Postweg zurück. Nun wiederum ein geliehener Mantel? Erst 1791 wird er sich auf den dringenden Rat seines Arztes hin einen Pelz leisten; sein Verleger Göschen besorgt ihm diesen in Leipzig. Jetzt trägt er einen dünnen Tuchmantel mit breitem Kragen, die Rockschöße hängen zu beiden Seiten über den Hinterbacken des Tieres. Auf Schillers Kopf ein Hut mit breiter Krempe, er ist tief herabgezogen. Die Beinkleider reichen bis zu den Schuhen, leichte Stiefel sind es wohl, keineswegs winterfeste Stulpenstiefel. Ein exzellenter Reiter soll er keineswegs gewesen sein, ihm habe – so ist überliefert – das Gefühl für Zügel und Sporen gefehlt. 1792 wird er sich ein eigenes Pferd anschaffen, im April 1805, wenige Wochen vor seinem Tod, ist in seinem Kalender nochmals der Kauf eines Pferdes vermerkt. Reinharts Zeichnung zeigt Schiller auf einem Esel. Eine Anspielung auf seine Reitkünste? Ein Spaß?

Schiller in der südthüringischen Residenz. In Meiningen habe er *mit dem Herzog Bekanntschaft gemacht*, heißt es, und er sei *von einem ... Gut nach dem andern herumgezogen*; von einer *edelmännische⟨n⟩ Familie* im Dorf Höchheim ist die Rede, von einer Visite in Nordheim auf dem Schloß eines Kammerherrn von Stein.

Kein Wort über die Schwester, keines über Reinwald. Vormals hatte Schiller dem Hofbibliothekar die Briefe seiner Schwester zu lesen gegeben. Wilhelm Friedrich Hermann Reinwald verliebte sich daraufhin in Christophine, warb um sie. Am 22. Juni 1786 haben die beiden geheiratet. Er wird fünfzig, sie ist achtundzwanzig.

Vehement hatte sich Schiller gegen diese Eheschließung ausgesprochen. Hatte damit seine Schwester tief verletzt, wie er selbst eingesteht; er habe ihr *Vertrauen zurückgescheucht,* ihrer *Freimüthigkeit gegen* ihn *geschadet.* Auch Reinwald muß gekränkt gewesen sein, als er las, Christophines Entscheidung für ihn sei ein *Opfer,* dessen er sich *würdig* zu erweisen habe. Ist es Eifersucht, männliches Besitzdenken, kann Schiller nicht loslassen?

Nun erlebt er in Meiningen die Schwester als Ehefrau, den Freund als Schwager. Ob beide Seiten beim Wiedersehen die Mißstimmungen überspielen können, Harmonie sich einstellt? Wir wissen es nicht.

Vielleicht auch unerfreuliche Gespräche über die Eltern. Wenig später schreibt Schiller bezogen auf sie: *Wie schwer drücken mich doch die UnterlassungsSünden der Briefstellerey!*

Von erwarteten *kostbare⟨n⟩ Empfindungen – Gefühle⟨n⟩ seiner Kindheit und frühen Jugend* erzählen die Briefe nicht.

Auch in Bauerbach stellen sich keine *Pilgrims Gefühle* ein.

Von der Begegnung mit Henriette von Wolzogen berichtet er Körner, daß er ihr *in gewißem Betrachte nützlich* gewesen sei, *weil ihre Tochter sich verheurathen soll und ihr Bräutigam eben zugegen war, den ich kennen lernen sollte, denn Du mußt wißen, daß ich hier etwas gelte und daß man sich in wichtigen Dingen an mich zu wenden pflegt ...*

Ist das nicht eine allzu phantasievolle Version? Verschweigt er dem Freund das Unangenehme? Schillers Briefe an seine Gönnerin unmittelbar nach seinem Aufenthalt in Bauerbach belegen eindeutig, daß ihm dort andere Dinge abverlangt wurden als Urteile über den Bräutigam der Tochter.

Seine Schulden sind Gegenstand der Gespräche. Waren vielleicht auch Henriette von Wolzogens zwanzig Briefe eher Mahnungen? Und es folgen weitere.

*Warum ich Ihnen liebste Freundin auf Ihren vorlezten Brief nicht gleich geantwortet habe,* schreibt Schiller zwei Monate nach seinem Besuch in Bauerbach, *kommt daher, weil ich endlich einmal sicher glaubte, Ihnen Geld mit schicken zu können. Dalberg in Mannheim soll mir für den Carlos schicken ... sobald ich es habe, kommt es gleich an Sie.*

Dann nimmt er Bezug auf den Entschuldungsplan, den Frau von Wolzogen ihm offenbar vorgelegt hat. *Mit der Einrichtung, die Sie machen wollen bin ich vollkommen zufrieden. Die 90 fl. sollen auf Michaëlis bezahlt seyn, und die 22 1/2 fl. Intereßen für 1788 vielleicht noch vor der Ostermeße ... Alle Meßen will ich Ihnen künftig etwas von der Hauptsumme abtragen und ich hoffe daß ich mit dieser Ostermeße anfangen kann. An mir ligt es nun warlich nicht mehr, wenn ich selbst nur bezahlt werde. In meinem nächsten Brief sollen die 4 Wechsel folgen. Den einen setze ich zu 150 Gulden auf Ostern 1789. Den anderen zu 150 auf Michaëlis 1789; den dritten auf Ostern 1790 zu 150 fl. Den kleinen zu 90 fl. sezte ich auf kommende Michaelismeße 1788 an ... So sind Sie,* faßt er zusammen, *von dieser Ostermeße 1788 biß Ostermeße 1790 bezahlt. Die jährlichen Intereßen werden von Meße zu Meße von mir abgetragen.* Er versichert ihr, sie werde in ihm *keinen undankbaren Freund finden.* Schränkt aber ein: *Es kommt also nur darauf an, wenn ich Ihnen das erstemal etwas schicken kann, und wie viel. Viel wird es nicht seyn, weil just die jetzige Zeit für mich drückend ist; aber doch etwas weniges gewiß.*

Er wird sein Versprechen der Frau gegenüber – von der er sagt: *Sie war mir alles, was nur eine Mutter mir hätte sein können* – nicht halten. Wird zur Ostermesse nicht zahlen. Wird seine Schulden niemals begleichen. Am 5. August 1788 stirbt Henriette von Wolzogen mit zweiundvierzig Jahren an den Folgen einer Brustkrebsoperation. In einem letzten Brief vom 10. Juli 1788 schreibt Schiller: *Spätestens zu Ende Augusts kann ich Ihnen einen Theil meiner Schuld abtragen.*

In den Dezembertagen 1787 hält sich auch einer der Wolzogenschen Söhne, Wilhelm Friedrich, der älteste, in Bauerbach auf. Mit ihm tritt Schiller den Rückweg an.

Wiederum zu Pferde. Den ersten Tag reiten sie über Suhl bis Ilmenau. Am nächsten Tag über Königssee nach Rudolstadt.

Schiller gefällt die Landschaft. *Die Gegend um Rudelstadt ist ausserordentlich schön. Ich hatte nie davon gehört und bin sehr überrascht worden. Man gelangt durch einen schönen Grund von 2 1/2 Stunden dahin und wird von dem weissen Schloß auf dem Berge angenehm überrascht.*

Wilhelm von Wolzogen hat Verwandte in der Saalestadt, seine Cousinen Caroline und Charlotte von Lengefeld, er will sie besuchen, lädt Schiller ein, mitzukommen. *In Rudelstadt hab ich mich auch einen Tag aufgehalten ... Eine Frau von Lengenfeld lebt da mit einer verheuratheten und einer noch ledigen Tochter. Beide Geschöpfe sind, ohne schön zu seyn, anziehend und gefallen mir sehr.*

Keiner der jungen Männer ahnt, daß einer von ihnen, Schiller, sich schon bald in beide Frauen leidenschaftlich verlieben, schließlich Charlotte zur Ehefrau nehmen, und der andere, Wolzogen, 1794, nach Carolines Scheidung deren Erwählter sein, sie heiraten wird.

Nachmittag und Abend des 6. Dezember 1787 im Hause der Lengefelds. Spät verläßt Schiller es, er übernachtet im vornehmsten Absteigequartier der Stadt, im Gasthof »Zur güldenen Gabel«. Vermerkt wird: *Herr Doktor Schiller aus Meiningen.*

Am Morgen des 7. Dezember 1787 reitet er nach Weimar zurück.

## IV

*Ich war also wieder in der Gegend wo ich von 82 biß 83 als Einsiedler lebte*, schreibt er bereits am 8. Dezember an Körner. Resümiert: *Damals war ich noch nicht in der Welt gewesen, ich stand so zu sagen, schwindelnd an ihrer Schwelle ... Jezt nach 5 Jahren kam ich wieder... Jene Magie war wie weggeblasen. Ich fühlte nichts. Keine von allen Plätzen, die ehmals meine Einsamkeit intereßant machte, sagte mir jetzt etwas mehr. Alles hat seine*

*Sprache an mich verloren. An dieser Verwandlung sah ich, daß eine große Veränderung mit mir selbst vorgegangen war. Und mußte sie nicht? Wie viele neue Gefühle, Schiksale und Situationen lagen nicht in diesem Zwischenraum. Eure Erscheinung, unsre ganze Freundschaft, ganz Mannheim mit seinen Freuden und Leiden, Charlotte, Weimar, eine ganz neue Epoche meines Denkens!*

Eine *große Veränderung*, das klingt optimistisch. In der Konfrontation mit der einstigen Lebenslandschaft ordnen sich alle Elemente seines Lebens neu.

In der Folge entwirft er einen überraschend nüchternen, realistischen Lebensplan. Eine Ehe ist darin das Kernstück. *Ich sehne mich nach einer bürgerlichen und häußlichen Existenz und das ist das einzige, was ich jezt noch hoffe.*

Der Gedanke der Heirat tritt an vorderste Stelle, wird fast zur fixen Idee. Schiller setzt sich ein Zeitlimit. In den nächsten zwei Jahren muß es geschehen. *Nach meinem 30gsten Jahr heurathe ich nicht mehr*, bemerkt er im Brief vom 8. Dezember. Vor wenigen Wochen ist er achtundzwanzig geworden. Der Erklärung, daß er nach seinem *30gsten Jahr* nicht mehr *heurathe*, folgt: *Schon jezt hab ich die Neigung dazu nicht mehr, ich habe nach Gründen der Nothwendigkeit dafür gesprochen.*

Mit emotionaler Energie verteidigt Schiller den erstaunten Dresdner Freunden gegenüber seine Pläne. *Könntest Du in meiner Seele so lesen, wie ich selbst*, schreibt er Körner über sein *Heurathsproject, Du würdest keine Minute darüber unentschieden seyn.*

*... nichts in der Welt* würde seinem *Herzen die glükliche Ruhe, und* seinem *Geist die zu Kopfarbeiten so nötige Freiheit, und stille leidenschaftlose Musse verschaffen* können als eine Heirat, hatte er Henriette von Wolzogen bereits 1784 gestanden. *Die stillen Freuden des häußlichen Lebens würden, müßten mir Heiterkeit in meinen Geschäften geben, und meine Seele von tausend wilden Affekten reinigen, die mich ewig herumzerren.*

Jetzt an Körner: *Ich muß ein Geschöpf um mich haben, das ›mir‹ gehört ... Ich bedarf eines Mediums ...* Und Huber gesteht er, er müsse den Weg der Ehe gehen; *ehe* er *die Hoffnung ganz sinken laße*, müsse er *noch ›diese‹ Erfahrung machen. Diß ist eine Heurath. Glaube mir daß ich Dir keinen Roman auftische. Wenn andre meinesgleichen durch häußliche Feßeln für weitere Plane der Wirksamkeit verloren gehen, so ist Häußlichkeit just das einzige was mich noch heilen kann ...*

Von *heilen* spricht er. Ist er ein Kranker?

Schiller, der Mediziner, der durch sein Studium ein ausgezeichnetes Wissen über die menschliche *Natur* besitzt. (Die modernsten Lehrmeinungen standen ihm in der Carlsschule zur Verfügung.) Der in zwei medizinischen Dissertationsschriften der – verkürzt gesagt – anthropologischen Grundthese folgt: *der Mensch ist nicht Seele und Körper, der Mensch ist die innigste Vermischung dieser beiden Substanzen.*

Peter-André Alt hat in seiner großen Schiller-Monographie dieses medizinische Wissen Schillers in seiner Bedeutung für dessen Dramengestalten, bis hin zu den Anweisungen für Schauspieler (der Übereinstimmung von innerem Empfinden und körperlichem Gestus), kenntlich gemacht.

Als Mediziner hat Schiller dieses Wissen auch auf sich selbst angewandt. Davon zeugt nicht zuletzt sein *Heurathsprojekt*, das das Ergebnis einer präzisen Eigendiagnose ist. Er diagnostiziert an sich *Hypochondrie*, die Modekrankheit der Zeit, die er im Krankenbericht über den suizidgefährdeten Carlsschüler Joseph Friedrich Grammont 1780 als Folge *der genauen Sympathie zwischen dem Unterleib und der Seele* bezeichnet. Sie – die Hypochondrie – sei *derjenige unglückliche Zustand eines Menschen, in welchem er das bedaurenswürdige Opfer* ebendieser *Sympathie* werde, sie sei *die Krankheit tiefdenkender, tiefempfindender Geister und der meisten großen Gelehrten.*

Er wird zum Therapeuten seiner selbst.

In einer rückhaltlosen Analyse legt Schiller sein *innerstes Wesen* bloß.

*Eine philosophische Hypochondrie verzehrt meine Seele, alle ihre Blüthen drohen abzufallen.* Er *führe eine elende Existenz, elend durch den innern Zustand* seines *Wesens*. Sein *Gemüth* sei *wüste*, gesteht er Körner, sein *Kopf verfinstert*, er *fürchte für die Kräfte* seines *Geistes*. Sein Inneres, resümiert er verzweifelt, sei eine *fatale fortgesetzte Kette von Spannung und Ermattung, Opiumsschlummer und Champagnerrausch ...*

Dieser Zustand quäle ihn schon seit Jahren, auch in Dresden habe er darunter gelitten; unbemerkt sei es den Freunden geblieben. Eine leise Enttäuschung darüber schwingt mit, daß die Freunde ihn nicht verstehen; er habe geglaubt, schreibt er, *daß ihr beide mit meinem ganzen ›Seyn‹ so vertraut wäret, als ihr es eigentlich doch nicht seyn konntet.*

Nicht das *äussere Schicksal*, sondern seine *Individualität* macht Schiller für seinen seelischen Zustand, seinen *düstern Sceptizismus* verantwortlich.

Er verteidigt sich den argumentierenden Freunden gegenüber. Nicht *durch Regeln oder Autoritäten* sei er *gelähmt wie Du glaubst*, erwidert er Körner, sondern das *Abarbeiten meiner Seele macht mich müde, ich bin entkräftet durch den immerwährenden Streit meiner Empfindungen.* Und Huber entgegnet er: *Meine Individualität hat hier mehr dabei zu sagen, als Du ihr einräumst. Du glaubst nicht, wie sehr ich seit 4 oder 5 Jahren aus dem natürlichen Geleise ›menschlicher‹ Empfindungen gewichen bin; diese Verrenkung meines Wesens macht mein Unglück, weil Unnatur nie glücklich machen kann ...*

Und all diese Symptome soll eine Frau, soll eine Ehe heilen? Es klingt wie ein Hilferuf: *Wenn ich nicht ›Hofnung‹ in mein Daseyn verflechte, Hofnung, die fast ganz aus mir verschwunden ist, wenn ich die abgelaufenen Räder meines Denkens und Empfindens nicht von neuem aufwinden kann, so ist es um mich geschehen.*

Mit der *häußlichen* in einem Atemzug nennt Schiller die *bürgerliche Existenz*. Sein Fernziel ist eine fixe Besoldung, eine Anstellung.

Um aber dorthin zu gelangen, entschließt er sich, seine Arbeit als Dramatiker aufzugeben und sich der Historie zuzuwenden; mit dem Risiko, *am Ende dem Publicisten näher als dem Dichter zu sein.*

Körner ist befremdet, wertet die Beschäftigung Schillers mit der Historie ab, wirft dem Freund vor, nun *prosaisch* zu werden. Ein Haus- und Ehemann, ein Bürger. Die Abkehr vom Künstler? Das Ende des Künstlertums?

Schiller argumentiert: *Ich muß von ›Schriftstellerei leben‹, also auf das sehen, was ›einträgt‹.* Nach dem Scheitern als Theaterautor in Mannheim ist nun die Enttäuschung über die schlechte Aufnahme des »Don Carlos« ausschlaggebend. Der Hohn Gotters, die Zurückhaltung von Wieland und Herder. *Für meinen Carlos – das Werk dreijähriger Anstrengung bin ich mit Unlust belohnt worden. Meine Niederl⟨ändische⟩ Geschichte, das Werk von 5 höchstens 6 Monaten, wird mich vielleicht zum angesehenen Mann machen.*

Nüchtern stellt er den Kraftaufwand für poetische und historische Arbeiten einander gegenüber.

*Ueber die Vortheile beider Arten von Geistesthätigkeit ist nun vollends keine Frage. Mit der Hälfte des Werths den ich einer historischen Arbeit zu geben weiß, erreiche ich mehr Anerkennung in der sogenannten gelehrten und in der bürgerlichen Welt als mit dem größten Aufwand meines Geistes für die Frivolität einer Tragödie.*

*Poetische Arbeiten sind nur meiner ›Laune‹ möglich: forciere ich diese, so misrathen sie ... Zu einem Schauspiel brauche ich kein Buch aber meine ganze Seele und alle meine Zeit.*

*Zu einer z. B. historischen Arbeit tragen mir Bücher die Hälfte bei. Die Zeit welche ich für beide verwende ist ohngefähr gleich groß. Aber am Ende eines historischen Buchs habe ich Ideen erweitert, neue empfangen – am Ende eines verfertigten Schauspiels vielmehr verloren.*

*Was ich bin, bin ich durch eine, oft unnatürliche Spannung meiner Kraft. Täglich arbeite ich schwerer – weil ich viel schreibe: Was ich von mir gebe steht nicht in proportion mit dem, was ich empfange. Ich bin in Gefahr mich auf diesem Weg auszuschreiben ... Du wirst es für keine stolze Demuth halten, wenn ich Dir sage, daß ich zu ›erschöpfen‹ bin,* gesteht er Körner, ... *wovon ... leben ..., wenn mein dichterischer Frühling verblüht?*

Er verteidigt seine Hinwendung zur Historie, macht aber deutlich, daß wirtschaftliche Erwägungen ihn dazu zwingen. Er prägt das Wort von der *›Oekonomische⟨n⟩ Schriftstellerei‹ ... kein Fach* als *die Geschichte* ... taugt *so gut dazu ..., meine ›Oekonomische Schriftstellerei‹ darauf zu gründen, so wie auch eine gewiße Art von Reputation, denn es gibt auch einen ›œkonomischen Ruhm‹.*

Den *›œkonomischen Ruhm‹* wird er erlangen. Im Februar 1788 erscheint in Wielands »Teutschem Merkur« der Vorabdruck des ersten Buches von Schillers »Geschichte des Abfalls der vereinigten Niederlande von der Spanischen Regierung«. Es ist sein *Debut in der Geschichte.*

Die »Niederländische Geschichte« trifft bei den Lesern auf ein breites Interesse, wird ein großer Verkaufserfolg. Diese Art lukrativen Schreibens treibt ihn voran. Er betätigt sich als Rezensent für die »Allgemeine Literatur-Zeitung« in Jena. Veröffentlicht im »Teutschen Merkur« seine »Briefe über Don Carlos«. Ebenso das Gedicht »Die Götter Griechenlandes«. *Wieland rechnete auf mich bei dem neuen Merkurstück und da machte ich in der Angst – ein Gedicht.*

Er arbeitet viel, spricht von *Ermattung. Meine jetzigen Arbeiten mögen mitunter auch an dieser Ermattung schuld seyn. Ich ringe mit einem mir heterogenen fremden und oft undankbaren Stoff ...* Er geht sogar so weit zu sagen, daß ihn das, was er den Marktgesetzen folgend schreibt, anwidere. Bereits im Januar 1787 hatte er den ersten Teil des »Geistersehers« in seiner Zeitschrift »Thalia« publiziert. Die Resonanz des Publikums und das dementsprechend noble Honorarangebot Göschens veranlaßt ihn, an eine Fortsetzung zu denken. Die Leser warten darauf. Schiller schreibt sie gegen seinen künstlerischen Willen: *ich sitze im Todesschweiß. Dem verfluchten Geisterseher kann ich bis diese Stunde kein Interesse abgewinnen; welcher Dämon hat mir ihn eingegeben!* Um der finanziellen Vorteile willen macht Schiller auch nicht vor Elementen der Trivialliteratur halt. *Der Geisterseher, den ich eben jezt fortsetze, wird schlecht – schlecht*; von *Schmiererei* spricht er. *Aber bezahlt wird es nun einmal ...*

Doch gerade der »Geisterseher«, sein einziger Roman, wird sein größter Publikumserfolg werden.

Ein gravierender Einschnitt in Schillers literarischem Schaffen. Für Jahre wendet er sich vom Drama, seiner eigentlichen großen Begabung, ab. Fast ein halbes Jahrzehnt, zwischen 1787 und 1792, beschäftigt er sich nahezu ausschließlich mit Geschichte. Die Literaturgeschichte nennt diese Zeit Schillers historiographische Schaffensphase. Den Weg der Anpassung an Publikumsgeschmack und die Gesetze des literarischen Marktes geht er eindeutig aus wirtschaftlichen Zwängen heraus.

Man stelle sich vor, der Weimarer Musenhof, Herzog Carl August, hätte Schiller nach seiner Ankunft in der Stadt im Sommer 1787 ein Jahresgehalt – sagen wir – von 800 Talern ausgesetzt; Schillers künstlerischer Weg wäre anders verlaufen.

## V

Seinen Heiratsentschluß vom 8. Dezember 1787 bekräftigt er Körner gegenüber am 7. Januar 1788: *noch einmal, mein Lieber, dabei bleibt es, daß ich heurathe.* Folglich muß er mit seinem Schreiben für die wirtschaftliche Seite einer Ehe aufzukommen suchen: *ich muß eine Frau dabei ernähren können.*

In Zusammenhang mit seinen Eheplänen formuliert Schiller sein Frauenideal. Er entwickelt präzise Vorstellungen, was die Ehe für seinen seelischen Haushalt, das heißt für sein Schreiben, bringen muß. Temperament und Charakter der Frau werden den Schreibbedingungen zugeordnet. *Bei einer ewigen Verbindung, die ich eingehen soll, darf Leidenschaft nicht sein.* Eine *Heurath* aus *Nothwendigkeit.*

Diesem Gedanken schließt sich der Satz an: *Eine Frau, die ein vorzügliches Wesen ist, macht mich nicht glücklich, oder ich habe mich nie gekannt.* Er ist wohl der Schlüssel zum Verständnis für Schillers Verhältnis zum weiblichen Geschlecht überhaupt.

Er läßt auch ahnen, daß es in seiner Liebe zu Charlotte von Kalb letztlich nicht die äußeren Umstände sind, die die Beziehung scheitern lassen; es ist Schillers Frauenideal, das er in Charlotte nicht verkörpert findet. Charlotte ist zu eigenständig, zu anspruchsvoll, zu kompliziert, sie ist nicht die Frau, die er braucht, um schreiben zu können.

*Ich bin bis jezt, ein isolierter fremder Mensch, in der Natur herumgeirrt, und habe nichts als Eigenthum besessen. Alle Wesen, an die ich mich fesselte, haben etwas gehabt, das ihnen theurer war als ich, und damit kann sich mein Herz nicht behelfen,* gesteht er Körner.

Er brauche *ein Geschöpf, das* ihm *ganz ergeben* sei.

Als Ideal erscheint ihm Wielands Ehefrau, *häßlich wie die Nacht, aber brav wie Gold ... ein nachgiebiges gutmüthiges Geschöpf ... äußerst wenig Bedürfnisse und unendlich viel Wirtschaftlichkeit.* Neben der *Wirtschaftlichkeit*, der Entlastung von den Alltagsdingen – *ich stürze aus meinen idealischen Welten, sobald mich ein zerrissner Strumpf an die wirkliche mahnt* – muß sie Harmonie schaffen, ihm als Ausgleich für die intellektuelle Hochspannung zwischen *Opiumsschlummer und Champagnerrausch* dienen. Eine wohltemperierte Ehe muß es sein.

So entschlossen, wie er alles in seinem Leben verfolgt, so entschlossen geht er auch diesen Weg hin zu einer *bürgerlichen und häußlichen Existenz.*

Drei Monate nach seinem dreißigsten Geburtstag, am 22. Februar 1790, wird er vor dem Traualtar stehen. Sein Leben sei *in eine harmonische Gleichheit gerückt*, schreibt er da, die Ehe habe ein *sanftes Licht über* sein *Dasein* geworfen.

An der Winterwende 1787/88 nun ist sein nüchterner Vorsatz zu dieser *bürgerlichen und häußlichen Existenz* als dem *einzigen*, was er noch zu *erwarten* habe, gefaßt. Aber noch ist nichts entschieden. Dem Freund gegenüber betont er mehrfach, daß es noch nicht um diese oder jene Frau gehe. *Glaube nicht, daß ich gewählt habe.*

*Uebrigens bin ich noch ganz frei und das ganze Weibergeschlecht steht mir offen; aber ich wünschte, bestimmt zu seyn. ... Uebrigens wiederhohle ich Dir noch einmal. Halte mich nicht im geringsten für ›gefesselt‹, aber ›fest entschlossen‹ es zu werden.*

Die Suche nach einer geeigneten Partie. Eine kapitalkräftige, vermögende Frau sollte es sein. *Weißt Du mir übrigens eine reiche Parthie, so schreibe mir immer*, bittet er Körner. Und an anderer Stelle – der Geheimrat Voigt hat im Januar 1788 die Möglichkeit einer Universitätsprofessur in Jena angedeutet –: *Könntest Du mir innerhalb eines Jahres eine Frau mit 12 000 Th⟨a⟩l⟨ern⟩ verschaffen, mit der ich leben, an die ich mich attachieren könnte, so wollte ich Dir in 5 Jahren – eine Fridericiade, eine klassische Tragödie und weil Du doch so darauf versessen bist, ein halb Dutzend schöner Oden liefern – und die Academie in Jena möchte mich dann im Asch lecken.*

Bei aller selbstironischen Übertreibung, eine Heirat mit einer reichen Frau soll ihm den sorgenfreien Raum für seine künstlerische Arbeit schaffen. Nicht Sehnsucht nach Reichtum und bürgerlichem Wohlergehen treibt ihn an. Es ist die Vorstellung von einer durch eine finanziell vorteilhafte Eheschließung gewonnenen Mäzenatin.

Daß die Suche nach einer vermögenden Frau auch spielerische Züge hat, mit Ironie und Augenzwinkern betrieben wird, belegen Schillers Briefe; *entweder*, heißt es, *sehr viel Geld, oder lieber gar keines und desto mehr Vergnügen im Umgang.*

Einmal ist eine reiche Frau in Sicht; eine *Anfrage aus der fränkischen Reichsstadt Schweinfurt* sei an ihn *ergangen, ob ich dort nicht eine Rathsherrenstelle mit leidlichem Gehalt, verbunden mit einer Frau von einigen 1000 rth. die, sezt man hinzu, an Geistes und äusserlichen Vorzügen meiner nicht unwerth sei, annehmen wolle.* Er lehnt ab, berichtet Körner den Spaß, das *Ganze* sei wohl *eine Idee der Person*, die *ich heurathen sollte.*

Auch an eine Verbindung mit Wielands Tochter Caroline denkt Schiller. *Ich glaube wirklich, Wieland kennt mich noch wenig genug, um mir seinen Liebling seine zweite Tochter ›nicht‹ abzuschlagen.* Wenig später heißt es, dies sei nur ein *hingeworfener Gedanke* gewesen.

Von einem *Hofrath Eccardt* in Jena ist die Rede, *der Vermögen und einen vorzüglichen Einfluß bey der Academie hat.* Es ist jener Jurist, der 1783 in dem Weimarer Kindsmordprozeß um Anna Katharina Höhn für die Enthauptung der Kindsmörderin plädierte. *Er hat noch eine unverheirathete Tochter*, schreibt Schiller, *mit der mich einige gedacht haben mögen zusammen zu kuppeln, aber ich mag weder sie noch die Familie.*

*Ein einziges Mädchen ist hier, das mir nicht übel gefällt*, schreibt er aus Jena. *Es ist die jüngste Schwester der Reichardt und Ettingern in Gotha, eine Seydler.* Er erwähnt sie nur einmal.

Über einen langen Zeitraum hinweg ist dagegen von einer Caroline Christiane Schmidt die Rede. Körner hat sie als geeignete Heiratskandidatin empfohlen. Schiller erwidert: *M⟨ademoise⟩lle Schmidt soll ein redseliges affektiertes und kaltes Geschöpf seyn; also aus der Parthie wird nichts. Schlagt mir eine bessere vor.* Als er sie kennenlernt: *Es ist eine kostbare Demoiselle, gegen die ich nie etwas fühlen könnte. ... Man hält sie hier für eine gute Parthie* ... Sie ist die Tochter von Johann Christoph Schmidt, dem Weimarer Regierungsmitglied. Als Schiller dann im Haus des Geheimrats Schmidt verkehrt, scheint er nicht mehr so abgeneigt. *Das Mädchen selbst würde mir auch ohne ihr Geld grade nicht mißfallen.* Realistisch fügt er hinzu: *Aber an sie zu denken ist keine Möglichkeit, weil Vater und Mutter und Tochter aufs Geld vorzüglich sehen ... Ueberdem scheint sie bereits so gut als verkuppelt und zwar an einen reichen Frankfurther.*

Der ironische Briefton zeigt seinen Abstand; eine Heirat mit einer vermögenden Frau ist ein Spiel im Kopf. Seine ergebnislose Suche. *Dürres Land* sei es *hier für* ihn, *so gern ich es gesehen hätte, wenn ein Geschöpf auf mich hätte wirken können*, heißt es noch im Mai 1789 an Körner.

Zu dieser Zeit steht Schiller längst in inniger Beziehung zu den Schwestern Lengefeld. Die Konstellation: zwei Männer und eine Frau in dem seelisch aufreibenden Verhältnis zu Charlotte von Kalb und ihrem Ehemann, wird abgelöst von der Konstellation: ein Mann und zwei Frauen; eine nicht minder schwierige Lage.

Im Januar 1788 sieht Schiller Charlotte von Lengefeld auf einem Faschingsball in Weimar wieder. Auch im März hält sie sich in der Residenzstadt auf. Am 23. März schreibt er Wilhelm von Wolzogen: *Fräulein von Lengenfeld ist noch hier und in der That meine liebste Gesellschaft.*

Auch Körner gegenüber macht er eine Andeutung. Dieser fragt den Freund direkt, und Schiller erwidert: *Neuerdings ließ ich zwar ein Wort gegen Dich fallen, das Dich auf irgend eine Vermuthung führen könnte – aber dieses schläft tief in meiner Seele, und Charlotte* (Charlotte von Kalb) *selbst, die mich fein durchsieht und bewacht, hat noch gar nichts davon geahnet.*

Seine Geliebte betreibt weiterhin ihre Scheidung, hofft auf ein gemeinsames Leben mit Schiller, während dieser, ohne es sich offenbar einzugestehen, einer neuen Liebe entgegengeht.

Nach Charlotte von Lengefelds Abreise aus Weimar werden Briefe gewechselt. Im Frühjahr 1788 laden ihn die Schwestern nach Rudolstadt ein.

Er *ziehe ... in die Einsamkeit aufs Land; mein Kopf und mein Herz sehnen sich darnach*, schreibt Schiller am 25. April. Fast ein halbes Jahr, vom 19. oder 20. Mai bis zum 12. November 1788, hält er sich in dem Rudolstadt nahe gelegenen Volkstedt und dann unmittelbar in der Nachbarschaft der Familie von Lengefeld auf, fast täglich ist er mit Charlotte von Lengefeld und Caroline von Beulwitz zusammen.

Gekommen ist er mit festen Vorsätzen. Bereits kurz nach seiner Ankunft teilt er Körner mit, daß er mit dem *Vorsatz* in das Haus eingetreten sei, eine *›sehr nahe‹ Anhänglichkeit an ... eine einzelne Person aus demselben sehr ernstlich zu vermeiden.* Er gesteht, daß er gefährdet sei. *Es hätte mir etwas ›der‹ Art begegnen können, wenn ich mich mir selbst ganz hätte überlassen wollen.* Aber er hat sich in der Gewalt.

*Aber jetzt wäre es gerade der schlimmste Zeitpunkt, wenn ich das bischen Ordnung, das ich mit Mühe in meinen Kopf, mein Herz und in meine Geschäfte gebracht habe, durch eine solche Distraction wieder über den Haufen werfen wollte.*

Ist es Selbstschutz, Unentschiedenheit, Angst?

Er hält sich an seinen *Vorsatz*, am 27. Juli bestätigt er Körner: *Es war recht gut gethan, daß ich mich gleich auf einen vernünftigen Fuß gesezt habe, und einem ausschließenden Verhältniß so glücklich ausgewichen bin.* Dann folgt ein Satz, in dem die Nüchternheit ihn verläßt, ein anderer Ton mitschwingt. *Es hätte mich um den besten Reiz dieser Gesellschaft gebracht*, steht da. Schiller genießt offenbar die Zuneigung beider Frauen, Carolines leidenschaftliche, Charlottes zurückhaltendere, er erwidert sie, aber, da er sich weder der einen noch der anderen erklärt, erhöht er die Spannung; in diesem Nichtaussprechen liegt der besondere Reiz dieser Dreierbeziehung.

Am Abschiedstag, dem 12. November, noch in Rudolstadt, schreibt er den beiden: *Ja meine Lieben, Sie gehören zu meiner Seele, und nie werde ich sie verlieren ...*

Zwei Tage später, wieder in Weimar, heißt es an Körner: *Mein Herz ist ganz frey, Dir zum Troste. Ich hab es redlich gehalten, was ich mir zum Gesetz machte und Dir angelobte; ich habe meine Empfindungen durch Vertheilung geschwächt, und so ist denn das Verhältniß innerhalb der Grenzen einer herzlichen vernünftigen Freundschaft.* Ob er wirklich seine Gefühle so klug kalkulieren konnte, wie er es dem Freund gegenüber darstellt, bleibt offen.

# Drittes Kapitel

## I

Im Sommer 1788 kehrt Johann Wolfgang Goethe aus Italien zurück. Am 18. Juni trifft er in Weimar ein.

Schillers Hoffnung ist, nach der Enttäuschung über Carl Augusts Verhalten und nach der Ernüchterung, die sich im Umgang mit Wieland und Herder einstellt, ganz auf Goethe gerichtet.

Mit Ungeduld erwartet er ihn.

Als er im Vorjahr, nach jener Geburtstagsfeier in Goethes Gartenhaus, schrieb: *Schwerlich vermuthete er in Italien, daß er mich unter seinen Hausgästen habe*, schloß er, *aber das Schicksal fügt die Dinge gar wunderbar.*

Er ersehnt Nähe. Ein äußeres Zeichen dafür ist, daß er im November 1787 seine Wohnung an der Esplanade aufgibt und in die unmittelbare Nachbarschaft Goethes zieht. In der Frauentorstraße, drei Häuser von ihm entfernt, neben dem Gasthof »Zum weißen Schwan« nimmt er sein Quartier. Die Schauspielerin Corona Schröter vermittelt es ihm. *Drei Piecen aneinander und ... vollkommen hell. Hinten heraus ist auch noch ein hübsch Stübchen für einen Bedienten.* Wenige Schritte sind es nur bis zu Goethes Haus.

Als aber dessen Bewohner am 18. Juni zurückkehrt, hält Schiller sich in Rudolstadt auf.

Jede Nachricht über den Heimgekehrten verfolgt er mit Spannung.

Am 7. Juli schreibt er nach Weimar. *Ich bin ungeduldig, ihn zu sehen. Wenige Sterbliche haben mich so interessiert.* Am 27. Juli nach Dresden an Körner: *Ich bin sehr neugierig auf ihn, auf Göthe ... es sind wenige, deren Geist ich so verehre.*

Am 20. August: *Göthen habe ich noch nicht gesehen, aber Grüße sind unter uns gewechselt worden. Er hätte mich besucht, wenn er gewußt hätte, daß ich ihm so nahe am Wege wohnte, wie er nach Weimar reiste. Wir waren einander auf eine Stunde nahe.*

Um *eine Stunde* verfehlte Schiller Herzog Carl August im Juli 1787 *im Posthauße* in Naumburg. Als *Unglück* sah er es, als schlechtes Omen. Nun die Wiederholung? Daß Goethe nach fast zweijährigem Aufenthalt in Italien bei seiner Rückkehr als erstes seinen um zehn Jahre jüngeren Dichterkollegen besuchen würde, erscheint mir fraglich, geradezu unwahrscheinlich.

Von *Erddiametern*, die die *Scheidung zwischen zwei Geistesantipoden* ausmachten, wird Goethe später sprechen. Er fühlt sich vom Werk des Jüngeren abgestoßen.

*Nach meiner Rückkunft aus Italien, wo ich mich zu größerer Bestimmtheit und Reinheit in allen Kunstfächern auszubilden gesucht hatte, unbekümmert was während der Zeit in Deutschland vorgegangen*, schreibt er, *fand ich neuere und ältere Dichterwerke in großem Ansehn, von ausgebreiteter Wirkung, leider solche, die mich äußerst anwiderten* ... Hier nennt er neben Heinses »Ardinghello« Schillers »Räuber«.

Schiller, den er als *ein kraftvolles, aber unreifes Talent* bezeichnet, habe *gerade die ethischen und theatralischen Paradoxen von denen* er sich *zu reinigen gestrebt, recht im vollen hinreißenden Strome über das Vaterland ausgegossen.*

Besonders irritiert Goethe Schillers Publikumserfolg. *Das Rumoren aber das im Vaterland dadurch erregt, der Beifall der jenen wunderlichen Ausgeburten allgemein, so von wilden Studenten als der gebildeten Hofdame gezollt ward, der erschreckte mich, denn ich glaubte all mein Bemühen völlig verloren zu sehen, die Gegenstände zu welchen, die Art und Weise wie ich mich gebildet hatte, schienen mir beseitigt und gelähmt.* Wo, fragt sich Goethe mit Blick auf seine eigene Dichtung, sei *eine Aussicht jene Produktionen von genialem Wert und wilder Form zu überbieten, man denke sich meinen Zustand! Die reinsten Anschauungen suchte ich zu nähren und mitzuteilen, und nun fand ich mich zwischen Ardinghello und Franz Moor eingeklemmt.*

Man muß sich vergegenwärtigen: Goethe, den seine Leser einst, als sein »Werther« erschien, auf Händen getragen hatten, ist beim Publikum fast vergessen. Als seine achtbändige Werkausgabe angekündigt wird, die er als *Summa Summarum* seines *Lebens* betrachtet, teilt sein Verleger Göschen ihm mit, daß die Zahl der Vorbestellungen weit unter der erwarteten geblieben ist; nur etwa 500 Leser haben sich in die Subskriptionslisten eingetragen.

Literarische Bedenken also sind es, die Goethe von dem zehn Jahre jüngeren Autor trennen. 1788, als er Schiller in seiner unmittelbaren Nachbarschaft in Weimar weiß, macht er seine Vorbehalte nicht öffentlich, spricht sie nur im privaten Kreis aus; Karl Philipp Moritz, Knebel und Wieland gegenüber.

Erst 1817, über ein Jahrzehnt nach Schillers Tod, bekennt er in dem Text »Erste Bekanntschaft mit Schiller«, daß seine Aversionen dem Werk des Jüngeren gegenüber dazu geführt hätten, sich strikt von der Person des Autors fernzuhalten: *ich vermied Schillern der, sich in Weimar aufhaltend, in meiner Nachbarschaft wohnte.* Auch »Don Carlos« mißfällt Goethe. *Die Erscheinung des ›Don Carlos‹ war nicht geeignet mich ihm näher zu führen, alle Versuche von Personen die ihm und mir gleich nahe standen, lehnte ich ab, und so lebten wir eine Zeitlang nebeneinander fort.*

Was Goethe aus der historischen Distanz sachlich Nebeneinander-fort-Leben nennt, wird für Schiller mit seinen hochgespannten Erwartungen im Moment des unmittelbaren Erlebens zur schmerzlichen Enttäuschung.

Das erste persönliche Zusammentreffen, in Rudolstadt am 7. September 1788, läßt davon noch nichts ahnen. (Als Eleve der Carlsschule hatte Schiller Goethe im Dezember 1779 von weitem gesehen.) Im Garten und im Haus der Lengefelds in einer größeren Gesellschaft begegnen sie sich.

Schiller ist vom Äußeren Goethes enttäuscht: *Sein erster Anblick stimmte die hohe Meinung ziemlich tief herunter ... Er ... schien mir älter auszusehen als er meiner Berechnung nach wirk-*

*lich seyn kann.* Goethe ist neununddreißig, Schiller achtundzwanzig. Schiller berichtet von Goethes angenehmer Stimme und seiner lebhaften Art zu erzählen: *freilich war die Gesellschaft zu groß und alles auf seinen Umgang zu eifersüchtig, als daß ich viel allein mit ihm hätte seyn oder etwas anders als allgemeine Dinge mit ihm sprechen können.*

Dennoch resümiert er: *Im ganzen genommen ist meine in der That große Idee von ihm nach dieser persönlichen Bekanntschaft nicht vermindert worden, aber ich zweifle, ob wir einander je sehr nahe rücken werden. Vieles was ›mir‹ jezt noch interessant ist, was ich noch zu wünschen und zu hoffen habe, hat seine Epoche bei ihm durchlebt, er ist mir, (an Jahren weniger als an Lebenserfahrungen und Selbstentwicklung) so weit voraus, daß wir unterwegs nie mehr zusammen kommen werden, und sein ganzes Wesen ist schon von anfang her anders angelegt als das meinige, seine Welt ist nicht die meinige, unsere Vorstellungsarten scheinen wesentlich verschieden.*

Obgleich er Abstand und Unterschiede in den *Vorstellungsarten* konstatiert, schreibt er nach dieser ersten Begegnung hoffnungsvoll: *Die Zeit wird das weitere lehren.*

Es wird eine bittere, sechs Jahre dauernde Lehre werden.

Als Schiller am 12. November 1788 nach Weimar zurückkehrt und sein Quartier in der Frauentorstraße wieder bezieht (*Mein altes Logis ist leer geblieben, und ich habe es auch bereits wieder gemietet*), wird es für ihn Tag für Tag, Woche um Woche schmerzhafte Realität. Der Ältere, Berühmte, geht ihm aus dem Weg. Auch die anderen nehmen es wahr, selbst der Herzog muß es sehen, und Schillers Freunde, alle: diese Zurückhaltung, dieses Schneiden, dieses Meiden.

Das *allergrößte Leiden* sei *Geringschätzung*, heißt es bei Jakob Michael Reinhold Lenz. Das nun widerfährt Schiller durch Goethe.

Einzig auf der offiziellen Ebene des Ministeriellen begegnen sie sich.

Anfang 1788 – Goethe ist noch in Italien – spricht Christian Gottlob Voigt, einer der von Schiller als *schwitzende Lastthiere* apostrophierten Regierungsbeamten, Schiller gegenüber von der Möglichkeit einer Professur. Im März 1788 schreibt dieser: *Es ist wahrscheinlich, daß ich einen Ruf nach Jena bekommen werde.*

Voigt wird den Vorschlag Goethe übermittelt haben. Aber erst als Schiller in dessen unmittelbarer Nachbarschaft lebt, greift der ihn auf. Tut er es primär, um dem anderen zu helfen, oder, weil es ihm nicht unangenehm sein kann, ihn in Jena zu wissen und nicht mehr täglich – Schillers Lieblingsweg ist der nach Belvedere – an seinem Haus vorbeigehen zu sehen?

Vom 30. November bis 4. Dezember hält sich Goethe mit Carl August in der Residenzstadt Gotha auf. Diese Gelegenheit nutzt er, um die Sache vorzutragen.

Nach seiner Rückkehr, obgleich nicht mehr verantwortlich für die laufenden Geschäfte – *In dem Conseil steht nur noch sein Stuhl*, notiert Schiller –, verfaßt Goethe am 9. Dezember ein *Gehorsamstes Promemoria* an das »Geheime Consilium«. Er bemüht keinen Schreiber, von seiner eigenen Hand ist das Schriftstück, im Amtsdeutsch der Zeit verfaßt, wie alle seine amtlichen Schreiben.

Der Text lautet: *H. Friedrich Schiller, welchem Serenissimus vor einigen Jahren den Titel als Rath ertheilt, der sich seit einiger Zeit theils hier theils in der Nachbarschaft aufgehalten, hat sich durch seine Schriften einen Nahmen erworben, besonders neuerdings durch eine Geschichte des Abfalls der Niederlande von der Spanischen Regierung Hoffnung gegeben, daß er das historische Fach mit Glück bearbeiten werde. Da er ganz und gar ohne Amt und Bestimmung ist; so gerieth man auf den Gedanken: ob man selbigen nicht in Jena fixiren könne, um durch ihn der Akademie neue Vorteile zu verschaffen.*

*Er wird von Personen, die ihn kennen auch von Seiten des Characters und der Lebensart vortheilhaft geschildert, sein Betragen ist ernsthaft und gefällig und man kann glauben daß er auf junge Leute guten Einfluß haben werde.*

*In diesen Rücksichten hat man ihn sondirt und er hat seine Erklärung dahin gegeben daß er eine auserordentliche Professur auf der Jenaischen Akademie anzunehmen sich wohl entschließen könne, wenn auch selbige vorerst ihm ohne Gehalt konferirt werden sollte. Er würde suchen sich in der Geschichte fest zu setzen und in diesem Fache der Akademie nützlich zu seyn.*

*Endesunterzeichneter hat hierauf, da es in Gotha Gelegenheit gab von Akademischen Sachen zu sprechen, sowohl Serenissimo nostro et Gothano als auch H⟨errn⟩ Geh. R⟨ath⟩ v Franckenberg die Eröffnung gethan und der Gedancke ist durchgängig gebilligt worden, besonders da diese Acquisition ohne Aufwand zu machen ist.*

*Serenissimus noster haben darauf Endesunterzeichnetem befohlen die Sache an Dero geheimes Consilium zu bringen, welches er hiermit befolget und zugleich diese Angelegenheit zu gefälliger Beurtheilung und Beschleunigung empfielt, damit mehrgedachter Rath Schiller noch vor Ostern seine Anstalten und Einrichtungen machen und sich als Magister qualificiren könne.*

Nicht vom Dramatiker Schiller, dem in Deutschland bekannten Autor, dessen Stücke überall gespielt werden, ist die Rede, sondern von seinen *Schriften*, durch die er sich *einen Nahmen erworben* habe; nur eine einzige wird erwähnt, *eine Geschichte des Abfalls der Niederlande von der Spanischen Regierung.*

Ist die Zurückhaltung allein dem Zweck geschuldet? Liegt nicht auch die Vermutung nahe, daß Goethe Schillers Wechsel ins *historische Fach* nicht ungelegen kommt, der Gedanke ihn womöglich erleichtert, den Konkurrenten auf dem Gebiet des Dramas ausgeschaltet zu sehen.

Weiter betont Goethe, finanzielle Verpflichtungen seien mit der Vergabe der Professur nicht verbunden; *ohne Gehalt* solle sie *konferirt werden,* er wiederholt, *diese Acquisition* sei *ohne Aufwand zu machen.*

Daß dies nicht eine Entscheidung Carl Augusts, sondern Goethes Vorschlag ist, läßt der Gesamtzusammenhang des *Promemoria* vermuten.

Der Gothaer Fürstenhof, die Räume des Schlosses Friedenstein sind der Ort, an dem über das weitere Schicksal Schillers entschieden wird. Als Goethe seinen Vorschlag der Professur vorträgt, sind anwesend: Herzog Carl August (*Serenissimus noster*), der Gothaer Herzog Ernst II. (*Serenissimus Gothanus*) und der Geheime Rat von Franckenberg, Mitglied der Gothaer Regierung. Entscheidungsbefugnis über Berufungen an die Jenaer Universität hat nicht Carl August allein, drei weitere Herzöge sind die *Erhalter* der Universität: der Gothaer, der Meininger und der Coburger.

Goethe kann Schillers Existenznot nicht unbekannt sein. Ist er als Politiker so sehr Realist, daß er dieser *Acquisition* nur *ohne Aufwand* eine Chance gibt? Hätte er nicht den Versuch machen können, Carl August oder Herzog Ernst zu einer finanziellen Zuwendung zu bewegen; diesen Vorschlag als Bitte, Wunsch, Notwendigkeit vortragen können. Offensichtlich hat er das nicht getan.

*Aber Du setzest voraus, daß mir ein Fixum ausgeworfen werden würde*, entgegnet Schiller seinem Dresdner Freund, *darinn irrest Du Dich sehr.* Er selbst habe die Frage des Geldes in Zusammenhang mit seiner Professur gar nicht gestellt. Zu stolz ist er; *Betteley* nennt er es. *Ausserdem würde eine solche Betteley mich mehr erniedrigen als 200 rth. ... mir im Grunde helfen können.*

Selbst um einen Vorschuß bittet er nicht. Die Gründe dafür sind demselben Brief an Körner vom 1. Weihnachtsfeiertag 1788 zu entnehmen. Um sich nicht *dadurch ... drückende Verbindlichkeiten* aufzulegen, *wenn* er *Jena einmal mit Vortheil verlaßen wollte*, heißt es da. *Bey dem bischen Nahmen, den ich bereits habe, wird mir das Prædikat als Jenaischer Profeßor, nebst einer oder der andern historischen Schrift die ich über Jahr und Tag herausgebe, doch wahrscheinlich irgendwo eine Vocation zuziehen, die mit einem honorablen Fixum verbunden ist, oder die die Jenaische Academie veranlaßt mir eins auszuwerfen.*

Er sieht die Professur als eine Art Sprungbrett, um in Jena oder anderweitig eine gute Anstellung zu erhalten. *Mein ganzes Absehen bey dieser Sache ist in eine gewiße ›Rechtlichkeit‹ und ›Bürgerliche‹ Verbindung einzutreten, wo mich eine beßere Versorgung ›finden‹ kann. Jena ist unter allen die mir bekannt sind dazu der einzig schickliche Platz.*

*... es hetzt mich während eines Jahrs in academische Berufsgeschäfte ein, und gibt mir gewissermaasen einen gelehrten Nahmen, der mir nöthig ist, um gesucht zu werden.*

Am 11. Dezember 1788 wird den anderen *Erhaltern* der Universität Jena die Berufung Schillers vorgeschlagen.

Am 15. Dezember erhält dieser das *Rescript aus der Regierung, worinn mir vorläufige Weisung gegeben wird, mich darauf einzurichten.*

Am 12. Dezember notiert Schiller: *Heute habe ich mir viele Besuche vorgenommen, auch bei Goethe.*

Will er sich bedanken? Nur die Professur kann Anlaß für diesen ungewöhnlichen und einmaligen Schritt sein. Der 12. Dezember ist ein Freitag. Ob er an diesem Tag oder ein, zwei Tage später die wenigen Schritte von seinem Haus in der Frauentorstraße zu dem Goethes am Frauenplan geht?

*Göthen habe ich unterdeßen einmal besucht*, heißt es am 23. Dezember. Gespräch über die Professur.

Körner berichtet er, *Göthe* habe sie *mit Lebhaftigkeit* befördert, er *machte mir ... Mut dazu ... sagt mir ... docendo discitur* (durch Lehren wird gelernt). Und den Schwestern Lengefeld, Goethe sei *bey dieser Sache überaus thätig gewesen, und zeigt viele Theilnehmung an dem, was er glaubt, daß es zu meinem Glück beytragen werde.*

*... was er glaubt*; klingt das nicht ein wenig nach Schulmeister, und degradiert sich der andere bei seinem Besuch nicht zum Schüler? Schiller fügt skeptisch an: *Ob es mich glücklich macht wird sich erst in ein paar Jahren ausweisen.*

## II

Schiller im Haus am Frauenplan an einem Dezembertag des Jahres 1788. Fast sechs Jahre, bis zum September 1794, wird es dauern, bis er das Haus wieder betritt.

Die kühle ministerielle Ebene. Schiller hat anderes erhofft. Austausch zwischen zwei Dichtern. Ebenbürtigkeit. Anteilnahme.

Selbstbewußt schreibt er: *Hätte ich nicht einige andre Talente, und hätte ich nicht soviel Feinheit gehabt diese Talente und Fertigkeiten in das Gebiet des Dramas herüber zu ziehen, so würde ich in diesem Fache gar nicht neben ihm sichtbar geworden seyn.*

*... neben ihm sichtbar*-Sein-Wollen ist das Schlüsselmotiv. Wenn er auch behauptet: *Aber mit Göthen messe ich mich nicht*, ist es doch das geheime Zentrum seiner Wünsche.

Er anerkennt zwar neidlos den ungeheuren Vorsprung des Älteren: *Göthe hat weit mehr Genie als ich, und bey diesem weit mehr Reichthum an Kenntnissen, eine sicherere Sinnlichkeit, und zu allem diesem einen durch Kunstkenntniß aller Art geläuterten und verfeinten Kunstsinn, was mir in einem Grade, der ganz und gar biß zur Unwißenheit geht, mangelt.* Auf dem Gebiet der bildenden Kunst wird Schiller nie in Konkurrenz zu Goethe treten, er nennt sich einen *Barbaren in allem, was bildende Kunst betrifft.* Ähnlich ist es bei musikalischen Fragen.

Aber, bezogen auf sich als Dramatiker, gesteht er Körner: *Mit dieser Kraft muß ich doch etwas machen können, das mich soweit führt, ein Kunstwerk von mir neben eins von den seinigen zu stellen.*

Der Konkurrenzkampf ist eröffnet.

Was hält Goethe von seinem – Schillers – Werk? *Weil mir nun überhaupt nur daran liegt, Wahres von mir zu hören, so ist dies gerade der Mensch unter allen die ich kenne, der mir diesen Dienst thun kann ... An seinem* – Goethes – *Urtheile liegt mir überaus viel.*

Er ist begierig zu erfahren, was Goethe über sein großes, im Entstehen begriffenes Gedicht »Die Künstler« denkt (für Schiller ist es auf lyrischem Gebiet das Beste, was er gemacht hat). Er möchte erfahren, wie Goethe die Rezension zu seinem »Egmont« aufnimmt, die im Oktober 1788 erschienen ist. (*Meine Recension von Egmont hat viel Lerm in Jena und Weimar gemacht ...*) Aus einem Brief Goethes an Carl August vom 10. Oktober 1788 wissen wir, Goethes Haltung ist ambivalent; *der sittliche Teil des Stücks* sei *gar gut zergliedert. Was den poetischen Teil betrifft, möchte Recensent andern noch etwas zurückgelassen haben.* Schiller erfährt es nicht. *Göthe hat mit sehr viel Achtung und Zufriedenheit davon gesprochen*, glaubt er. Ist auf Spekulationen angewiesen. ... *sein Urtheil über mich*, mutmaßt er, ist *wenigstens eher ›gegen‹ mich als ›für‹ mich parteiisch.*

In diesem Zusammenhang kommt er auf den kuriosen Gedanken, Goethe aushorchen lassen zu wollen. *Ich will ihn ... mit Lauschern umgeben, denn ich selbst werde ihn nie über mich befragen.*

Schillers Stolz. Sein Verletztsein. Ein verzweifelter Kampf entbrennt in seinem Inneren. Liebes- und Haßgefühle dem Älteren gegenüber beherrschen ihn.

Daß der so souverän erscheinende Goethe sich aus künstlerischem Selbsterhaltungstrieb von ihm fernhält, wird er kaum ahnen.

Als *Künstler und Gast* in Weimar leben zu dürfen ist Goethes Forderung an seinen Dienstherrn nach der Rückkehr aus Italien. Er will die völlige Unabhängigkeit eines freischaffenden Autors. Der Fürstenhof habe ihn, so legt er Carl August nahe, in allen Bestrebungen seiner Künstlerexistenz zu unterstützen; mit *freyem Gemüthe und nur als Liebhaber* wolle er *schaffen.*

Er legt seine Amtsgeschäfte in der Finanzverwaltung nieder, gibt die »Kriegs- und Wegbaukommission« ab. Kein Beamtendasein mehr, kein *Kriechen* und *Krabbeln*, keine Doppelexistenz als Staatsmann und Dichter.

Großzügig gewährt der Herzog ihm alles; Goethes Jahresgehalt von 1800 Talern läuft weiter, er kann seinen Lebensstil beibehalten. Fortan hat er Carl August nur noch für Sonderaufgaben zur Verfügung zu stehen.

Zunächst beendet er seine Werkausgabe. Er lebt zurückgezogen, schreibt am »Tasso«. Dieses *gefährliche Unternehmen*, wie er es nennt, diese Meditation über Kunst und Leben, ist die Rechenschaftslegung seiner gesamten künstlerischen Existenz. Einen *gesteigerten Werther* nennt er Tasso, die *Disproportion des Talentes mit dem Leben* sei er; *Fleisch von* seinem *Fleisch*, *Bein von* seinem *Bein*. Seine Abrechnung mündet in die Frage nach der Sinnstiftung von Kunst überhaupt. Vom *unfruchtbaren Zweig des Lorbeers* ist im »Tasso« die Rede. *Ein Zeichen mehr des Leidens als des Glücks*.

Goethes Lebens- und Schaffenssituation ist eine völlig andere als die Schillers. Man versteht, daß ihm am Austausch mit dem Jüngeren zu diesem Zeitpunkt nichts liegen kann.

Ein weiterer Grund für Goethes zurückgezogenes Leben ist Christiane Vulpius. Seit Sommer 1788, seit seiner Rückkehr aus Italien, ist sie seine Geliebte. Goethe verheimlicht diese Liebe, bis zum März 1789 bleibt sie den Weimarern verborgen.

Es ist genau die Zeit, in der Schiller und Goethe in unmittelbarer Nachbarschaft zueinander leben.

Es ist die Unnahbarkeit, das geschlossene Visier, das Schiller zu schaffen macht. Hätte es von Goethes Seite Offenheit, Kritik, womöglich Streit gegeben, wäre dies für ihn erträglicher gewesen.

Was wird ihm übrigbleiben, wenn es ihm nicht gelingt, Goethe auf sich aufmerksam zu machen? Sich, wie es andere tun, seiner Übermacht zu beugen, sich der Goetheschen *Sekte* anzuschließen?

Karl Philipp Moritz, der sich für Monate in Weimar aufhält, ist ihm ein warnendes Beispiel. Schiller kennt Moritz aus seiner Leipziger Zeit, sie hatten sich dort über dessen vernichtende öffentliche Kritiken der »Räuber« und von »Kabale und Liebe« ausgesprochen; Schiller schätzt Moritz, er sei ein *tiefer Denker, der seine Materie scharf anfaßt und tief heraufholt*. Er ist gern mit ihm zusammen; er habe *viele Berührungspunkte mit Moriz.* Auch in Weimar sehen sie sich. Was sie trennt, ist ihre unterschiedliche Haltung zu Goethe.

*Von Göthen* sei Moritz *nun ganz durchdrungen und enthousiasmirt. Dieser hat ihm auch seinen Geist mächtig aufgedrückt, wie er überhaupt allen zu thun pflegt, die ihm nahe kommen.*

*Die Abgötterei, die er mit Goethe treibt, und die sich soweit erstreckt, daß er seine mittelmäßigen Producte zu Kanons macht und auf Unkosten aller anderen Geisteswerke herausstreicht, hat mich von seinem näheren Umgange zurückgehalten.*

Wenn es Schiller nicht möglich ist, seinen Weg mit Goethe zu gehen, unmöglich auch, an ihm vorüberzugehen, wenn er nicht willens ist, neben ihm herzulaufen, bleibt ihm nur eins: seinen künstlerischen Weg unabhängig von Goethe zu finden.

Dazu ist er entschlossen. Wie sich aber von ihm lösen? Schiller reagiert – psychologisch verständlich – mit Angriffen auf Goethe als Mensch. Die Loslösung von ihm läuft über die Kritik an dessen Persönlichkeit und deren Abwertung.

Goethe sei *an nichts zu fassen; ich glaube in der That, er ist ein Egoist in ungewöhnlichem Grade*, schreibt er am 2. Februar 1789 an Körner. *Er besitzt das Talent, die Menschen zu fesseln, und durch kleine sowohl als große Attentionen sich verbindlich zu machen; aber sich selbst weiß er immer frei zu behalten. Er macht seine Existenz wohlthätig kund, aber nur wie ein Gott, ohne sich selbst zu geben – dies scheint mir eine consequente und planmäßige Handlungsart, die ganz auf den höchsten Genuß der Eigenliebe calkulirt ist. Ein solches Wesen sollten die Menschen um sich herum nicht aufkommen lassen. Mir ist er dadurch verhaßt, obgleich ich seinen Geist von ganzem Herzen liebe und groß von ihm denke. Ich betrachte ihn wie eine stolze Prude, der man ein Kind machen muß, um sie vor der Welt zu demüthigen ... Eine ganz sonderbare Mischung von Haß und Liebe ist es, die er in mir erweckt hat ...; ich könnte seinen Geist umbringen und ihn wieder von Herzen lieben.*

Caroline von Beulwitz gegenüber formuliert er vorsichtiger. *Über Göthen möchte ich wohl einmal im Vertrauen gegen Sie ein Urtheil von mir geben*, schreibt er ihr am 5. Februar, *aber ich könnte mich sehr leicht übereilen, weil ich ihn so äuserst selten sehe und mich nur an das halten kann, was sich mir in seiner Handlungsart aufdringt. Göthe ist noch gegen keinen Menschen, soviel ich weiß, sehe, und gehört habe, zur Ergießung gekommen ... Dieser Karakter gefällt mir nicht ..., und in der Nähe eines solchen Menschen wäre mir nicht wohl.* Im nächsten Satz relativiert er das Niedergeschriebene: *Legen Sie dieses Urtheil bey Seite. Vielleicht entwickelt ihn uns die Zukunft, oder noch beßer wenn sie ihn widerlegt.*

Ich spüre, wie bereit Schiller wäre, sich Goethe augenblicklich zuzuwenden, ihn zu lieben, wenn er nur das kleinste Zeichen von ihm erhielte.

Berührend auch: Schiller nimmt Goethe gleichsam vor sich selbst in Schutz. Es seien die *Götzendiener*, die ihn zu dem machen, was er ist. *Erwarten Sie nicht zuviel herzliches und ergiessendes von Menschen, die von allem was sich ihnen nähert in Bewunderung und Anbetung gewiegt werden*, schreibt er an Caroline von Beulwitz. *Es ist nichts zerbrechlicher im Menschen als seine Bescheidenheit und sein Wohlwollen; wenn soviele Hände an dieses zerbrechliche zarte Ding tappen, was wunder wenn es zuschanden geht?* Dann folgt explizit die Trennung von Werk und Person. *Wenn mich je das Unglück oder Glück träfe, sehr berühmt zu werden ... wenn mir dieses je passirt, so seyen Sie mit Ihrer Freundschaft gegen mich vorsichtiger. Lesen Sie alsdann meine Schriften, und lassen den ›Menschen‹ übrigens laufen.*

Zu diesem Zeitpunkt hat er sich – nach vermutlich heftigen inneren Kämpfen – entschieden, den *›Menschen‹* Goethe *laufen* zu lassen.

Hieß es schon, daß es ihm in seiner *Nähe ... nicht wohl* werde, so macht er schließlich das vom anderen Nicht-beachtet-Werden zur eigenen freien Entscheidung: *Oefters um Goethe zu sein, würde mich unglücklich machen*, teilt er Körner mit. Und auch ein Brief an Caroline von Beulwitz dokumentiert seinen Entschluß. Es ist die Erwiderung auf einen nicht überlieferten Brief von ihr, in dem sie mit Sympathie von Goethe gesprochen haben muß.

25. Februar 1789: *Was Sie von Göthen schreiben mag allerdings wahr seyn – aber was folgt daraus? Wenn ich auf einer wüsten Insel oder auf dem Schiff mit ihm allein wäre, so würde ich ... weder Zeit noch Mühe scheuen diesen verworrenen Knäuel seines Karakters aufzulösen. Aber da ich nicht an dises einzige Wesen gebunden bin, da jeder in der Welt, wie Hamlet sagt, seine Geschäfte hat, so habe ich auch die meinigen; und man hat wahrlich zu wenig ›baares‹ Leben, um Zeit und Mühe daran zu wenden, Menschen zu entziffern, die schwer zu entziffern sind. Ist er ein so ganz liebenwürdiges Wesen, so werde ich das einmal in jener Welt erfahren wo wir alle Engel sind.*

*Im Ernst, ich habe zuviel Trägheit und zuviel Stolz, einem Menschen abzuwarten, biss er sich mir entwickelt hat. Es ist eine Sprache, die alle Menschen verstehen, diese ist, gebrauche Deine Kräfte. Wenn jeder mit seiner ganzen Kraft wirkt, so kann er dem andern nicht verborgen bleiben. Dies ist ›mein‹ Plan. Wenn einmal meine Lage so ist, daß ich alle meine Kräfte wirken laßen kann, so wird er und andre mich kennen, wie ich seinen ›Geist‹ jetzt kenne.*

## III

Über seinen Rudolstädter Aufenthalt von Mai bis November 1788 schreibt Schiller: *Hätte ich weniger zu thun, ich könnte glücklich sein.* Und: *ich habe sovielerlei den Sommer angefangen und so wenig fertig gemacht.*

Nach der Rückkehr nach Weimar verliert er seine *Abende* nicht mehr *sündlich in Gesellschaft*. Er werde *gar einsam ... leben, weil ich alle meine Kraft und Zeit zusammen nehmen will.*

*Jezt sitze ich beim Thee und einer Pfeife und da denkt und arbeitet sichs herrlich.* Wenig später schreibt er von einem *lebendigen Begräbnis auf* seinem *Zimmer von fast vierzehn Tagen.*

*Hier wird über mich geklagt, daß ich meiner Gesundheit durch vieles Arbeiten und zu Hause sitzen schaden würde.*

Er muß seine Verpflichtungen gegenüber seinem Verleger erfüllen. Göschen teilt er am 17. Januar 1789 mit: *ich war in meinem Leben noch nie so fleißig wie jezt ... Die Fortsetzung des G⟨eister⟩sehers für das sechste Heft der Th⟨alia⟩ sende ich Ihnen hier, und auf den nächsten Donnerstag droht Ihnen noch ein großes Gewitter von Mscrpt.*

Das angekündigte Manuskript-Gewitter bleibt aus. Die Jenaer Professur beschäftigt ihn.

Am 21. Januar 1789 wird ihm das offizielle Berufungsschreiben überreicht. Der Hof von Coburg hat seiner Ernennung am 23. Dezember 1788 zugestimmt, der Gothaer am 12. Januar, der Meininger wird es am 13. Februar tun.

*... nun scheint sich doch mein Schicksal endlich fixieren zu wollen*, frohlockt Schiller, schränkt aber ein: *So sehr es im ganzen mit meinen Wünschen übereinstimmt, so wenig bin ich von der Geschwindigkeit erbaut ...*

*Man hat mich hier übertölpelt*, heißt es bezogen auf die Eile, mit der alles geschieht. Er hätte lieber noch zwei Jahre gewartet, fühlt sich nicht vorbereitet genug. Zu Voigt und Goethe muß er darüber gesprochen haben; *aber die Herren wißen alle nicht, wie wenig Gelehrsamkeit bei mir vorauszusetzen ist.*

Stellt er sein Licht unter den Scheffel? Oder macht sich hier seine *hypochondrische Disposition* bemerkbar? *Du glaubst nicht, wieviel Misanthropie sich in meine Denkungsart gemischt hat*, gesteht er Körner.

Er sieht *die schönen paar Jahre* seiner *Unabhängigkeit ... dahin, mein schöner künftiger Sommer in Rudolstadt ist auch fort ...* Vom *Joch des gemeinen Besenziehens* spricht er, die vorzubereitenden Vorlesungen beunruhigen ihn.

Er sei *in dem schrecklichsten Drang*, neben *den vielen vielen*

*Arbeiten*, die ihm *des Geldes wegen höchst nothwendig sind, nur eine flüchtige Vorbereitung machen* zu können. *Rathe mir. Hilf mir*, so an Körner. *Denke für mich und schreib mir ... einen Plan, wie Du glaubst, daß ich am kürzesten mit meiner Vorbereitung zum Ziel kommen werde.*

Körner rät, sendet Bücher. Schiller liest, bereitet sich vor. Zugleich beschäftigen ihn die äußeren Umstände seines neuen Amtes: Formalitäten, Umzug.

Am 17. April heißt es: *Die Zeit kommt nun mit starken Schritten heran, wo ich meine Bude in Jena eröfnen muss.* Der Weeg von Weimar nach Jena gefällt ihm nicht, er *ist Chaussée aber eine leere traurige Landschaft. Nahe bei Jena belebt sich die Gegend und verspricht eine schöne Natur ...*

Jena selbst gefällt ihm: es *ist, oder scheint, ansehnlicher als Weimar; längere Gaßen und höhere Häuser erinnern einen, daß man doch wenigstens in einer Stadt ist.*

Am 11. Mai zieht Schiller um. Jenergasse 26 lautet seine neue Adresse. Bereits am 10. März hieß es: *Ein Logis haben mir Schützens ... ausfindig gemacht, das sehr gut seyn soll, Meubles und Lehrsaal dazu um 40 rth* (Reichstaler). Es ist eine Wohnung in der sogenannten *Schrammei*, benannt nach den Vermieterinnen, den Schwestern Schramm. Ein großes Haus, drei Stockwerke, Dachgeschoß, ein Studentenquartier, lärmintensiv; die vorderen Zimmer genügen höheren Ansprüchen.

*Es sind drei Piecen, die ineinanderlaufen*, berichtet Schiller Körner, *ziemlich hoch, mit hellen Tapeten, vielen Fenstern, und alles entweder ganz neu oder gut conservirt. Meubles habe ich reichlich und schön: zwei Sophas, Spieltisch, drei Commoden und anderthalb Dutzend Sessel mit rothem Plüsch ausgeschlagen. Eine Schreibcommode habe ich mir selbst machen lassen, die mir zwei Caroline kostet, und die gewiß auf drei zu stehen kommen würde. Dies ist, wonach ich längst getrachtet habe, weil ein Schreibtisch doch mein wichtigstes Meubel ist, und ich mich immer damit habe behelfen müssen. Ein Vorzug meines Logis ist auch die Flur, die überaus geräumig, hell und reinlich ist. Ich habe zwei alte Jungfern zu Hausmietherinnen, die sehr dienstfertig, aber auch sehr redselig sind. Die Kost habe ich auch von ihnen auf meinem Zimmer, zwei Groschen das Mittagessen, wofür ich dasselbe habe, was mich in Weimar vier Groschen kostete. Wäsche, Friseur, Bedienung und dergl. wird alles vierteljährlich bezahlt, und kein Artikel beträgt über zwei Thaler: so daß ich nach einem gar nicht strengen Anschlag über vierhundertfunfzig Thaler schwerlich brauchen werde.*

Er werde sich einschränken, schreibt er mit Blick auf seine finanzielle Lage. *Ohne daß es ein Mensch gewahr wird kann ich leben, wie ein Student.*

Ausgaben für den Umzug, Gebühren für die Urkunden. *Diese Professur soll der Teufel holen, sie zieht mir einen Louisd'or nach dem andern aus der Tasche*, heißt es am 17. Januar. *Die Geheimen Canzleyen von Gotha und von Coburg haben sich bereits mit Conto's für Expeditionsgebühren eingestellt und mit jedem Posttag drohen mir noch 2 andre ... Jede kommt mich gegen 5 Thaler und die Gothische auf 6 zu stehen. Der magisterquark soll auch über 30 Thaler und die Einführung auf der Universitæt ihrer 6 kosten. Da hab ich nun schon eine Summe von 60 Thalern zu erlegen, ohne was anders als Papier dafür zu haben.*

Am 28. April 1789 ersucht Schiller in einem in lateinischer Sprache verfaßten Brief den Jenaer Dekan der Philosophischen Fakultät um den Magistertitel. Zwei Tage später erhält er die Urkunde, der Grad eines *magistri artium et doctoris philosophiae honorum gradum* wird ihm verliehen. Den Schwestern Lengefeld schreibt er am 30. April: *Hier lege ich auch ein Exemplar von meinem Diplom als Doctor Philosophiæ bey, damit Sie doch auch etwas zu lachen haben, wenn Sie mich in einem so lateinischen Rocke erblicken. Uebrigens ist es ein theurer Spass, denn er kostet mich 50 rth.*

Zehn Tage nach dem Umzug, am 21. Mai, schlägt Schiller seine Vorlesungsankündigung für das Sommersemester 1789 – ebenfalls in lateinischer Sprache – in der Jenaer Universität an. In

Übersetzung: *Die sehr achtbaren, vortrefflichen und edlen Kommilitonen grüßt Friedrich Schiller. Das mir an dieser berühmten Hochschule durch die Gunst ihrer gnädigsten Erhalter anvertraute Amt eines Professors beginne ich, so Gott will, am nächsten Dienstag mit öffentlichen Vorlesungen, in denen ich mich der Einführung in die Universalgeschichte widmen werde. Diese Vorlesung gedenke ich zweimal in der Woche, dienstags und mittwochs von 6 bis 7 Uhr nachmittags, zu halten, an denen zahlreich und wohlwollend teilzunehmen, wenn es euch beliebt, ich freundlichst bitte.* Es folgen Datum und die Angabe des Ortes: *Meine Vorlesungen werde ich in des Herrn Professor Reinholds Auditorium halten.*

Der Dienstag kommt heran, es ist der 26. Mai 1789. *Ich bin nicht ohne Verlegenheit, öffentlich zu reden.*

Die legendäre Antrittsrede. Er spricht nicht frei, er hat sie schriftlich ausgearbeitet. Angekündigt hat er sie als »Introductio historiam universalem«. Publizieren wird er sie im November 1789 unter dem Titel »Was heißt und zu welchem Ende studiert man Universalgeschichte?«

Wenige Wochen vor dem Sturm auf die Bastille hält er sie. Stets wird die Rede in die Nähe zur Französischen Revolution gerückt.

Ich lese den Text, ein Grundvertrauen in die Gedanken der Aufklärung spricht aus ihm, das bestehende Europa wird optimistisch bejaht, nichts ist von den kommenden Stürmen zu spüren. Von der *gegenwärtigen Gestalt der Welt, die wir bewohnen*, lese ich. Die *Schranken* seien *durchbrochen, welche Staaten und Nationen in feindseligem Egoismus absonderten ... Die europäische Staatengesellschaft scheint in eine große Familie verwandelt. Die Hausgenossen können einander anfeinden, aber nicht mehr zerfleischen.* In einem *gesegneten Gleichgewicht* würde die Gegenwart ruhen, *wovon unsre jetzige Muße der Preis ist ... Wie viele Kriege mußten geführt, wie viele Bündnisse geknüpft, zerrissen und aufs neue geknüpft werden, um endlich Europa zu dem Friedensgrundsatz zu bringen ...*

Von der Unterscheidung von *Brodtgelehrtem* und *philosophi-*

*schem Kopf*, von der Aufforderung, sich nicht in frühere Epochen zurückzusehnen, lese ich. Und dann jene Sätze, die in den Sockel des vor der Universität stehenden Schiller-Denkmals eingraviert sind: *Unser ›menschliches‹ Jahrhundert herbei zu führen haben sich ... alle vorhergehenden Zeitalter angestrengt. Unser sind alle Schätze, welche Fleiß und Genie, Vernunft und Erfahrung im langen Alter der Welt endlich heimgebracht haben.* Als Studentin las ich sie mit Mißtrauen, sie hielten die Tore zur Zukunft verschlossen, verharrten im Gegenwärtigen.

Die äußeren Umstände seiner Antrittsrede hat Schiller selbst beschrieben. Eine halbe Stunde vor Vorlesungsbeginn ist Reinholds Hörsaal – er faßt über hundert Studenten – bereits überfüllt. Man beschließt, in das Griesbachsche Auditorium umzuziehen. *Nun gabs*, berichtet Schiller, *das lustigste Schauspiel. Alles stürzte hinaus und in einem hellen Zug die Johannisstraße hinunter, die eine der längsten in Jena, von Studenten ganz besät war. Weil sie liefen was sie konnten, um in Grieß⟨bachs⟩ Audit⟨orium⟩ einen guten Platz zu bekommen, so kam die Straße in Allarme, und alles an den Fenstern in Bewegung. Man glaubte anfangs, es wäre Feuerlerm und am Schloß kam die Wache in Bewegung. Was ists den⟨n⟩? Was gibts denn? hieß es überal. Da rief man denn! Der neue Profeßor wird lesen.*

Der Griesbachsche Saal faßt dreihundert bis vierhundert Zuhörer. Über vierhundert Studierende wollen Schiller hören, am nächsten Tag sind es vierhundertachtzig.

Nach seiner Antrittsrede bekommt er eine *Nachtmusik und Vivat wurde 3mal gerufen*. Es ist nicht der Historiker, sondern der Autor der »Räuber«, den die Studenten sehen und hören wollen, dem sie ihr *Vivat* zurufen. Immer, wenn »Die Räuber« in Weimar aufgeführt werden, reiten die Jenenser Studenten oder fahren in gemieteten Fuhrwerken in die Nachbarstadt; von *Kutschen voller Studenten* berichtet Christiane Vulpius.

Sein *Abentheuer auf dem Katheder* habe er *rühmlich und tapfer bestanden*, resümiert Schiller. Die große Resonanz seiner Antrittsvorlesung tut ihm wohl, ist er doch lange Zeit ohne jegliche öffentliche Zustimmung geblieben, weder die Uraufführung seines »Don Carlos« in Hamburg noch den »Don Carlos« in Berlin oder eine andere Aufführung seiner Stücke hat er erlebt.

Sein erster Eindruck allerdings, daß die *Profeßoren fast unabhängige Leute* seien, bestätigt sich nicht. Und sich als *Glied eines Ganzen* zu fühlen, dieses *zum erstenmale eigentlicher bürgerlicher Mensch* Sein, sagt ihm wenig zu.

Das Klima unter den Wissenschaftlern mißfällt ihm. Kaum vierzehn Tage in Jena, schreibt er Körner, es sei hier *ein solcher Geist des Neides, daß dieses kleine Geräusch das mein erster Auftritt machte, die Zahl meiner Freunde wohl schwerlich vermehrt hat.*

Am 24. Juli klagt er, er *mache täglich eine traurige Entdeckung nach der andern, daß ich Mühe haben werde, mit diesem Volk hier zu leben. Alles ist so alltägliche Waare und die Frauen besonders sind ein trauriges Geschlecht ... Hier haben mich alle Götter und Göttinen der Schönheit verlassen, denn die grimmige Gesichter der Gelehrten verscheuchen alles, was Freiheit und Freude athmet.*

*Ich bin wie einer, der an eine fremde Küste verschlagen worden und die Sprache des Landes nicht versteht.* Ein *freudlose⟨s⟩ Daseyn* führe er in Jena.

Im Oktober dann der Seufzer: *Der ew'ge traurige Kreis von meinem Studierzimmer in das auditorium und von auditorium zu G⟨rießbachs⟩! ... O wie leer ist mir hier alles!*

Zudem wird er in einen Titulaturstreit verwickelt. Als seine Antrittsvorlesung im Druck erscheint, steht auf dem Titelblatt: Professor der Geschichte. Das entspricht seinem Lehrauftrag. Aber Magisterdiplom und Dozentenverzeichnis weisen ihn als einen Professor für Philosophie aus. Christian Gottlieb Heinrich, Inhaber der Professur für Geschichte, *bläst ... Lerm ... Es ist soweit gegangen*, berichtet Schiller, *daß sich der Academiediener erlaubt hat, den Titel meiner Rede, von dem Buchladen, wo er angeschlagen war, wegzureissen. Ich lasse es jezt untersuchen ...*

Heinrich ist formal im Recht, Schiller darf künftig den Titel »Professor der Geschichte« nicht mehr führen.

Die größte Enttäuschung aber ist die, daß die Einnahmen aus der Professur weit unter den erwarteten bleiben. Einem außerordentlichen Professor stehen die Gebühren, die Kolleggelder, zu, die die Studenten für die Vorlesungen zu entrichten haben. Die Zahl der Studierenden beträgt zu der Zeit, als Schiller nach Jena kommt, achthundertsechzig, vierhundert dieser Studenten sind in dem auch die Philosophie einschließenden theologischen Fach immatrikuliert. *Die Academie hat gegen 900 Studenten, wenn ich von diesen nur den 5 Theil bekomme, und von diesem nur die Hälfte mich bezahlt, so erhalte ich von einem Collegium jährlich eine Einnahme von 100 Louid'ors.* Das wären umgerechnet 500 Reichstaler.

Nun sind bei Schillers Antrittsvorlesung am 26. Mai 1789 nicht einhundertachtzig, wie er erwartet, sondern weit über vierhundert Studenten anwesend. Aber bald läßt der Andrang nach.

Im Wintersemester sieht es völlig anders aus. Er selbst ist nicht ganz schuldlos daran. Am 10. November schreibt er an Körner: *Mein privatum ist äuserst miserable ausgefallen, woran ich freilich zum Theil selbst Ursache bin. Ich schickte den Anschlagzettel von Rudel⟨stadt⟩* (wo er vom 18. September bis 22. Oktober war) *hieher, er wurde aber weil etwas daran fehlte nicht angeschlagen biss ich selbst kam, und dieses war, da die Collegien schon angefangen hatten. Die Studenten hatten also ihre Eintheilung schon gemacht; ausserdem habe ich einige sehr fatale Collisionen in den Stunden nicht meiden können. Kurz, ich bin sehr erbärmlich gefahren, meine ganze Anzahl besteht aus 30, wovon mich vielleicht nicht zehen bezahlen.*

Er erhöht die Kolleggebühren, mit dem Ergebnis, daß noch weniger Studenten kommen.

In einem nach Rudolstadt gerichteten Brief an Caroline von Beulwitz und Charlotte von Lengefeld vom 10. November 1789 – es ist sein 30. Geburtstag – faßt er seine Enttäuschung zusammen: *Welcher böse Genius gab mir ein, hier in Jena mich zu binden. Ich habe gar nichts dadurch gewonnen, aber unendlich viel verloren.*

# IV

Schillers Verhältnis zu Caroline und Charlotte ist zu diesem Zeitpunkt bereits sehr eng. Nach dem monatelangen Aufenthalt 1788 in Rudolstadt setzt sich die Vertrautheit in Briefen fort. *Von ernsthaften Dingen* könne er mit ihnen reden, *von Geisteswerken, von Empfindungen,* aber auch *nach Herzenslust ... ebenso leicht wieder auf Possen überspringen.*

Als Jenaer Professor nutzt Schiller dann die ersten vorlesungsfreien Tage, um Anfang Juni 1789, zu Pfingsten, abermals nach Rudolstadt zu reisen.

Im August machen Caroline und Charlotte zusammen mit ihrer Freundin Caroline von Dacheröden, der Verlobten von Wilhelm von Humboldt, eine Kur in Bad Lauchstädt.

Schiller ist auf dem Weg nach Leipzig zu Körner. Er fährt über Lauchstädt. Am 2. August ist er dort.

Am Morgen des 3. August bittet Caroline ihn um ein Gespräch unter vier Augen. In dieser Unterredung ermutigt sie Schiller, um die Hand ihrer Schwester anzuhalten.

Daß Caroline sich selbst stark zu Schiller hingezogen fühlt, steht außer Frage. Will sie den Schwebezustand beenden, provoziert sie Schiller, eine Entscheidung zu treffen? Ist die Schwester dazu vielleicht nur das Medium, oder will sie tatsächlich zugunsten Charlottes verzichten?

Wir kennen ihre Motive für diese Unterredung nicht. Ihr entschlossenes Handeln aber schafft eine völlig neue Situation.

Schillers Zurückhaltung ist bisher Vorsatz gewesen, mehrfach hat er das Körner gegenüber betont.

Zwei Heiratsanträge hat er bereits hinter sich, beide sprach er aus, als er dem Ort der jeweiligen Angebeteten schon fern war. Um Charlotte von Wolzogen warb er nach dem Verlassen Bauerbachs von Mannheim aus, um die Buchhändlerstochter Margaretha Schwan nach der Abreise aus Mannheim von Leipzig aus.

Auch jetzt fährt er von Bad Lauchstädt ab, ohne mit Charlotte gesprochen zu haben.

Wiederum erklärt er sich schriftlich. Noch in Bad Lauchstädt oder von unterwegs schreibt er Charlotte: *Ist es wahr theuerste Lotte? Darf ich hoffen, daß Caroline in ›Ihrer‹ Seele gelesen hat und aus Ihrem Herzen mir beantwortet hat, was ich mir nicht getraute, zu gestehen?*

Den Nachmittag und Abend dieses 3. August verbringt er mit Körner in Leipzig. Noch an diesem Abend schickt er einen Brief per Expreß nach Bad Lauchstädt, er ist an Caroline und Charlotte gerichtet. *Liebste theuerste Freundinnen ... Dieser heutige Tag ist der Erste, wo ich mich ganz glücklich fühle ... soviel Freude gewährte mir noch kein einziger Tag meines Lebens.* Er habe sein Glück vor Körner nicht verbergen können: *Ich habe ihm gesagt, daß ich hoffe – biß zur Gewißheit hoffe, von Ihnen unzertrennlich zu bleiben.* Er spricht in der Mehrzahl, von beiden Frauen ist die Rede. *O ich weiß nicht, wie mir ist. Mein Blut ist in Bewegung.*

Charlotte ist zu diesem Zeitpunkt zweiundzwanzig Jahre alt, Caroline ist sechsundzwanzig, seit fünf Jahren verheiratet, ihre Ehe ist nicht glücklich. Ihr Mann Friedrich Wilhelm Ludwig von Beulwitz lebt als Legations- und Konsistorialrat am Schwarzburg-Rudolstädtischen Hof. Caroline wird in dem kleinen Residenzstädtchen von Langeweile geplagt. Sie interessiert sich für Literatur, liest viel, schreibt selbst.

Da kommt Schiller. Ein wunderbarer Gesprächspartner. Am 18. November 1788 notiert Caroline über ihn in ihr Tagebuch:

*Ach ich kenne keinen Ersatz für das, was Sie meinem Leben gegeben haben! so frei und lebendig existirte mein Geist vor Ihnen! So wie Sie hat es noch Niemand verstanden die Saiten meines innersten Wesens zu rühren.*

Die temperamentvolle, leidenschaftliche Caroline ist die sexuell Erfahrene, dazu die Lebenserfahrenere; in der Familie wird sie ihrer Zielstrebigkeit und Entschlossenheit wegen *die Frau* genannt.

Charlotte dagegen heißt die *Decenz*, weil sie stets ängstlich und besorgt auf Anstand und gute Sitte achtet. Das kommt ihrer künftigen Stellung entgegen, sie soll Hofdame am Weimarer Fürstenhof werden. Charlotte scheint weitaus ruhiger und zurückhaltender gewesen zu sein als ihre Schwester. Sie trauert einer Liebesaffäre mit dem schottischen Hauptmann Henry Heron nach. Sie hat Heron bei ihrem Winteraufenthalt 1786/87 in Weimar kennengelernt, 1787 ist er nach England zurückgegangen, im Sommer 1788 klagt sie in ihrem Tagebuch: *Wenn wir vergeßen könnten.* Zudem macht Karl Ludwig von Knebel ihr den Hof, schreibt ihr zauberhafte Briefe; ihre Antworten lassen vermuten, daß sie ihm große Sympathie entgegenbringt.

Als Schiller Caroline und Charlotte im Dezember 1787 bei jenem Winterritt von Bauerbach nach Weimar erstmals begegnete, schrieb er, *beide* würden ihm *ohne schön zu seyn ... sehr gefallen.*

Von Bad Lauchstädt aus schreibt Charlotte an Schiller: *Karoline hat in meiner Seele gelesen ... Der Gedanke zu Ihren Glück beitragen zu können steht hell und glänzend vor meiner Seele. ... adieu! ewig. Ihre treue Lotte.*

Im August 1789 beschließen die drei in Leipzig, wo sie sich nochmals treffen, die Verlobung geheimzuhalten.

Schiller ist seit diesen Tagen glückerfüllt; *in einem glüenden Triebe nach Leben ... verzehrt sich* sein *Wesen.*

*... daß Lotte mein seyn wird – daß ihr mein seid.* Er liebt beide,

Caroline und Charlotte, will mit beiden Frauen leben. Dies verteidigt er in den nächsten Monaten enthusiastisch, selbstverliebt und völlig naiv.

Allein steht er mit dieser Idee einer Liebe zu dritt keineswegs. Auch Goethe hat 1788/89 die Vision eines Lebens mit zwei Frauen; wenn auch nicht mit zwei einander zugeneigten: Christiane Vulpius und Charlotte von Stein. Sinnenliebe und Seelenfreundschaft, keine von beiden will er aufgeben. Möchte mit Christiane leben, aber Charlotte nicht verlieren.

Auch Gottfried August Bürger lebt mit zwei Frauen, mit seiner Ehefrau und deren Schwester. Und Schillers Freund Ferdinand Huber befindet sich nach der Lösung seiner Verlobung mit Dora Stock in einer spannungsreichen *ménage à trois* mit seiner Geliebten Therese Forster und deren Ehemann Georg Forster.

Schillers Liebesbriefe sind von jenen Lauchstädter Tagen an nun zumeist an beide Frauen gerichtet.

*... eben dacht ich, wie schön es wäre, wenn ich nur von einem Zimmer ins andre zu gehen brauchte, um bey euch zu seyn. Ach! wenn es erst so weit seyn wird!* So am 29. August.

Im September dann: *Meine Seele ist jezt gar oft mit den Scenen der Zukunft beschäftigt; unser Leben hat angefangen, ich schreibe vielleicht auch, wie jezt, aber ich weiss ›euch‹ in meinem Zimmer, Du Karoline, bist am Klavier und Lottchen arbeitet neben Dir, und aus dem Spiegel, der mir gegenüber hängt, seh ich euch beide. Ich lege die Feder weg, um mich an eurem schlagenden Herzen lebendig zu überzeugen daß ich euch habe, daß nichts nichts euch mir entreissen kann.*

28. Oktober: *O Karoline! Lotte! Warum sind wir getrennt!*

Von der *Glückseligkeit unsrer Liebe* ist am 14. November die Rede. *Ich drücke euch an mein Herz mit inniger unaussprechlicher Liebe. Meine Geliebtesten! lebt wohl.* Einen Tag später: *Nur in euch zu leben, und ihr in mir – o das ist ein Daseyn, das uns über alle Menschen um uns her hinwegrücken wird. Unser himmlisches Leben wird ein Geheimniß für sie bleiben, auch wenn sie Zeugen davon sind.*

30. November: *Wäret ihr schon mein! Wäre dieses jetzige Erwarten das Erwarten unsrer ewigen Vereinigung! Meine Seele vergeht in diesem Traume.*

Und die Frauen? Ist er so im *Traume* befangen, daß er nicht wahrnimmt, was in den Frauen vorgeht? Eine Außenstehende, Caroline von Dacheröden, meint, Schiller lebe *in dem schönen Wahn, daß alles unter euch harmonisch sei.*

Charlotte aber quält der Gedanke, daß Schiller Caroline mehr zugetan sein könnte als ihr.

Caroline dagegen verweigert der Schwester das Lesen der Briefe, die Schiller an sie allein richtet.

Charlotte, so meint die Freundin Dacheröden, sei *nicht in eins mit sich*, etwas *disharmonisches* sei in ihr.

*Ich habe in diesen Tagen viel über euer Verhältnis mit Schiller nachgedacht*, schreibt sie ihr im November. *Wenn es dauern solte, meine Lotte, und du fültest, daß du die Idee, Schiller liebe L(ine) mer als dich nicht als eine kranke Vorstellung hinwegräumen köntest, so wäre mein Rat, dich mit Schiller darüber zu erklären. An der heiligen Wahrheit seines Herzens kanst du nicht zweifeln. Es täte mir zwar weh, wenn Schiller an dem schönen Wahn, daß alles unter euch harmonisch sei, gestört würde, aber dies steht denn doch in keinem Verhältniß mit der dauernden Unruhe deines Herzens und er erführe nur etwas früher, was man ihm in der Länge doch nicht verbergen könte.*

Sie fährt fort: *Es ist ein Gedanke, wert in deinem schönen Herzen geboren zu sein, Schiller und L(ine) zusammen zu verbinden ...* Dann schwächt sie das Geschriebene wieder ab, indem sie Charlottes und Carolines Liebe gegenüberstellt: *Line ist ein eigenes Wesen, und das ewig unwandelbare, ewig stäte Gefühl der Liebe nüanzirt sich so verschieden – du liebst Schiller mit allen Kräften deines Wesens – ire Seele ist in ihm versunken, kan es anders sein?*

Beruhigung für Charlotte, Parteinahme für Caroline? Auch Körner, der die beiden Frauen am 9. August, als sie von Lauchstädt nach Leipzig kamen, kennengelernt hat, äußert sich skeptisch gegenüber Schillers Entscheidung für Charlotte. Mehrfach klingt es bei ihm an; der entscheidende Brief aber, in dem er seine Vorbehalte ausspricht, ist nicht überliefert. Möglicherweise ist er bewußt vernichtet worden.

Am 14. Januar 1790 schreibt Caroline von Dacheröden an Wilhelm von Humboldt: *Eine Unerklärbarkeit bleibt mir in Schiller. Hat er nie Carolines Liebe empfunden, wie konnte er mit Lotte leben wollen? Hat er sie gefühlt, so nahm er die Verbindung mit Lotte nur als Mittel an, mit jener zu leben.*

Charlotte gesteht Schiller ihre Ängste. Sie *fürchte*, schreibt sie ihm am 3. Januar, *daß Dein Herz meine Liebe nicht so heiß auffaßen könnte, wie ich sie Dir möchte fühlbar machen.*

Das ist wenige Wochen vor der Hochzeit. Schiller ist es offensichtlich nicht gelungen, ihre Zweifel zu zerstreuen. Bereits am 15. November hat er in einem Brief an beide Frauen auf Charlottes Verunsicherung, daß seine Liebe nicht allein ihr gilt, reagiert.

*Du kannst fürchten liebe Lotte, daß Du mir aufhören könntest zu seyn was Du mir bist. So müßtest Du aufhören mich zu lieben! Deine Liebe ist alles was Du brauchst, und diese will ich Dir leicht machen durch die meinige ... Unsere Liebe braucht keiner Ängstlichkeit, keiner Wachsamkeit, – wie könnte ich mich zwischen euch beiden meines Daseyn freuen ... wenn meine Gefühle für euch beide, für jedes von euch, nicht die süße Sicherheit hätten, daß ich dem andern nicht entziehe, was ich dem Einen bin. Frey und sicher bewegt sich meine Seele unter euch – und immer liebevoller kommt sie von Einem zu dem andern zurücke – derselbe Lichtstral – laßt mir diese stolzscheinende Vergleichung – derselbe Stern, der nur verschieden wiederscheint aus verschiedenen Spiegeln.*

*Caroline ist mir näher im Alter und darum auch gleicher in der Form unsrer Gefühle und Gedanken. Sie hat mehr Empfindungen in mir zur Sprache gebracht als Du meine Lotte – aber ich wünschte nicht um alles, daß dieses anders wäre, daß ›Du‹ anders wärest als Du bist. Was Caroline vor Dir voraus hat, mußt Du von mir empfangen; Deine Seele muß sich in meiner Liebe entfalten, und ›mein‹ Geschöpf mußt Du seyn, Deine Blüthe muß in den Frühling meiner Liebe fallen. Hätten wir uns später gefunden, so hättest Du mir diese schöne Freude weggenommen, Dich für mich aufblühen zu sehen.*

Und Caroline?

Wenige Tage nach der Verlobung ist in einem Brief, den Schiller nur an sie richtet, von seinem *Misstrauen* zu lesen, das ihn martere, und von *Foderungen* und *Erwartungen* Carolines an ihn. *Wohl mir, Karoline, daß Du die Quelle in mir aufsuchst und Deine Foderungen Deine Erwartungen an mein Wesen und nicht an Wandelbare Erscheinungen in mir richtest.*

*Bei allen meinen Mängeln – denn alle sollt ihr endlich kennen – wirst Du ›das‹ immer finden, was Du Einmal in mir liebtest. Meine Liebe wirst Du in mir lieben.*

In einem zweiten, ebenfalls nur für sie bestimmten Brief vom 29. Oktober – Caroline ist krank – schreibt er: *Sei ruhig, und Du wirst gesund seyn! Ruhe ist alles, was Du brauchst – Deine Seele umfaßt noch mit zuviel Heftigkeit alles. Wie ruhig könntest Du seyn, wenn Du nur allein in der Wirklichkeit lebtest.*

Diese zwei an Caroline gerichteten Briefe gehören zu den wenigen überlieferten. Die Zeugnisse der gewiß leidenschaftlichen, spannungsreichen Beziehung sind später – vermutlich von Schillers Tochter – vernichtet worden. Auch Caroline selbst, die mit einem Zeitabstand von fast fünfzig Jahren die erste Biographin Schillers werden wird, hält sich mit der Schilderung ihrer Liebe zu Schiller zurück; sie soll sogar bei den in ihrem Besitz befindlichen Briefen Schillers Anreden gefälscht haben, das heißt, ihren Namen durch den Charlottes ersetzt haben, um die Schwester vor der Nachwelt nicht zu kompromittieren.

Was zwischen Caroline und Schiller wirklich gewesen ist, läßt sich nur ahnen.

Ebenso ist die Lage der Dokumente in bezug auf Charlotte von Kalb. Diese versucht weiter über den mit ihr befreundeten Herder die Scheidung zu erwirken. Schiller läßt sie gewähren, hält seine neuen Lieben vor ihr geheim. Den Schwestern Lengefeld gegenüber urteilt er mehrfach negativ über Frau von Kalb; von *sonderbaren Labyrinten, die wir miteinander durchirrten*, ist nun die Rede. Sie wolle *nach Rudolstadt kommen*, sie *fordere*, daß er in Weimar mit ihr spreche. Als Charlotte von Kalb von der Verlobung erfährt, sein Doppelspiel durchschaut, ist sie tief verletzt, verlangt ihre Liebesbriefe zurück, verbrennt sie, vernichtet auch die, die der Geliebte ihr in den fünf Jahren ihrer Beziehung geschrieben hat. *Wir waren ganz kalt gegeneinander*, notiert Schiller, als er ihr am 11. Februar 1790 im Haus der Frau von Stein begegnet.

Schillers Pläne, mit Caroline und Charlotte zu leben. Ohne Rücksicht auf Carolines Ehemann, Herrn von Beulwitz, werden sie gemacht.

*Wenn ich mir denke, daß wir drey zusammen, an mehr als Einem auserlesenen Platz, mit 1000 Thalern vortreflich leben könnten ...*

Baut er Luftschlösser? Er meint, *daß wir diese* – die 1000 Taler – *so gut als schon haben, denn wenn ich meine ganze Zeit in der Gewalt habe, und mein Geist frey ist, so sind mir 600 rth. leicht, bloss durch Arbeiten der Schriftstellerey zu verdienen, denn ich habe sie in manchem Jahre wirklich mir erworben. Dann wäre jede Abhängigkeit, jedes lästige Verhältniß erspart ...*

Als Lebensorte sind Mainz, Berlin, Mannheim und Wien im Gespräch. Schiller schreibt an seine alten Lehrer von der Carlsschule. Wendet sich an Karl Theodor von Dalberg, den Bruder des Mannheimer Theaterintendanten. Dalberg ist kurmainzischer Statthalter in Erfurt und zugleich Koadjutor des Erzbischofs und Kurfürsten von Mainz. Koadjutor bedeutet designierter Nachfolger, aber noch ist der Kurfürst Friedrich Carl Joseph von und zu Erthal im Amt.

*Meine einzige Hofnung ist auf den Coadjutor gesetzt. Versichert er mich bestimmt und nachdrücklich, daß er für mich handeln will, so lege ich bey dem nächsten Anlaß meine jenaische Professur nieder*, schreibt Schiller. Am 14. November dann: *Hier ist die Antwort des C⟨oadjutors⟩.*

Caroline überliefert, Dalberg habe Schiller eine Stelle in Mainz mit 4000 Talern zugesagt. Möglich ist, daß Dalberg ihm eine solche in Aussicht stellt, wenn er nach dem Tod des Kurfürsten seine Nachfolge antreten wird. Die Antwort vom November 1789 aber muß Schiller vorerst als Absage werten.

*Ueberleget meine Lieben, und rathet was ich thun soll ... Findet Ihr es gut, so schreibe ich gleich in der nächsten Woche an den K⟨ur⟩f⟨ür⟩st – und geht es dort nicht, an den K⟨öni⟩g v. P⟨reußen⟩.*

Weder ein Brief an den Kurfürsten nach Mainz noch einer nach Berlin ist erhalten.

Mit dem Absagebrief von Dalberg sieht Schiller seine Pläne, sich mit den beiden Frauen an einem anderen Ort zu etablieren, wohl vorerst als gescheitert an.

*Ich kann den Menschen und den Dingen den tiefen Abstand nicht verzeyhen, in welchem sie zu dem himmlischen Ideal meiner Liebe stehen*, schreibt er enttäuscht.

Für kurze Zeit ist dann im Gespräch, in Rudolstadt zu leben. Zu viert: Schiller mit Charlotte im Haus der Schwiegermutter, Caroline mit ihrem Ehemann im Haus gegenüber. *Die Sache ist sehr delikat, um so reifer muß sie überlegt werden.* Als aber Caroline entschlossen von ihrer Scheidung von Beulwitz spricht, zieht sich Schiller erschrocken zurück. *Ich möchte ... nicht gern*, heißt es bezogen auf seine künftige Schwiegermutter, *daß ›meine‹ und ›Deine‹ Angelegenheit zu gleicher Zeit auf sie einstürmten.*

Ende November dann steht es für ihn fest: *Lange, meine theuersten, habe ich mich zwischen streitenden Entschlüssen herum-*

*geworfen, wie ich es mit meinem Schicksal halten soll – ob ich den Plan nach M⟨ain⟩z verfolge, oder jetzt noch ruhig dem Gang der Umstände zusehe*, schreibt er am 27. Er wählt letzteres. Er bleibt in Jena. *Ich will noch einige Jahre ›hier‹ aushalten, aber diess kann nur dann geschehen, wenn Lotte mit mir lebt ...*

Der Plan eines Lebens zu dritt ist aufgegeben.

An Caroline gewandt heißt es: *Bleibe ich in Jena, so will ich mich gern ein Jahr und etwas darüber mit der Nothwendigkeit aussöhnen, daß Du mit B⟨eulwitz⟩ allein lebst.*

Und: *Du wirst mit einem grossen Opfer für mich anfangen müssen – aber ich baue auf die Liebe.*

Die Geheimhaltung der Verlobung ist vor allem mit Rücksicht auf Frau von Lengefeld vereinbart. Schiller soll sich ihr erst offenbaren, wenn er eine feste Besoldung vorweisen kann.

Die 200 Taler, die er im Vorjahr verächtlich als *Betteley* bezeichnete, werden ihm jetzt wichtig. Caroline und Charlotte nutzen ihre guten Beziehungen zum Weimarer Hof; Frau von Stein spricht mit dem Herzog. Er signalisiert Bereitschaft. In einem nicht überlieferten Schreiben wendet sich Schiller an ihn. Carl August gewährt ihm 200 Taler Jahresgehalt.

## V

Am 18. Dezember 1789 hält Schiller offiziell bei Louise von Lengefeld um die Hand ihrer Tochter Charlotte an.

*Der Herzog intereßirt sich sehr für meine Heurath*, schreibt Schiller seinem Vater. Verschweigt aber der Familie, auch der Schwester Christophine und dem Schwager Reinwald, daß seine Braut eine Adlige ist.

Charlotte wird durch die Heirat ihren Adelstitel verlieren; daher bemüht sich Schiller, seinen Titel eines Weimarischen Rates in den eines Hofrates zu verwandeln.

In Weimar deutet man ihm an, daß dies nicht möglich sei. Er wendet sich an den Fürstenhof in Meiningen. *Da mir die Güte der Mutter und die Liebe der Tochter das Opfer des Adels bringt ... so wünschte ich, ihr dieses Opfer durch einen anständigen Rang in etwas zu ersetzen oder weniger fühlbar zu machen.* Schiller erhält den Titel eines *Meiningischen Hofrathes.*

*Ich mache sie zur ›Hofräthinn‹, das ist alles was ich kann ... Lottchen wenigstens einen anständigen Rang hier zu geben.* Ironisch heißt es an Körner: *ich bin seit einigen Tagen um eine Sylbe gewachsen – wegen meiner vorzüglichen ›Gelehrsamkeit‹ und schriftstellerischen Ruhms beehrt mich der Meininger Hof mit dem Diplom.*

Am 7. Januar 1790 teilt er seiner künftigen Schwiegermutter mit, wie er leben wolle. Er behalte seine Wohnung. *Bloss einige Zimmer mehr brauche ich zu miethen, und ich kann sie auf derselben Etage haben ... Ich brauche dann nur Eine Domestique für Lottchen ...*

Am 14. Februar 1790 erfolgt das Aufgebot in der Jenaer Hauptkirche. Am 22. Februar die Trauung in der Dorfkirche in Wenigenjena. *Bey verschloßenen Thüren* wird der Akt *von einem ›kantischen‹ Theologen (dem Adjunct Schmidt) verrichtet*, Schiller und Charlotte werden von Charlottes Mutter und Caroline von Beulwitz begleitet. Man hat sich in Kahla getroffen, ist gemeinsam nach Wenigenjena gefahren. Anschließend eine kleine Feier zu viert in der *Schrammei*; bescheiden, ohne großen Aufwand.

So wie sie die nächsten Jahre in der *Schrammei* leben werden, bis sie ein Gartenhaus in der Zwätzengasse beziehen. *Meine Frau ist ganz eingerichtet zu mir gekommen*, berichtet Schiller im März 1790 seinem Vater; *und alles was zur Haushaltung gehört, hat meine Schwiegermutter gegeben.*

Schiller stellt eine Jungfer zur Bedienung seiner jungen Frau ein; eine Prestigefrage, um nicht ganz hinter den Ansprüchen ihres Standes zurückzubleiben. Eine eigene Küche haben die Eheleute nicht. Das Essen kommt von den Vermieterinnen. Die Wäsche wird außer Haus gegeben.

Schiller sitzt über seinen Vorlesungen, sitzt an seinen historischen Arbeiten.

Und Charlotte? Wie hat man sich ihr Leben vorzustellen? Kurz nach der Heirat schreibt sie, ihre *Seele* sei *harmonisch gestimmt* und sie sehe einer *Zukunft entgegen, die mich jeden Tag fester und inniger an meinen Geliebten knüpft. Mein Leben ist reich an schönen Genüssen durch die Liebe und durch seinen Geist …*

Sie weiß sich zu beschäftigen. Setzt vielleicht das Französisch-Studium ihrer Genfer Monate fort; später wird sie an Übersetzungen aus dem Französischen arbeiten. Sie liest, spielt Klavier. Sie nimmt Zeichenunterricht bei Johann Heinrich Lips. *Meine Frau zeichnet viel und befleißigt sich sehr aufs Singen*, schreibt Schiller im November 1790. Und: *Diesen Winter wird hier viel getanzt … ich weiß nicht, wo ich mich hinthun werde, wenn die Jugend tanzt.*

Schiller tanzt nicht gern, obgleich er auf der Carlsschule neben Fecht- und Reitunterricht wohl auch das Tanzen gelernt hat. Überliefert ist, daß er sich bei Tanzvergnügen meist in jene Ecke zurückzieht, in der sich die Kartenspieler aufhalten.

Charlotte aber liebt das Tanzen. Sie freundet sich mit anderen Professorenfrauen an, so mit der um Jahre älteren Frau Griesbach. Besucht zuweilen auch ohne ihren Ehemann ein Tanzvergnügen in den Rosensälen im Akademischen Haus.

Aus dem Jahr 1792 – Schiller ist krank – ist eine Reaktion von ihm auf Charlottes Besuch einer solchen Tanzveranstaltung überliefert. Schillers schwäbischer Freund Ludwig Friedrich Göritz erinnert sich: *Gros und ich hatten uns abends nach Tische mit Schiller in seinem Hause zum Spiel gesetzt, und spielten fort, bis sie kam. Es war morgens um drei Uhr. Ich vergesse die Kälte und den mißbilligenden Ton, womit er sie empfing, in meinem Leben nicht. Sie hätte mit großem Recht antworten können: »Und du, dessen Gesundheit so sehr geschwächt ist, spielst die ganze Nacht fort und zerstörst sie vollends?« Sie nahm den Verweis über ihr spätes Kommen sehr sanft auf und schwieg, als ihre freundlichen Entschuldigungen nichts halfen, ganz.*

Charlotte scheint ähnliche Eigenschaften gehabt zu haben wie Wielands Ehefrau, die Schiller als ideale Ehefrau erschien. Als er einmal von der Unmöglichkeit des Umgangs mit Wieland wegen dessen Launenhaftigkeit berichtet, schreibt er: *Niemand als Wielands Frau, die alle Ungewitter abwartet, kann in seiner Atmosphäre dauren.* Auch Charlotte wartet ab, widerspricht nicht, reagiert mit Sanftheit, mit Schweigen.

Schiller erfüllen sich offenbar alle Erwartungen, die er an eine Ehe knüpft. *Mein ganzes äußres und innres Daseyn hat bey dieser Veränderung gewonnen, und von jetzt kann ich eigentlich erst mein Leben datiren.* Er *freue* sich *aller Schönheiten des häußlichen Lebens.*

Die *Existenz* Charlottes, dieses *holden lieben Wesens um mich her, dessen ganze Glückseligkeit sich in die meinige verliert, verbreitet ein sanftes Licht über mein Daseyn.* Sein Leben sei in *eine harmonische Gleichheit gerückt.* Von *ruhige⟨r⟩, gleichförmige⟨r⟩ Glückseligkeit* schreibt er; *nicht leidenschaftlich gespannt, aber ruhig und hell giengen mir diese Tage dahin.*

Dies, wenige Tage nach der Hochzeit geschrieben, gilt wohl für die ganzen fünfzehn Jahre ihrer Ehe. Ruhe und Gleichförmigkeit sind es, die Schiller als Arbeitshintergrund braucht und die ihm die sanfte, in allem nachgiebige Charlotte zur idealen Partnerin machen. Zu seiner *Glükseligkeit* brauche er *einen rechten wahren Herzensfreund, der mir stets an der Hand ist, wie mein Engel, dem ich meine aufkeimenden Ideen und Empfindungen in der Geburt mittheilen kann, nicht aber erst durch Briefe, oder lange Besuche erst zutragen muss. Schon der nichtsbedeutende Umstand, daß ich, wenn dieser Freund außer meinen 4 Pfählen wohnt, die Straße passieren muss, ihn zu erreichen, daß ich mich umkleiden muss und dergleichen, tödet den Genuss des Augenbliks, und die Gedankenreihe kann zerrissen seyn, biß ich ihn habe.*

Diese Sehnsucht – 1785 von Mannheim aus dem Körner-Kreis

mitgeteilt – erfüllt sich ihm nun in Charlotte. Er muß nicht die *Straße passiren*, sich nicht *umkleiden*; sein *Engel* ist immer da: zum Zuhören, zum Gespräch bereit.

Daß er sich Charlotte als Gesprächspartnerin wünscht, geht aus einem Brief an seinen Verleger vom 6. Januar 1790 hervor.

Im November 1789 hat er mit Göschen – als dieser ihn in Jena besuchte – eine »Geschichte des Dreißigjährigen Kriegs« vereinbart. Sie soll im »Calender für Damen« erscheinen. Sein Verleger bietet ihm – wohl auch mit Blick auf die bevorstehende Heirat – dafür ein Honorar von 400 Talern. Ein großzügiges Angebot. *An unserem Calender*, schreibt Schiller nun, *werde ich desto vergnügter arbeiten liebster Freund, und er wird desto beßer für die Damen ausfallen, wenn ich eine im Hause habe, die ich darüber consultiren kann.*

*Du glaubst kaum, wie geändert er ist*, schreibt Caroline von Dacheröden am 10. Februar 1791 an Wilhelm von Humboldt über Schiller. *In sich mag er ruhiger, vielleicht in einem gewissen Sinne glücklicher sein ... Über alle Ideen hoher, einziger Liebe fühlte ich ihn herabgestimmt ... Er sprach einmal mit mir von Lottgen und seiner Art, mit ihr zu leben, so recht im Ton der Ruhe, nicht der Resignation. Er sagte sogar, daß er sich überzeugt hätte, daß er mit Carolinen nicht so glücklich gelebt haben würde wie mit Lottgen, sie würden einer an den anderen zu viele Forderungen gemacht haben, und mit einem Wort, ich fühlte, dass sein Herz keinen Wunsch mehr macht, den Lottgen nicht erfüllen könnte. Lottgen selbst ist mehr geworden. Ihre Empfindungen haben an Innigkeit gewonnen, ihr Wesen tönt in einem volleren Klang.*

Charlotte wächst in ihre Aufgabe hinein. Wird Schiller eine geduldige Zuhörerin – hört sich manches, so den »Wallenstein«, sogar mehrfach an –; wird ihm kundige Gesprächspartnerin – sie liest viel, ist in der Literaturszene bewandert –; wird ihm Mitarbeiterin, erledigt mitunter seine Korrespondenz, auch geschäftliche, einmal fragt sie ihn, wieviel sie von einem Theater für sein Stück verlangen könne.

Sie versucht sich auch im Schreiben: ein kleines Drama, eine Erzählung entstehen.

Für Charlottes Liebe gilt, was Schiller ihr 1790 über die seine geschrieben hat: *meine ›liebe‹ ist still, wie mein übriges Wesen – nicht aus einzelnen raschen Aufwallungen, aus dem ganzen Zusammenhang meines Lebens wirst Du sie kennen lernen.*

Und Caroline? Wenige Wochen nach Schillers und Charlottes Heirat gesteht sie ihrer Freundin Dacheröden: *Kein alter Ton erklingt unter uns, ich verhüte es, und er sucht es nicht – die himmlische Freiheit ist entflohen.*

1792 dann urteilt sie: *Ich fühle ihn* – Schiller – *einsam, denn so innig gut Lotte ist, so ists doch ein toder Umgang – aber uns ist izt auch nichts weniger als wohl zusammen ... Torheit ists das Vergangene nicht vergangen sein zu lassen, aber ich fürchte, der Samen alles Unheils für Schiller liegt doch darin, und die Welt der Empfindung ist ihm für immer verstummt. Dieser feine tiefe Sinn für Wahrheit der Empfindung fehlt auch seinen Kunstwerken – immer sind diese Töne überspannt, frappieren mehr, als sie still rühren. Und so ist auch seine Liebe gewesen, daher erkläre ich mir das Verstummen meines Herzens.*

Schillers Abwendung von der geistig äußerst beweglichen, gewiß aber auch schwierigen Caroline von Beulwitz hat wohl ähnliche Gründe wie sein Rückzug von Charlotte von Kalb. (Ihr Schicksal mit Schiller wiederholt sich übrigens in ihrer Liebe zu Jean Paul. Eine große Leidenschaft von beiden Seiten; wieder ist sie zur Scheidung bereit. Jean Paul wird sagen, dieser Frau habe er alles zu verdanken; aber sie ist zu anspruchsvoll, zu kritisch seinem Werk gegenüber, er wendet sich ab; heiratet die biedere Caroline Meyer.)

Wie Jean Paul weiß auch Schiller, was er braucht, um Freiheit für sein Schaffen zu haben. *Eine Frau, die ein vorzügliches Wesen ist, macht mich nicht glücklich ... Bei einer ewigen Verbindung ... darf Leidenschaft nicht sein.*

Als Caroline sich 1794 von Beulwitz wird scheiden lassen, ergreift Schiller die Partei des Ehemanns. Folgt er der Konvention, ist es Gedankenlosigkeit oder späte Eifersucht, Besitzdenken, wie im Fall Christophines? Auch gegen Carolines Heirat mit Wilhelm von Wolzogen wird er sich aussprechen. *Die zwey Leute schicken sich gar nicht zusammen, und können einander nicht glücklich machen*, schreibt er am 21. November 1794. *Diese Geschichte hat meine Schwägerin und mich ziemlich gegen einander erkältet* ... Möglicherweise scheut er die verwandtschaftliche Nähe zum Sohn seiner einstigen Gönnerin, deren Schuldner er über ihren Tod hinaus geblieben war.

Beide Frauen aber, Charlotte von Kalb und Caroline von Wolzogen, werden lebenslang Schillers Werk verehren, werden ihm Gesprächspartnerinnen, Freundinnen bleiben. In Carolines Fall kommt es sogar zu einer Zusammenarbeit, sie liefert Beiträge zu Schillers Periodika. Ihr Roman »Agnes von Lilien« wird 1796 in den »Horen« abgedruckt. Sein Schwager Wolzogen wird ihm ein wichtiger Ratgeber und Helfer.

Die Ehefrau Charlotte: das *sanfte Licht über* seinem *Daseyn.*

Der Druck, nun Geld für zwei verdienen zu müssen. *Mir däucht in Absicht dieses Glücks liegen die Würffel auf den Tisch*, schreibt Wieland an den Verleger Göschen. *Entweder führt der neue Stand Schillern zur Stetigkeit und Ordnung; oder die neuen Sorgen der verdoppelten Bedürfniße drücken ihn zu Boden. Ich lebe hierüber in einer Unruhe welche mich bey keiner Art von Theilnehmung je angewandelt hat. Ich habe nur wenig Menschen so geliebt als diesen.*

Ist Wielands *Unruhe* berechtigt?

Mit dem Entschluß zur *häußlichen und bürgerlichen Existenz* scheint Schillers Umgang mit Geld bedachter zu werden. Sein Freund Göritz bezeugt es. *Am Anfang unserer Bekanntschaft war er in seinen Geldgeschäften äußerst nachlässig, und da ich viel mit ihm zu berechnen hatte, so wurde nie eine Rechnung anders berichtigt, als indem es ungewiß blieb, ob er mir oder ich ihm noch einige Groschen, oft auch einen Gulden schuldig sei. Auf einmal, gegen das Ende der Periode, befleißigte er sich einer Genauigkeit, die ans Kleinliche grenzte, und forderte den halben Heller, den er auch ausbezahlte. Er hatte auf einmal rechnen gelernt.*

Schillers Arbeitsalltag. Er hält weiter Vorlesungen, die Zahl der Zuhörer ist gering; ein privatissimum, das er in seiner Wohnung veranstaltet, gesprächsweise entwickelt er seine Ideen. Die Studenten treffen sich bei ihm auch zum Mittagstisch.

Er kümmert sich um den Fortgang seiner Zeitschrift »Thalia«, schreibt eigene Beiträge, sucht Mitarbeiter, trägt die Last der gesamten Organisation.

Er arbeitet weiter für Wielands »Merkur«.

Schreibt an der »Geschichte des Dreißigjährigen Kriegs«. Es ist ein enorm recherche- und arbeitsintensives Projekt. *Der 30jährge Krieg*, teilt er am 18. Juni 1790 Körner mit, *den ich in Göschens Calender mache und der in den ersten Wochen Augusts fertig seyn muß, nimmt mir jetzt alle Stunden ein, und ich kann kaum zu Athem kommen ... Auch wundre ich mich selbst über den Muth den ich bey diesen drückenden Arbeiten beibehalte; eine Wohlthat, die ich nur meiner schönen häuslichen Existenz verdanke. Ich bin täglich 14 Stunden, lesend oder schreibend, in Arbeit und dennoch gehts so leidlich wie sonst nie.*

Zur Herbstmesse 1790 erscheint der erste Teil der »Geschichte des Dreißigjährigen Kriegs« im »Calender für Damen für das Jahr 1791«. Wie bereits Schillers »Geisterseher« und die »Niederländische Geschichte« wird auch diese Arbeit ein großer Publikumserfolg. Göschen druckt eine Auflage von 7000 Exemplaren, sie ist bald vergriffen, er kann weitere 3000 Kalender nachdrucken und in kurzer Zeit absetzen.

Schiller ist vom Verkaufserfolg dieser von ihm vergleichsweise schnell geschriebenen Arbeiten überrascht. Und er sieht sich bestätigt: *Mit der Hälfte des Werths den ich einer historischen Arbeit zu geben weiß, erreiche ich mehr Anerkennung in der sogenannten gelehrten und in der bürgerlichen Welt als mit dem größten Aufwand meines Geistes für die Frivolität einer Tragödie.*

Der *oekonomische Ruhm* stellt sich ein.

Euphorisiert von den Verkaufszahlen der »Geschichte des Dreißigjährigen Kriegs« formuliert er das Ziel, der *erste Geschichtsschreiber Deutschl⟨ands⟩* werden zu wollen.

Erliegt er den Verlockungen des Marktes? Keineswegs.

Der Ausgangspunkt von Schillers historiographischem Engagement bleibt seine finanzielle Not, sie läßt ihn die *Poesie* hintanstellen und sich der Historie widmen. Aber die Historie ist nicht sein Ziel, sondern Mittel zum Zweck: er will in der bürgerlichen Welt Fuß fassen, eine Anstellung erreichen, um auf diesem Umweg sich wieder seiner schriftstellerischen Arbeit, der Freiheit des Schreibens überlassen zu können. Als er äußert, der *erste Geschichtsschreiber Deutschl⟨ands⟩* werden zu wollen, ist im gleichen Atemzug von einer soliden Versorgung die Rede; *dem ersten müssen sich doch auf jeden Fall Aussichten öffnen.*

Noch immer hofft er darauf, nach Mainz wechseln zu können. *Der Coadjutor sagte neulich der Stein auch, daß er mich einmal gewiss in Mainz haben würde*, schreibt Schiller im Januar 1790. Neben dem Kontakt zu Dalberg intensiviert Schiller den zu Georg Forster und Ferdinand Huber in der Stadt an der Mainmündung. Huber, so ist in einem Brief vom 10. Dezember 1790 zu lesen, solle ihm mitteilen, *wie hoch ich mich auf jeden Fall bey einer philos⟨ophischen⟩ Professur in M⟨ainz⟩ stehen müßte.* Er bittet den Freund aus Leipziger und Dresdner Tagen, der seit Sommer 1788 als sächsischer Legationssekretär in Mainz tätig ist, um Diskretion. *Alles kann und muß schriftlich gehen.* Eine Reise nach Mainz würde seine Absicht, Thüringen zu verlassen, offenbaren, und er wolle, ehe er nicht Gewißheit habe, den Bruch mit dem Weimarer Herzog vermeiden.

Schillers enorme Produktivität als Historiker. Seine Popularität. Bis heute ist seine Leistung im historischen Genre umstritten.

Seine diesbezüglichen Arbeiten werden oftmals als marginal angesehen.

Vielleicht besteht der Reiz für den damaligen wie den heutigen Leser darin, daß Schiller auch als Historiker nie den Dichter in sich vergißt.

Der anfängliche Ehrgeiz, sich mit seinen akademischen Vorlesungen an ein wissenschaftliches Fachpublikum zu wenden, erlahmt mit der Abkühlung seines Verhältnisses zur akademischen Welt, mit seinen Enttäuschungen als Jenaer Professor, sehr schnell.

Der Adressatenkreis seiner Arbeiten zur Geschichte ist schon bald nicht mehr die Fachwelt, das akademische Publikum, sondern ein breites Lesepublikum.

Seine Beschäftigung mit Geschichte richtet sich, wie er selbst sagt, *auf Interesse des Details und der Charaktere*. Damit relativiert er für sich den Anspruch auf Exaktheit. Selbstironisch heißt es an Körner: *Die Geschichte wird unter meiner Feder, hier und dort, manches, was sie nicht war.* Und: *Die Geschichte ist überhaupt nur ein Magazin für meine Phantasie. Und die Gegenstände müssen sich gefallen laßen, was sie unter meinen Händen werden.*

Neben der Mühe, die er aufwenden muß, betont er das Vergnügen an der Historie. Die Angst, sich auszuschreiben, ist gebannt: *Die Geschichte ist ein Feld ... wo ich doch nicht immer aus mir selbst schöpfen muß*. Das Material fesselt ihn: *Aber Du glaubst kaum, wie zufrieden ich mit meinem neuen Fache bin*, gesteht er Körner. *Ahnung großer unbebauter Felder hat für mich soviel reizendes. Mit jedem Schritte gewinne ich an Ideen, und meine Seele wird weiter mit ihrer Welt.*

Das gilt besonders für die »Geschichte des Dreißigjährigen Kriegs«. Sie kann man auch als einen Schritt auf dem Weg zurück zum Dramatiker deuten; nicht zufällig taucht in Zusammenhang mit den historischen Studien erstmals die Idee zu einem Wallenstein-Drama auf. Karl Theodor von Dalberg und Körner sind die beiden Vertrauten dieses Planes.

Die Entstehung der »Geschichte des Dreißigjährigen Kriegs« fällt in die Zeit der ersten Verarbeitung der Pariser Ereignisse. Schillers Geschichtsoptimismus, der noch seine Antrittsvorlesung vom Mai 1789 kennzeichnete, verändert sich unter dem Eindruck der Vorgänge in Frankreich.

Der Dreißigjährige Krieg mit seinen politischen Machtkämpfen fügt sich ihm nicht mehr in einen universalhistorischen Sinnzusammenhang. Die geschichtlichen Fakten werden zunehmend in ihrer Ungeheuerlichkeit dargestellt; vom Egoismus der Machthaber, der Rolle der Manipulation, von zufälligem *Glückswechsel* als Ursache der Siege, vom *Jammer der Völker* ist die Rede; Kaiser Ferdinand II. wird als *Unterdrücker der Menschheit*, als *Feind des Friedens* bezeichnet.

Zugleich gilt Schillers Interesse – und das ist durchaus kein Widerspruch – nun durchweg Fürsten und Heerführern; sie stehen im Mittelpunkt. Die Fürsten firmieren nicht mehr als *Despoten* und *Tyrannen*. Im Gegenteil, ihnen, den Fürsten und ihrer Libertät, wird – in Schillers veränderter Sicht auf die geschichtlichen Zusammenhänge – nun der Freiheitsbegriff zugeordnet und nicht mehr, wie bisher, den Völkern und Nationen.

Schiller wird seine »Geschichte des Dreißigjährigen Kriegs« nicht vollenden; sie wird Fragment bleiben.

In einem bilanzierenden Brief an Ferdinand Huber schreibt er am 30. September 1790 mit Blick auf seine Geschichtsstudien, auf die *Vermehrung* seiner *lecture*, von *eine⟨r⟩ gewaltige⟨n⟩ Revolution, nicht geringer in meinem Ideenleben als diejenige, welche in meinem häuslichen vorgegangen ist.*

Dabei ist er sich bewußt, daß aus den geschichtlichen Arbeiten kein Ertrag mehr für sein Weiterkommen zu schöpfen ist.

In dem durch die Eheschließung so glücklichen Jahr 1790 heißt es: *Es treibt sich wieder um mich herum in dichterischen Gestalten* ... Und: *Es wird mir nicht eher wohl werden, biß ich wieder Verse machen kann.*

Und die Unmutsäußerungen darüber häufen sich, daß er ausschließlich zu Brotarbeiten gezwungen ist. *Die Memoires, die Kollegien, die Beiträge zur Thalia nehmen meine ganze Zeit und mein Kopf ist überladen, ohne Genuß dabei zu haben*, klagt er Körner. *Wie sehne ich mich nach einer ruhigen und selbstgewählten Beschäftigung. Aber ich darf mir so bald keine Rechnung darauf machen.*

Der Freund erwidert: *Es ärgert mich, daß Du so zu Stocke und zu Pflocke arbeiten mußt ...*

Ein existentieller Konflikt, der Schiller stark belastet und zur Lösung drängt. Schiller selbst hat ihn bereits im März 1789 in folgenden Satz gefaßt: *Ich muß ganz Künstler seyn können, oder ich will nicht mehr seyn.*

## VI

In den Januar 1791 fällt ein Ereignis, von dem Schillers weiteres Leben überschattet sein wird. Der Einunddreißigjährige erleidet einen gesundheitlichen Zusammenbruch.

Es beginnt mit einem Fieberanfall während eines Aufenthalts in Erfurt. Er reist nach Jena zurück. Es kommt zu erneutem hohen Fieber, zu Atemnot, Krämpfen in Brust und Bauch. Dann weitere schwere Anfälle bis in den April hinein. Mehrfach schwebt Schiller in Lebensgefahr.

Die 150 Jahre später von dem Jenaer Internisten Professor Wolfgang Veil nach den von Schiller beschriebenen Symptomen gestellte Diagnose lautet: eine schnell verlaufende Lungenentzündung, die von einer trockenen Rippenfellentzündung begleitet wird. Hinzu kommt eine Bauchfellentzündung, die die Darmfunktion beeinträchtigt.

Wie ist dieser körperliche Zusammenbruch zu erklären?

Sind es die täglichen *14 Stunden ... in Arbeit*, die seine Gesundheit schwächen? Ist es sein rücksichtsloses Verhältnis zum eigenen Körper? Ist es sein anhaltender starker Verbrauch von Schnupftabak, Tee und Kaffee während seiner Arbeitsorgien?

Eine robuste Natur ist Schiller nie gewesen. Aus seiner Carlsschulzeit ist überliefert, daß er viele Tage des Jahres im Krankenrevier verbrachte. Erkältungen, Fieber, Zahnschmerzen. In Mannheim dann die Infektion durch die in der Stadt grassierende Seuche. Langanhaltendes hohes Fieber, dennoch ist er gezwungen zu arbeiten. *Denken Sie sich in meine äuserst anstrengende Situazion*, schreibt er Henriette von Wolzogen am Neujahrstag 1784: *Um mit Anstand hier leben, und die mir vorgesezte Summe Geld herauszuschlagen – um zugleich die Ungeduld des Theaters, und die Erwartungen des hiesigen Publicums zu befriedigen habe ich unter meiner Krankheit mit dem Kopf arbeiten müssen, und durch starke Porzionen China meine wenigen Kräfte so hinhalten müssen, daß mir dieser Winter vielleicht Zeitlebens einen Stoß versezt.*

Bereits der Vierundzwanzigjährige ist sich der Gefährdung seines Lebens bewußt. Am 8. Oktober 1784 heißt es: *Ich bin fast das ganze verfloßene Jahr krank gewesen.* In der Leipziger und Dresdner Zeit dann wenig Nachrichten über Zeiten von Kranksein. In den Weimarer und Jenaer Jahren die Anstrengung, eine »bürgerliche Existenz« aufzubauen; *täglich 14 Stunden, lesend oder schreibend, in Arbeit* ... Die Einsicht in die Notwendigkeit, der Wille, das Sich-selbst-Zureden, dennoch eine Arbeit *ohne Genuß*, der *Kopf* ständig *überladen*. Dabei latent im Untergrund – wie eine zweite Stimme, die nicht zur Ruhe kommt – die Sehnsucht nach der Beschäftigung mit dem Eigentlichen, der Dichtung.

Ich glaube, dieser so lang anhaltende Spannungszustand ist das letztlich auslösende Moment von Schillers schwerer Erkrankung zu Beginn des Jahres 1791. Andere, Jakob Michael Reinhold Lenz und Friedrich Hölderlin, sind daran zerbrochen.

Ende des Jahres 1791 wird Schiller eine bittere Bilanz seiner Existenz als freiberuflicher Schriftsteller ziehen: sie habe ihn die Gesundheit gekostet, ist das Fazit. *Ein rascher Schritt vor 10 Jahren schnitt mir auf immer die Mittel ab, durch etwas anders als schriftstellerische Wirksamkeit zu existiren. Ich hatte mir die-*

*sen Beruf gegeben, eh ich seine Forderungen geprüft, seine Schwierigkeiten übersehen hatte.*

Er beklagt, daß die *ungünstigen Umstände* ihm niemals Zeit lassen, bis zur Vollendung an einem Werk zu arbeiten. *Zugleich die strengen Forderungen der Kunst zu befriedigen, und seinem schriftstellerischen Fleiß auch nur die nothwendige Unterstützung zu verschaffen, ist in unsrer deutschen literarischen Welt, wie ich endlich weiß, unvereinbar. Zehen Jahre habe ich mich angestrengt, beides zu vereinigen, aber es nur einigermaßen möglich zu machen, kostete mir meine Gesundheit.*

Die erlebte Todesnähe verändert Schillers Leben. Die zweite Stimme, die des Dichters, gewinnt die Überhand. Schiller will und wird nicht als Historiker enden. Am 24. Mai 1791 schreibt er an Körner: *Überhaupt hat dieser schreckhafte Anfall mir innerlich sehr gut getan. Ich habe dabey mehr als ein mal dem Tod ins Gesicht gesehen, und mein Muth ist dadurch gestärkt worden.*

Diesen Mut wird er die nächsten vierzehn Jahre brauchen. Denn die Krankheit kommt nicht zum Stillstand, bricht in immer neuen Schüben aus; ihre Symptome: Krämpfe im Unterleib, Spannung in der Brust, kurzer Atem, quälen ihn immer wieder. Das *unter der Krankheit mit dem Kopf arbeiten müssen* wird zum Dauerzustand.

In den ihm verbleibenden vierzehn Lebensjahren – eine *Gnadenfrist*? – wird Schiller an Goethes Seite treten, gegen seine Krankheit ankämpfend – ein Werk schaffen, das ihn zum größten Dramatiker deutscher Sprache werden läßt.

Ende Februar ersucht Schiller den Weimarer Herzog um die Dispensierung von seinen Vorlesungspflichten. In einem Schreiben vom 2. März 1791 gewährt Carl August sie ihm.

1791 wird Schiller von der sehr ängstlichen Charlotte gepflegt. Caroline hilft ihr. Die Nachtwachen am Krankenbett übernehmen Studenten und Freunde. Unter anderem der Philosophiestudent Friedrich von Hardenberg, der sich als Dichter Novalis nennen wird. Und Ludwig Friedrich Göritz. Von diesem ist überliefert, daß Schiller, aufgrund seiner medizinischen Kenntnisse, ein schwieriger Patient war. *Er las alle Rezepte, wollte die bestimmte Ursache wissen, warum dieses Mittel in dieser Qualität verschrieben worden sei, wie es wirken solle, mechanisch oder chemisch, und haderte mit seinem sanftmütigen Arzte ...* Der achtunddreißigjährige Jenenser Arzt Johann Christian Stark behandelt ihn.

Doktor Stark rät zu einer Trinkkur mit Eger-Brunnen. Am 9. Juli 1791 reisen Schiller, seine Frau Charlotte und seine Schwägerin Caroline nach Karlsbad. Am 6. August sind sie zurück. Vom 23. August bis zum 1. Oktober hält Schiller sich zu einer Nachkur in Erfurt auf.

Dort hat er mehrfach Kontakt zu Herrn von Dalberg, dem Statthalter von Mainz. Durch ihn ist er am Jahresbeginn zum Mitglied der kurmainzischen »Academie nützlicher Wissenschaften« ernannt worden. Wiederum ist eine Anstellung in Mainz im Gespräch; aber noch ist dort der Erzbischof von Erthal an der Regierung, Dalberg sind die Hände gebunden.

Er rät Schiller, sich wegen einer Erhöhung seiner Besoldung an Carl August zu wenden. In einem auf den 6. September datierten Brief aus Erfurt teilt Schiller Körner mit, er habe *auf des Coadjutors Anrathen dem Herzog geschrieben und förmlich um eine Besoldung angesucht, die hinreichend ist, mich im äußersten Nothfall außer Verlegenheit zu setzen. Kann er mir sie nicht bewilligen, so muß ich sie anderwärts suchen, wie viel Mühe es auch kosten mag.*

Carl August, der als erste Reaktion auf die Nachricht von Schillers schwerer Erkrankung ihm ein halbes Dutzend Flaschen Madeira zum Zeichen seiner Anteilnahme schickt, reagiert auf den Antrag mit einer einmaligen Zahlung von 250 Talern.

Er richtet sein Antwortschreiben nicht an Schiller, sondern an Charlotte. Am 11. September 1791 heißt es an die Hofrätin Schiller: *In einem Jahre wird es sich zeigen wie alsdenn die Umstände seyn werden, und alsdenn werden sich mittel finden den gang der dinge bequem forzusetzen. Verzeihn Sie daß ich mich alleweile auf die bestimmte erhöhung der Pension H⟨errn⟩ Schillers nicht einlaßen kan.*

Schiller überläßt Charlotte den Dank an Carl August; ein Konzept von seiner Hand ist überliefert: *nie werden wir diesen ausserordentlichen Beweis Ihrer Großmüthigen Theilnahme an unserm Schicksal vergeßen.*

Geholfen ist ihm mit der Einmalzahlung wenig. Hat Schiller zu offen über seine Suche nach einer anderweitigen Anstellung gesprochen, seinen Unmut über die Jenaer Universität zu laut bekundet?

Bereits Ende 1789, als ihm die Besoldung der 200 Taler gewährt worden war, soll Carl August, nach Schillers Zeugnis, Frau von Stein gegenüber geäußert haben: *Er freute sich sehr wenn er etwas für mich thun könnte, aber er sähe voraus, daß ich es ihm nicht danken werde. Ich würde gewiß bey der nächsten Gelegenheit gehen.*

Es war damals durchaus üblich, über das Angebot eines anderen Hofes den eigenen Wert zu steigern. Auch Herder arbeitete mit dieser Methode, erreichte durch die Ankündigung seines Weggangs die Erhöhung seines Gehaltes. Als Schiller 1804 ein definitives Angebot des preußischen Hofes bekommen wird, ist der Weimarer Herzog unter diesem Druck sehr schnell bereit, seine Besoldung zu erhöhen.

Schrieb Schiller 1789: *Ich habe keinen großen Glauben an die Générosité meines Herzogs*, so zeigt er sich 1791 geduldig, schreibt, bezogen auf Carl August: *Was er kann, wird er ohne Zweifel thun; denn ich weiß, daß der ganze Hof gut für mich gesinnt ist. Wo aber nicht, so werde ich in Mainz, Wien, Berlin oder Göttingen mein Glück aufsuchen.*

Im Sommer 1791 verbreitet sich das Gerücht von Schillers Tod. Die in Salzburg erscheinende »Oberdeutsche allgemeine Literaturzeitung« meldet aus Jena: *Der Liebling der deutschen Musen, Hofrath Schiller, ist hier gestorben.*

Der junge dänische Dichter Jens Immanuel Baggesen – er verehrt Schiller, hat ihn am 5. Juli 1790 in Jena aufgesucht – veranstaltet daraufhin in Dänemark eine Totenfeier. Zugegen ist unter anderem Graf Ernst Heinrich von Schimmelmann, dänischer Handels- und Finanzminister.

Ein Bewunderer Schillers. Wie auch Prinz Friedrich Christian von Schleswig-Holstein-Augustenburg, Geheimer Staatsminister von Dänemark.

Bereits Monate zuvor hat der Prinz in Karlsbad über Dora Stock von Schillers Lage erfahren und geschrieben: *Das Übermaß von Arbeit hat ihn geschwächt, und diese übermäßige Arbeit ist notwendig, damit er das Leben seiner Familie bestreiten kann. Ohne sie würde er Hungers sterben im eigentlichen Sinne des Wortes – und so etwas kommt vor im Zeitalter der Aufklärung.*

Nun die Todesnachricht. Und dann das Dementi.

Von Schillers Kollegen, Professor Reinhold, erfährt Baggesen: *Schiller lebt, ist leidlich wohl, vielleicht könnte er sich noch ganz erholen, wenn er sich eine Zeitlang aller eigentlichen Arbeiten enthalten könnte. Aber das erlaubt seine Lage nicht. Schiller hat nicht mehr als ich fixes Einkommen, das heißt zweihundert Taler, von denen wir, wenn wir krank sind, nicht wissen, ob wir sie in die Apotheke oder Küche senden sollen.*

Dieser Brief Reinholds, daß Schiller lebt, seine Genesung aber durch seine dramatische finanzielle Lage gefährdet ist, gibt wohl den Ausschlag. Graf Schimmelmann und der Prinz von Augustenburg entschließen sich, Schiller mit einem Jahresstipendium von 1000 Talern zu unterstützen.

Unter dem Datum des 27. November 1791 geht ein Brief von Kopenhagen nach Thüringen, den Schiller am 13. Dezember in Händen hält. *Zwey Freunde, durch Weltbürgersinn mit einander verbunden, erlassen dieses Schreiben an Sie, edler Mann! Beyde sind Ihnen unbekant, aber beyde verehren und lieben Sie. Beyde bewundern den hohen Flug Ihres Genius der verschiedene Ihrer neuern Werke zu den erhabensten unter allen menschlichen Zwecken stempeln konte ... Ihre durch alzuhäufige Anstrengung und Arbeit zerrüttete Gesundheit, bedarf, so sagt man uns, für einige Zeit einer grosen Ruhe, wenn sie wiederhergestellt, und die Ihrem Leben drohende Gefahr abgewendet werden soll. Allein Ihre Verhältnisse Ihre Glücksumstände verhindern Sie, Sich dieser Ruhe zu überlassen. Wolten Sie uns wohl die Freude gönnen Ihnen den Genuß derselben zu erleichtern? Wir bieten Ihnen zu dem Ende auf drey Jahre ein jährliches Geschenk von tausend Talern an.*

Noch am selben Tag, an dem der Brief aus Dänemark eintrifft, teilt Schiller seine Erleichterung Körner mit: *Wie mir jetzt zu Muthe ist, kannst Du denken. Ich habe die nahe Aussicht, mich ganz zu arrangiren, meine Schulden zu tilgen und, unabhängig von Nahrungssorgen, ganz den Entwürfen meines Geistes zu leben.* Und an Jens Baggesen schreibt er drei Tage später: *Ich erhalte endlich die so lange und so heiß gewünschte Freiheit des Geistes, die vollkommen freye Wahl meiner Wirksamkeit.*

# Viertes Kapitel

## I

Wenn Schiller später von fünf oder auch neun Monaten Arbeitsunfähigkeit durch seine Krankheit spricht, so geschieht dies zumeist in Briefen an seine Verleger, die Terminarbeiten von ihm erwarten.

In Wirklichkeit kommen die Wanderungen in seinem Kopf nie zum Stillstand, er kann niemals untätig sein. Im Oktober 1791 wird er schon ein Arbeitspensum von zweimal vier Stunden vermelden. *Obgleich der Athem nie frey ist und noch immer Krämpfe im Unterleib mich beunruhigen, so bin ich doch zu Beschäftigungen aufgelegt, und kann, wenn sie mich stark interessieren, Stundenlang meine Umstände darüber vergeßen.*

Noch auf dem Krankenlager, Ende Februar 1791, beginnt er wieder zu arbeiten.

Er liest Kant. Dessen ein Jahr zuvor erschienene »Kritik der Urteilskraft«. *Du erräthst wohl nicht, was ich jetzt lese und studiere?* So am 3. März an Körner. *Nichts schlechteres als – Kant. Seine Critik der Urtheilskraft, die ich mir selbst angeschafft habe, reißt mich hin durch ihren neuen lichtvollen geistreichen Inhalt und hat mir das größte Verlangen beygebracht, mich nach und nach in seine Philosophie hinein zu arbeiten.*

Er wird das tun. Mit großer Energie. Da er im Frühjahr und Sommer wegen des Abschlusses seiner Schrift über den Dreißigjährigen Krieg unterbrechen muß, kehrt er erst im Herbst zu Kant zurück, liest die »Kritik der Urteilskraft« ein zweites Mal, bereitet seine Privatvorlesungen über Ästhetik vor, die er im Wintersemester in seiner Wohnung vor etwa fünfundzwanzig Zuhörern hält. Wagt sich an die »Kritik der reinen Vernunft«.

Schillers Neugier gilt ausschließlich ästhetischen Fragen. Kants

Satz vom Schönen als Form der *Zweckmäßigkeit ohne Zweck*, die eine kopernikanische Wende in der Ästhetik einleitet, regt ihn zu eigenen Überlegungen an.

Bereits im Herbst 1791 veröffentlicht er erste Ergebnisse seiner Kant-Lektüre, die Arbeiten »Über den Grund des Vergnügens an tragischen Gegenständen«, »Über die tragische Kunst«. Später die Schriften »Vom Erhabenen« und »Über Anmuth und Würde«. Im Juli 1793 beginnt er mit den Ausarbeitungen zum Thema der ästhetischen Erziehung; zunächst als Briefe an den Herzog von Augustenburg konzipiert, überführt er diese dann in seine große Schrift »Über die ästhetische Erziehung des Menschen«. Im Mai 1794 schließt er diese Arbeit ab, publiziert sie im Laufe des Jahres 1795 in der Folge von Brief eins bis Brief siebenundzwanzig in seiner Zeitschrift »Die Horen«.

Das Engagement als Historiker liegt hinter ihm. Mit der Kant-Lektüre beginnt die kunstphilosophische Phase in Schillers Schaffen. Fünf Jahre wird das Studium der Ästhetik andauern, bis er sich Ende 1795 wieder dramatischen Projekten und Gedichten zuwendet.

Schillers große ästhetische Schriften dieser Jahre sind kaum zu verstehen ohne den historisch-biographischen Hintergrund, der in ihnen mitschwingt: die Ereignisse der Französischen Revolution.

Die Zusammenhänge genau zu benennen ist schwierig, da Schiller sie selbst verschleiert, zuweilen leugnet. Er hält sich in seinem Urteil zurück, reagiert nicht auf Fragen oder Bitten um Stellungnahme, selbst in privaten Äußerungen läßt er Vorsicht walten. Man könnte zugespitzt sagen, seine bevorzugte Äußerungsart über die Vorgänge in Frankreich ist das Schweigen.

Als Johann Friedrich Reichardt ihm seine Zeitschrift »Frankreich im Jahr 1795« in Erwartung seiner Meinung schickt, bedankt er sich, antwortet: *Aber von mir werthester Freund, verlangen Sie ja in diesem Gebiete weder Urtheil noch Rath, denn ich bin herzlich schlecht darinn bewandert, und es ist im buch-*

*stäblichsten Sinne wahr, daß ich gar nicht in meinem Jahrhundert lebe; und ob ich gleich mir habe sagen lassen, daß in Frankreich eine Revolution vorgefallen, so ist dieß ohngefehr, das wichtigste, was ich davon weiß.*

Er gibt sich unpolitisch, distanziert. Die völlige Unterkühltheit entspricht kaum dem, was in ihm vorgeht. Er, der die »Räuber« geschrieben hat, er mit seinem Lebensweg, ist viel zu sozial und politisch eingestellt, als daß er nicht mit Spannung verfolgt haben sollte, was in Frankreich geschieht. Er, dem am 26. August 1792 vom höchsten Gremium des revolutionären Frankreich, vom Nationalkonvent, der Titel *Bürger Frankreichs* verliehen wird.

Die Nobilitierung als französischer citoyen ist nicht unbedingt mit einer Vermehrung seines Ansehens verbunden, ist ein zweischneidiges Schwert. Schweigt er deshalb?

Oder weil ihm zuweilen doch eine Äußerung entschlüpft, die ihm den Ruf einbringt, ein Parteigänger der Revolution zu sein? Das zumindest ist einer Bemerkung Charlotte von Steins zu entnehmen. Am 6. Dezember 1793 schreibt sie an Schillers Frau: *Ist denn Schiller wohl jetzt ganz über die französische Revolution bekehrt, und darf ich wohl jetzt den Nationalkonvent Räuber nennen, ohne daß er sich wie schon einmal darüber entsetzt?* Und spitz fügt sie hinzu: *Es ist mir lieb, daß er ein Deutscher ist, sonst wäre er dennoch schon lang unter der Guillotine; denn wo nur ein edler Blutstropfen ist, den vertilgen sie.*

Schiller gehört bezogen auf die Revolution in Frankreich nicht zu denjenigen, die sich begeistert äußern wie Klopstock, der jubelte: *Frankreich schuf sich frei*, aber auch keineswegs zu den Skeptikern der ersten Stunde wie Goethe.

Die Anfänge der Revolution verfolgt Schiller mit Sympathie. Weitab vom Originalschauplatz setzt er sich durch die französische Presse ins Bild, liest das »Journal de Paris«, später die Tageszeitung »Moniteur universel«. Auch Berichte von Augenzeugen erreichen ihn, so als Wilhelm von Humboldt von Paris zurückkehrt, als der durch Frankreich gereiste Wilhelm von Wolzogen ihm von den Ereignissen berichtet. Gewiß ist da auch von Negativem, von Ausschreitungen, unter anderem denen während des Marsches auf Versailles und während der Eskortierung des Königs, die Rede. Kein Einwand wird formuliert. Den verfassungsrechtlichen Debatten der Nationalversammlung 1789 und auch dem im September 1791 zustande kommenden Verfassungsentwurf steht er positiv gegenüber. Als legitime Maßnahme wird er die in Frankreich durch die Konstitution festgeschriebenen Einschränkungen der absoluten Macht des Königs werten, eingedenk seiner eigenen Erfahrungen mit dem württembergischen Monarchen.

Am 16. November 1791 schreibt Karl Friedrich Reinhard ihm aus Paris: *Ich sah in der französischen Revolution nicht die Angelegenheit einer Nation, mit der ich vielleicht niemals ganz sympathisieren werde, sondern einen Riesenschritt in den Fortgängen des menschlichen Geistes überhaupt, und eine glückliche Aussicht auf die Veredlung des ganzen Schicksals der Menschheit.*

Sieht Schiller die Vorgänge ähnlich, als intellektuellen Umbruch, als Lehrstück der Emanzipation des Menschen? Und nimmt er auch die Nachricht von seiner Ernennung zum *Bürger Frankreichs* in diesem Sinne auf?

Der französischen Nationalversammlung wird am 24. August 1792 von dem Schriftsteller Marie-Joseph Chénier vorgeschlagen, Ausländern, die durch ihre Schriften die Ziele der Revolution unterstützt haben, das französische Bürgerrecht zu verleihen. Eine Liste mit siebzehn Namen wird eingereicht; George Washington, Thomas Paine, Klopstock und Joachim Heinrich Campe sind unter den Vorgeschlagenen. Schillers Name fehlt. Die Liste wird einer Kommission übergeben, die der Nationalversammlung am 26. August empfiehlt, sie anzunehmen. Am 26. August 1792 wird sie zum Gesetz erklärt.

Auf Antrag eines Deputierten (vermutlich war es der aus dem Elsaß stammende Philipp Otto Rühl) gibt es am 26. August noch einen Zusatz. Er lautet in der damaligen Übersetzung: *Vom selben Tag. Ein Abgeordneter beantragt, daß Herr Gille (sic!), deutscher Publizist, in die Liste derer aufgenommen wird, denen die*

*Versammlung den Titel von französischen Bürgern zuerkannt hat; dieser Antrag wird angenommen.*

Das Gesetz trägt die Unterschrift von Finanzminister Étienne Clavière und Justizminister Georges Jacques Danton. Es ist mit dem Staatssiegel versehen. In der Begründung heißt es, *die am Ende des Gesetzestextes angeführten Personen werden geehrt, ... weil sie ihre Kräfte einsetzten, um die Sache der Völker gegen den Despotismus der Könige zu verteidigen, die Vorurteile von der Erde zu verbannen und die Grenzen menschlichen Wissens zu erweitern ...*

Schillers »Räuber« sind es, die ihn auf die Liste der zu Ehrenden kommen lassen. Bereits nach der Mannheimer Aufführung hat Louis Sébastien de Mercier das Stück enthusiastisch im »Journal de Paris« besprochen. Auch in dem renommierten »Mercure de France« war eine begeisterte Kritik von Barthélemy Imbert zu lesen. Aber erst 1792, als die »Räuber« in französischer Sprache erscheinen, wird Schiller einem breiteren Publikum in Frankreich bekannt. Übersetzt und bearbeitet von dem Elsässer Jean Henri Lamartelière wird sein Stück unter dem Titel »Robert, chef des brigands« publiziert und in Paris im Théâtre du Marais mit großem Erfolg aufgeführt.

*Ueberhaupt ließ man 1781, jeden mit demselben Feuer noch ganz sorglos spielen, das acht Jahre später, einen so fürchterlichen Brand in Frankreich veranlaßte*, schreibt Schillers Fluchtgefährte Andreas Streicher über die »Räuber«, den Zusammenhang von Geist und Tat benennend. Dieses Jugenddrama des *Monsieur Gille* genannten deutschen »Publizisten« ist es, das den Franzosen als Beweis von dessen revolutionärer Gesinnung gilt und das sie zugleich an das Sympathisieren dieses Ausländers mit den aktuellen politischen Tendenzen in Frankreich glauben läßt.

Im »Moniteur« wird der Gesetzestext vom 26. August 1792 abgedruckt.

Wie erfährt Schiller davon? Aus dieser Zeitung? Freut er sich, erfüllt ihn die Ehrung mit Stolz? Wir wissen es nicht.

Er schweigt.

Ist vielleicht irritiert von der falschen Schreibung seines Namens, auch mag es ihn befremden, daß er nicht als Dichter, sondern als *publiciste* gilt. Die Nachricht von der Auszeichnung verbreitet sich im thüringischen Herzogtum. In seinem Freundeskreis erwartet man von ihm, daß er sie ablehnen wird, da sie ihm vom *Banditengesetz* zuerkannt ist. Die Gemüter geraten in Bewegung. Bereits am 14. September schreibt Frau von Stein an Charlotte: *Sagen Sie mir doch, was hat denn Schiller zur Vertheidigung oder zum Lobe der Revolution geschrieben, weil ich einen Brief bekommen habe, worin man mir schreibt, die jetzige Nationalversammlung habe allen auswärtigen Schriftstellern, die ihr zu Gunsten geschrieben, angeboten, französische Bürger zu werden; man glaube aber Schiller werde es natürlicherweise ausschlagen und auf diese Ehre für jetzt keinen Anspruch machen.* Die ausweichende Antwort, die offenbar von Schillers Frau kommt, läßt sie nicht ruhen, am 15. Oktober hakt sie noch einmal nach. Charlotte von Kalb habe sie am Vortag gefragt, *ob Schiller das französische Bürgerrecht angenommen hätte; ich sagte ihr, daß es nur eine Zeitungsnachricht sei, und Schiller wisse gar nichts davon; für jetzt mag wohl das französische Bürgerrecht das Banditengesetz sein.*

Erst im Oktober geht man in Paris daran, den Ausgezeichneten die Urkunden zuzustellen. Auf den 10. Oktober 1792 ist ein Begleitschreiben datiert. Aber auch dieses Schreiben erreicht Schiller nicht. Erst sechs Jahre später wird er Urkunde und Brief erhalten. Die Zeitungsnachricht wird bis dahin seine einzige Quelle sein.

Um Schillers Schweigen zu verstehen, muß man sich nicht nur die Haltung seines engeren Freundeskreises vergegenwärtigen, sondern auch die politische Situation im Weimarer Herzogtum. Der Feldzug der Mächte des *Ancien régime* gegen das revolutionäre Frankreich beginnt genau zu diesem Zeitpunkt; Herzog Carl August nimmt als preußischer General daran teil. Goethe folgt der fürstlichen Bitte, ihn auf dem Marsch zu begleiten.

Die Angst vor der *Überpflanzung neufranzösischer Grundsät-*

*ze auf deutschen Boden* verbreitet sich unter den Herrschenden. Daß eigene Interessen mit im Spiel sind, gibt Carl August unumwunden zu. Es sei *unglaublich*, empört er sich, *wie sehr der Mittelstand in allen Ländern ... von der Sucht unter moralischen Vorspiegelungen, Scheingründen, poetischen Träumen sich zu den Herren der Schöpfung machen zu wollen, angesteckt* sei. Er habe, schreibt er am 15. Juli 1792 an Goethe, *Beweise erhalten ... daß, wenn Österreich, Preussen und Rußland nicht so kräftig dem Strom entgegenarbeiten, die Unruhen schon gegenwärtig in mehreren Teilen von Deutschland würden ausgebrochen sein.*

Mit einem Marsch nach Paris will man den *Mächten der Anarchie den Kopf abbeißen.* Paris soll einer *militärischen Exekution und einem gräßlichen Ruine preisgegeben werden*, heißt es im Manifest des Oberkommandierenden der Koalitionsarmeen vom 25. Juli 1792.

Am 25. August 1792, einen Tag vor der Ernennung Schillers zum Ehrenbürger der Revolution, ist Goethe *ohngefähr noch eine Tagreise von der Armee* entfernt. Carl August stellt sich den Weg über Verdun nach Paris als eine Art Spaziergang vor. *Wir werden Champagner trinken, ohne einen Schuß zu tun.*

Es wird anders kommen. Der Frankreichfeldzug endet in einem militärischen Desaster. Bereits im September bringt das französische Sansculottenheer in Valmy die preußische Armee zum Stehen und zwingt sie, ohne daß sie einen Angriff gewagt hätte, zu einem schmählichen Rückzug. *Soviel kann ich nur sagen*, schreibt nun Carl August, *daß wir eilen mußten, die Champagne zu verlassen ...*

Auch Goethe durchlebt den chaotischen Rückzug. *Wir haben in diesen 6 Wochen mehr Mühseligkeit, Noth, Sorge, Elend, Gefahr ausgestanden ... als in unserem ganzen Leben*, wird er notieren. Wird seine Kriegstagebücher verbrennen. *Dieser Feldzug* werde *als eine der unglücklichen Unternehmungen in den Jahrbüchern der Welt eine traurige Gestalt machen.* Seine oft zitierte Äußerung angesichts der Kanonade in Valmy: *Von hier und heute geht eine neue Epoche der Weltgeschichte aus, und ihr könnt sagen, ihr seid dabei gewesen*, wird er erst dreißig Jahre später formulieren, als das geschichtliche Resümee bereits vor ihm liegt und er in der »Campagne in Frankreich« seine Kriegserlebnisse niederschreibt.

Schiller, dem neuernannten französischen citoyen, wird das Schweigen noch ratsamer erscheinen, als Carl August und Goethe im Herbst 1792 von der gescheiterten Unternehmung zurückkehren.

Als er Jahre später, am 1. März 1798, die Ehrenbürger-Urkunde schließlich in Händen hält und dies mit vorsichtigem Stolz Goethe mitteilt – es ist bereits die Zeit ihrer intensiven Freundschaft –, reagiert der mit sarkastischen Bemerkungen. Und Herzog Carl August zeigt sich noch 1803 verärgert, als Schiller, im November 1802 geadelt und somit berechtigt, in den Adelskalender 1803 aufgenommen zu werden, neben seinem Adelsprädikat Wert auf die Nobilitierung als französischer citoyen legt und in den Kalender drucken läßt: *Herr D. F. v. ⟨Doktor Friedrich von⟩ Schiller, Bürger von Frankreich, Herzoglich Großmeiningischer Hofrat.*

Im Revolutionsjahr 1792 beschäftigt ihn Frankreich weiterhin. Skepsis und Bedenken wachsen. Aber noch versagt er dem gewählten Konvent mit seiner antiklerikalen, privilegienfeindlichen Politik im September 1792 nicht seine Anerkennung. Im November 1792 verfolgt er die Verhandlungen der Nationalversammlung mit Sympathie, wie sich aus einem Brief an Körner schließen läßt. Der Freund wird ihm in dieser Zeit – im Sommer hat er ihn in Dresden besucht, sie haben lange Gespräche geführt – zum vertrauten Partner, mit dem er die politischen Vorgänge offen diskutieren kann.

Schiller und die französische Tageszeitung »Moniteur«. *Wenn du diese Zeitung nicht ließt*, schreibt er dem Freund, *so will ich sie Dir sehr empfohlen haben. Man hat darinn alle Verhandlungen in der NationalConvention im Detail vor sich und lernt die Franzosen in ihrer Stärke und Schwäche kennen.*

Er steht Reformpositionen nahe, wie aus seinem Interesse für

Mirabeaus Schrift »Sur l'éducation nationale« hervorgeht, deren Übersetzung er Körner vorschlägt. Hat *Erwartungen*, bezogen auf die Möglichkeiten einer konstitutionellen Monarchie, die der Radikalität der Jakobiner entgegenwirken könnte.

## II

Schillers entschiedenes Abrücken von der Revolution beginnt Ende 1792. Ein radikaler Bruch. Seltsamerweise sind es nicht die öffentlichen Exzesse der zurückliegenden Jahre, auch nicht die Nachrichten von den im Herbst 1792 von entfesselten Volksmassen verübten Massakern, den sogenannten Septembermorden, denen über 3000 Menschen, vor allem aus den Kreisen von Adel und Klerus, zum Opfer fallen, die seine Abkehr auslösen.

Es ist die Forderung nach dem Kopf eines einzigen, dem Kopf des Monarchen, die die dezidierte Wende bewirkt. Die erklärte Absicht des Nationalkonvents, das gekrönte Haupt anzutasten. Saint-Justs öffentliches Plädoyer für die Todesstrafe.

Schiller wird aktiv. Arbeitet an einer Rede zur Verteidigung Ludwigs XVI. Er könne *der Versuchung kaum widerstehen,* sich *in die Streitsache wegen des Königs einzumischen, und ein Memoire darüber zu schreiben. Mir scheint diese Unternehmung wichtig genug, um die Feder eines Vernünftigen zu beschäftigen; und ein deutscher Schriftsteller, der sich mit Freiheit und Beredsamkeit über diese Streitfrage erklärt, dürfte wahrscheinlich auf diese richtungslosen Köpfe einigen Eindruck machen*, schreibt er am 21. Dezember 1792 an Körner.

Er, der nicht gern reist, erwägt sogar selbst nach Paris zu fahren und sein Memoire der Nationalversammlung vorzutragen. Noch bevor am 11. Dezember 1792 der Prozeß gegen den König beginnt, faßt Schiller den Entschluß, den König zu verteidigen, wie einem Brief Wilhelm von Humboldts vom 7. Dezember zu entnehmen ist. Humboldt soll sein Reisegefährte sein. Bis Ende Dezember hält Schiller an seinem Plan fest. Das geht auch aus einem

Schreiben vom 30. Dezember hervor, das Caroline von Beulwitz an den Publizisten Becker richtet, ihn um rasche Hilfe bittend. *Schiller ist eben dabei, ein Memoire zu schreiben daß als défension des Königs von Franckreich dienen kann, und in disen Moment so äußerst wichtig ist, und mit der größten Schnelligkeit und Treue in die französische Sprache übersetzt werden muß.*

Körner, von dem Schiller ein Abraten von der Reise erwartet, entgegnet er: *Es giebt Zeiten, wo man öffentlich sprechen muß ..., und eine solche Zeit scheint mir die jetzige zu sein.*

Er ist fest von seiner Mission überzeugt: *Der Schriftsteller, der für die Sache des Königs öffentlich streitet, darf bei dieser Gelegenheit schon einige wichtige Wahrheiten mehr sagen, als ein anderer, und hat auch schon etwas mehr Credit.*

Man stelle sich vor: Schiller reist nach Paris – es wäre die weiteste Reise seines Lebens –, Schiller als Redner im Nationalkonvent, im brodelnden Kessel der Meinungen, bei dem immer rasanter werdenden Tempo, mit dem die Ereignisse der Revolution sich entwickeln. Schiller in Konkurrenz zu Georges Jacques Danton, der ein mitreißender, begnadeter Redner gewesen sein soll, Schiller im Rededuell mit Saint-Just. Schiller, der Fremde, mit seinem vorbereiteten Papier, Schiller, von dem mehrfach überliefert ist, daß er seinen Texten Schaden antat, wenn er sie selbst vortrug, durch seine hohe Stimme, seine Gestik, sein Überbetonen.

Vielleicht ist es die Nobilitierung zum französischen citoyen, die ein Gefühl der Mitverantwortung in ihm auslöst, ihm die Idee dieser Rede vor dem Nationalkonvent eingibt. Ein *deutscher Schriftsteller*, der *auf diese richtungslosen Köpfe ... Eindruck* macht? Eine Verkennung des Geist-Macht-Verhältnisses, vor allem in jener Phase der Revolution. Eine Überschätzung des Einflusses der Intellektuellen überhaupt und der ausländischen Intellektuellen auf die Vorgänge in Frankreich insbesondere. Ein naiver Glaube?

Die Nachrichten im »Moniteur universel«, die Schiller im Januar 1793 zu lesen bekommt, holen ihn auf den Boden der Tatsachen zurück, lassen ihn erkennen: das, was er vorhat, kann keinen Erfolg haben. Noch bevor er an die Ausführung geht, korrigiert die Wirklichkeit ihn. 387 Abgeordnete stimmen am 17. Januar 1793 im Konvent für die Hinrichtung des Königs, bei 334 Gegenstimmen. Doch am nächsten Tag schon verfügen diejenigen, die gegen die beantragte Aussetzung der Vollstreckung stimmen, über eine Mehrheit von 70 Stimmen. Nichts und niemand kann die Tötung Ludwigs XVI. nun noch aufhalten. Am 21. Januar 1793 fällt sein Haupt unter der Guillotine.

Für Schiller ist mit der Hinrichtung des Königs die politische Freiheit verschenkt, zum Freiraum für Willkür degradiert. *Ich kann*, schreibt er resigniert und mit bitterem Unterton am 8. Februar 1793 an Körner, *seit 14 Tagen keine französischen Zeitungen mehr lesen, so ekeln diese elenden Schindersknechte mich an.* Daß im Hause Schiller das Gespräch über Frankreich keineswegs abbricht, geht aus einem Brief Charlotte Schillers vom 1. April 1793 an Christophine Reinwald hervor. *Man möchte fast lieber von der Aristokraten-Partie sein, weil sich die Gegenpartie in so schlechtem Lichte zeigt*, schreibt sie. *Seit dem grausamen Tod Ludwigs haben die Franken ihren Kredit bei mir verloren. Auch die Art, wie sie in den Rheingegenden zur Freiheit bekehren wollen, empört. Wenn das nicht Despotismus ist, so ists gewiß der, den die Könige ausübten, noch weniger. – Man wird so in die Politik jetzt gezogen, daß man es kaum lassen kann davon zu sprechen. Ich bin sehr eifrig und glaubte nicht, daß sie mich einst so interessieren könnte.*

Nach dem Zusammenbruch der Gironde beginnt in Paris ab August 1793 die Herrschaft der Jakobiner. Das »Comité du salut public«, der jakobinisch dominierte Wohlfahrtsausschuß unter Robespierre, Saint-Just, Desmoulins und Hébert, regiert. Es ist die Zeit der *terreur* mit einer Flut von Bluturteilen und Massenexekutionen. Bis zum Sommer 1794 werden es 1250 Hinrichtungen sein.

In dieser Zeit wächst Schillers Distanz zu den Vorgängen in Frankreich. Man stelle sich vor, wie er und seine adlige Frau die Debatten des Wohlfahrtsausschusses aufnehmen. Der Jakobinerclub plädiert für die Deportation von Adligen und Geistlichen nach Guayana, andere Gruppen sind für ihre Verschleppung nach Algier, wieder andere schlagen die Internierung in Reservaten vor *mit der Weisung, gleich auf sie wie unter Raubvögel zu schiessen, wenn die über die Grenzen schreiten würden.*

Zeugnis der Reflexion dieser Vorgänge, der beginnenden Verarbeitung der *terreur*, sind Schillers »Augustenburger Briefe«. Der zweite Brief, datiert auf den 13. Juli 1793, enthält eine erste Beurteilung der Lage in Frankreich. *Der Versuch des Französischen Volks, sich in seine heiligen Menschenrechte einzusetzen, und eine politische Freiheit zu erringen,* habe, resümiert Schiller, *bloß das Unvermögen und die Unwürdigkeit desselben an den Tag gebracht, und nicht nur dieses unglückliche Volk, sondern mit ihm auch einen beträchtlichen Teil Europens, und ein ganzes Jahrhundert, in Barbarei und Knechtschaft zurückgeschleudert. Der Moment war der günstigste, aber er fand eine verderbte Generation. ... daß das liberale Regiment der Vernunft da noch zu frühe kommt,* meint Schiller, *wo man kaum damit fertig wird, sich der brutalen Gewalt der Tierheit zu erwehren, und daß derjenige noch nicht reif ist zur ›bürgerlichen‹ Freiheit, dem noch so vieles zur ›menschlichen‹ fehlt.*

Er sieht die Revolution in Frankreich als gescheitert an. Und mit dem Wissen um dieses Scheitern entwickelt er sein ästhetisches Konzept. In einem Mangel an ästhetischer Sensibilität sieht Schiller letztlich die Ursachen für das Umschlagen des Freiheitsanspruches in diktatorische Willkür. Das rückt für ihn die Notwendigkeit einer ästhetischen Erziehung des Menschen an die erste Stelle. Er fragt sich zwar, ob es *nicht ausser der Zeit* sei, *sich um die Bedürfnisse der aesthetischen Welt zu bekümmern, wo die Angelegenheiten der politischen ein so viel näheres Interesse darbieten.* Aber bald schon beschäftigt ihn ausschließlich diese *aesthetische Welt.*

Ähnlich wie Hugo von Hofmannsthal 1917 unter dem Schock der Revolution in Rußland, der Herrschaft der Bolschewiki, seinen Kulturbegriff einer konservativen Revolution entwickelt, ist es Schillers Entsetzen über die Hinrichtung Ludwigs XVI., das ihn nach einem gewaltfreien Weg hin zu einem Vernunftstaat suchen läßt, in dem die Kunst zum Inbegriff der Freiheit wird.

Kann es die Kunst sein, die dem Menschen die Identitätserfahrung vermittelt, die ihm die Wirklichkeit verweigert, kann durch ästhetische Freiheit politische vermittelt werden, wie seine Formel, daß es allein das Ideal der Schönheit sei, *durch welches man zu der Freiheit wandert*, nahelegt?

Bis heute dauert der Streit an, ob Schillers in Reaktion auf die *terreur* entwickeltes idealistisches Kunstkonzept das eines enttäuschten politischen Kopfes ist, Dokument der Flucht, Kompensation sozialer Ohnmacht, ein apolitisches Konzept, dessen negative Folgen bis in das 21. Jahrhundert wirken, oder ob diese Texte, die die Veredlung der sinnlichen Kultur des Menschen als ein unabdingbares Element sozialer Ordnung erscheinen lassen und in denen die Französische Revolution unterschwellig an keiner Stelle aufhört zu gewittern, nicht vielmehr eine große Schrift der Moderne sind, eine der frühesten und eindrucksvollsten Darstellungen der Entfremdung.

Die »Augustenburger Briefe« finden zunächst keine Fortsetzung.

Obgleich die Kriegswirren auf deutschen Boden übergreifen, ist Schiller mit Reisevorbereitungen beschäftigt.

## III

Im Spätsommer 1793 ist es soweit: Schiller unternimmt eine schon lange geplante Reise in seine Heimat Schwaben.

Die Zeit drängt. Seine Frau ist hochschwanger. Doktor Stark zögerte, die Schwangerschaft festzustellen, führte Charlottes Unwohlsein auf andere Ursachen zurück. Ein Anlaß zur Unzufriedenheit mit ihm. Erst Ende des siebten Schwangerschaftsmonats gibt er dem Ehepaar Gewißheit. Wieso Charlotte – das Kind muß sich bereits in ihrem Leib bewegen, die Herztöne müssen zu hören sein – nicht ihrem weiblichen Instinkt, ihrem Körper vertraut, ist heute schwer nachvollziehbar.

Sechs Wochen sind es nur noch bis zur Geburt, als Schiller am ersten Augustmorgen mit seiner Frau Weimar verläßt. Die Reise ins Vaterland. Herbst und Winter werden vergehen, das Frühjahr wird kommen, über neun Monate wird er sich in seiner Heimat aufhalten, bis er im Mai 1794 die Rückreise nach Thüringen antritt.

Mehrere Beweggründe hat Schillers Reise nach Schwaben.

Da ist zum einen die Erwartung seiner Vaterschaft, die ihn stark berührt. Die Reise solle seinem Kind *ein beßres Vaterland ... verschaffen, als Thüringen* es ist. Der Generationenwechsel und die Nachfolge beschäftigen ihn. *Es ist mir, als wenn ich die auslöschende Fakel meines Lebens in einem andern wieder angezündet sähe, und ich bin ausgesöhnt mit dem Schicksal.* Da er selbst Vater werden wird, tritt ihm zum anderen sein Verhältnis dem eigenen Vater gegenüber schärfer ins Bewußtsein. *Ich werde zugleich die Freuden des Sohns und des Vaters genießen, und es wird mir zwischen diesen beiden Empfindungen der Natur innig wohl seyn.*

Am 27. Oktober 1793 wird Johann Caspar Schiller sein siebzigstes Lebensjahr vollenden. Schiller hat seinen Vater seit seiner Flucht, seit elf Jahren also, nicht gesehen. Mit der Mutter dagegen traf er sich kurz nach seiner Desertion heimlich in Bretten. Im Herbst 1792 hat sie ihren Sohn in Thüringen besucht.

Er sei diese Reise seinem Vater *schuldig*, schreibt Schiller.

Doch ist es natürlich auch der Übervater, Herzog Carl Eugen, dem diese Reise gilt. Von *vieljähriger Verbannung* aus seinem *Vaterland* spricht er, empfindet sich noch immer als Exilierten. Eine nicht geschlossene Wunde ...

Mit Sicherheit wird beim Wiedersehen mit dem leiblichen Vater das Verhältnis zum Landesvater zur Sprache kommen. Johann Caspar Schiller, im Dienste Carl Eugens, ihm unmittelbar unterstellt, liegt vermutlich viel daran, eine Rehabilitierung des

Sohnes zu erreichen. Mehrfach hat er ihn aufgefordert, sich mit der Bitte um Vergebung an den Herzog zu wenden. Schiller hielt stets die Zeit für noch nicht reif. Ende 1790 dann schreibt er seinem Vater, es sei ihm *überaus lieb, daß* sein *histor⟨ischer⟩ Kalender in Schwaben sehr verbreitet wird. Eine Reputation in historischem Fach* sei ihm *des Herzogs wegen nicht gleichgültig. Auch vor seine Ohren muß es endlich kommen daß ich ihm im Auslande keine Schande mache, und wenn er dadurch zu einer beßern Gesinnung von mir wird vorbereitet seyn, dann ist es Zeit, daß ich mich selbst an ihn wende.*

... *daß ich ihm im Auslande keine Schande mache* ... Er sieht sich noch als Landeskind, als Untertan. Was erhofft Schiller von Carl Eugen? Die Beendigung der *vieljährigen Verbannung* aus dem *Vaterland*? Versöhnung, Anerkennung? Offenbar gehen seine Gedanken in diese Richtung.

Im Vorfeld seiner Reise richtet er zwei Schreiben an Carl Eugen. Welchen Inhalts mögen sie gewesen sein? Sie sind nicht überliefert. Die Tatsache, daß er sie absendet, ist lediglich durch einen Brief von Schillers Mutter vom 26. Januar 1793 belegt. Beide Schreiben bleiben ohne Antwort. Was auf eine unversöhnliche Haltung des Monarchen schließen läßt.

Dies ist auch der Grund, warum Schiller zunächst das württembergische Territorium meidet und in Heilbronn, der Freien Reichsstadt, Quartier nimmt. Nach siebentägiger Reise über Meiningen, Nürnberg und Ansbach – eine große Anstrengung für die Hochschwangere – trifft Schiller am 8. August mit Charlotte, dem Diener, der Kammerjungfer und mit ungewöhnlich viel Gepäck in Heilbronn ein.

Von hier aus versucht er mit Hilfe des Senators Christian Ludwig Schübler zu erkunden, ob das Betreten des vaterländischen Bodens für ihn ohne Gefahr möglich sei.

Seine Bedenken scheinen sich schnell zu zerstreuen. Bereits einen Tag nach der Ankunft, am 9. August, kommt sein Vater, begleitet von der Schwester Louise, zu Besuch. Carl Eugen hat Johann Caspar Schiller auf dessen *Ansuchen* die Reise zum Sohn *erlaubt.* Vielleicht ermutigt das Schiller. Wenig später schon, wohl in der ersten Woche nach seiner Ankunft – das genaue Datum ist nicht feststellbar –, fährt er nach Ludwigsburg und nach Schloß Solitude. Eine offizielle Erlaubnis hat er nicht, das geht aus einem Brief Johann Caspars vom 13. August 1793 hervor.

Am 27. August berichtet er Körner freimütig von dieser Reise: *Ich war in Ludwigsburg und auf der Solitude ohne bey dem Schwabenkönig anzufragen.* Und am 15. September heißt es: *Der Herzog, scheint es, will mich ignorieren, und das ist mir gerade recht.*

In Heilbronn wohnt Schiller im Gasthof »Zur Sonne«. *Es ist hier theurer zu leben als in Jena. Lebensmittel, Wohnung, Holz sind kostbare Artikel. Der hohe Preiß der ersten aus den Gasthöfen nöthigte mich, sogleich auf eine eigene Menage zu denken, und die Erfordernisse dazu haben mich freilich etwas beträchtliches gekostet.* Er zieht in eine Wohnung im Haus des Kaufmanns Wilhelm Gottlieb Ruoff um. Seine Schwester Louise führt ihm die *Oeconomie*. Ein Haushalt von fünf Personen.

Die Klagen über die Teuerung wiederholen sich; einzig der *Nekarwein* söhnt Schiller aus, er *schmekt* ihm *desto beßer ... So enorm theuer dieß Jahr alles, und besonders der Wein ist, so trinke ich doch für daßselbe Geld noch einmal soviel Wein als in Thüringen, und zwar vortreflichen.*

Heilbronn bietet ihm zu wenig Anregung, auch will er den Seinen näher sein. Kaum vier Wochen nach der Ankunft gibt er das Quartier auf, zieht nach Ludwigsburg. Sein Freund Wilhelm von Hoven besorgt ihm im Haus Leiss, heute Wilhelmstraße 17, eine Wohnung. *Hier bin ich vortreflich logiert und meiner Familie, meinen Freunden um ein gutes Theil näher.*

Sechs Tage nach der Ankunft, die Familie ist noch mit dem Einrichten beschäftigt, setzen bei Charlotte die Wehen ein. Wilhelm von Hoven, der als Arzt und Accoucheur (Geburtshelfer) in Ludwigsburg praktiziert, steht Charlotte bei. Auch von Hovens Frau. Sie verläßt, wie von Hoven in seinen Erinnerungen schreibt, *die Kreisende keinen Augenblick*, leistet ihr *allen möglichen Beistand.*

Der künftige Vater dagegen verschläft die Geburt. *Schiller hatte sich zu Bette begeben, die Entbindung verzögerte sich tief in die Nacht, aber sie ging glücklich vorüber. Meine Frau brachte Schillern das Kind vor das Bette, er schlief noch, aber das Geräusch erweckte ihn. Sein erster Anblick, wie er die Augen aufgeschlagen hatte, war der ihm geborene Sohn.*

Das Kind erhält den Namen Carl Friedrich Ludwig. Freudig teilt Schiller am 15. September, einen Tag nach der Geburt, Körner mit: *Ein kleiner Sohn ist da, die Mutter ist wohl auf, der Junge groß und stark, und alles ist glücklich abgelaufen.* An Schütz nach Jena heißt es, er sei *Vater zu einem gesunden und muntern Sohn, der mir als der Erstling meiner Autorschaft in diesem Fache unendlich willkommen ist.* Schiller fixiert sogleich den Weg seines Sohnes: *Soviel an mir ligt, soll er ein Federheld werden, damit er den zweiten Theil zu den Werken schreiben kann, die sein Vater anfieng, und, wenn Gott will, noch anfangen wird.*

Charlotte Schiller vermißt ihre vertraute Thüringer Umgebung, in Ludwigsburg ist ihr alles fremd, der Umgang mit den Schwaben fällt ihr schwer. Auch das Verhältnis zur Schwiegermutter, zu Elisabetha Dorothea, scheint auf die Dauer nicht ohne Spannung. Wird diese vielleicht bezogen auf das Kind alles besser wissen und ihre Erfahrungen vermitteln wollen? Charlotte kann das Kind nicht stillen, es ist ein *Waßerkind*, das heißt, es wird mit Kuhmilch ernährt. Als der Säugling sechs Wochen alt ist, bekommt er einen Hautausschlag, und Verdauungsprobleme treten auf. Der junge Vater schreibt seinen Eltern am 8. November: *Wegen des lieben Kleinen darf die gute Mama sich keine Sorge machen. Eine Diarrhöe die ihn seit einigen Tagen plagt, hat ihn etwas angegriffen, aber davon wird er sich schnell wieder erhohlt haben ... Es geht ihm nichts an Wartung und Pflege ab, das können Sie glauben, und er ist auch, ein bischen Magerkeit ab-*

*gerechnet, noch sehr munter und hat guten Appetit.* Will er die Anreise der besorgten Mutter verhindern, von der Solitude nach Ludwigsburg ist es nicht weit, gut drei Fußstunden nur. Bei Charlotte klingt es anders, fünf Tage später schreibt sie an Carl Philipp Conz, der Zustand des Kindes sei *lebensbedrohlich* gewesen. Eine Beruhigung wird ihr die Anwesenheit ihrer Schwester Caroline sein. Vom benachbarten Cannstatt, wo sie zu einer Kur weilt, ist sie angereist, bleibt über Monate in Ludwigsburg, begleitet von ihrer Schwägerin Ulrike. Der Familienkreis vergrößert sich nochmals.

In Schillers Verhältnis zu Carl Eugen bewegt sich nichts. Ist es ihm wirklich *recht*, daß der *Schwabenkönig* ihn ignoriert? Oder überspielt er seine Enttäuschung nur? Daß seine Erwartungen andere sind, steht außer Frage. Am 4. Oktober kommt er darauf zurück: *Der Herzog sucht etwas darinn, mich zu ignorieren; er legt mir aber gar nichts in d⟨en⟩ Weg.*

Er *sucht etwas darinn* ... Vorsätzliches Nichtwahrnehmen, bewußte Kränkung? Schiller ist kein Jedermann, den man übersehen kann.

Annähernd fünfzig Jahre hat Carl Eugen die Macht im Lande inne. 1744, mit sechzehn Jahren, hat er die Regentschaft übernommen. Er ist fünfundsechzig, ist krank, sein Leben neigt sich dem Ende zu. Im Oktober stirbt er auf dem südöstlich von Stuttgart gelegenen Schloß Hohenheim. *Eben*, schreibt Schiller am 24. Oktober 1793, *langt die gewiße Nachricht an, daß der Herzog von Wirtemberg diese Nacht um 12 Uhr gestorben ist. Er ist schon 3 Tage ohne Hofnung darnieder gelegen.*

Die Berichte über Schillers Reaktion auf den Tod seines Übervaters sind widersprüchlich. Wilhelm von Hoven schreibt, die Nachricht über den *wirklich erfolgten Tod des Herzogs erfüllten ihn mit einer Trauer, als wenn er die Nachricht vom Tod eines Freundes erhalten hätte.*

Am Abend des 30. Oktober wird Carl Eugen in der Familiengruft in Ludwigsburg beigesetzt. Den pompösen Leichenzug, der sich durch die Stadt bewegt, soll Schiller vom Fenster seiner Wohnung aus verfolgt haben. So jedenfalls berichtet es seine Schwester Christophine. *Als die Leiche des Herzogs von Stuttgart aus in die Fürstengruft nach Ludwigsburg gebracht wurde, sah mein Bruder den Leichenzug aus seinem Logis mit ungeheuchelter Rührung vorüberziehen – die Tränen stunden ihm in den Augen und er sagte zu den Anwesenden, ach Gott, nun ist er auch dahin – ich habe ihm doch auch vieles zu danken.*

Dies ist über dreißig Jahre später, am 16. September 1826, niedergeschrieben worden. Ähnlich verklärend-sentimental hört sich ein Satz an, der oft als Schillers abschließendes Urteil über Carl Eugen zitiert wird, in Wirklichkeit aber eine erinnernde Wiedergabe dessen ist, was Schiller zu von Hoven gesagt haben soll: *Da ruht er also ... dieser rastlos tätige Mann! Er hatte große Fehler als Regent, größere als Mensch, aber die ersten wurden von seinen großen Eigenschaften weit überwogen, und das Andenken an die letzten muss mit dem Toten begraben werden, darum sage ich dir, wenn du, da er nun dort liegt, jetzt noch nachtheilig von ihm sprechen hörst, traue diesem Menschen nicht, er ist kein guter, wenigstens kein edler Mensch.*

Halten wir uns an authentische Aussagen, an Schiller selbst. Am 10. Dezember 1793 schreibt er Körner: *Der Tod des alten Herodes hat weder auf mich noch auf meine Familie Einfluß, außer daß es allen Menschen, die unmittelbar mit dem Herrn zu thun hatten, wie mein Vater, sehr wohl ist, jezt einen ›Menschen‹ vor sich zu haben. Das ist der neue Herzog in jeder guten und auch in jeder schlimmen Bedeutung des Worts.*

Distanziert und kühl gibt er sich. Die Apostrophierung Carl Eugens aber als *alten Herodes* zeigt seine emotionale Betroffenheit. Er kennzeichnet ihn durch den Vergleich mit Herodes I., dem von den Römern um 73 vor Christus eingesetzten König von Judäa, der als prunksüchtig und grausam galt und der für den bethlehemitischen Kindermord verantwortlich gewesen sein soll, als einen Herrscher, der seine Untergebenen an Leib und Seele verletzt; er spricht ihm die Menschlichkeit ab. Die Wunde bleibt offen ... Die Endgültigkeit des Todes nimmt die Möglichkeit, sie zu schließen.

Natürlich wird der Mann Mitte Dreißig manches in anderem Licht sehen als der junge Heißsporn, der in den Gestalten seiner »Räuber« lebt und denkt.

Zum Beispiel die erstklassige und umfassende Ausbildung, die die Carlsschule ihm nicht nur auf medizinischem, sondern auch auf philosophischem und ästhetischem Gebiet gab. Ohne sie wäre der geniale Entwurf der »Räuber« kaum denkbar. Eine kostenlose Ausbildung zudem, die der Vater ihm nie hätte bezahlen können.

Vom 16. Januar 1773 bis zum 15. Dezember 1780 war Schiller Eleve. Das Janusgesicht dieser im militärischen Ungeist geführten Schule. *Von der wahnsinnigen Methode* seiner *Erziehung* spricht Schiller. Das perfekt ausgeklügelte Überwachungssystem, dem der Eleve Nr. 447 acht Jahre lang ausgeliefert und in das er zugleich eingebunden war. Carl Eugen zwang die Zöglinge zu Spitzeldiensten; sie mußten nicht nur Selbstbeurteilungen verfassen, sondern auch Berichte über Charakter und Gesinnung ihrer Mitschüler. Der fünfzehnjährige Schiller hat fünfundvierzig Eleven zu diesem Zweck ausgekundschaftet und seine Beobachtungen in einem kompromißlosen Rapport zusammengefaßt. Das den Bericht schließende Selbstporträt ist ebenso gnadenlos. Ein Überwacher, der auch sich selbst überwacht, Teil einer Schülerschaft, über die nicht nur Carl Eugen zu Gericht sitzt, sondern wechselseitig jeder zum Richter des anderen wird.

*Folter* nennt Schiller diese Zeit; seine frühen Äußerungen über die Militär-Pflanzschule sind aus der Sicht eines Gefangenen geschrieben, der durch die Gitterstäbe nach draußen sieht. Noch als Dreißigjähriger spricht er in Briefen an Caroline von Beulwitz von einer *herz- und geistlose⟨n⟩ Erziehung*, nennt seine *Jugend eine traurige* und *düstere. Den Schaden, den dieser unselige Anfang des Lebens in mir angerichtet hat fühle ich noch heute.*

Vielleicht ändert sich jetzt seine Sicht. Eine der ersten Amtshandlungen des neuen Regenten Herzog Ludwig Eugen ist die

Ankündigung, die Carlsschule schließen zu wollen. Er tut es, um die zerrütteten Staatsfinanzen zu entlasten.

In der kurzen Zeitspanne zwischen dem Tod Carl Eugens und der Schließung der Anstalt stattet Schiller ihr Anfang November 1793 einen Besuch ab. Vierhundert Eleven bereiten dem Dichter der »Räuber« einen begeisterten Empfang, begrüßen ihn mit Hochrufen. Schiller wird begleitet vom Obristen Christoph Dionysius von Seeger, dem Intendanten der Carlsschule, und von leitenden Offizieren. Von Seeger stand bereits zu Schillers Schulzeit der Anstalt vor, er war es, der nach der Flucht gemeinsam mit dem über achtzigjährigen General Augé, in dessen Regiment Schiller als Militärarzt diente, zwischen dem Deserteur und dem Monarchen zu vermitteln versucht hatte.

Der Empfang. Die Ankündigung der Schließung. Die Zeit der kostenlosen Ausbildung wird vorbei sein. Die Schule Geschichte werden. 1771 hat Herzog Carl Eugen sie – zunächst war es eine Waisenschule für Soldatenkinder – als *Militarische Pflanz-Schule* gegründet, sie befand sich auf Schloß Solitude, wuchs rasch; 1773, im Jahr von Schillers Schuleintritt, wird sie umbenannt in *Herzogliche Militair Academie*, 1775 wird sie nach Stuttgart verlegt, von weit her kommen die Besucher, um das Schulexperiment Carl Eugens kennenzulernen; am 22. September 1781 wird die Anstalt durch Kaiser Joseph II. in den Rang einer Universität erhoben und erhält den Namen *Hohe Carlsschule*. Dreiundzwanzig Jahre währt ihre Existenz. Am 16. April 1794 schließen sich ihre Tore für immer.

Schiller bedauert das. Während seines Aufenthaltes in Stuttgart im Frühjahr 1794, ein halbes Jahr nach Carl Eugens Tod, überzeugt er sich mit eigenen Augen von dessen Verdiensten als Schulgründer. Die Atmosphäre der Stadt sei von der Schule geprägt. Die *Lehrer der Academie* leben in Stuttgart und auch die *mehresten Subalternen und Mittleren Stellen* seien *durch academische Zöglinge besetzt*. Dieses *Institut*, resümiert er, habe *ungemein viel Kenntnisse, artistisches und wissenschaftliches Interesse unter den hiesigen Einwohnern verbreitet*.

Möglicherweise bewegen sich die Gedanken des gereiften Mannes auch um sein damaliges Verhalten Carl Eugen gegenüber. War es taktisch klug, seinem Monarchen nach der Flucht aus Württemberg zu schreiben, er, Schiller, sei *von allen bisherigen Zöglingen der grosen ›Karlsacademie‹ der erste und einzige gewesen, der die Aufmerksamkeit der großen Welt angezogen, und ihr wenigstens einige Achtung abgedrungen hat*. Selbstüberschätzung, Anmaßung? Die zudem in den Augen des Herrschers Sinn und Zweck seiner Schulgründung verfehlt, was zusätzlich seinen Zorn herausgefordert haben muß. Wenn Schiller auch dem Satz über die *Aufmerksamkeit der großen Welt*, die er errungen habe, hinzugefügt hatte: *eine Ehre, welche ganz auf den Urheber meiner Bildung zurükfällt!* Aber ging es um Taktik, Klugheit? Er wollte damals weg, nur weg; *Stuttgardt und alle schwäbischen Scenen* waren ihm *unerträglich und ekelhaft*. Der Bruch war vorprogrammiert.

Ob Schiller ahnt, weiß, wie begrenzt die Geduld des Herrschers mit ihm, dem einst so geschätzten und geförderten Zögling, war, daß Carl Eugen die Bittgesuche, die er als junger Militärarzt und später als Deserteur an ihn richtete, nicht einmal liest? Das Ignorieren setzt schon da ein. Die Entgegennahme des Gesuchs vom 1. September 1782 lehnte er ab. Das für Schiller so entscheidende Schreiben an seinen Monarchen vom 24. September 1782, zwei Tage nach der Flucht, wird man später ungeöffnet im Nachlaß von Christoph Dionysius von Seeger finden.

Vielleicht erinnert sich Schiller bei der Todesnachricht jener letzten persönlichen Begegnung mit dem *alten Herodes*. An dessen späterem Sterbeort, auf Schloß Hohenheim, war es.

Ein Sommertag des Jahres 1782. Der Herzog erfährt von Schillers zweiter heimlicher Reise nach Mannheim zu einer »Räuber«-Aufführung. Dieser wiegt sich längst in Sicherheit. Wochen sind schon darüber hinweggegangen. Da wird es dem Herzog zugetragen. Carl Eugen schickt ihm ein Pferd aus dem Stuttgarter Marstall, befiehlt ihn unverzüglich zu sich. Es ist heiß. Der Ritt nach Hohenheim. Die schwere Uniform, die er als Militärangehöriger tragen muß. Die weite Strecke, Bewegung in der Landschaft, die Steigungen, das letzte Stück immer bergan, zur Höhe hinauf. Der sommerliche Ritt. Schweißgebadet kommt er an. Hitzewellen in ihm. Er steht vor dem Herzog. Devot. Im Niederbeugen hört er den Applaus der Theaterbesucher. Er richtet sich auf. Mit *Vater* hat er ihn anzureden und hinzuzufügen *Nachahmer der Gottheit auf Erden.*

Wie diese letzte Begegnung zwischen dem Monarchen und Schiller verlief, wissen wir nicht. Die Überlieferungen sind widersprüchlich und ungesichert. Einerseits soll Carl Eugen dem zu sich Befohlenen mit der Amtsenthebung des Vaters gedroht haben, ihm jegliche Möglichkeit einer Verteidigung genommen, ihm die Rede abgeschnitten haben. Anderseits wird berichtet, Schiller habe im *Verhör* – das Wort läßt den Schluß zu, wie diese »Audienzen« etwa vor sich gingen – *Verstocktheit* gezeigt. Schillers Stuttgarter Wohnungsnachbarin will wissen, daß Schiller aufgetreten sei, *als ob der Herzog der geringste seiner Untertanen sei.* Was ist Legende, was Wahrheit?

Vielleicht ist es die allerletzte verächtliche Geste, mit der der Herzog ihn wegwinkt, den Befehl zu seiner Arretierung auf der Hauptwache in Stuttgart gibt, die sein Gedächtnis wiedergibt. Ein Pferd für den Heimritt wird ihm verweigert, zu Fuß ist er den weiten Weg in der Sommerhitze zurückgegangen. Zeit zum Nachdenken. Vielleicht faßt er auf diesem Fußmarsch den Entschluß zur Flucht.

## IV

Die mögliche Drohung des Herzogs, den Vater des Amtes zu entheben. Ob der Sohn sich damals in die Lage des Vaters hineindachte? Wohl kaum. Ob er sich jetzt bewußt wird, in welch existentielle Ängste er diesen durch seine Flucht gebracht hat?

Verändert der Tod des Übervaters die Sicht auf den leiblichen Vater? Vater und Sohn. Wie gehen sie miteinander um? Ihr Verhältnis zueinander kann ich mir schwer vorstellen.

Schillers Briefe an seinen Vater Johann Caspar sind zeitlebens von einer gewissen Steifheit. Der Respekt wird gewahrt, aber man hat das Gefühl, dies geschieht aus Pflichtbewußtsein. Selten kommt ein vertraulicher Ton auf. Auch die Herzlichkeit wirkt zuweilen gezwungen. Der Sohn weiß offenbar, wie weit sein Lebensentwurf eines Künstlers von den Erwartungen und Wertvorstellungen des Vaters entfernt ist. Die Barriere väterlicher Autorität: er hält sich zurück, widerspricht kaum, verteidigt sich wenig; das zeittypische Rollenklischee Vater und Sohn.

Freilich kann der Vater zuweilen in Briefen des Sohnes an Dritte Bitterkeiten lesen, die auch mit ihm zu tun haben; zum Beispiel, wenn Schiller kurz nach seiner Flucht, im September 1783, an Christophine, seine Schwester, schreibt, sein *Vaterland* sei ihm *so eng und dumpfig wie ein Sarg*, mit dem *Verlust des Vaterlandes* habe er *alles gewonnen*.

Johann Caspar Schiller. Am 27. Oktober 1723 als Sohn des Bäkkers und Schultheißen Johannes Schiller und seiner Frau Eva Margarethe in Bittenfeld in Schwaben geboren. Als er zehn ist, stirbt sein Vater. Der Junge muß die Schule verlassen und mit Feldarbeit zur Ernährung der Familie beitragen. Mit vierzehn beginnt er beim Klosterbarbier Fröschlin in Denkendorf eine Lehre als Wundarzt. Drei Jahre später besteht er die Gesellenprüfung. Mit zweiundzwanzig schließt er sich einem durchziehenden bayrischen Husarenregiment an, arbeitet als Feldscher, steigt zum Armeechirurgen auf. Jahre des Soldatenlebens; er lernt die Niederlande und England kennen. Im März 1749 kehrt er zurück, legt in Ludwigsburg eine weitere Prüfung in seinem Fach ab und läßt sich unweit seines Geburtsortes in Marbach als Barbier und Wundarzt nieder.

Am 22. Juli 1749 heiratet er dort – er ist fünfundzwanzig – die sechzehnjährige Elisabetha Dorothea Kodweiß. Durch finanzielle Manipulationen seines Schwiegervaters beunruhigt, gibt er

Ende 1752 seine Praxis auf, verläßt Marbach, wird wieder Soldat, tritt am 7. Januar 1753 in die württembergische Armee ein, in das Ludwigsburger Regiment von Prinz Louis. Ist im Versorgungsstab tätig, avanciert am 26. September 1757 zum Fähnrich und Adjutanten, am 21. März 1758 zum Leutnant. Er nimmt am Krieg zwischen Preußen und Österreich teil, in der Leuthener Schlacht verliert er sein Pferd, flüchtet zu Fuß, kommt knapp mit dem Leben davon. 1761 wird er zum Hauptmann ernannt. Nach Friedensschluß wird er Werbeoffizier in Schwäbisch Gmünd. Im Dezember 1766 stellt er den Antrag, in die Residenz Ludwigsburg versetzt zu werden. Dem wird stattgegeben. Im September 1770 erhält er dort eine eigene Kompanie.

Neben seinem militärischen Dienst beschäftigt er sich mit Obstzucht. Legt hinter seiner Wohnung in Ludwigsburg eine Baumschule an. Herzog Carl Eugen wird auf ihn aufmerksam.

Das hat eine einschneidende Veränderung zur Folge. Als 1775, so berichtet Johann Caspar Schiller, *eine grosse Reduktion bei dem Militär vorgenommen*, wurde *ich als Vorgesezter bei der Gärtnerei auf der Solitüde gnädigst angestellt, mit dem besondern Auftrag, daß ich daselbst eine Baumschule anlegen solte.*

Über zwanzig Jahre, bis zu seinem Tod, wird er das Amt des Herzoglichen Garteninspektors auf der Solitude innehaben.

Herzog Carl Eugen ist sein Vorgesetzter. Als dieser den jungen Schiller in seine Militär-Pflanzschule haben will, reagiert Johann Caspar zunächst nicht, erst nach mehrmaliger Aufforderung folgt er dem Befehl. Vater und Mutter haben ein Papier, eine »Urkundliche Erklärung«, zu unterschreiben, daß sie ihren Sohn *gänzlich den Diensten des Herzoglichen Württembergischen Hauses* übergeben. Die Urkunde mit dem Siegel und den Unterschriften der Eltern, ausgestellt in Ludwigsburg am 23. September 1774 – rückwirkend also –, ist erhalten.

Die Verpflichtungserklärung bindet die Eltern. Der Herzog persönlich bestimmt nach dem Ende der Ausbildung über den Einsatz der Eleven. Johann Caspar Schillers Sohn wird jene Stelle als Regimentsmedikus beim Grenadierregiment des Generals Augé zugewiesen. Nach eindreiviertel Jahren militärischem Dienst seine Flucht aus Württemberg.

Die Lage des Vaters. Der Sohn ein Deserteur und trotz herzoglicher Mahnung nicht zur Rückkehr zu bewegen. Die Drohung mit der Amtsenthebung des Vaters. Hat Carl Eugen sie dem Sohn oder auch Johann Caspar gegenüber ausgesprochen? Es gibt keine Belege. Auch darüber nicht, daß der Herzog dem Flüchtigen Häscher hinterherschickte, die den Deserteur – wie in solchen Fällen üblich – gewaltsam zurückholten und der Justiz übergaben. Wollte der Herzog den Konflikt friedlich lösen? Ob er dazu auch die väterliche Autorität bemühte? Oder verlor er einfach die Geduld in der Sache, ließ sie fallen?

Wie immer es auch gewesen sein mag, Johann Caspar gerät in jedem Fall unter einen enormen psychischen Druck. Von nun an muß er stets etwas besser sein als andere, seinen Arbeitseifer, seine Botmäßigkeit dem Fürsten gegenüber beweisen, um Gnade zu finden. Und das nicht nur für kurze Zeit, nach der Flucht, sondern, da Carl Eugen den Sohn *ignoriert*, auf Dauer.

Johann Caspar Schillers harter Lebensweg. Sein durch die Militärlaufbahn gewohntes Befehlen. Die Erwartung unbedingten Gehorsams prägt auch das Verhältnis zu seinem einzigen Sohn.

Nach dessen Flucht läßt er es in den Briefen an ihn, den er stets seinen *lieben Friz* nennt, nicht an massiven Vorwürfen fehlen. Der Grundtenor ist, daß er die Flucht, den Sprung des Sohnes *in die grosse Welt* mißbilligt.

Die Vorhaltung: *Er neherer in der Mittelstrasse hätte bleiben – und nicht Epoche hätte machen wollen* – kehrt immer wieder.

Vor allem, da der Sohn die *Zweifel* des Vaters, *wie* er *seine angefangene Rôle in der grossen Welt würde fortspielen können*, nicht zerstreuen kann. Im Gegenteil, das Schuldenmachen des Sohnes gibt dem *Zweifel* des Vaters neue Nahrung. *Ich hab ihn treulich dafür gewarnt, ihm die beste Anweisung gegeben, allen*

*Aufwand, der sein Einkommen übersteigt, zu vermeiden, um sich in keine Schulden zu verwikeln ...*

Daß auch mit der Befolgung der *besten Anweisung* die objektiven Nöte einer freiberuflichen Schriftstellerexistenz nicht zu beheben sind, liegt außerhalb des Vorstellungsvermögens des Vaters. Für den Sohn ist es ein Experiment mit ungewissem Ausgang, vollkommenes Neuland, eine traumatische Erfahrung. Aber sein allzu laxer Umgang mit Geld, sein Über-die-Verhältnisse-Leben, seine selbstverständliche Annahme, der Vater werde für ihn gegenüber seinen Stuttgarter Gläubigern eintreten, stellen die Geduld Johann Caspars auf eine harte Probe. Er, der seine eigenen Lebensregeln zum Maßstab nimmt, sieht, als seine *Anweisungen* nichts fruchten, eine Grenze erreicht, zieht enttäuscht und verärgert die Hand von seinem Sohn zurück.

In dem Maße, wie der Vater sich überzeugt, daß die Vorstellungen des Sohnes nicht *schimärisch* sind, er seiner *Rôle in der grossen Welt* gerecht wird, wendet er sich ihm wieder zu. Nicht, ohne das ihm vom Sohn, wie er glaubt, Unterstellte abzuwehren: daß er, der Vater, die Bereitschaft von ihm erwarte, *das Brod* seines *Vaterlandes ... in unbemerkter doch ruhiger Mittelmäßigkeit* zu essen.

Johann Caspar betont seine Weltläufigkeit, erinnert an seinen England-Aufenthalt. *Liebster bester Sohn! Hier in Deutschland ist ein Theater-Dichter immer noch ein kleines Liecht*, schreibt er am 18. März 1784. *Wäre Er in Engeland und das leztere mir überschickte Trauerspiel würde dort aufgeführt: wahrlich Er würde ein traumhaftes Glück damit machen ...* Johann Caspar, der verheimlichen muß, das überschickte Trauerspiel – »Kabale und Liebe« – gelesen zu haben und zu besitzen, fährt mit einer scharfsinnigen politischen Bemerkung über die deutsche Theatersituation fort: *da im Gegentheil hier, Er alles anzuwenden hat, um nicht in die Nachstellung eines oder des anderen Fürsten, die sich mit Händen greiffen können, zu fallen.*

Eine berührende Solidaritätserklärung.

Später wird Johann Caspar eingestehen, daß er zu wenig Vertrauen in den Weg des Sohnes gehabt habe; *mehr Furcht als Hoffnung* sei in ihm gewesen.

Dieses Eingeständnis kennzeichnet eine Wandlung, die in ihm Anfang der neunziger Jahre vorgeht und im Geburtstagsbrief an Schiller vom November 1791 ihren Niederschlag findet.

Bringt die Sorge um die Gesundheit des Sohnes den Vater dazu, sind es andere Gründe? Was immer es sei, es ist ein erstaunlicher Brief, weil der autoritäre, in seinen eigenen Lebensbahnen gefangene Mann über seinen Schatten springt, dem Sohn gegenüber eine Art Abbitte leistet, um Versöhnung bemüht ist.

Er gesteht offen ein – das ist das Kernstück des Briefes –, daß die *Absichten* des Sohnes *über* seinen *horizont* hinausgegangen seien. Das heißt, er respektiert dessen anderen, von seinem eigenen so verschiedenen Weg.

Wie schwer ihm das gefallen sein muß, zeigen die Argumente, die er sich zurechtlegt. Er, der Erzeuger – stolz nun auf seinen Sohn –, hat Anteil an dessen Begabung. Sie ist das Ergebnis seiner Fürbitte zu Gott, so ist es in seinem Lebensabriß nachzulesen. Er habe Gott um diese Kräfte für seinen Sohn gebeten. *Und du Wesen aller Wesen! Dich hab ich nach der Geburt meines einzigen Sohnes gebeten, daß Du demselben an Geistes Stärke zulegen möchtest, was ich aus Mangel an Unterricht nicht erreichen konnte, und Du hast mich erhöret.*

Das ihn im nachhinein schmerzende Bewußtsein, dem Sohn zu wenig vertraut, ihm nicht genügend geholfen, ihn zeitweise allein gelassen zu haben, macht ihm zu schaffen; doch dies alles habe nicht in seinem Ermessen gelegen, daher sei er schuldlos; *vornehmlich deswegen, weil ich ihn zur Erreichung seiner über meinen horizont gegangenen Absichten, niemals unterstüzen konnte.*

*Ein gutes kleines, untersetztes Männchen* sei Johann Caspar gewesen, erinnert sich Schillers Freund Scharffenstein, *von einem ganz verschiedenen äußeren Schlage als der Sohn.*

Von Schillers Vater existieren mehrere Porträts. Eine Bleistiftzeichnung der Tochter Christophine. Ein frühes Ölgemälde, entstanden vermutlich 1761, als er zum Hauptmann befördert wird. Eines von der Ludwigsburger Malerin Ludovike Simanowiz, das 1793 entsteht und das der Vater dem Sohn schenken wird.

Das frühe Porträt ist ein Auftragswerk von unbekannter Hand. Es zeigt den Vater im Alter von Ende Dreißig. Johann Caspar ist in Hauptmannsuniform. Trägt den Hut unterm Arm. Tadellos sitzt alles. Die breite rote Schärpe am Uniformrock springt in oberer Brusthöhe auseinander, im dunklen Unterrock wird wie ein Eingang zum Innern ein Schlitz sichtbar. Der zu Porträtierende hat sich in Positur geworfen, man hat den Eindruck, daß er sich größer machen will, gleichsam auf Zehenspitzen steht. Betont selbstbewußt und ein wenig wichtigtuerisch blickt er aus dem Bild. Der Mund ist zusammengepreßt, das Kinn läuft spitz zu, die Stirn weist eine Vertiefung auf. Das zur Schau gestellte Selbstbewußtsein hat aber nichts Unsympathisches, es gibt Johann Caspar eher den Anflug eines Sonderlings, eines Eigenbrötlers.

Im späteren Gemälde der Simanowiz kehren die charakteristischen Merkmale, die markante Vertiefung auf der Stirn und das spitz zulaufende Kinn wieder; das Gesicht aber ist rundlicher geworden, Johann Caspar wirkt entspannt, mit sich im reinen. Er muß sich nicht mehr erhöhen, auf Zehenspitzen stellen, er kann gelassen auf seine Lebensleistung zurückblicken. Das Porträt zeigt ihn im Alter von annähernd siebzig Jahren. Nicht wie ein Greis, nicht einmal wie ein alter Mann wirkt er.

Als Schiller seinen Vater nach elf Jahren in Heilbronn wiedersieht, sind die Gesundheit und das gute Aussehen des Vaters das erste und einzige, wovon er Körner berichtet: *Mein Vater ist in seinem 70gsten Jahr das Bild eines gesunden Alters, und wer sein Alter nicht weiß, wird ihm nicht 60 Jahre geben. Er ist in ewiger Thätigkeit und diese ist es was ihn gesund und jugendlich erhält.*

Zwischen Vater und Sohn liegt ein Altersunterschied von fast vierzig Jahren. Ob nicht die Gesundheit des Vaters für Schiller bei seiner eigenen körperlichen Labilität auch etwas Bedrückendes, etwas von einem Vorwurf ihm gegenüber gehabt haben könnte? Fast will es so scheinen.

Jahre später, der Vater geht auf die Dreiundsiebzig zu, schreibt die Mutter an Schiller nach Jena: *Lieber bester Sohn der Papa wird uns bede über leben ...*

Der Brief, in dem Schiller Körner seinen Eindruck vom Vater schildert, ist auf den 27. August 1793 datiert. Da ist Schiller schon auf Schloß Solitude gewesen, hat den Vater in *Thätigkeit* gesehen.

Johann Caspar zeigt dem Sohn sein Werk. Seit 1775, seit achtzehn Jahren arbeitet er hier als Herzoglicher Garteninspektor. Er hat die Aufsicht über alle Gartenanlagen, Baum- und Forstschulen, ist der Leiter der Hofgärtnerei, hat einen Stab von Mitarbeitern, Gärtnern, Tagelöhnern, Handwerkern unter sich, hat Buch zu führen über Verkaufserlöse, hat dem Herzog regelmäßig Bericht zu erstatten. Das für diese Tätigkeit notwendige Wissen hat er sich mühsam als Autodidakt angeeignet, schon früh damit begonnen, neben seiner Arbeit als Wundarzt und Barbier, als Soldat und Werbeoffizier. Es ist seine *Lieblings Beschäftigung*, seine *Leidenschafft*. Unermüdlich experimentiert er. 4000 Apfel- und Birnenbäumchen soll er 1775 von seiner Anpflanzung in Ludwigsburg nach Solitude mitgebracht haben. Nach elf Jahren Arbeit ist, trotz des unergiebigen Bodens, der Baumbestand auf 22 400 Bäume angewachsen. Bis zu seinem Tod soll er auf 100 000 Bäume gestiegen sein. Ganz Württemberg kann mit Jungbäumen versorgt werden. Die Arbeit von Schillers Vater bringt Carl Eugen beträchtliche Einnahmen, bessert den stets überschuldeten Staatsetat auf. Früchte und Holz werden verkauft, mitunter auch exportiert.

Ich sehe Vater und Sohn auf der Solitude Seite an Seite durch Gewächshäuser, Gartenanlagen und Obstplantagen gehen. Den fast Siebzigjährigen und den Dreiunddreißigjährigen, den kleinen, rundlich gewordenen Vater, neben ihm den schlanken, hochgewachsenen Sohn, sechs Fuß zwei Zoll, 1 Meter 81 Zentimeter groß.

Was haben sie sich zu sagen nach den elf Jahren? Was sind *die Freuden des Sohns*, die Schiller *genießen* will, welche die des Vaters?

Spricht der Vater vom Okulieren, von Baumschnitt, Bewässerungs- und Düngungstechniken, von seinen Publikationen zu diesen Themen? Schon als der Sohn acht war, waren vom Vater »Betrachtungen über Landwirtschaftliche Dinge in dem Herzogthum Württemberg« in drei Teilen beim Hofbuchdrucker Cotta erschienen. 1777 publizierte er im »Schwäbischen Magazin von gelehrten Sachen« »Ökonomische Beiträge«, in denen er sich mit Ackerbau, Weinkultur und Viehwirtschaft beschäftigt. Jetzt bereitet er eine umfassende Darstellung vor, sie soll den Titel tragen »Die Baumzucht im Großen aus zwanzigjähriger Erfahrung im Kleinen«.

Ein möglicher Gesprächsstoff zwischen Vater und Sohn. Der Vorteil ist auf seiten des Vaters, denn von organischen Dingen, von Pflanzen versteht der Sohn nicht viel; nie hat er sich dafür interessiert.

Aber er engagiert sich verlegerisch für den Vater. Im Jahr des Wiedersehens läßt er eine kleine Denkschrift Johann Caspars über Techniken der Baumpflege auf eigene Kosten in Jena drukken und durch seinen Leipziger Verleger Göschen in Kommission vertreiben. Die in Arbeit befindliche Schrift des Vaters vermittelt der Sohn an den Neustrelitzer Verleger Salomo Michaelis, 1795 erscheint sie unter dem Titel »Die Baumzucht im Großen«.

Oder klagt der Vater dem Sohn, wie schwer ihm manches gefallen ist? In der Vorrede zu seiner »Baumzucht« schreibt er: *Wenn ich vormals bei meiner Compagnie etwas befohlen, so war es gewiß daß es geschah. Hier kam ich zu einem Gärtner Corps, das weder Ordnung, noch Sparsamkeit noch Gehorsam kennen wollte. Meine besten Einsichten wurden mehrenteils bestritten, manchmalen angehört, aber Malerüsitten herbei geführt, und die Verantwortung auf mich geschoben.* Und zusammenfassend mit Blick auf seine lange Tätigkeit: *So mußte ich 18. Jahre lang fast immer mit Verdruß hinbringen, und ich würde es nicht haben aushalten können, hätte mich nicht die Baumzucht als meine Lieblings Beschäfftigung wieder aufgeheitert.*

Vater und Sohn verlassen die Wege durch die Baumreihen, haben die Weite vor sich. Ihr Blick von der auf einer Anhöhe liegenden Schloßanlage Solitude hinunter nach Ludwigsburg.

Vielleicht hier die Erinnerung an jenen 16. Januar 1773. Ein Samstag war es. Ein froststarrer Wintertag. Der Vater bringt den Sohn von Ludwigsburg hinauf zur Solitude, wo die Militär-Pflanzschule untergebracht ist. Die schnurgerade Allee entlang laufen sie, die von Ludwigsburg zum Schloß führt. Ein Fußmarsch von drei Stunden. Vor zwei Monaten ist Schiller dreizehn geworden. Im Gepäck hat er eine Hose, vier Paar Strümpfe, 15 lateinische Bücher und 43 Kreuzer. *Mit einem ausgebrochenen Kopf* (einem Gesichtsekzem) *und etwas verfrörten Füßen behaftet, sonst aber gesund* sei der Knabe, so geht aus dem Gesundheitszeugnis des Hofmedikus Gottlieb Konrad Christian Storr vom 16. Januar 1773 hervor, auf der Solitude angekommen.

Für acht Jahre schließen sich die Tore hinter dem Dreizehnjährigen. Spricht Johann Caspars Zögern, ihn der Militär-Pflanzschule Carl Eugens zu übergeben, dafür, daß er andere Pläne mit dem Sohn hatte, an den Pfarrerberuf dachte – wie es später die Schwester Christophine überliefern wird –, er die Klosterschule Maulbronn oder das Tübinger Stift im Auge hatte. Wir wissen es nicht. Daß er seinen leiblichen Sohn an den Landesvater, der die Zöglinge als sein Eigentum betrachtet, verlieren wird, darüber ist er sich vermutlich im klaren. Besuche der Eltern sind unerwünscht. Ihr Einfluß soll unterbunden werden.

Mehrfach lese ich, Vater, Mutter und Sohn hätten sich fortan bei den sonntäglichen Kirchgängen auf Solitude von Ferne gesehen. Machten die Eltern den dreistündigen Weg von Ludwigsburg zur Kirche, einzig um den Sohn zu sehen? Das Ende seiner Elevenzeit auf der Solitude und der Beginn der Amtszeit des Vaters liegen genau siebzehn Tage auseinander. Bis zum 18. November 1775 befindet sich die Carlsschule auf dem Gelände der Solitude. Dann zieht sie nach Stuttgart um. Wieder ein Fußmarsch des Sohnes, nun in der geschlossenen Formation der Schüler, an diesem 18. November.

Zwei Wochen später, am 5. Dezember 1775, wird der Vater nach Solitude versetzt und tritt dort sein Amt an.

Das Wiedersehen mit der Mutter. Gewiß auch an jenem Tag im August 1793, an dem Schiller von Heilbronn aus Schloß Solitude besucht. Seit achtzehn Jahren leben die Eltern hier oben. Sie wohnen in der Orangerie über den Gewächshäusern. Im Frühjahr 1794, als ein Militärlazarett auf der Solitude eingerichtet wird, müssen sie dort ausziehen. Das Gesuch Johann Caspars, ein Plantagenhaus im Schloßgarten zu erhalten, wird abgelehnt. Ihnen wird eines der in Schloßnähe im Halbkreis gruppierten Kavaliershäuser zugewiesen. Es steht noch heute, in der Nummer 16 lebten Schillers Eltern. Ein kleiner gedrungener Barockbau, zwei Stockwerke.

Die Begegnung von Mutter und Sohn. In ihrem Verhältnis zueinander kann ich mir weitaus mehr Vertrautheit vorstellen. Die Gespräche knüpfen möglicherweise an den Aufenthalt der Mutter im Vorjahr in Jena an. Ihre Besorgtheit; Fragen nach der finanziellen Lage, der Gesundheit des Sohnes, arbeitet er nicht zuviel, ist er warm genug angezogen, geht es ihm gut bei seiner Frau, versteht sie, die aus feinen Verhältnissen, die Adlige, die Hauswirtschaft genügend, hat er seine Dienerschaft, die zwei, den Diener, der zugleich Schreiber ist, und die Kammerjungfer, gut im Griff, läßt er auch nichts durchgehen?

Reden gewiß auch über den Vater, Beschwerden; Vertrautheit auch da mit dem Sohn. Später wird Elisabetha Dorothea Schiller in einem großen Klagebrief an den Sohn ihrem jahrzehntelang angestauten Groll über den Ehemann Luft machen, seine Unnachgiebigkeit, seine Härte, seine ungenügende Sorgfalt in der Erziehung der Töchter anklagen. Eine gute Ehe führen sie wohl nicht.

Die Briefe der Mutter an den Sohn mit den monotonen Schilderungen alltäglicher Vorgänge: weibliche Detailgenauigkeit. Faszinierend. Die Briefe lassen sie als eine Frau erscheinen, der die Unbill des Lebens ständig zusetzt, die aber von Woche zu Woche, Monat zu Monat, Jahr zu Jahr klaglos den Alltag bewältigt. Zugleich tritt mir aus ihren Briefen zuweilen eine Frau entgegen, in der eine Ahnung von einem anderen Leben steckt, eine Frau, die mehr will, vor allem für ihre Kinder, ihre drei Töchter. Und die stolz auf den Sohn ist.

Eines scheint in den Aufzeichnungen der Elisabetha Dorothea Schiller zu fehlen, das, was man Witz, Heiterkeit, Lebensfreude nennen könnte.

Die sie aber gehabt haben muß, betrachtet man die beiden Porträts, die von ihr existieren. Das eine, von unbekannter Hand, ist vermutlich 1770 entstanden. Das andere hat Ludovike Simanowiz 1793 gemalt.

Auf beiden ist ein Lächeln um ihre Mundwinkel, in ihren Augen; nicht kokett, nicht zum Betrachter hin, sondern von innen kommend. Im frühen Bild ist es zurückhaltend schüchtern, im späteren offener.

Auf dem frühen Bild muß sie, wenn die Datierung stimmt, achtunddreißig Jahre alt sein; seit zweiundzwanzig Jahren ist sie verheiratet, hat vier Kinder zur Welt gebracht, noch zwei werden folgen, mit vierundvierzig wird sie das letzte Mal Mutter. Das Lächeln des frühen Porträts wird überschattet vom Ausdruck eines geheimen Kummers. Die Linien um den Mund und die zwei kleinen harten Falten über der Nasenwurzel sprechen davon.

Das Porträt ist ein Jahr vor dem Tod ihres Vaters entstanden. Sein Schicksal wird sie wohl lebenslang bedrückt haben. Wie es auch den Beginn ihrer Ehe mit Johann Caspar Schiller belastet hat. In ihrer Kindheit ist ihr Vater Georg Friedrich Kodweiß ein angesehener Mann in Marbach, wo sie am 13. Dezember 1732 geboren wird. Er ist Bäcker wie sein Urgroßvater und sein Großvater, die zugleich Bürgermeister des kleinen Ortes am Neckar waren. Georg Friedrich Kodweiß ist Besitzer des Gasthofes »Zum Goldenen Löwen«, er hat die Aufsicht über das Floßwesen, betreibt einen Holzhandel. In einer Atmosphäre relativer Wohlhabenheit wächst die Tochter heran. Als Johann Caspar Schiller sie ehelicht, glaubt er in gesicherte Verhältnisse einzuheiraten. Bald aber stellt sich heraus, daß das Engagement von Georg Friedrich Kodweiß im Holzhandel mit gewagten finanziellen Transaktionen verbunden ist, er kommt durch ungedeckte Wechsel der Bauern, die er mit Sicherheiten versehen hat, in Schwierigkeiten. Gläubiger bedrängen ihn, die Schulden wachsen, der wirtschaftliche Niedergang droht, ist nicht aufzuhalten. Von dieser Bedrängnis wird er sich nie wieder erholen, am Lebensende hat er den schlecht bezahlten Posten eines Stadttorwächters inne. Die Tochter wird Zeugin seines sozialen Abstiegs. Sie bleibt noch für Jahre in Marbach, während ihr Ehemann, als der finanzielle Ruin des Schwiegervaters offenkundig ist, den Anteil am Kodweißschen Haus, den er bei der Eheschließung erhalten hat, überstürzt verkauft und aus Angst, die Gläubiger des Schwiegervaters könnten auch ihn haftbar machen, die Stadt verläßt.

Seine junge Frau erlebt die Verzweiflung der Eltern nicht nur aus nächster Nähe mit, sie wird auch mit hineingezogen. Wenn man ihre winzige Wohnung sieht, zwei Häuser vom stattlichen »Goldenen Löwen« entfernt, im Hause des Ledergerbers Ulrich Schölkopf, kann man ahnen, welche Zäsur der wirtschaftliche Ruin des Vaters auch für ihr Leben bedeutet haben muß.

Hier kommt sie am 4. September 1757 mit ihrem ersten Kind, der Tochter Elisabeth Christophine Friedericke, nieder. Hier wird auch Schiller geboren. Bei beiden Geburten ist ihr Mann fern. Der Krieg beziehungsweise seine wechselnden Armeequartiere halten ihn fest.

Kurz vor der Geburt Schillers, im Herbst 1759, besucht sie, hochschwanger, ihren Ehemann in seinem Ludwigsburger Lager, wo die Truppen zum befohlenen Abmarsch am 28. Oktober bereitstehen.

Nach ihrer Rückkehr, am 10. November 1759, bringt sie in Marbach ihren einzigen Sohn Johann Christoph Friedrich zur Welt.

Im Januar 1760, Schiller ist noch keine zwei Monate alt, reist sie in der Winterkälte mit dem Säugling und der zwei Jahre vier Monate alten kleinen Tochter nach Würzburg, wo ihr Mann inzwischen stationiert ist. Bis Mai bleibt sie. Mehrmals macht sie Truppenbewegungen mit – Vaihingen, Cannstadt tauchen als Stationen auf –, sie sucht in der Nähe der Armeequartiere eine Unterkunft. Das mit zwei Kleinkindern; behelfsmäßige, schlechte Quartiere, unhygienisch gewiß.

Charlotte Schiller wird später schreiben: *Denn ich glaube gewiß, daß das Leben in der Akademie den ersten Grund gelegt hat zu Schillers Kränklichkeit.* Vielleicht war es schon die frühe Kindheit, die sich ungünstig auf seine Gesundheit auswirkte.

Erst als Schiller drei Jahre und zwei Monate ist, der Vater die Stelle als Werbeoffizier in Schwäbisch Gmünd antritt, folgt seine Frau ihm dorthin, und nach kurzem Aufenthalt in der Garnisonsstadt finden sie in dem zwei Wegstunden entfernten Lorch eine Wohnung und damit erstmals ein bleibendes Quartier für die Familie. Über ein Jahrzehnt, von 1753 bis 1764, dauert das unstete Leben von Schillers Mutter.

Sprechen die zwei kleinen tiefen Falten über der Nasenwurzel davon? Auffallend ist: das Haar der Achtunddreißigjährigen scheint bereits völlig ergraut zu sein. Aber sie hat es auf das schönste frisiert, sorgsam mit der Brennschere geringelte Locken hängen beidseits vom Scheitel herab, ein Band ist ins Haar geflochten und zur Schleife gebunden. Eine Frau, die sich schmückt, die Wert auf ihr Äußeres legt. Davon spricht auch ihre Kleidung, die taubenblaue weite Mantille, die mit schmeichelndem dunklen Pelz besetzt ist, der weiße Schal, der sich um den Hals schmiegt.

Das Porträt stammt aus der Zeit, in der ihr Ehemann in Ludwigsburg stationiert ist, mit der Familie zusammenlebt. Man könnte sich vorstellen, daß Elisabetha Dorothea Schiller diesen taubenblauen Umhang trägt, wenn sie das herzogliche Theater im Ludwigsburger Schloß besucht. Der Sohn Friedrich ist elf Jahre alt. Vielleicht begleitet er die Mutter.

Auf dem Bild, das Ludovike Simanowiz von ihr gemalt hat, ist sie einundsechzig. Kleid und Haarfrisur sind sehr einfach. Ein weißes Gewand, zarte Spitzen an den Ärmeln, ein Brusttuch aus Seide oder Chiffon, auch weiß. Ihr graues Haar, es ist toupiert, der Eindruck von Fülle. Ein dunkler Hintergrund, aus dem das helle Haar und das Weiß des Gewandes hervortreten. Die Spuren des Lebens und des Alterns dominieren das Gesicht, aber nichts Hartes, Verbittertes ist in ihm; eher Nachsicht und Güte. Die Augen der Einundsechzigjährigen leuchten; sie wirkt ausgeglichen, heiter. Die Ausstrahlung des Bildes rührt von diesem Lächeln her.

*Ganz das Porträt ihres Sohnes in der Statur und der Gesichtsbildung* sei die Mutter gewesen, erinnert sich Scharffenstein.

Schiller mit der Mutter. Mit den Schwestern Louise und Nanette. Mit Freunden aus der Zeit der Carlsschule.

Schiller in der Stadt seiner Kindheit, in Ludwigsburg. *Die Stadt* sei *überaus schön und lachend, und ob sie gleich eine Residenz ist, so lebt man darinn auf dem Lande*, schreibt der Erwachsene.

Vom achten bis zum Beginn des vierzehnten Lebensjahrs hat er in Ludwigsburg gelebt. Vielleicht zeigt er Charlotte die altvertrauten Orte. Das Mauclersche Haus in der Hinteren Schloßstraße (heute Mömpelgardstraße 26). Als er sieben war, zogen die Eltern hier ein. Kurzzeitig wohnten sie wohl bereits 1763/64 in dem Haus. Es gehörte dem Herzoglichen Leibarzt Reichenbach. Mit dessen Tochter, der späteren Malerin Ludovike Simanowiz, spielte er einst.

Das Cotta-Haus (heute Stuttgarter Straße 26), erbaut vom Hofbuchdrucker Christian Friedrich Cotta, einem Onkel des berühmten Verlegers. Fast fünf Jahre, von 1768 bis Januar 1773, hat Schiller hier mit den Eltern und Geschwistern gewohnt. Zusammen mit der Familie von Hoven. Mit deren Sohn Wilhelm besuchte er die Lateinschule, dann die Carlsschule. Hinter dem

Cotta-Haus hatte der Vater seinen großen Baumgarten angelegt.

Zeigt er Charlotte seine Schulen, die Grundschule, die Lateinschule in der Oberen Marktstraße? Er trifft dort Lehrer wieder, unterrichtet sogar einige Stunden. Zeigt er seiner Frau die Barockkirche am Markt? Am 26. April 1772 ist er hier vom Garnisonsprediger (da sein Vater als Offizier der Garnisonskirchengemeinde angehört) konfirmiert worden.

Ludwigsburg ist auch die Stadt, in der sein erster Sohn getauft wird. Schillers Eltern sind zugegen. Als die Mutter 1802 stirbt und Louise die von ihr für Sohn, Enkel und Schwiegertochter bestimmten Sachen nach Weimar schickt, erinnert sich Charlotte an den Tag der Taufe. Am 5. Juni 1802 schreibt sie ihrer Schwägerin: *Ich habe mit Rührung das schwarze Kleid bei Seite gelegt. Darin sah ich sie, wie sie den Karl aus der Taufe hob; es soll immer so liegen, so lange ich lebe ... Der gute Vater und die liebe Mutter sahen so ehrwürdig an jenem Tag aus, wie sie ihrem ersten Enkel ihren Segen gaben, daß mir das Bild stets im Herzen bleiben wird.*

## V

Trotz der Nähe der Familie, der Begegnung mit den Orten seiner Kindheit, der eigenen Vaterfreuden, des Wiedersehens mit Freunden genießt Schiller den Aufenthalt in Schwaben nicht. Im Gegenteil. Er gerät in eine Depression, die ihn schließlich bereuen läßt, die Reise überhaupt gemacht zu haben.

*Wäre ich mir nicht bewußt, daß die Rücksicht auf meine Familie den vornehmsten Antheil an meiner Hieherkunft gehabt hätte – ich könnte mich nie mit mir selbst versöhnen*, gesteht er Körner am 10. Dezember 1793. Schüttet dem Freund sein Herz aus: *vereinigte sich sovieles meine Standhaftigkeit zu bestürmen. Die Krankheit meines Kleinen* (jene, die er der Mutter gegenüber herunterspielte), *meine eigene Krankheit ..., die Unbestimmtheit meiner Aussichten in die Zukunft, da die Mainzer Aspekten sich ganz verfinstert haben, der Zweifel an meinem eigenen Genius, der durch gar keine wohlthätige Berührung von ausse⟨n⟩ gestärkt und ermuntert wird, der gänzliche Mangel einer ⟨geist⟩reichen Konversazion, wie sie mir jetzt Bedürfniß ist!*

Eine Kette von Mißlichkeiten. *Aussichten für die Zukunft.* Die jährliche Unterstützung von 1000 Talern aus Dänemark läuft aus. Die lang gehegte Hoffnung auf Dalberg und eine Berufung nach Mainz zerschlägt sich. Unmittelbar beeinflussen hier die Ereignisse in Frankreich Schillers Leben. Seine Kontakte zu Forster, seine Freundschaft mit Ferdinand Huber. Skeptisch hatte er sich zur Errichtung einer jakobinisch intendierten »Mainzer Republik« auf deutschem Boden geäußert: *›Forsters‹ Betragen wird gewiß von jedem gemißbilligt werden und ich sehe voraus, daß er sich mit Schande und Reue aus dieser Sache ziehen wird.* Auf die Jakobinerherrschaft antwortet die Koalitionsarmee unter der Führung Preußens mit der Belagerung der Stadt. Zehn Monate ist sie unter Beschuß und wird im Juli 1793 von den Preußen zurückerobert; sie ist fast völlig zerstört, ihre Zukunft ungewiß; *die Mainzer Aspekten haben sich ganz verfinstert.*

Gibt es in Württemberg die Chance einer Anstellung? Mit dem Tod des Herzogs müßten sich doch gute Aussichten in seinem Vaterland öffnen, schreibt Charlotte von Stein hoffnungsfroh aus Weimar. *Man sagt viel Gutes vom neuen Herzog und er ist doch ein reicherer Herr als unser Fürst.* Der Vater rät ihm, dem Nachfolger Carl Eugens zu dessen Amtsantritt zu gratulieren. Schiller tut es nicht. Reist aber mit von Hoven nach Tübingen, sucht seinen alten Lehrer Abel auf, der an der Universität lehrt, sondiert die Möglichkeiten einer Professur.

Nichts bewegt sich für ihn unter dem neuen Regenten.

*Ich könnte es wahrscheinlich durchsetzen, in Weimar bei dem jungen Prinzen als Instructor angestellt zu werden*, heißt es unvermittelt in einem Brief Schillers an Körner. Der Hintergrund: Charlotte Schiller bittet ihre Weimarer Freundin, sich bei der Herzogin für dieses *Projekt* einzusetzen, diese aber lehnt ab; *die ungewisse Gesundheit unsers guten Schiller war ein allzu großes Hinderniß in ihren Augen*, schreibt Charlotte von Stein.

Schillers Beunruhigung über die Zukunft. Sie scheint sich in dem Maße zu verstärken, wie ihn seine Krankheit an der Arbeit hindert.

*Nie war ich reicher an Entwürfen zu schriftstellerischen Arbeiten*, heißt es. Aber der Kopf kann sie nicht auf das Papier entlassen.

Sein körperlicher Zustand. *Anfälle* plagen ihn, *die vaterländische Luft will noch gar keine Wirkung zeigen*, klagt er im Oktober 1793. Zum Winter zu verschlechtert sich sein Befinden. Im Dezember und Januar bringt ihn *die Hartnäckigkeit* seines *Uebels ... beinahe gänzlich um* seinen *Muth*. Seit Oktober schon schafft er nichts: *wegen des elendesten aller Hindernisse, wegen körperlichen Druckes*. Die ihm *so sparsam zugewogene freie Intervallen drüken* ihn *schwer. Ich habe noch wenig arbeiten können.*

Vom *physischen Widerwillen gegen das Schreiben* ist die Rede. Nie vorher und nie später gibt es so massive Äußerungen über Arbeitsunlust wie in diesen Monaten. Mehrfach spricht er von diesem *physischen Widerwillen*. Es gebe viele Tage, gesteht er Körner, wo er *Feder und Schreibtisch hasse*.

Den Spannungszustand, wenn der Kopf die Ideen nicht auf das Papier entläßt, kann man auch Schreibkrise nennen. Es erleichtert, Schuldige dafür ausfindig zu machen. Schiller findet – neben Zukunftsängsten und Krankheit – gleich zwei. Zum einen seinen fernen Freund in Dresden. *Ich will es nicht läugnen, daß ich eine Zeitlang empfindlich auf Dich war*, schreibt er ihm am 10. Dezember 1793, *ich bildete mir ein, sowohl in meinen Briefen vom vergangenen Winter, als in einigen neuern gedruckten Aufsätzen, Ideen ausgestreut zu haben, die einer wärmern Aufnahme würdig wären, als sie bei Dir fanden. Bey dieser Dürre um mich her, wäre es mir so wohlthätig gewesen, eine Aufmunterung von Dir zu erhalten, und bey der Meinung, die ich von Dir habe, konnte ich mir Dein Stillschweigen und Deine Kälte nur zu ›meinem‹ Nachtheil erklären. Ich brauche aber wahrhaftig eher Ermunterung als Niederschlagung, denn ›zu‹ großes Vertrauen auf mich selbst ist nie mein Fehler gewesen.*

Zum anderen seine unmittelbare Umgebung in Schwaben. Als er den *gänzlichen Mangel* an ⟨*geist*⟩*reicher Konversazion* beklagt, fährt er fort: *Bey* seiner *hinfälligen Gesundheit* müsse er *alle Erweckungs Mittel zur Thätigkeit aus* sich *selbst nehmen, und anstatt einige Nachhülfe von aussen zu empfangen, muss ich vielmehr mit aller Macht dem widrigen Eindruck entgegenstreben, den der Umgang mit so heterogenen Menschen auf mich macht. Meine Gefühle sind durch meine Nervenleiden reizbarer und für alle Schiefheiten, Härten, Unfeinheiten und Geschmacklosigkeiten empfindlicher geworden. Ich fodre mehr als sonst von Menschen, und habe das Unglück mit solchen in Verbindung zu kommen, die in diesem Stück ganz verwahrloßt sind.*

Hart geht er mit seiner Umgebung ins Gericht. *Es* sei *hier in Schwaben*, klagt er Körner, *nicht soviel Stoff und Gehalt als Du Dir einbildest, und diesen wenigen fehlt es gar zu sehr an der ›Form‹. Manche, die ich als helle aufstrebende Köpfe verließ, sind materiell geworden und ›verbauert‹*. Von seinen *alten Bekannten*, schreibt er dem Freund, *sehe ich viele, aber nur die wenigsten interessiren mich*.

Die Frage der *Form* beschäftigt auch Schillers Frau. Ihr negatives Urteil über die Schwaben mag ihn zusätzlich bestärken. *Es giebt noch gar wenig Cultur unter den beßern Theil der Gesellschaft*, schreibt sie, *die Männer sind meist materielle wesen, und von die Frauen darf man gar nicht sprechen, die sind so bornirt wie sie bei uns vor 50 Jahren waren, und ihre häuslichen Tugenden sind doch auch so groß nicht.*

Rechnet Schiller zu den *heterogenen Menschen*, ohne es sich einzugestehen, auch seine Familie? Wo liegen auf Dauer Berührungspunkte mit Eltern, Schwestern – für einen Mann, der einzig in seiner Gedankenwelt, allein für seine Arbeit lebt. Eine Stelle im Brief an die Mutter könnte ein Fingerzeig in dieser Richtung sein: *Es ist mir himmlisch wohl, wenn ich beschäftigt bin, und meine Arbeit mir gedeiht*, schreibt er ihr. Hält nicht zuletzt die Familie ihn von der Arbeit ab? Familientreffen, Feiern, Geburtstag des Vaters, Kindstaufe, immer wieder Besuche. Für Schillers Eltern ist Carl das erste Enkelkind. Man stelle sich die Unruhe im Haus vor, auch wenn die Wohnung groß ist, kann Schiller sich doch kaum zurückziehen. Auch wenn kein Besuch kommt, sind da doch das Neugeborene, seine Frau, die Schwägerin, seine Schwester Nanette, die im Haushalt hilft, Diener, Kammerjungfer. Ob das nicht Einfluß auf seine Arbeit hat? Nie beklagt sich Schiller darüber. Im Gegenteil. Als die Eltern ihr Kommen zu seinem Geburtstag wegen schlechten Wetters und des bevorstehenden Besuches des neuen Herzogs absagen, bittet er, daß sie *keine so lange Pausen machen* sollten, bis sie *wieder zusammen kommen.* Er lädt die Eltern für die Dauer *von einigen Tagen* nach Ludwigsburg ein, schreibt: *Meinen Wagen will ich mit nächster Gelegenheit hinauf schaffen, und bey Ihnen stehen laßen, daß Sie Sich seiner immer bedienen können.*

Daß man im Zustand des *physischen Widerwillens gegen das Schreiben*, des Hasses gegen *Feder und Schreibtisch* zuweilen auch Ausflüchte vor sich selbst sucht, in Geschäftigkeit und Familie flüchtet, um die Krise zu verdecken, mag auch Schiller widerfahren sein.

Monate später wird er davon sprechen, in Stuttgart wieder unter *denkenden Menschen* zu sein. Er ist anspruchsvoll. Auch Züge von Misanthropie sind an ihm nicht zu leugnen. Auch solche der Selbstüberschätzung, zum Beispiel, wenn er über frühere Freunde schreibt: *Bei einigen andern fand ich noch manche der Ideen in Gang, die ich selbst ehmals in ihnen niederlegte: ein Beweis, daß sie bloße ›Gefäße‹ sind.*

Er braucht diese Abwehr, diese Arroganz, um seine inneren *Zweifel* am *eigenen Genius* niederzukämpfen, um sein Eigenstes zu verteidigen, zu dem er selbst wenig Zutrauen hat. Und das niemanden zu interessieren scheint.

In Jena hat Schiller seit dem Beginn seiner Kant-Studien und der sich daraus entwickelnden eigenen ästhetischen Arbeiten seine Studenten als Gesprächspartner. Im Kreis von fünfundzwanzig Personen hält er in seiner Wohnung Vorlesungen, in Rede und Gegenrede kann er seine Gedanken entwickeln, prüfen, vorantreiben. Wer sollte in Schwaben unter den einstigen Freunden, deren Lebenswege so ganz anders verlaufen sind, bereit sein, ihm zuzuhören, seine Interessen zu teilen? Zumal bei seinen enorm hohen intellektuellen Erwartungen an andere.

Einer hätte es sein können: der junge Friedrich Hölderlin, den er in dieser Zeit kennenlernt, den er als Hauslehrer an seine ehemalige Geliebte Charlotte von Kalb vermittelt. Er hätte ihm Echo, Partner sein können. Hölderlin wird sich in Schillers Schriften versenken. Von ihm stammt jene wunderbare Äußerung, die noch heute ein Schlüssel zur komplizierten ästhetischen Gedankenwelt Schillers sein kann. *In den philosophischen Briefen will ich das Prinzip finden, das mir die Trennungen, in denen wir denken und existieren, erklärt*, schreibt Hölderlin.

Schillers Gefühl, von Körner allein gelassen worden zu sein, gesteht er ihm erst, als er aus der Schreibkrise herausgefunden hat. *Daß ich Dir diese Entdeckung jetzt mache, beweißt, daß ich über diesen Zustand gesiegt und meine Parthey genommen habe. Vergiß also alles, und laß es auf Deine Freiheit gegen mich keinen Einfluß haben.*

Er teilt dem Freund Ideenskizzen und Pläne mit; die *Entwürfe zu schriftstellerischen Arbeiten* finden nun aufs Papier. Er bittet Körner, ihm *entweder das Original oder die Copie derjenigen von meinen Briefen, worinn ich angefangen habe, Dir meine Theorie der Schönheit zu entwickeln*, zurückzusenden. *Ich brauche diese Ideen jetzt nothwendig zu meiner gegenwärtigen Beschäftigung ... Vielleicht gelingt es mir in meiner Correspondenz mit dem Pr⟨inzen⟩ v. A⟨ugustenburg⟩ soweit vorzurücken, daß ich den ersten Band derselben auf kommender Meße drucken lassen kann.*

Schiller läßt das Projekt der für Körner bestimmten »Kallias-Briefe« fallen. Setzt die an den fürstlichen Adressaten in Dänemark gerichteten »Augustenburger Briefe« fort, knüpft an den am 21. Juni 1793 noch in Jena geschriebenen Brief an, in dem er aus der *terreur* die Notwendigkeit der ästhetischen Sensibilisierung ableitete. Die nächsten der in Schwaben verfaßten »Augustenburger Briefe« beschäftigen sich mit Fragen des *Geschmacks*, man könnte auch sagen der *Form*; mitunter liest sich das wie eine Lektion für seine Landsleute. Doch auch die »Augustenburger Briefe« bleiben Fragment. Die Originale werden 1794 beim Brand des Kopenhagener Schlosses vernichtet. Schiller arbeitet einiges um, der fürstliche Adressat wird nicht mehr erwähnt, der Briefduktus zurückgenommen. Die Überlegungen zum *Geschmack* zum Beispiel erscheinen als Aufsatz unter dem Titel »Über den moralischen Nutzen ästhetischer Sitten« in den »Horen«.

Den Begriff des Geschmacks gibt Schiller zugunsten des Begriffes der Schönheit auf.

Von der Arbeit an der Theorie des Schönen ist in seinen Briefen an Körner immer wieder die Rede. *Von dem Einfluß des Schönen auf den Menschen*, schreibt er dem Freund am 3. Februar 1794, *komme ich auf den Einfluß der Theorie auf die Beurtheilung und Erzeugung des Schönen, und untersuche erst, was man sich von einer Theorie des Schönen zu erwarten und besonders in Rücksicht auf die hervorbringende Kunst zu versprechen hat. Dieß führt mich natürlicherweise auf die, von aller Theorie unabhängige, Erzeugung des Originalschönen durch das Genie. Hier bin ich gerade jetzt ...*

Er hat die Krise überwunden, steckt tief in der Arbeit. Dennoch will er Schwaben verlassen. *Sobald es nur irgend möglich ist, werden wir reisen*, heißt es an jenem 3. Februar. Aber Jahreszeit und Gesundheitszustand erlauben, zumal in kriegerischen Zeiten, die weite Fahrt nicht.

Da tritt unerwartet eine Wende ein, die ihn mit Schwaben versöhnt, ihm neue Impulse verschafft. Anfang März verbreitet sich in Ludwigsburg die Nachricht, daß die kaiserliche Rheinarmee ihr Lazarett in die Stadt verlegen wird. Auf der Solitude soll es eingerichtet werden. Seuchengefahr und Ansteckungsrisiko sind groß. Schiller ist gezwungen, noch ein drittes Mal umzuziehen. Er wählt Stuttgart. Dort kann er durch Vermittlung des Staatsrates Johann Georg Hartmann das Hofküchenhaus an der Augustenstraße beziehen.

In dieser Stadt findet er geselligen Umgang, Gesprächspartner, er ist *wieder unter denkenden Menschen*; er lebt noch einmal auf. *Ich kann es mir nicht verzeyhen, daß ich diesen Entschluß nicht früher gefaßt habe.*

*Die Künste blühen hier in einem für das südliche Deutschland nicht gewöhnlichen Grade; und die Zahl der Künstler... hat den Geschmack an Mahlerey, Bildhauerey und Musik sehr verfeinert.* Schiller verkehrt im Haus des Kunstmäzens Gottlob Heinrich Rapp. Er freundet sich mit dem Bildhauer und ehemaligen Carlsschüler Johann Heinrich Dannecker an. Er sitzt ihm für eine Porträtbüste. Er läßt sich gern abbilden. Bereits im Dezember malte ihn seine Kindheitsgefährtin Ludovike Simanowiz in Ludwigsburg. Als er das fertige Bild am 6. April von ihr in Stuttgart erhält, ist er zufrieden, bittet sie, nun seine Frau zu malen. Auch die Arbeit Danneckers findet seine Zustimmung. Er ist fast verliebt in sein Abbild. Als Dannecker ihm die Büste nach Jena schickt, schreibt er ihm: *Ganze Stunden könnte ich davor stehen, und würde immer neue Schönheiten an dießer Arbeit entdecken. Wer sie noch gesehen, der bekennt, daß ihm noch nichts so ausgeführtes, so vollendetes von Sculptur vorgekommen ist. Ich selbst habe einige Abgüsse von Antiken in meinem Zimmer stehen, die ich seitdem nicht mehr ansehen mag.* Auch Freunden, so Körner, macht er seine Büste zum Geschenk. Und selbstverständlich seinen Eltern. Von der *Bieste* und *Buste* schreibt die Mutter, sie reist sogar nach Stuttgart, um sich bei Dannecker zu bedanken. Aufstellen kann man die Büste des Sohnes allerdings nicht, die Räume im Kavalierhäuschen sind zu eng, verpackt in einer Kiste steht sie in der Ecke.

Der größte Gewinn aber im wörtlichen und übertragenen Sinne ist die Begegnung mit Johann Friedrich Cotta, dem Verleger. Bereits der fünfundzwanzigjährige Cotta hat, drei Jahre nachdem er die Buchhandlung seines Vaters – seit 1659 im Familienbesitz –, übernommen hatte, über Johann Caspar anfragen lassen, ob er mit einem Manuskript des Sohnes für sein junges Verlagsunternehmen rechnen könne. Selbstbewußt hatte Schiller im Februar 1790 geantwortet: *Wegen des jungen Buchhändlers in Stuttgardt ließe sich schon noch etwas machen. Fragen Sie ihn aber gelegenheitlich, ob er im Stande ist 3 Louisdors für den Bogen zu geben, wenn ich ihm Mscrpt von Werth anbiete. Um weniger thue ich es nicht, da mir andere Buchhändler für wichtige Arbeiten soviel bezahlen.* 15 Reichstaler pro Bogen sind für ein neugegründetes Unternehmen kaum denkbar.

Im Oktober 1793 nun stellt Schillers Schulfreund Friedrich Haug den Kontakt zu dem inzwischen neunundzwanzigjährigen Tübinger Verleger her. Im November begegnen sich Schiller und Cotta vermutlich in Ludwigsburg. Im März 1794 setzt der Briefkontakt ein. Schiller scheut sich nicht, ihn mit einer Geldforderung zu eröffnen, Cotta soll ihm Vorschuß auf ein Honorar zahlen, das er von seinem Leipziger Verleger Göschen erwartet. Darüber hinaus ist von gemeinsamen Plänen, unter anderem auch von einem Dramenprojekt, die Rede.

Aber erst als Johann Friedrich Cotta Schiller in Stuttgart besucht, kommt es zu einem intensiven Projektaustausch. Die Arbeitsgespräche führen die beiden während eines Ausfluges nach Untertürkheim und auf den Kahlenstein. Mit Cotta begegnet Schiller einem Verleger, der seine Honorarforderungen stets akzeptiert, ihn darüber hinaus über Geldgeschenke sogar am Gewinn einzelner Werke beteiligt. Er findet in ihm einen finanzstarken und großzügigen Verleger, der zudem lebenslang sein Freund sein wird. Ein großes Glück. Das er dem Aufenthalt in Schwaben zu verdanken hat. Das entscheidende Zusammentreffen von Autor und Verleger findet am 4. Mai 1794 statt, kurz vor Schillers Abreise.

Zwei Tage später, am 6. Mai, verläßt Schiller seine Heimat. Mit ihm reisen Charlotte mit dem Säugling, sein Schreiber, die Kammerjungfer. Und ein schwäbisches Kindermädchen. Eine Empfehlung von Schillers Mutter. Es ist die 1763 geborene Maria Christina Wetzel, Tochter des Lehrers Georg Christoph Wetzel aus Neckarrems, die mit kurzer Unterbrechung bis zu ihrem Tod 1814 im Hause Schiller als Kindermädchen und wohl auch als Kammerjungfer angestellt sein wird.

Schiller wird Schwaben nicht wieder betreten. Das Vaterland der drei Kinder, die ihm noch geboren werden, wird Thüringen sein.

# Fünftes Kapitel

## I

Neun Tage nimmt die Reise zurück in Anspruch. Die Reisenden *überstehen* sie *wohl*, zumal es mit dem Kind keine Schwierigkeiten gibt. *Der Kleine befand sich ganz vortreflich, daß er uns weit mehr zur Freude als zur Last gereichte.*

Schiller kehrt voller Energie, den Kopf voller Ideen zurück, seine Gesundheit ist *erträglich*. Alle Zeichen stehen günstig. Erfreuliches erwartet den Ankommenden. Immanuel Kant hat sich zu seiner Schrift »Über Anmuth und Würde« geäußert, sie *das Werk einer Meisterhand* genannt. Johann Gottlieb Fichte ist als Nachfolger von Reinhold zum Professor für Philosophie nach Jena berufen worden. Wilhelm von Humboldt hat Schillers Vorschlag vom Vorjahr, als sie vor seiner Schwabenreise intensive Gespräche führten, wahr gemacht, hat als Privatier seinen Wohnsitz nach Jena verlegt; er wohnt nur wenige Häuser von Schiller entfernt. *Humbold ist mir eine unendlich angenehme und zugleich nützliche Bekanntschaft*, schreibt Schiller an Körner, *denn im Gespräch mit ihm entwickeln sich alle meine Ideen glücklicher und schneller. Es ist eine Totalität in seinem Wesen, die man äuserst selten sieht, und die ich außer ihm nur in Dir gefunden habe.* Körner kündigt seinen Besuch an. *Welches Leben wird das seyn, wenn Du hieher kommst und die Dreieinigkeit vollendest ...*

Auf der Rückreise von der Leipziger Frühjahrsmesse macht Cotta am 27. und 28. Mai in Jena Station. (Heftige und lautstarke Auseinandersetzungen soll es in Leipzig zwischen ihm und Göschen um ihren Autor Schiller gegeben haben.) Der neue Verleger bietet Schiller zwei Verträge an, beide werden in Jena ausgehandelt und von Schiller unterzeichnet. Der eine *über den Verlag einer Allgemeinen Europäischen Staaten Zeitung* und der andere *über die litterarische Monathsschrift. Die Horen.*

Bei dem ersten Vertrag handelt es sich um den für eine politische Tageszeitung, um deren Übernahme Cotta dringlich wirbt. Schiller wird, trotz seiner Unterschrift, keine Hand für dieses Projekt rühren, kaum zwei Wochen später, am 14. Juni, lehnt er, Krankheit vorschiebend, die politische Zeitung ab, *die Gründe, sie aufzugeben, haben nun ein entscheidendes Uebergewicht bey mir erhalten.* Cotta, gewiß enttäuscht über den schnellen Sinneswandel seines Autors und den Vertragsbruch, verpflichtet schließlich den Historiker Ernst Ludwig Posselt als Herausgeber.

Hat Schiller den ersten Vertrag unterschrieben, um Cotta für den zweiten, den für die literarische Zeitschrift, »Die Horen«, zu gewinnen? Der ehrgeizige Plan, daß die *vorzüglichsten Schriftsteller der Nation in eine litterarische Association* unter seiner Führung treten, geht ihm schon lange im Kopf herum. Bereits im Oktober 1792 hatte er ihn seinem Verleger Göschen unterbreitet. Die *dreißig oder vierzig beßten Schriftsteller Deutschlands* sollten seine *Mitarbeiter* sein. Göschen lehnte ab.

Nun gelingt es Schiller – offenbar geht das Kalkül der zwei Verträge auf –, Cotta zu überzeugen.

Das »Horen«-Projekt. Ein hoher Anspruch. Schillers literaturpolitische und publizistische Strategie zielt auf öffentlichen Einfluß seiner Person als Schriftsteller. Und zwar in großem Rahmen. Denn bescheiden sind seine Pläne als Herausgeber nicht, im Gegenteil: *Ich werde Wieland proponiren, den deutschen Merkur eingehen zu lassen*, gibt er kund. Dies aber werde gar nicht nötig sein, denn, so schreibt er: *Alsdann rechne ich auch darauf, daß der Merkur nach dem ersten Jahr der Horen von selbst fallen soll, so wie alle Journale, die das Unglück haben, von ähnlichem Innhalt mit den Horen zu seyn.*

Die Vertragsbedingungen, die an jenem 27. und 28. Mai 1794 in Jena zwischen Cotta und Schiller ausgehandelt werden, sind ideal. Der *Contract über die litterarische Monathsschrift die ›Horen‹ betitelt, welche unter der Aufsicht des Hofr. Schiller erschei-*

*nen soll*, ist von Schillers Hand geschrieben. Ob man daraus schließen kann, daß er die Konditionen diktiert, bleibt offen. Auf jeden Fall erweist sich Cotta als großzügig und gibt damit seinem neuen Autor eine Chance. Den Mitarbeitern wird ein Bogenhonorar von 15 bis 25 Talern zugesichert. Schiller erhält neben dem Honorar für eigene Beiträge als Herausgeber ein Jahressalär von 300 Talern. Am 10. Juli 1794 bestätigt er Cotta, *Vierhundert und fünfzig Gulden rheinisch ... Vorschußweise auf den ersten Jahrgang ... baar ausgezahlt* bekommen zu haben. Er vergißt auch nicht, an seine Frau zu denken. Unter Punkt 21 des Vertrages steht: *Ueberlebt das Journal den jetzigen Redacteur, so erhält seine Wittwe von jedem an die Autoren bezahlten Hundert den zehnten Theil.*

Sonderkonditionen werden für einen einzigen Autor ausgehandelt. Er soll 40 Taler pro Bogen erhalten, da seine Mitarbeit *eine zu kostbare Acquisition* sei *als daß man ihn nicht, um welchen Preiß es auch sey, erkaufen sollte*. Dieser Autor ist Johann Wolfgang von Goethe.

Schiller scheint von vornherein sicher zu sein, daß Goethe mitarbeiten wird.

Wie lange ist es her, daß er ihn *eine stolze Prude* nannte, der *man ein Kind machen muß*. Ist das jetzt das *Kind*, das er ihm anträgt?

Ein Jahrfünft liegen Schillers Haßliebe-Ausbrüche zurück: daß Goethes *Handlungsart auf den höchsten Genuß der Eigenliebe kalkuliert*, er ein *Egoist in ungewöhnlichem Grade* sei; seine Klagen, daß diesem Goethe im Leben alles *leicht* geworden, zugefallen sei, während ihn das *Schicksal hart behandelt* habe; sein bitterer Satz: *Dieser Mensch, dieser Goethe ist mir nun einmal im Wege*.

Dann die Entscheidung, ihn zu ignorieren, konsequent den eigenen Weg zu verfolgen. Seit 1791 kommt der Name Goethe in Schillers Briefen kaum mehr vor. Ein schwer erkämpfter Abstand.

Jetzt tritt Schiller selbstbewußt und souverän auf. Im Sommer 1794 ist er nicht mehr der, der in seiner kleinen Junggesellenwohnung zwei Häuser von dem repräsentativen Domizil Goethes entfernt auf ein Zeichen des Großen wartet. Die Asymmetrie der Verhältnisse hat sich zu seinen Gunsten gewandelt. Seine Ehe hat seinen sozialen Status verändert, er hat in eine thüringische Adelsfamilie eingeheiratet. Seine Frau, eine geborene von Lengefeld, ein Patenkind von Charlotte von Stein, kennt Goethe seit ihrer Kindheit und mag sie. Mit der Ehe öffnen sich Schiller andere gesellschaftliche Kreise. Die Freundschaft zwischen seiner Frau und Charlotte von Stein schließt auch ihn mit ein.

Die Wertschätzung, die Fürstenhäuser des Auslandes, so das dänische, für Schiller bekunden, lassen ihn leichter darüber hinwegsehen, daß es dem Weimarer Herzog ihm gegenüber an Wohlwollen und finanziellem Engagement mangelt. Mit Johann Friedrich Cotta steht ihm neben Göschen dazu noch ein finanzstarker Verleger zur Seite.

Zu Beginn der neunziger Jahre erreicht der Autor Schiller einen vorläufigen Höhepunkt seiner Publizität. Seine Erfolge auf dem Buchmarkt mit den hohen Auflagen des Romans »Der Geisterseher« und der Arbeiten zur Geschichte sind unübersehbar.

Seine freundschaftlichen Kontakte zu Wilhelm von Humboldt und Johann Gottlieb Fichte sprechen für ihn. Er hat gute Gründe für ein selbstbewußtes Auftreten. Er kann nicht mehr einfach übergangen werden.

Und Goethe? Sein Wunsch, nach der Rückkehr aus Italien 1788 als *Künstler* und *Gast* in Weimar zu leben, dem der Herzog nach außen hin zustimmte, hat sich nicht den Vorstellungen entsprechend erfüllt. Seine Liebe zu Christiane Vulpius, einer jungen Frau aus der *Weimarischen Armuth*, sein freies Zusammenleben mit ihr und dem gemeinsamen Kind, wird von Hof und Stadt als Skandalon empfunden; es isoliert ihn. Die Entfremdung von einstigen Vertrauten, so von Charlotte von Stein, aber auch von Johann Gottfried Herder, führt zur Erfahrung der Einsamkeit.

Als eine Art Strafmaßnahme des Fürstenhauses ist sein erzwungener Umzug vor die Tore der Stadt zu sehen. Seine Teilnahme an den kriegerischen Unternehmungen des Herzogs kann man als Versuch werten, durch Botmäßigkeit ihm gegenüber die Rückkehr in das Haus am Frauenplan zu erreichen. Was ihm auch gelingt. 1792 durfte er wieder einziehen, jetzt, am 17. Juni 1794, schenkt ihm Carl August das Haus. Die Schenkungsurkunde bezeugt, daß dies aus Dankbarkeit geschehen ist, da Goethe ihn *in wahrer persönlicher Anhänglichkeit* im Feldzug nach Frankreich begleitet und an der Belagerung von Mainz teilgenommen habe. Dennoch behält sich der Mäzen den letzten Schritt vor, in formaljuristischem Sinne ist das Haus nicht Goethes Besitz, im Kataster steht es nicht unter seinem Namen, das Fürstliche Amt zahlt weiter die Steuern. Grund dafür ist Carl Augusts Vorbehalt gegen Goethes illegitimes Zusammenleben mit Christiane Vulpius.

Literarisch gilt Goethe in jenen Jahren als wenig erfolgreich. Seine bei Göschen erschienene Werkausgabe verkauft sich schlecht. Die *Wiedergeburt* als *Künstler*, die er durch den Italienaufenthalt meinte erfahren zu haben, findet nach seiner Rückkehr keine angemessene Anerkennung.

Seine naturwissenschaftlichen Studien, die ihn in der nachitalienischen Zeit beschäftigen, werden kaum beachtet. Die »Beiträge zur Optik« erreichen nur ein Fachpublikum. Den »Versuch die Metamorphose der Pflanzen zu erklären« lehnt sein Verleger Göschen für den Druck ab. Die Schrift erscheint 1790 bei Ettinger in Gotha.

Seine »Erotica Romana« hält er unter Verschluß. Wie auch die Reisenotizen aus Italien, die er erst 1813 zur Veröffentlichung freigibt.

Die versifizierte »Iphigenie« stößt in Weimar auf Unverständnis. Der 1790 beendete »Tasso« findet keine Resonanz. Obgleich Goethe seit 1791 das Weimarer Theater leitet, wagt er sich nicht an eine Inszenierung; »Tasso« wird erst 1807 uraufgeführt werden. Das Schmerzenskind »Egmont« wird in einer von Schiller bearbeiteten Fassung im April 1796 auf die Bühne kommen.

Auch Goethes »Iphigenie« richtet Schiller für das Theater ein, 1802 erst wird sie gespielt werden.

Das Jahr, das der Begegnung mit Schiller vorausgeht, ist in Goethes Leben in politischer Hinsicht eine Zäsur; er zieht sich zurück, verweigert sich fortan einer aktiven Teilnahme an politischen Unternehmungen an der Seite seines Mäzens, nimmt vom Zeitgeschehen nur die allernotwendigste Notiz.

Erkennt Schiller Goethes Lage, hält er seine Zeit für gekommen?

Am 13. Juni 1794 schreibt er ihm einen Brief, lädt ihn zur Mitarbeit an den »Horen« ein. *Hochwohlgebohrner Herr, hochzuverehrender Herr Geheimer Rath*, redet er seinen Dichterkollegen an. Ein diplomatischer Brief, im Gestus der höflichen Unterwerfung geschrieben. Schiller legt dem Brief ein mit Fichte, Humboldt und Woltmann ausgearbeitetes Papier bei, das die Ziele der Zeitschrift skizziert. Sie werde *sich über alles verbreiten, was mit Geschmack und philosophischem Geiste behandelt werden kann, und also sowohl philosophischen Untersuchungen, als historischen und poetischen Darstellungen offen stehen,* kann Goethe lesen. Und: *vorzüglich aber und unbedingt wird sich alles verbieten, was sich auf Staatsreligion und politische Verfassung bezieht.*

Wie Schiller diesen Passus gegen Fichte, diesen *schlimmen Jakobiner* (so Voigt an Goethe), erstritten haben mag, bleibt offen. Goethe jedoch wird diese Abstinenz von der Politik behagen, persönlich, wie auch als dem für die Kultur- und Universitätspolitik des Weimarer Fürstentums Zuständigen.

Am 24. Juni antwortet er: *Ew. Wohlgeb. eröffnen mir eine doppelt angenehme Aussicht, sowohl auf die Zeitschrift welche Sie herauszugeben gedencken, als auf die Theilnahme zu der Sie mich einladen. Ich werde mit Freuden und von ganzem Herzen von der Gesellschaft seyn.* An der Stelle des *mit Freuden* stand zunächst *mit Dancke*, das korrigiert er. Der Brief endigt: *Ich hoffe bald mündlich hierüber zu sprechen ...* Vier Tage später heißt es in einer Nachricht an Charlotte von Kalb: *Noch muß ich sagen, daß seit der neuen Epoche auch Schiller freundlicher und zutraulicher gegen uns Weimaraner wird, worüber ich mich freue und in seinem Umgange manches Gute hoffe.*

Und am 28. August vertraut er seinem Ziehsohn Fritz von Stein an, auf welchem Hintergrund er die Annäherung sieht: *daß ich mit Schillern in ein angenehmes Verhältniß komme ..., zu einer Zeit, wo die leidige Politik und der unselige körperlose Partheygeist alle freundschaftliche Verhältnisse aufzuheben, und alle wissenschaftliche Verbindungen zu zerstören droht.*

Der 20. Juli 1794 gilt gemeinhin als Geburtsstunde der Freundschaft zwischen Schiller und Goethe. Es ist jener Tag, an dem bei einer Sitzung der 1793 gegründeten »Naturforschenden Gesellschaft« im Hause des an der Jenaer Universität lehrenden Mediziners und Botanikers Karl Batsch sich beide »zufällig« begegnen.

Schiller ist es, der diesem »Zufall« den Weg bahnt. Dem 20. Juli geht jener Brief vom 13. Juni voraus, den der Empfänger am 24. Juni beantwortet. Und man kann sicher sein, daß Schiller am 20. Juli – einem Sommertag, dessen Hitze ihn arbeitsmüde macht und ihn aus dem Haus gehen läßt – dem »Zufall« der Begegnung sofort eine sorgsame Inszenierung folgen läßt. Dem Treffen vom Sonntag, dem 20., folgt zwei Tage später eine Begegnung im Hause Wilhelm von Humboldts. Am 22. Juli trägt dieser in sein Tagebuch ein: *Abends assen Schillers und Goethe bei uns.* Diese Zusammenkunft von Schiller dringlich erbeten, von Humboldt, dem Freund, arrangiert? Am Morgen des 23. Juli reist Goethe nach Weimar zurück.

Beide haben sich dieses entscheidenden Zusammentreffens erinnert. Goethe, lange nach Schillers Tod, aus dem Abstand von über zwei Jahrzehnten. Er bezieht sich auf die »Naturforschende Gesellschaft«, schreibt: *Ihren periodischen Sitzungen wohnte ich gewöhnlich bei; einstmals fand ich Schillern daselbst, wir gingen zufällig beide zugleich heraus, ein Gespräch knüpfte sich an, er schien an dem Vorgetragenen teilzunehmen, bemerkte aber ..., wie eine so zerstückelte Art die Natur zu behandeln, den Laien, der sich gern darauf einließe, keineswegs anmuten könne. Ich erwiderte darauf: daß sie den Eingeweihten selbst vielleicht unheimlich bleibe, und daß es doch wohl noch eine andere Weise geben könne die Natur nicht gesondert und vereinzelt vorzunehmen, sondern sie wirkend und lebendig, aus dem Ganzen in die Teile strebend darzustellen. Er wünschte hierüber aufgeklärt zu sein, verbarg aber seine Zweifel nicht, er konnte nicht eingestehen, daß ein solches, wie ich behauptete, schon aus der Erfahrung hervorgehe. Wir gelangten zu seinem Hause, das Gespräch lockte mich hinein; da trug ich die Metamorphose der Pflanzen lebhaft vor und ließ, mit manchen charakteristischen Federstrichen, eine symbolische Pflanze vor seinen Augen entstehen. Er vernahm und schaute das alles mit großer Teilnahme, mit entschiedener Fassungskraft; als ich aber geendet, schüttelte er den Kopf und sagte: das ist keine Erfahrung, das ist eine Idee. Ich stutzte, verdrießlich einigermaßen: denn der Punkt der uns trennte, war dadurch aufs strengste bezeichnet. Die Behauptung aus Anmut und Würde fiel mir wieder ein, der alte Groll wollte sich regen, ich nahm mich aber zusammen und versetzte: das kann mir sehr lieb sein, daß ich Ideen habe ohne es zu wissen, und sie sogar mit Augen sehe.*

Schillers Zeugnis über den Beginn der Freundschaft ist aus einem zeitlichen Abstand von nur wenigen Wochen niedergeschrieben. Während Goethe sich auf das Treffen im Hause Batsch bezieht, hat Schiller auch die Begegnung im Hause von Humboldt im Kopf, weil jenes zweite abendliche Gespräch Fragen der Kunst und der Kunsttheorie beinhaltete und für ihn wohl gegenüber dem vorausgegangenen über die Metamorphose der Pflanzen das bedeutendere war.

Am 1. September 1794 schreibt er an Körner, mit dem er sich in Weißenfels getroffen hatte: *Bey meiner Zurükkunft fand ich einen sehr herzlichen Brief von Göthe, der mir nun endlich mit Vertrauen entgegen kommt. Wir hatten vor 6 Wochen über Kunst und Kunsttheorie ... uns die Hauptideen mitgetheilt, zu denen wir auf ganz verschiedenen Wegen gekommen waren. Zwischen diesen Ideen fand sich eine unerwartete Uebereinstimmung, die um so interessanter war, weil sie wirklich aus der größten Verschiedenheit der Gesichtspunkte hervorgieng. Ein jeder konnte dem andern etwas geben, was ihm fehlte, und etwas dafür empfangen. Seit dieser Zeit haben diese ausgestreuten Ideen bei Göthen Wurzel gefaßt, und er fühlt jetzt ein Bedürfniß, sich an mich anzuschließen, und den Weg, den er bißher allein und ohne Aufmunterung betrat, in Gemeinschaft mit mir fortzusetzen.*

Goethe schließt sich ihm an? Beansprucht Schiller auch hier die Führungsrolle, wie er es in den meisten seiner Männerfreundschaften autoritär getan hat, einfach deshalb, weil er der schärfere Geist war? Seine Formulierung legt das nahe.

Doch dem ist keineswegs so. Es ist eher der Überschwang eines nach langer Zeit ans Ziel Gekommenen, das Gefühl des Triumphes, ja Sieges, das er auskosten und Körner anvertrauen muß, dem Freund, der auch der intime Zeuge seiner früheren Ausbrüche gegen Goethe gewesen war.

Wir erinnern uns, daß Schiller *Wahres* über sich *hören* wollte und ihm einzig an Goethes Urteil lag.

Daß er schon zeitig Unterschiede konstatierte. Vor allem in den Bereichen Philosophie und Natur. Im August 1787 schrieb er ironisch über Goethe und seine *Sekte* in Weimar: *kurz eine gewisse kindliche Einfalt der Vernunft bezeichnet ihn und seine ganze hiesige Sekte. Da sucht man lieber Kräuter oder treibt Mineralogie* ... Nach der ersten persönlichen Begegnung im September 1788 in Rudolstadt hieß es: *seine Welt ist nicht die meinige, unsere Vorstellungsarten scheinen wesentlich verschieden.*

Durch Schillers Beschäftigung mit der Philosophie Kants verstärkt sich der empfundene Gegensatz noch. Über Goethe urteilt er: *Seine Philosophie mag ich auch nicht ganz: sie holt zuviel aus der Sinnenwelt, wo ich aus der Seele hole. Überhaupt ist seine Vorstellungsart zu sinnlich und ›betastet‹ mir zuviel.*

Goethe sieht – in seiner vorsätzlichen Abneigung – das Trennende noch schärfer. Worum geht es bei dem *alten Groll*, der sich in ihm regen will, als Schiller im Hause Batschs nach Goethes Ausführungen sagt: *das ist keine Erfahrung, das ist eine Idee*. Keineswegs mehr um die Goethe verhaßten »Räuber«, um seine Irritation durch den »Don Carlos«, sondern um weltanschauliche Gegensätze, die sich mit Schillers Hinwendung zu Kant und seinen Veröffentlichungen zur Ästhetik zugespitzt haben.

Es gibt eine durch den Weimarer Johann Daniel Falk überlieferte Äußerung, die, wenn auch vereinfachend, die Gegensätze auf den Punkt bringt. Goethe habe geäußert: *Ich kann nicht sagen, daß ich um diese Zeit irgend etwas von Schillern gewann ... denn so wie er seinerseits ... auf dem Idealismus stand; so war ich auf den Realismus versessen.*

Schiller ist der kantianisch geschulte Kopf, der in der Transzendentalphilosophie zu Hause ist, und dem Erfahrung weniger bedeutet als die Idee.

Goethe dagegen ist der Empiriker, der intuitive Denker, der praktische Naturforscher mit einer erfahrungswissenschaftlichen Perspektive; seinem intuitiv arbeitenden Verstand sind über die erfahrbare Welt hinausgehende Spekulationen fremd.

Für Schiller ist die *Speculation* charakteristisch, für Goethe *die Intuition*, man könnte das eine auch *Idee* nennen, bei dem anderen von *Erfahrung* sprechen.

An dem Kantianer Schiller ist Goethe vor allem dessen Geringschätzung der Natur verhaßt. *Sein Aufsatz über Anmut und Würde war eben so wenig ein Mittel mich zu versöhnen*, schreibt er. Schiller sei als Kantianer *undankbar gegen die große Mutter*, die Natur. *Anstatt sie als selbständig, lebendig vom Tiefsten bis zum Höchsten gesetzlich hervorbringend zu betrachten, nahm er sie von der Seite einiger empirischen menschlichen Natürlichkeiten. Gewisse harte Stellen*, schreibt Goethe – auf Schillers Bemerkung über die Genies als *Günstlinge der Natur* mit ihren *Unarten* anspielend –, *konnte ich direkt auf mich deuten, sie zeigten mein Glaubensbekenntnis in einem falschen Lichte; dabei fühlte ich es sei noch schlimmer wenn es ohne Beziehung auf mich gesagt worden; denn die ungeheuere Kluft zwischen unsern Denkweisen klaffte nur desto entschiedener.*

Wie diese *ungeheuere Kluft* überbrücken? Schiller gelingt es. In diesem Hochsommer 1794 – der Freundschaft so nah – wirft er alles in die Waagschale.

Er schreibt Goethe einen Brief.

Wäre die Verbindung aus welchen Gründen auch immer nicht zustande gekommen, dieser Brief allein wäre ausreichend als Beweis einer großen Freundschaft. Ein berührendes Dokument; scharfsinnige Analyse und Liebeserklärung zugleich.

Der Brief, datiert auf den 23. August, einen Samstag, geschrieben auf zwei Doppelblättern, 18,7 x 23,8 cm, die Wasserzeichen des äußeren Blattes Querstreifen, des inneren Querstreifen mit Posthorn; acht Seiten in Schillers schöner klarer Handschrift. *Die neulichen Unterhaltungen mit Ihnen*, gesteht der Schreiber, *haben meine ganze IdeenMaße in Bewegung gebracht, denn sie betrafen einen Gegenstand, der mich seit etlichen Jahren lebhaft beschäftigt. Ueber so manches, worüber ich mit mir selbst nicht ganz einig werden konnte, hat die Anschauung Ihres Geistes (denn so muß ich den TotalEindruck Ihrer Ideen auf mich nennen) ein unerwartetes Licht in mir angesteckt. Mir fehlte das Objekt, der Körper, zu mehreren speculativischen Ideen, und Sie brachten mich auf die Spur davon.* Schiller zieht die *Summe* von Goethes künstlerischer *Existenz*, bezeichnet ihn als einen *Deutschen*, dessen *griechischer Geist in* die *nordische Schöpfung geworfen wurde. Ihr beobachtender Blick, der so still und rein auf den Dingen ruht, setzt Sie nie in Gefahr, auf den Abweg zu gerathen, in den sowohl die Speculation als die willkührliche und bloß sich selbst gehorchende Einbildungskraft sich so leicht verirrt. In Ihrer richtigen Intuition ligt alles und weit vollständiger, was die Analysis mühsam sucht ... Sie suchen das Nothwendige der Natur ..., in der Allheit Ihrer Erscheinungsarten suchen Sie den Erklärungsgrund für das Individuum auf. Von der einfachen Organisation steigen Sie, Schritt vor Schritt, zu den mehr verwikkelten hinauf, um endlich die verwickeltste von allen, den Men-*

*schen, genetisch aus den Materialien des ganzen Naturgebäudes zu erbauen. ... So ungefähr beurtheile ich den Gang Ihres Geistes... Was Sie aber schwerlich wißen können (weil das Genie sich immer selbst das größte Geheimniß ist) ist die schöne Uebereinstimmung Ihres philosophischen Instinktes mit den reinsten Resultaten der speculirenden Vernunft.*

Goethe – dessen *Anschauung* in Schiller *ein unerwartetes Licht ... angesteckt* hat – als der, der den *Ideen* den *Körper* gibt. Unschwer ist zu erkennen, daß es Schillers Begriffe sind, mit denen er Goethes Denkungsart zu fassen sucht. Einerseits soll sich Goethe durch diese Deutung erkannt sehen, soll dessen Gefühl des Mißverstandenwerdens durch den zehn Jahre Jüngeren damit gegenstandslos werden, andererseits hat diese Deutung auch eine heilsame Wirkung auf Schiller selbst: so gezeichnet, kann der andere ihn weder als Vorbild noch als Gegenbild weiterhin irritieren.

Benannt werden – indirekt – Unterschiede, die Poetik und die Theorie der Dichtung betreffend, verschiedene Schaffensweisen und Veranlagungen, um sie letztlich zu einem Kunstwerk der Übereinstimmung zu erklären. Das Trennende wird zum Ausgangspunkt für Produktivität und Gemeinsamkeit gemacht. Eine Annäherung auf halbem Wege, von gegensätzlichen Standpunkten aus.

Ihrer aggressiven Energie gegeneinander wird der Boden entzogen; nicht durch Taktik oder Berechnung, sondern – und das eben ist das Außerordentliche an Schillers Brief – durch eine scharfsinnige Sachanalyse, die Hochachtung mit Liebe verbindet.

Dieser Brief ist die Brücke, die über den Abgrund führt. Goethe betritt die Brücke. Er fühlt sich verstanden, sieht *die Summe* seiner *Existenz mit freundschaftlicher Hand* gezogen, sieht sich *zu einem emsigern und lebhafteren Gebrauch* seiner *Kräfte* ermuntert. Er betrachtet den Brief als Geschenk. *Zu meinem Geburtstage, der mir diese Woche erscheint, hätte mir kein angenehmer Geschenck werden können als Ihr Brief ...*

Jetzt benutzt auch er die Wegmetapher; noch vorsichtig, in der Möglichkeitsform: *da es nun scheint, als wenn wir, nach einem so unvermutheten Begegnen, mit einander fortwandern müßten.*

Schiller greift das sofort auf, er sehe, *daß die so sehr verschiedenen Bahnen, auf denen Sie und ich wandelten, uns nicht wohl früher, als gerade jetzt, mit Nutzen zusammenführen konnten. Nun kann ich aber hoffen, daß wir, soviel von dem Wege noch übrig seyn mag, in Gemeinschaft durchwandeln werden ...*

Er ebnet dabei *die ungeheuere Kluft zwischen* ihren *Denkweisen*, die *Erddiameter*, die sie trennen, keineswegs ein. Im Gegenteil, er leuchtet das Terrain der Gegensätze voll aus.

In einem zweiten Brief, geschrieben am 31. August, entwirft Schiller ein Porträt seiner selbst, in dem er ihrer beider Unterschiede in Mentalität und Arbeitsweise festhält. *Erwarten Sie bey mir keinen großen materialen Reichthum von Ideen; dieß ist es, was ich bey Ihnen finden werde. Mein Bedürfniß und Streben ist, aus Wenigem Viel zu machen ... Weil mein Gedankenkreis kleiner ist, so durchlaufe ich ihn eben darum schneller und öfter, und kann eben darum meine kleine Baarschaft beßer nutzen, und eine Mannichfaltigkeit, die dem Innhalte fehlt, durch die Form erzeugen. Sie bestreben Sich, Ihre große Ideenwelt zu simplificiren, ich suche Varietæt für meine kleinen Besitzungen. Sie haben ein Königreich zu regieren, ich nur eine etwas zahlreiche Familie von Begriffen, die ich herzlich gern zu einer kleinen Welt erweitern möchte ... ›Mein‹ Verstand wirkt eigentlich mehr symbolisierend, und so schwebe ich als eine ZwitterArt, zwischen dem Begriff und der Anschauung, zwischen der Regel und der Empfindung, zwischen dem technischen Kopf und dem Genie. Dieß ist es, was mir, besonders in frühern Jahren, sowohl auf dem Felde der Speculation als der Dichtkunst ein ziemlich linkisches Ansehen gegeben; denn gewöhnlich übereilte mich der Poet, wo ich philosophieren sollte, und der philosophische Geist, wo ich dichten wollte.*

Dieser treffenden, wenn auch übertrieben kritischen Einschätzung seiner literarischen Möglichkeiten fügt er – mit Blick auf seine Krankheit – eine berührende und beängstigend klarsichtige Vision seiner literarischen Zukunft hinzu: *leider aber, nachdem ich meine moralischen Kräfte recht zu kennen und zu gebrauchen angefangen, droht eine Krankheit, meine physischen zu untergraben. Eine große und allgemeine Geistesrevolution werde ich schwerlich Zeit haben, in mir zu vollenden, aber ich werde thun was ich kann, und wenn endlich das Gebäude zusammenfällt, so habe ich doch vielleicht das Erhaltenswerthe aus dem Brande geflüchtet.*

Die Freundschaft nimmt ihren Lauf.

Goethe kann sich neidlos und geschmeichelt als der Bewunderte, als der, von dem zu lernen ist, fühlen.

Die Freundschaft wird Goethe und Schiller zusammen auf den Sockel des Weimarer Denkmals heben. Diese Freundschaft ist oft idealisiert und heroisiert worden. Oder herabgewürdigt, wenn August Wilhelm Schlegel sie zum Beispiel für eine Verbindung hält, in der sich das Verhältnis von Faust und Wagner wiederholt.

Lassen wir die Beteiligten sprechen: Schiller wird die Begegnung mit Goethe als das *wohlthätigste Ereigniß* seines *ganzen Lebens* charakterisieren. Goethe wird, wenige Wochen nach Schillers Tod, sagen, er habe durch den Verlust des Freundes *die Hälfte* seines *Daseyns verloren.*

## II

*Haben wir uns wechselseitig die Punckte klar gemacht wohin wir gegenwärtig gelangt sind; so werden wir desto ununterbrochner gemeinschaftlich arbeiten können*, schreibt Goethe in der Antwort auf jenen als Geschenk empfundenen Brief Schillers. Und dieser vertraut Charlotte an: *Nun bin ich voll Erwartung, was die Berührungen mit Göthen neues in mir entwickeln werden.* Er ist überzeugt, so an Körner: *Unsre nähere Berührung wird für uns beide entscheidende Folgen haben und ich freue mich innig darauf.*

Anfang September lädt Goethe Schiller zu einem längeren Aufenthalt ins Haus am Frauenplan ein. Schiller ist für Wochen allein in Jena. Charlotte ist mit dem Sohn, *um den Blattern auszuweichen, die Herr v. Humboldt seinen Kleinen inokulieren ließ*, zu ihrer Mutter nach Rudolstadt gereist. Wohl auch, weil der kleine Carl *jetzt*, wie Schiller an Körner schreibt, *im Zahngeschäft* ist und sein Schreien den Vater bei der Arbeit stört.

Schiller nimmt Goethes Einladung an. *Ich freue mich darauf daß Du mit ihm leben wirst*, schreibt Charlotte ihm, *er wird Dir viel schönen Genuß gewähren, und ich möchte wohl eure Gespräche hören können ...* Am 14. September – es ist der erste Geburtstag seines Sohnes – verläßt Schiller zusammen mit Wilhelm von Humboldt Jena. Unter diesem Datum steht in dessen Tagebuch: *Fuhr ich mit Schiller nach Weimar.* Es ist ein Sonntag. Am Nachmittag treffen sie ein. Am 28. September dann reist Schiller, wiederum mit Humboldt, von Weimar ab. *Vormittag zusammen mit Humboldt Rückkehr nach Jena*, notiert er in seinen Kalender.

Vierzehn Tage, zwölf volle Arbeitstage und Abende; von einer *Conferenz* wird Goethe später sprechen. Die beiden Autoren vertrauen einander ihre Pläne an. *Ich habe ihm meinen Plan zu den Malthesern gesagt*, berichtet er Charlotte. *Sonst sprachen wir sehr viel von seinen und meinen Sachen, von anzufangenden und angefangenen Trauerspielen und dgl., ... auch von seinen Arbeiten in der Naturgeschichte und optik hat er mir viel intereßantes erzählt.*

Die neuen Freunde beschließen, Manuskripte noch im Stadium des Entstehens auszutauschen.

Sie besprechen Theaterprojekte. Schillers »Fiesko« und »Kabale und Liebe« sollen – nach Goethes Willen – *ein wenig ... ›retouchiert‹ ... bleibendes Eigenthum* des Weimarer Theaters werden. Und er macht den Vorschlag, daß Schiller sich seines

Schmerzenskindes annehmen solle. *Er hat mich gebeten, seinen Egmont für das Weim⟨arische⟩ Theater zu corrigiren, weil er es selbst nicht wagt, und ich werde es auch thun.*

Sie vereinbaren einen Briefwechsel *über Materien zu eröfnen, die uns beyde interessieren, und dieser Briefwechsel soll dann in den Horen gedruckt werden.*

Und: eine Geste großer Offenheit: Goethe liest Schiller seine bisher unter Verschluß gehaltenen »Erotica Romana« vor. Als Herausgeber wird dieser sie im ersten Jahrgang seiner neuen Zeitschrift veröffentlichen.

Ein volles Arbeitsprogramm. Beide bewerten ihre Gespräche im Haus am Frauenplan positiv.

*Schiller ist jetzt bey mir und von sehr guter Unterhaltung,* schreibt Goethe bereits am ersten Tag nach dessen Ankunft. Sieben Tage später, fast enthusiastisch: *Schiller ... bringt durch seinen Antheil viel Leben in meine oft stockenden Ideen.*

Schillers Urteil ist zurückhaltender: *Ich bin mit meinem Aufenthalt zufrieden, und ich vermuthe, daß er sehr viel auf mich gewirkt hat. Doch das muß die Zeit lehren.*

Das tägliche Zusammensein ist nicht nur ein Prüfstand ihrer Ideen, sondern auch ihrer Lebensgewohnheiten und Eigenheiten.

Goethe ist Rauchen und Schnupftabakgebrauch verhaßt. Schiller kann ohne beides nicht leben. Goethe ist ein Frühaufsteher mit einem streng geregelten Tagesablauf. Schiller dagegen arbeitet oft bis tief in die Nacht hinein, steht erst gegen Mittag auf. Gewohnheit oder der Krankheit geschuldet? Schiller glaubt letzteres, obgleich er schon als Gesunder ein Nachtarbeiter war und sein Schlafen bis zum Mittag auch aus früheren Zeiten belegt ist.

*Bey Goethe wirst Du ordentlicher leben müßen hoffentlich.* Ist diese Bemerkung Charlottes allein der Besorgtheit während ihrer Abwesenheit geschuldet oder auch eine leise Kritik an seiner Lebensführung?

Ehe Schiller die Einladung in Goethes Haus annahm, hatte er darum gebeten, seine Gewohnheiten beibehalten zu dürfen: *Mit*

*Freuden nehme ich Ihre gütige Einladung nach W⟨eimar⟩ an, doch mit der ernstlichen Bitte, daß Sie in keinem einzigen Stück Ihrer häußlichen Ordnung auf mich rechnen mögen, denn leider nöthigen mich meine Krämpfe gewöhnlich, den ganzen Morgen dem Schlaf zu widmen, weil sie mir des Nachts keine Ruhe laßen, und überhaupt wird es mir nie so gut, auch den Tag über auf eine ›bestimmte‹ Stunde sicher zählen zu dürfen. Sie werden mir also erlauben, mich in Ihrem Hause als einen völlig Fremden zu betrachten ... Die Ordnung, die jedem andern Menschen wohl macht, ist mein gefährlichster Feind ... Entschuldigen Sie diese Präliminarien, die ich nothwendiger weise vorhergehen laßen mußte, um meine Existenz bey Ihnen auch nur möglich zu machen. Ich bitte bloß um die leidige Freyheit, bey Ihnen krank seyn zu dürfen.*

Goethe wird sich mit seiner Lebensgefährtin Christiane Vulpius beraten haben. Sie richtet alles nach den Wünschen des Gastes ein. Schiller am 16. September: *Ich habe alle Bequemlichkeiten, die man außer seinem Hause erwarten kann und wohne in einer Reyhe von 3 Zimmern, vorn hinaus.*

Als Goethe von Schillers *sehr guter Unterhaltung* berichtet, fügt er hinzu: *insofern es seine Krankheit erlaubt.*

Es fällt schwer, sich von Schillers körperlichem Zustand und der Art seiner Krankheit eine Vorstellung zu machen.

Einerseits geht es ihm gut. Am 24. September berichtet er Charlotte: *Mein hiesiger Auffenthalt bekommt mir übrigens gut. Stelle Dir vor, daß ich die zehen Nächte, die ich nun schon hier zugebracht habe, vortreflich geschlafen habe, ohne durch Krämpfe gestört worden zu seyn. Gewöhnlich war ich schon halb 12 Uhr auch manchmal noch früher im Schlaf. Bei Tage aber war es im Verhältniß nicht beßer, wie wohl ich noch ganz gut mit meinem Befinden zufrieden bin. Meine guten Nächte sind vielleicht meiner gänzlichen Enthaltung von Caffe, Thee und Obßt zuzuschreiben, und vermutlich auch dem ordentlichen Abendeßen, wo ich immer Wein und niemals Bier trinke. Ueberhaupt trinke ich des Tags über mehr Wein als gewöhnlich und dieser scheint mir beßer als warme Getränke zu bekommen. Gemüse esse ich Mittags und Abends, und doch vermehren sich meine Blähungen nicht.* Dieser Schilderung ist zu entnehmen, daß der Gast sich Goethes Rhythmus des Zubettgehens vor Mitternacht anpaßt.

Andererseits ist vom späten Aufstehen die Rede, *von halb 12 wo ich angezogen war*, davon, daß ihn tagsüber *Krämpfe incommodiren*, auch von einem *Reissen in den Lenden, das ich mir durch eine Erkältung zugezogen habe.* An diesem Tag ist er dann mit Goethe von *halb 12 ... biß Nachts um 11 Uhr ununterbrochen beysammen.*

Wie wohl die meisten Tage; freilich klagt er: *doch ohne den ganzen Genuß dieses Umgangs, weil ich mich selten wohl befand.*

Wie stark er in seinen Unternehmungen durch die Krankheit eingeschränkt ist, geht aus einer Charlotte geschilderten Episode hervor. Er will Frau von Stein besuchen, ist schon die wenigen Schritte durch die Seifengasse zum Stiedenvorwerk gegangen. Sie ist nicht da, ist bei ihrer Mutter. Auch dahin ist der Weg nicht weit. Aber er schreibt: *dorthin konnte ich mich nicht mehr tragen, mußte also in ihrem Hause eine Viertelstunde anhalten, um mich zu erhohlen und dann wieder nach Hause gehen.* Auch eine geplante Visite bei Herder sagt er ab, weil er sich *nicht wohl genug dazu befand.*

Er unternimmt keinen weiteren Anlauf zu Besuchen, weder bei Charlotte von Stein noch bei Herder. Goethe lädt diesen am 18. September mit seiner Frau und einem Herrn Rehberg ins Haus am Frauenplan ein. Außer dieser Gesellschaft und der Wilhelm von Humboldts, der die erste Nacht mit in Weimar bleibt, einmal zu Fuß von Jena herüberkommt und die letzten Abende zu Gast ist, sind es immer Gespräche unter vier Augen, die die beiden führen.

Goethes Gegenwart füllt Schiller aus. Auch der Gastgeber scheint kein Bedürfnis nach Erweiterung des Kreises zu haben, beide konzentrieren sich auf das Gespräch miteinander, auf ihre Zweisamkeit.

Goethe wird den Freund durchs Haus führen. Die Umbauten sind noch längst nicht beendet. Aber die alte barocke Treppe ist bereits durch die breite italienische mit den dreiunddreißig flachen Stufen ersetzt worden, der Übergang vom Vorder- zum Hinterhaus und in den Garten mit dem Brückenzimmer geschaffen. Die Vielzahl der Räume, die Großzügigkeit, das Museale. Der Gastgeber wird Schiller seine Kunstsammlungen zeigen. *Ich habe bey G⟨öthe⟩ schon schöne Landschaften gesehen.* Von gemeinsamem *Spazierengehen* ist die Rede; davon, daß sie im Stern, im Weimarer Park, waren.

Fahren sie auch miteinander aus? Läßt der Hausherr eine Mietkutsche kommen? Denn seine eigene, die böhmische Halbchaise, mit der er den Herzog 1792/93 auf dem Kriegszug nach Frankreich begleitete, mußte er in Trier lassen, da die letzte Etappe zu Schiff bewältigt wurde. Mit einem von Jacobi geliehenen Reisewagen kam er nach Weimar. Dieser Wagen steht noch immer *in leidlicher Verwahrung* bei ihm, wie er Jacobi am 9. September 1794 mitteilt. Seine Halbchaise dagegen ist inzwischen zu Jacobi nach Pempelfort gelangt, Jacobi hat das in den Rückzugswirren arg ramponierte Gefährt reparieren lassen. Ob Goethe Schiller von jenem *bösen Traum*, der ihn *zwischen Trümmern, Leichen, Äsern und Scheißhaufen gefangen hielt*, erzählt, davon, wie sein Diener Götze, da sie ohne Trinkwasser waren, auf dem Lederverdeck der Kutsche das Regenwasser auffing?

Wohl kaum. Wie der eine über seine mißglückte Reise nach Paris im Gefolge des Interventionsheeres schweigen wird, die das Ziel verfolgte, die *Mächte der Anarchie*, die Revolution zu vernichten, so wird der andere darüber schweigen, daß ihn die Revolutionäre zum »Bürger Frankreichs« ernannt haben, daß auch er nach Paris hatte reisen, als Redner neben Danton hatte treten wollen, um das Haupt Ludwigs XVI. zu retten.

Georges Dantons Weg hat am 5. April 1794 unter der Guillotine ein Ende gefunden. Für kurze Zeit besitzt Robespierre die unumschränkte Herrschaft, bis auch er am 27. Juli 1794 gestürzt und tags darauf hingerichtet wird. Der deutsche Jakobiner Georg Forster, an dessen Tisch in Mainz Goethe im August 1792 an zwei Abenden saß, auf den auch Schiller Hoffnungen gesetzt hatte in Zusammenhang mit einer Anstellung in Mainz, ist am 10. Januar 1794 – neununddreißig Jahre jung – in Paris gestorben. Am 19. März 1794 erscheint im Jenaer Intelligenzblatt der »Allgemeinen Literatur-Zeitung«, in der Nr. 26, ein respektvoller Nachruf auf Georg Forster. Carl August empört sich und ordnet einen neuen Nachruf an, in dem die ablehnende Haltung des Landes beziehungsweise seines Souveräns gegenüber den Anhängern der Französischen Revolution zum Ausdruck kommen soll. Goethe muß diesen offiziellen Nachruf zusammen mit Voigt verfassen. Das auf herzoglichen Befehl Abgenötigte erscheint als *Berichtigung* am 6. April 1794 in der Nr. 32 der Zeitung.

Goethes Überdruß an politischen Zugeständnissen gegenüber dem Hof bestimmt seine Hinwendung zu Schiller mit, der ihm mit seinem »Horen«-Programm das Zeichen gegeben hat: *vorzüglich aber und unbedingt wird sich alles verbieten, was sich auf Staatsreligion und politische Verfassung bezieht.*

Die Freundschaft beginnt mit dem Rückzug in die Kunst. Die Einladung in Goethes Privathaus, während Carl August auf Reisen ist, hat somit auch symbolischen Charakter. Einen Tag nach der Ankunft des neuen Freundes am Frauenplan schreibt der Gastgeber: *›Der Hof‹ ist nach Eisenach und um ›dem einen Theil der noch übrigen Freunde‹ zu gefallen müßte man auf ›die Könige‹ schimpfen und um ›dem andern‹ Freude zu machen müßte man ›eine Sängerin‹ loben, und weil nun beydes böse Aufgaben sind, so bleibt man zu Hause.*

Nach Schillers Abreise, am 29. September, wiederholt er in einem Brief an Caroline Herder: *Leider wirckt der ›Genius der Zeit‹ so übel auf Freundschaft. Meynungen über fremde Verhältnisse zerstören die nächsten, daß man sich nur an das was einem noch bleibt recht festzuhalten hat.*

Das, *was einem noch bleibt*; die Freundschaft der beiden als eine Art Insel, auf die sie sich aus dem reißenden Strom der Zeit retten? Liest man die über tausend Briefe, die die Freunde einander schreiben werden, sieht man sich getäuscht, wenn man in ihnen finden will, wie es damals in der Welt ausgesehen hat. Tagespolitik und Zeitläufe sind ausgeklammert.

Es sind die Bereiche der Kunst, die gedanklich ausgeschritten werden. Vornehmlich die des eigenen Schaffens. Es werden Grundprobleme der Poetik diskutiert, Fragen der Geschmacksbildung und ästhetischen Erziehung des Publikums, es werden Regeln und Gesetze aufgestellt, in langen Debatten epische und dramatische Dichtung voneinander getrennt; alles mit dem Ziel, eine neue *Classizität* zu erreichen, die der der Antike ebenbürtig ist. Schiller wie Goethe richten sich – zum Glück – nicht immer nach den von ihnen aufgestellten Gesetzen und Regeln, sonst wären »Faust« und »Wallenstein« so nie geschrieben worden.

Die *vierzehntägige Conferenz* am Frauenplan. Eine erste Bewährungsprobe sind Goethes »Erotica Romana«. *Er las mir*, so Schiller am 20. September an seine Frau, *seine Elegien, die zwar schlüpfrig und nicht sehr decent sind, aber zu den beßten Sachen gehören, die er gemacht hat.*

Schiller hat Vorbehalte, erkennt aber sofort den einzigartigen literarischen Rang der Verse. Und er erklärt sich bereit, die »Erotica Romana« in seinen »Horen« zu drucken.

Goethe weiß, was er dem neugewonnenen Freund zumutet; den Zorn des Herzogs wird der auf sich ziehen. Carl August hat sich, als Goethe ihm einige der »Erotica« vortrug, strikt gegen eine Veröffentlichung ausgesprochen. Deshalb nahm Goethe sie unter Verschluß.

Als die »Erotica Romana«, die erste bis zwanzigste Elegie (später nennt Goethe sie »Römische Elegien«), im Sommer 1795 im 6. Stück der »Horen« erscheinen, wird Schiller den Freund, der sich in Karlsbad aufhält, beruhigen: *Ueber die Elegien freut sich alles und niemand denkt daran, sich daran zu skandalisiren.* Doch ahnt er zugleich, was auf ihn zukommt. Im Begleitbrief, mit dem er das Heft der »Horen« Anfang Juli 1795 an seinen dänischen Mäzen Friedrich Christian von Schleswig-Holstein-Augustenburg sendet, schreibt er: *Die Elegien, welche es enthält, sind vielleicht in einem zu freyen Tone geschrieben, und vielleicht hätte der Gegenstand, den sie behandeln, sie von den Horen ausschließen sollen. Aber die hohe poetische Schönheit, mit der sie geschrieben sind, riss mich hin, und dann gestehe ich, daß ich zwar eine conventionelle, aber nicht die wahre und natürliche Decenz dadurch verletzt glaube.*

Und dem Beruhigungsschreiben an Goethe nach Karlsbad fügt er, mit Blick auf den Weimarer Herzog, einschränkend hinzu: *Die eigentlich gefürchteten Gerichtshöfe haben freylich noch nicht gesprochen.*

Am 9. Juli 1795 tagt der *Gerichtshof*. Im Ergebnis verfaßte Carl August ein Schreiben an Schiller. Es ist der erste persönliche Brief, den er an den nunmehr seit acht Jahren auf dem Territorium seines Fürstentums lebenden Autor richtet. Schillers Unbotmäßigkeit führt zur Kontaktaufnahme von seiten des Souveräns.

1857, über fünfzig Jahre nach Schillers Tod, wird dessen zweite Tochter Emilie, verheiratete von Gleichen Rußwurm, das herzogliche Schreiben aus dem Nachlaß ihres Vaters öffentlich machen.

*Für die überschickten Horen, werther Herr Hofrath, sage ich Ihnen den verbindlichsten Danck*, schreibt Carl August, um sofort eine deutliche Kritik an der Herausgeberschaft Schillers anzuschließen: *Die Elegien hatten mir sehr wohl gefallen da sie mir der Author vorlaß oder her erzählte; indeßen glaubte ich immer er würde sie noch etwas liegen laßen, ehe er sie öffentlich erscheinen ließ. Wenn sie vor dem Druck in den Händen mehrerer Freunde wären gegeben worden, so würde mann vieleicht den Autor vermocht haben einige zu rüstige gedancken, die er wörtlich außgedrückt hat, bloß errathen zu laßen; andere unter geschmeidigeren Wendungen mittzutheilen, noch andere ganz zu unterdrücken ...*

Kritik am Alleingang von Schillers Herausgabe. Und am Autor.

Sein, des Herzogs, des intimen Kenners, Rat, die Elegien zu überarbeiten, ist von Goethe nicht befolgt worden.

Carl August mißtraut gerade dem, worauf es Goethe ankommt, und dem, was Schiller als neue Qualität erkannt hat, dem natürlichen Stil. Der Herzog will zum Alten, Bewährten zurück, zum versteckt-raffinierten Andeutungsstil des Rokoko.

Er greift dabei in die Kiste, in die Zensoren aller Jahrhunderte greifen: argumentiert mit der Unvollkommenheit des Neuen und der Verantwortlichkeit des Schriftstellers als eines Vorbilds. Da er als Zensor nicht ohne Geist und Witz ist, seien seine Bedenken in Gänze zitiert: *die Furcht wird immer bey mir erregt wenn ich etwas in einem neuen genre von einen Schriftsteller auftreten sehe deßen Nahme imponirt, und wo das Werck noch nicht den vollkommensten Grad der Außbildung erhalten hat, daß so viele Nachahmer dann hinzugeschwommen kommen, welche durch die geschmacklosesten Geuléen den Augenblick oder die Epoche weiter hinaus schieben wo die deutsche litteratur wircklich den grad von humanität erlangen wird, nach welchen alle Schriftsteller streben, denen es ernstlich an der Sache gelegen ist. Die schönen Weiber haben zwar die Eigenschaft, daß sie sich zuweilen ein vergnügen machen moden zu erfinden und zu tragen, die allen nachahmerinnen lächerlich stehn, wenn diese nicht die bildung und den tact beym anlegen derselben, der Erfinderinn besitzen; und dieses gleichniß könnte manchmahl auf Dichter oder bearbeiter eines neuen genres paßen, und manche schriftliche durchlaßungen entschuldigen, aber ich sollte doch glauben daß alle diejenigen welche durch den Nahmen den ihnen das Schicksal verliehn hat, zu vorstehern und Stammhaltern des litterarischen Volckes gestempelt sind, diese launen verbannen solten.*

Carl August holt weit aus, stellt sich als Hüter der *humanität* der *deutschen litteratur* dar. Schiller kann sich als *bearbeiter eines neuen genres* angesprochen fühlen, der einer *laune* gefolgt ist, seine Verantwortlichkeit als *vorsteher und Stammhalter* des *litterarischen Volckes* vergessen hat. Schwerlich hätte Carl August in diesem Ton an Goethe direkt schreiben können.

Das Fazit des Briefes, den man auch als Protestnote lesen kann: die *schriftliche durchlaßung* ist nicht zu *entschuldigen.*

Mit einer verbindlichen Floskel schließt der Souverän: *Verzeihn Sie es meiner Empyri, wenn ich irre; wertschätzungsvoll verbleibe ich des Herrn Hofraths ergebenster Freund Carl August mp.*

Goethes Sich-hinweg-Setzen über die Meinung des Herzogs, sein »Ungehorsam«, ist für Carl August vermutlich leichter zu verkraften als dessen sich anbahnende Freundschaft zu Schiller. Erstmals erlebt der Herzog eine gemeinsame Handlung der beiden Autoren, die sich bis vor kurzem fern voneinander hielten. Ahnt er, daß ihr Miteinander für ihn eine neue Situation schafft, die sich auch gegen ihn richten kann?

Und so wird es kommen. Goethes Distanz zum höfischen Leben wird mit der Nähe zu Schiller deutlich größer. Äußerer Ausdruck ist sein Sich-Entfernen von Weimar, sein häufiger Aufenthalt in Jena, die Verlegung seines Arbeitsplatzes dorthin. Der Herzog begreift, da sind zwei, die sich verbünden.

Das Engagement für die »Erotica Romana« ist eine erste Probe der Freundschaft. Schiller besteht sie glänzend.

Die Partnerschaft wird sich wechselseitig bewähren, als das Werk Schillers zum Objekt von des Herzogs Zensur wird; von prinzipiellen Einwänden und vom Verbot einzelner Szenen seiner Dramen bis hin – im Fall der »Jungfrau von Orleans« – zum Aufführungsverbot.

Was mag Schiller dem Herzog auf seine Protestnote vom 9. Juli 1795 entgegnet haben? Eine Antwort existierte, wir wissen es durch Frau von Stein. Am 27. Juli berichtet sie Charlotte Schiller: *Daß der Herzog an Schiller einen Brief über diese »Elegien« geschrieben, habe ich von der Herzogin gehört; auch sagte sie mir etwas aus Schillers Brief an den Herzog darüber.*

Schillers Schreiben ist nicht überliefert. Der Vorfall findet bei ihm auch in Briefen an andere kaum Erwähnung. Wilhelm von Humboldt scheint er ihn mitgeteilt zu haben, sehr gelassen wohl, wie sich aus dessen Erwiderung vom 4. August 1795 schließen läßt: *Der Herzog ist drollig genug*, schreibt Humboldt. *Die Idee wird wohl seiner Frau so wie die Humanität darin Herdern angehören. Indes ist es doch artig gedacht, und es ist immer viel, daß ein Herzog überhaupt an so etwas denkt und, wenn es ihm einfällt, es so bescheiden und diskret vorträgt. Hier findet, wie gesagt, soviel ich bis jetzt hörte, niemand an den »Elegien« Anstoß.* Humboldt schreibt aus Berlin, der preußischen Metropole.

Weimar dagegen – Hof und Stadt – hat seinen Skandal. Vorgewarnt ist Schiller von Jacobi, der ihm schreibt: *Es hat mich sehr gewundert, daß Sie die »Elegien« unseres Freundes Goethe in die Horen aufgenommen haben; das muß ja ein gewaltiges Geschrei, vornehmlich der Damen, wider Ihre Monatsschrift erregen.*

Die Herzogin Louise ist empört, Herder tritt ihr, ebenfalls nach einem Zeugnis Charlotte von Steins, zur Seite: *Bei Gelegenheit dieser »Elegien« sagte Herder der Herzogin, Goethe sei in Italien sehr sinnlich geworden, ihn aber habe es angeekelt.*

Herder, zu dem Schiller gerade sein Verhältnis verbessert, ihn als Beiträger für seine Zeitschrift gewonnen hat, soll gesagt haben: *Die Horen müßten nun mit dem u gedruckt werden.* Der Weimarer Gymnasialdirektor Böttiger will das wissen; auch, daß *alle ehrbaren Frauen* in Weimar *empört* gewesen seien *über die bordellmäßige Nacktheit, die meisten Elegien* seien nach Goethes *Rückkunft* aus Italien *im ersten Rausche mit der Dame Vulpius geschrieben. Ergo –*

An Böttiger ist ein Brief des Wiener Publizisten Johann Baptist Edler von Alxinger gerichtet, der wohl in Weimar die Runde gemacht haben wird. *Properz durfte es laut sagen, daß er eine ungleiche Nacht bei einer Freundin zugebracht habe. Wenn aber Herr von Goethe ... vor dem ganzen Deutschland in den Horen den con-cubitum exerziert, wer wird das billigen?*

Baggesen schreibt aus Dänemark: *die Elegien ... empören im Ganzen ... die Sittlichkeit, und in Theilen die Sittsamkeit.* Eine

Reaktion des Herzogs von Augustenburg auf Schillers Sendung ist nicht überliefert.

Einzig von den jungen Romantikern und von Karl Theodor von Dalberg bekommt Schiller Zustimmung. Letzterer schreibt: *Götens Elegien sind fürtreflich. Sie übertrefen dünkt mir ovid properz und Catull, und sind denen Tibullischen Elegien an Schönheit ähnlich.* Und August Wilhelm Schlegel befindet in einem Brief an Schiller vom 13. Oktober 1795: *In Göthe's Elegien herrscht Römischer Geist: man glaubt Italiänische Luft zu athmen, wenn man sie liest.*

## III

Zurück zu den Septembertagen 1794 im Haus am Frauenplan. Drei Tage nach seiner Ankunft schreibt Schiller an seine Frau: *In seinem Hause sahe ich noch niemand als ihn.*

Das kann sich nur auf Goethes Lebensgefährtin Christiane Vulpius beziehen. In den vierzehn Tagen seines Aufenthaltes kein Wort über sie an Charlotte, nach der Rückkehr nach Jena kein einziges Wort des Dankes an Goethe, das sich auf sie beziehen läßt.

Seit sechs Jahren lebt Goethe mit Christiane Vulpius. Aus jener Zeit ist bezeugt (später wird sich das ändern), daß sie, wenn Gäste im Haus sind, nicht mit am Tisch sitzt, für diese auch sonst weitgehend unsichtbar bleibt, der Hausherr sie regelrecht vor den neugierigen Gästen verbirgt.

Bei einem stundenweisen Besuch, einer Nachmittagsvisite oder einer Abendgesellschaft ist das vorstellbar.

Aber bei einem Aufenthalt von vierzehn Tagen? Christiane Vulpius und Schiller sollten sich nicht auf der Treppe, im Hof, im Garten begegnet sein, zufällig? August, der Sohn, ist fünf. Auch Christianes Tante und ihre Schwester leben im Haus.

Hat Goethe seine Gefährtin gebeten – mit welchen Argumenten wohl –, daß sie als *Geistchen*, wie er sie einmal nennt, durchs

Haus gehen möge, unsichtbar für den Hofrat Schiller? Und sie erfüllt diesen Wunsch? Leise Tritte auf der Treppe, bei ihrem Temperament! Kein lautes Sprechen, kein Rufen des Kindes? Geschickt genug wäre sie. Und ein Haus diskret zu führen, hat die *von Goethische Haushälterin*, wie Wieland sie nennt, in den sechs Jahren gelernt. Von ihrer Stube aus kann sie überblicken, wo die beiden Männer sich aufhalten. Die Tischzeiten sind geregelt. Treten, durch das Unwohlsein des Gastes, Verschiebungen ein, wird Goethe ihr ein Zeichen zukommen lassen. Speisen werden die Männer im kleinen Eßzimmer. Der Tisch ist gedeckt. Christiane bringt das in der Küche zu ebener Erde bereitete Essen in die Aufwärmküche im ersten Stock, von hier aus kann der Hausherr selbst auftragen. Die Hausfrau räumt Schillers drei Zimmer auf, macht das Bett, leert den Nachtstuhl, stellt frische Blumen hin, wenn die Freunde in anderen Räumen in Gespräche vertieft sind, wenn sie im Garten wandeln oder das Haus für einen Spaziergang verlassen haben.

Wie es wirklich war, ist nicht überliefert. Aber hätte Goethe seine Lebensgefährtin vorgestellt, sie mit dem Freund bekannt gemacht, hätte dieser es seiner Frau berichtet. Sein Schweigen ist ein Beleg dafür, daß Goethe das Zeichen setzt. Christiane Vulpius wird aus der beginnenden Freundschaft ausgeschlossen. So wird es über die zehn Jahre der Gemeinsamkeit bleiben.

Welche Gründe mag Goethe dafür haben?

Der erste könnte Schillers Ehefrau sein. Goethe kennt Charlotte von Lengefeld seit ihren Kindertagen, neun war sie, als er nach Weimar kam, er mag sie; die Sympathie für sie, Charlotte, habe Anteil an der Annäherung an Schiller gehabt, wird er erinnernd schreiben. Goethe weiß, sie ist im Wertesystem ihrer aristokratischen Welt erzogen, mit dem Ziel, Hofdame zu werden. Mit ihrer Lebensauffassung wird sie seine Liaison schwerlich tolerieren.

Charlotte Schiller, geborene von Lengefeld, ist eine Frau mit Adelsstolz. Der Verlust ihres Titels durch die Heirat mit einem Bürgerlichen (erst 1802, als ihr Mann vom Kaiser geadelt wird, kann sie ihrem Namen wieder das *von* hinzufügen) läßt sie möglicherweise um so entschiedener auf ihrer Herkunft bestehen und sie verteidigen.

Vielleicht auch betont sie den Abstand, weil sie zum Umgang mit Leuten gezwungen ist, die nicht ihresgleichen sind. Nicht auszuschließen ist, daß dazu auch Schillers Mutter gehört. Einmal schreibt diese dem Sohn: *Seine ›liebe‹ Frau wird sich vieleicht eine andere Schwieger-Mutter ... vermuthet haben, wo wir alle nicht nach jhrem Thun uns zu richten wissen ..., es fölt mir sehr schmerzlich mich von meinen kindern im stillen veracht zu wißen* ... Sie schließt den Brief mit: *Verzei Er mein ›lieber‹ Sohn wann ich Ihm solte zu viel gesacht haben ...*

Auch ihren Bediensteten gegenüber scheint Charlotte sich sehr standesbewußt verhalten zu haben. Friedrich Ludwig Göritz, ein Mitglied von Schillers Tischgesellschaft, schreibt dazu: *Daß sie von Adel war, zeigte Madame Schiller durch die Art, wie sie ihre Kammerjungfer behandelte. Sie war hübsch und schien gutmütig, auch waren ihre Sitten unanstößig. Sie wurde aber immer mit einem gewissen spöttischen, herabwürdigenden Ton behandelt, der uns oft empörte; sie konnte nichts recht machen und wurde immer mit Bitterkeit zurecht gewiesen, auch wo keine Ursache da war.*

Nun muß die Beobachtung eines einzelnen nicht unbedingt richtig sein. Und was hat sie mit Christiane Vulpius zu tun?

Ein *rundes Nichts* wird Charlotte Schiller sie nennen. Bei diesem Urteil bleibt es, abgesehen von einigen Modifizierungen, lebenslang. Damit ist alles gesagt.

Die Verehrung von Goethes Person und Werk, für Charlotte von Lengefeld bereits als junges Mädchen charakteristisch, sich mit den Jahren noch steigernd, geht Hand in Hand mit einer Intoleranz gegenüber Goethes Privatleben, einer regelrechten Verachtung seiner häuslichen Verhältnisse. Ein seltsamer Mechanismus. Stets signalisieren ihre Äußerungen Mitleid mit dem großen Mann, der sich in der Beziehung zu dem *runden Nichts* vertut. (Das setzt sich auch fort, als Goethe Christiane zu seiner Ehefrau macht; von der *dicken Ehehälfte* spricht Charlotte dann verächtlich.)

Übernimmt sie damit nicht einfach die Haltung ihrer mütterlichen Freundin Charlotte von Stein? Eine Haltung, die durch Trennungsschmerz und Verlust des intimen Freundes hervorgerufen und im Unterschied zu ihrer nachvollziehbar ist.

Charlotte Schillers Nähe zu Frau von Stein könnte ein weiterer Grund für Goethes Vorsicht sein. Die beiden Frauen sind, obgleich ein Altersunterschied von vierundzwanzig Jahren zwischen ihnen besteht, engste Freundinnen. Auch Goethes Ziehsohn Fritz von Stein ist Charlotte Schiller verbunden; eine Freundschaft aus gemeinsam verbrachten Kindertagen auf Schloß Kochberg, dem Landgut der Steins. Durch die Trennung von Charlotte von Stein ist auch Goethes Verhältnis zu deren Sohn Fritz angespannt.

Jedes Detail des Alltags mit seiner Lebensgefährtin kann weitererzählt und auf dem Wege über Schillers Frau zu Fritz, vor allem aber zu Charlotte von Stein gelangen.

Zu ihr aber möchte der einstige Freund den Kontakt wiederherstellen, die Fremdheit verringern, überwinden. Eine Wiederannäherung scheint ihm auf dem Weg über Schillers Frau am ehesten möglich zu sein. Daher wird sie von Anfang an in die Freundschaft eingeschlossen.

Es wird der richtige Weg sein. Charlotte von Stein, die Feinsinnige, spürt das sofort. *Daß Goethe*, schreibt sie ihrem Sohn Fritz am 25. Februar 1795, *sich Schiller immer mehr annähert, fühle ich auch, denn seitdem scheint er mich wieder ein klein wenig in der Welt zu bemerken. Es kommt mir vor, er sei einige Jahre auf eine Südseeinsel verschlagen gewesen und fange nun an, auf den Weg wieder nach Hause zu denken.*

Der dritte Beweggrund für Goethes Verbergen seiner Lebensgefährtin könnte Schiller selbst sein. Daß Goethe ihm kein freizügiges Urteil über sein Privatleben zutraut.

*Schlüpfrig* und *nicht sehr decent* findet Schiller die »Erotica Romana«. Die Zeilen sind an seine Frau gerichtet, spricht er aus Rücksicht auf sie so, oder gibt sich hier seine wirkliche Haltung zu erkennen? Charlottes Spitzname, *die Decenz*, könnte ersteres nahelegen.

Als er über der Redaktion der »Horen« sitzt, schreibt er Körner: *Von Goethes »Elegien« sind die derbsten weggelaßen worden, um die Decenz nicht zu sehr zu beleidigen.* Es ist eindeutig sein Urteil. Mit *die derbsten* ist die Sinnenfülle der Verse treffender charakterisiert als mit jenem *schlüpfrig*, einem Wort, das heute eher auf Zoten bezogen wird, sexuelle Verklemmtheit signalisiert, aber auch aus Schillers Mund befremdlich klingt. Dieses *schlüpfrig* – im Sinne von verfänglich, lüstern – macht das Mißverhältnis zwischen literarischer Bewunderung und moralischer Bewertung evident.

Spielt Schillers pietistische Erziehung dabei eine Rolle, seine Prägung durch die männlich dominierte Welt der Carlsschule und des Militärs? Oder springt er über seinen Schatten nur, um dem neu gewonnenen Freund einen Liebesdienst zu erweisen? Es *riss mich hin*, bekennt er. Im Oktober, als er das Manuskript der »Elegien« erhält, schreibt er Goethe: *Es herrscht darinn eine Wärme, eine Zartheit und ein ächter körnigter* (kerniger, kraftvoller) *Dichtergeist, der einem herrlich wohlthut unter den Geburten der jetzigen Dichterwelt.*

In der Verteidigung seines Engagements für die »Erotica Romana« Jacobi gegenüber heißt es, er werde, wenn es ihm *einigermaßen* seine *Zeit* erlaube, *öffentlich in einem kleinen Aufsatz über die Schamhaftigkeit der Dichter, oder wie er sonst immer betitelt sein mag*, seine *Gründe angeben.* Er wird diesen Aufsatz nicht schreiben.

Schillers Unterscheidung von *conventioneller und wahrer und natürlicher Decenz.* Neigt er, nicht zuletzt unter dem Einfluß seiner Frau und deren Verwandtschaft, lebenslang der *conventionellen* zu?

Bestimmt das auch sein Verhältnis zu Christiane Vulpius?

Es gibt von ihm zwei grundsätzliche Äußerungen über Christiane und Goethe. Sie sind im Abstand von einem Jahrzehnt niedergeschrieben. Die erste findet sich in einem Brief an Körner vom 1. November 1790 – es ist noch die Zeit der Ferne zu Goethe –, die zweite in einem Brief vom 23. November 1800 an Charlotte von Schimmelmann, die Frau des dänischen Finanzministers; Goethe und Schiller sind da schon langjährige Freunde.

In dem Brief an Körner schreibt Schiller: *Uebrigens ergehts ihm* – Goethe – *närrisch genug. Er fängt an alt zu werden* – einundvierzig ist er zu diesem Zeitpunkt – , *und die so oft von ihm gelästerte Weiberliebe scheint sich an ihm rächen zu wollen. Er wird wie ich fürchte, eine Thorheit begehen und das gewöhnliche Schicksal eines alten Hagestolz haben. Sein Mädchen ist eine ziemlich berüchtigte M⟨ademoise⟩lle Vulpius, die ein Kind von ihm hat, und sich nun in seinem Hause fast so gut als etablirt hat. Es ist sehr wahrscheinlich daß er sie in wenigen Jahren heirathet. Sein Kind soll er sehr lieb haben, und er wird sich bereden, daß wenn er das Mädchen heirathet, es dem Kind zu lieb geschähe, daß dieses wenigstens das Lächerliche dabey vermindern könnte. Es könnte mich doch verdrüßen, wenn er mit einem solchen ›Geniestreich‹ aufhörte ...*

Unschwer ist zu erkennen, daß Schiller unreflektiert den Klatschton der adligen Weimarer Kreise übernimmt. Man könnte ihm zugute halten, daß es noch die Zeit seiner Haßliebe zu Goethe, seiner Kränkungen durch ihn ist. Auch daß seine eigene Eheschließung – im Februar 1790 hat er geheiratet – ihn durch den sozialen Aufstieg leicht schwindlig werden läßt, daß es jene Zeit ist, als er stolz darauf ist, *um eine Sylbe gewachsen* zu sein, in der ihm, um seiner Frau *das Opfer des Adels ... weniger fühlbar zu machen*, der Titel eines Hofrates verliehen wurde, und als er seinem Vater schreibt: *Der Herzog intereßirt sich sehr für meine Heurath.*

Bei dem einen die Adlige, bei dem anderen die junge Frau aus der *Weimarischen Armuth*. Stellt er seine Aufwärtsbewegung im sozialen Sinn Goethes Abwärtsbewegung – auch im sozialen Sinn – entgegen? Denn was könnte das *Lächerliche* einer möglichen Heirat mit der *ziemlich berüchtigten M⟨ademoise⟩lle Vulpius* bedeuten, als daß sie als eine Mesalliance angesehen wird, über die man glaubt, die Nase rümpfen zu können.

Die zweite Äußerung vom 23. November 1800 ist in jenes große Lob Goethes eingebettet, in jenem oft zitierten Huldigungsbrief, in dem Schiller Goethe den nach Shakespeare wichtigsten Dichter nennt, seine Freundschaft zu ihm als *das wohlthätigste Ereigniß* seines *ganzen Lebens* bezeichnet, ihn als einen Mann charakterisiert, der als *Mensch ... den größten Werth von allen* habe, denen er *je begegnet* ist.

Eine einzige Einschränkung macht er, sie betrifft das Verhältnis des Bewunderten und Gelobten zu Christiane Vulpius. *Es wäre zu wünschen, daß ich Göthen eben so gut in Rücksicht auf seine häußlichen Verhältniße rechtfertigen könnte, als ich es in Absicht auf seine litterarischen und bürgerlichen mit Zuversicht kann. Aber leider ist er durch einige falsche Begriffe über das Häußliche Glück und durch eine unglückliche Ehescheue in ein Verhältniß gerathen, welches ihn in seinem eigenen häußlichen Kreise drückt und unglücklich macht, und welches abzuschütteln er leider zu schwach und zu weichherzig ist. Dieß ist seine einzige Blöße, die aber niemand verlezt als ihn selbst, und auch diese hängt mit einem sehr edeln Theil seines Charakters zusammen.*

Zu diesem Zeitpunkt leben Christiane Vulpius und Goethe bereits zwölf Jahre im *Ehstand ohne Zeremonie*, wie Goethe es dem Freund gegenüber nennt, sie haben vier Kinder miteinander gehabt, von denen nur August ihnen bleibt. Schiller hat den Schmerz um den Tod des vierten Kindes im Oktober 1795 unmittelbar miterlebt. Zwei Männer von großem Format, deren geistiges Miteinander als Arbeitspartner von Großzügigkeit und Toleranz gekennzeichnet ist. Und daneben diese Kleinheit im Privaten, dieses Verhaftet-Bleiben Schillers im Zeiturteil, in der Konvention. Seit sechs Jahren sind sie enge Freunde. Statt das Leben so zu akzeptieren, wie es der Freund führt, unterstellt er Goethe *falsche Begriffe über das Häußliche Glück*.

# IV

*... ich bin Ihnen nahe mit allem, was in mir lebt und denkt,* schreibt Schiller an Goethe in den Herbsttagen 1794. Der Ton ist intim, fast zärtlich; auch von Goethes Seite wird er vertraulich: *Leben Sie wohl und lieben Sie mich, es ist nicht einseitig.*

Fast täglich haben von nun an Botenfrauen oder fahrende Post Sendungen zwischen Jena und Weimar zu befördern. Die Freunde borgen einander Bücher, tauschen Manuskripte aus, die Arbeit an den »Horen« geht voran, die *wissenschaftliche Correspondenz* beginnt. Ein Werkstattgespräch in Permanenz.

Das Bedürfnis, beieinander zu sein. *Morgen frühe ... hoffe ich,* schreibt Goethe am 1. November, *in Jena einzutreffen und einige vergnügte Tage in Ihrer Nähe zuzubringen.* Auffällig ist: nun wird Jena der Ort ihrer Begegnungen.

Am 3. November ein Mittagessen im Hause Schiller, auch Humboldt und seine Frau sind geladen, einen Tag später treffen sie sich bei diesen, wiederum sind die Frauen anwesend; eine Runde von sechs Leuten, nur Goethe ist ohne seine Gefährtin, mit seinem Hausfreund Johann Heinrich Meyer ist er gekommen.

Der Austausch in großer und in kleiner Runde.

Das Zwiegespräch der Freunde. Sie geben einander ihre Arbeiten zu lesen, in handschriftlichen Fassungen oder ersten Abschriften durch ihre Schreiber. Sie werden, einer dem anderen, erster Kritiker.

Schiller wird auf diese Weise den »Wilhelm Meister« von Anfang bis zum Ende begleiten, mit enormem Zeitaufwand, liebender Hingabe und Ausdauer. *Darf ich bitten anzustreichen was Ihnen bedenklich vorkommt,* ersucht ihn Goethe. Und stellt fest: *Wie viel vortheilhafter ist es sich in andern als in sich selbst zu bespiegeln.*

Goethe wird sich Ende Oktober zu Schillers Briefen »Über die ästhetische Erziehung des Menschen«, dem ersten bis neunten, äußern: *Das mir übersandte Manuscript habe sogleich mit gro-*

*ßem Vergnügen gelesen, ich schlurfte es auf Einen Zug hinunter. Wie uns ein köstlicher, unsrer Natur analoger Tranck willig hinunter schleicht und auf der Zunge schon durch gute Stimmung des Nervensystems seine heilsame Wirckung zeigt, so waren mir diese Briefe angenehm und wohlthätig ...*

Zwei Tage später nimmt er die Briefe nochmals zur Hand. *Hatte ich das erstemal*, schreibt er, *sie blos als Betrachtender Mensch gelesen und dabey ›viel‹, ich darf fast sagen ›völlige‹, Ubereinstimmung mit meiner Denckensweise gefunden, so las ich sie das zweytemal im pracktischen Sinne und beobachtete genau: ob ich etwas fände das mich als handelnden Menschen von seinem Wege ableiten könnte; aber auch da fand ich mich nur gestärckt und gefördert und wir wollen uns also mit freiem Zutrauen dieser Harmonie erfreuen.*

Schiller wird sich über dieses enthusiastische Urteil freuen; drei Monate erst liegt ihr Gespräch über *Speculation* und *Intuition*, *Idee* und *Erfahrung* im Hause Batschs zurück.

Zum Jahreswechsel bekräftigen sie einander ihre Nähe. *Meine besten Wünsche zu dem neuen Jahre*, schreibt Schiller am 2. Januar, *und noch einen herzlichen Dank für das verfloßene, das mir durch Ihre Freundschaft vor allen übrigen ausgezeichnet und unvergeßlich ist.*

Goethe einen Tag später: *Viel Glück zum neuen Jahre. Lassen Sie uns dieses zubringen, wie wir das vorige geendigt haben, mit wechselseitiger Teilnahme an dem, was wir lieben und treiben ... Ich freue mich in der Hoffnung, daß Einwirkung und Vertrauen sich zwischen uns immer vermehren werden.*

Das Jahr 1795 beginnt mit großer Kälte. Der Schnee liegt hoch. Goethe läßt sich davon nicht abhalten, reist nach Jena. Vom 11. bis 24. Januar hält er sich, wieder mit Meyer, dort auf. Alexander von Humboldt ist zu Gast, im Club der Professoren ist Leben, in der Universität hält Justus Christian Loder anatomische Vorlesungen. *Wir wandelten des Morgens im tiefsten Schnee, um in einem fast leeren anatomischen Auditorium* zu sitzen, erinnert sich Goethe, der die Demonstrationen Loders verfolgt. *Selbst die Kälte fühle ich weniger da ich täglich mehrmals ausgehen muß.*

Zu den Besuchten gehört vor allem Schiller. Der Winter ist für seine Krankheit immer eine schlechte Jahreszeit. Kälte und Schnee zwingen ihn ins Haus. *Mit meiner Gesundheit ist es wie immer: sie feßelt mich an das Zimmer... meine Thürschwelle ist wieder die alte Grenze meiner Wünsche und meiner Wanderschaft.*

Der Freund tritt über die Schwelle und weitet die Grenze. *Ich las ... Göthen und Meyern, die seit 8 Tagen hier sind, vor*; die beiden Zuhörer werden, wie er Körner berichtet, *davon fortgerissen.* Er liest den zehnten bis sechzehnten Brief »Über die ästhetische Erziehung des Menschen«.

Ermutigung, Austausch, Nähe.

Schillers Ausharren in Thüringen, in Weimar und Jena, seit 1787. Mit dem Beginn der Freundschaft 1794 endlich der Lohn dafür. Eine Aufwertung auch des Ortes. Thüringen, das *beßre Vaterland*?

Im Februar 1795 erreicht Schiller ein Ruf an die Universität Tübingen, es wird ihm der Lehrstuhl für Geschichte und Ästhetik angeboten. Ein *Antrag aus* seinem *Vaterlande.*

Was hätte ihm dieser Ruf ein Jahr früher bedeutet. Wir erinnern uns, wie er nach Schwaben reiste, um seinem noch ungeborenen Kind ein *beßres Vaterland* zu *verschaffen als Thüringen* sei, wo der Regent ihn *ignorierte*, die *Unbestimmtheit* seiner *Aussichten für die Zukunft* ihn quälte, er mit von Hoven nach Tübingen reiste, um über seinen alten Carlsschullehrer Professor Abel die Möglichkeiten einer Anstellung an der dortigen Universität zu eruieren.

Ohne Erfolg damals.

Nun der Ruf an die Universität. Nach der Schließung der Carlsschule soll die Tübinger Lehranstalt aufgewertet werden. Die Entscheidung des württembergischen Regenten – vermittelt durch Abel –, Schiller ein Lehramt anzubieten, steht damit in Zusammenhang.

Schiller kann dieses Angebot als eine offizielle Rehabilitierung auffassen, der Makel des Deserteurs wird von ihm genommen. Das ist Genugtuung. *Dieser Ernst meiner Landsleute, mich bey sich zu haben, rührt mich*, schreibt er Voigt. Und an Goethe: *Meine Landsleute haben mir die Ehre angethan, mich nach Tübingen zu vocieren, wo man sich jetzt mit Reformen zu beschäftigen scheint.*

Erwägt Schiller ernsthaft, dorthin zu gehen? Von einer Entscheidung über sein *Schicksal* spricht er. Er trifft sie ohne langes Zögern. Der Ruf ist vom 11. Februar. Bereits am 19. Februar heißt es an Goethe: *daß ich dieser Tage ... über* ›mein‹ *Schicksal etwas entschieden habe.*

Jena ist der Ort, wo er *auf immer bleiben* will. Die Entscheidung fällt gegen sein *Vaterland* aus. An allererster Stelle ist es wohl die Freundschaft zu Goethe, die ihn in Thüringen hält.

Erleichtert schreibt dieser umgehend nach Erhalt der Schillerschen Zeilen: *Wie sehr freue ich mich daß Sie in Jena bleiben mögen und daß Ihr Vaterland Sie nicht hat wieder anziehen können.*

Als Schiller an jenem 19. Februar 1795 Goethe seinen Entschluß zu bleiben mitteilt, hat er den Brief seines Vaters vom 10. Februar – den Postweg gerechnet – vermutlich noch nicht erhalten.

Johann Caspar hatte bereits am 7. Februar von dem Angebot erfahren. *Vorigen Samstag,* schreibt er am Dienstag, dem 10., *gab mir der Hr. Professor Abel in Tübingen die Nachricht, daß er aufgefordert worden sei, den lieben Frizen zu fragen, ob er einen Ruf nach Tübingen annehmen würde?*

Die Aussicht, den Sohn mit der Familie in der Nähe haben zu können, belebt die Eltern.

*Wahr ists, uns Eltern könnte keine grössere Freude werden als diese,* so der Vater. Die Mutter: *wie söhnlich freueten wir uns wann Er den Ruf in Tiebingen annehmen kente, alsdann hette ich Hofnung den* ›lieben‹ *Carl noch zu sehen.*

Das Enkelkind, ihr einziges, *der liebe Karl, von dem wir täglich sprechen*, kommt in den Briefen Elisabetha Dorotheas, aber auch in denen Johann Caspars immer wieder vor. *Was wird denn der liebe Karl immer plaudern? Seine GroßEltern werden ihm freilich nicht einfallen, denn das ist nicht zu erwartten*, schreibt der Vater. Und die Mutter: *daß unser bester liebster Carl so gut vortfert ist uns alle unaussprechlich erfreulich ... im Geist sehe ich ihm alle augenblick*. Von Geschenken ist oft die Rede: *damit er sich seiner GrosEltern erinnere, folgt hier etwas für ihn ... Daß dem lieben Carl sein Kleidle noch zu groß ist, bedauern wir. Ach, was wäre das für eine Freude für uns, den lieben Carl zu herzen ...*

Auch die Krankheit des Sohnes läßt den Vater für Tübingen plädieren. *In dem hiesigen gemässigtern Himmelsstrich* wäre es dem Sohn möglich, *ehender wieder zu Seiner Gesundheit zu gelangen, und ihrentwegen je zuweilen eine kleine Lustreise, etwa in die Schweiz zu machen.*

*Solte die Vorsehung es fügen, daß der ›liebe‹ Sohn nach Tübingen käme, dann wären allerhand Plane zu machen Sich dort gut fortzubringen.*

*Wie? wenn ich Commandant in Tübingen werden könnte? Freilich sind darzu immer Edelleute vorhanden, doch wäre es nicht ganz unmöglich.*

Für die Überlegung, *Commandant* in der Universitätsstadt zu werden, ist der Hintergrund folgender. Der Vater hat ein hohes Alter, für die Direktion der Baumzucht auf der Solitude ist bereits ein Nachfolger benannt. Johann Caspar aber will nicht abtreten; *der Gedank in Pension gesezt zu werden*, macht ihm *nicht wenig zu schaffen*. Realistisch sieht er seine Chancen: *daß ich in dem Alter von 71. jahren noch dörfte angestellt – im Gegentheil ehender noch mit einer Pension abgefertigt werden.*

So kommt er auf die Idee, seinen militärischen Rang, den er noch immer besitzt, zu nutzen: *ich wolte lieber meinen mir anjezo zukommenden Militärs-Posten wieder ausfüllen*. Er legt sich eine neue Uniform zu, fragt beim Herzog an, welche er tragen darf, bekommt die Antwort: *daß ich die Uniform von dem Vestungs Garnisons Regiment tragen dörrfte*. Das ist der Rang eines

*Kriegsrathes*. So kommt er auf die Idee, *Commandant in Tübingen* zu werden.

Die Familie des Sohnes und die der Eltern an einem Ort? Wie Schiller und Charlotte die Überlegungen über die räumliche Nähe zu Eltern und Schwiegereltern aufgenommen haben, wissen wir nicht. Die Anwortbriefe Schillers sind nicht überliefert, auch keine von Charlotte aus dieser Zeit.

So energievoll Johann Caspar sein eigenes Leben im Alter zu bestimmen versucht, so agil reagiert er auf die mögliche neue Lebensrichtung des Sohnes.

Gibt Ratschläge, ergreift selbst die Initiative und schreibt an Professor Abel. Mit Witz und Kalkül betreibt er ein Spiel, wissend, worauf es im Umgang mit den Mächtigen ankommt.

*... aber wir haben Ihn zu lieb*, heißt es an den Sohn, *als daß wir rathen solten, diesen Ruf anzunehmen, wenn er nicht mit sichern Vortheilen verbunden ist, und ihm die Bedingnisse, die Er zu machen für nöthig finden wird in pleno zugestanden werden.*

In seiner Antwort an Abel *wäre doch demselben merken zu lassen, daß es dermalen in Sachsen viel wohlfeiler als in Schwaben zu leben sey; daß Ihm der HerausZug viel kosten würde; daß Er Seine dortigen Freunde und Verwandte verlassen müsse und verschiedene andere Verbindungen aufgelößt würden p. Kurz! ich denke man müsste sich doch ein wenig pretiös machen, und daß es den Hen. Tübingern daran gelegen zu seyn scheint, den HofRath Schiller in ihre Mitte zu bekommen.*

In diesem Sinne schreibt der Vater auch selbst an Abel, betont, daß *die oekonomische Einrichtung und Bedürfnisse* des Sohnes sich *bei diesem Rufe* verbessern müßten, daß er *zweifelte, ob* seine *kränklichen Umstände* ihm *erlauben würden, bestimmte Vorlesungen zu halten*, und er weist auf die Wertschätzung des Sohnes durch den Weimarer Herzog hin.

Dem Sohn dagegen rät er klar und unmißverständlich: *Solte aber der Herzog von Weimar es nicht gern sehen, so kann doch dieser Ruf dazu dienen, Ihn besser zu besolden.*

Ein gewitzter Rat. Schiller hat ihn offenbar aufgegriffen, verläßt sich nicht mehr auf den *Himmel*, wie es noch im Brief vom 19. Februar an Goethe den Anschein hat. *Für meine Existenz*, schreibt er da, *glaube ich nichts besorgen zu dürfen, solang ich noch einigermaaßen die Feder führen kann, und so lasse ich den Himmel walten, der mich noch nie verlassen hat.*

Am 6. März 1795 erreicht Schiller ein zweiter Brief Abels, in dem die *Bedingnisse* verbessert werden; möglicherweise hat der Brief des Vaters dazu beigetragen. *Von allen öffentlichen Geschäften wären Sie auf immer dispensirt*, sichert Abel ihm zu, man habe *dem Herzog den Antrag gemacht, daß Sie für die Universität sehr wichtig wären.*

Am 26. März wendet sich Schiller an die Weimarer Regentschaft mit einem Schreiben an den Geheimen Regierungsrat Voigt. Er stellt die Sachlage dar, hebt hervor, daß *ein Theil* seiner *Existenz von* seiner *schriftstellerischen Thätigkeit abhängt*, beteuert, in Weimar bleiben zu wollen. Diesem Bekenntnis fügt er diplomatisch geschickt ein einschränkendes *Aber* hinzu. *Mein Entschluß würde aber vollkommen, und für immer genommen seyn, wenn unser gnädigster Herr mir die Versicherung geben wollte, daß ich in dem äusersten Fall, wenn zunehmende Kränklichkeit an schriftstellerischen Arbeiten mich ›gänzlich‹ verhindern sollten, ›und nur in diesem Falle‹, mein Gehalt mir verdoppelt werden sollte.*

Er schließt mit der nochmaligen Versicherung, daß er *hier zu bleiben wünsche, auch meine Frau würde sich kaum losreissen können, und doch wüßte ich es nicht zu vermeiden, wenn mir nicht ›einige‹ Sicherheit für künftige Fälle gegeben würde. Sagen Sie unserm gnädigsten Herrn, daß er zwar tausend brauchbarere Diener hat als mich, aber gewiß keinen dankbarern und keinen, der herzlicher an ihm hängt als ich.*

Die Reaktion kommt bereits nach zwei Tagen. *Ich habe, Werthester Freund*, teilt Voigt ihm mit, *Ihr Anliegen an den Herzog gebracht und heute von Sr. Durchlaucht den Befehl erhalten, Ihnen zu antworten, daß unter den Umständen, die Ihr an mich erlassener Brief vorlegt, der Herzog Ihre Wünsche, wegen Verdopplung Ihres Gehalts zu erfüllen sich nicht entziehen werden und daß Ihnen diese Antwort statt einer Zusicherung desfalls dienen möge.*

Das amtliche Schreiben endet mit der *Überzeugung, daß Sie nunmehr Ihren Freunden und unsrer literarischen Republik in Jena ferner angehören werden.*

Am 3. April 1795 lehnt Schiller das Angebot des württembergischen Regenten für die Berufung nach Tübingen endgültig ab.

Als die Eltern die Nachricht erhalten, mag die Mutter über den kleinen Carl klagen: *O Gott, ich werde ihn nemmer sehn.* Und so wird es kommen, sie, die noch sieben Jahre zu leben hat, wird auch die nächsten Enkel nicht kennenlernen.

Auch für den Vater gibt es kein Wiedersehen. Am 7. September 1796 wird er sterben.

Als ihn an jenem Vorfrühlingstag die Nachricht von der Absage des Sohnes erreicht, nimmt er einen Bogen, Feder und Tinte zur Hand, schreibt, den Vorgang nochmals überdenkend, mit einem kritischen Blick auf seine Landsleute, die Schwaben: *Solitüde, den 19. April, 1795. Sonnabend. Liebste Kinder und Enkel! Ich habe all die Gründe, warum der liebe Sohn den Ruf nach Tübingen nicht annehmen können, gleich Anfangs bei mir selbst erwogen, und ganz richtig vermuthet, was jezo geschehen ist. Unsere Landsleute bleiben immer die nehmliche in ihren Gesinnungen, rechnen nur auf palpable Vortheile, und wollen weder dem Ruhm noch dem Verdienst etwas aufopfern. Man hätte Ihm nicht nur all das, was Er in Jena genießt, auch in Tübingen zusichern – sondern noch weit grössere Vortheile anbieten sollen, denn schon Sein Nahme würde dieser Universität mehrern Schwung gegeben haben. Aber die Herren Tübinger sind Cameralisten, und der gute Herr Prof. Abel hat eben nur eine Stimme.*

# Sechstes Kapitel

## I

*... es ist hohe Zeit, daß ich ... die philosophische Bude schließe. Das Herz schmachtet nach einem betastlichen Objekt*, schreibt Schiller am 17. Dezember 1795 an Goethe.

Hat er sich ihm anverwandelt? Gerade das Betasten war es doch, was ihn einst störte: *Überhaupt ist mir seine Vorstellungsart zu sinnlich und ›betastet‹ mir zuviel.*

Der Satz als Wegmarkierung. Grenzstein. Hier ist das Ende.

Seit dem »Don Carlos« hat Schiller kein Stück mehr geschrieben, jetzt wendet er sich wieder dem Theater zu. Ein neuer Weg beginnt. Oder ist es nicht vielmehr der alte? Es ist der Weg des Dramatikers, den er wieder betritt. Aber nach Jahren historischer und philosophischer Arbeit betritt er ihn als ein anderer. Diesen alten neuen Weg wird er bis zu seinem Tod nicht mehr verlassen. »Wallenstein« entsteht in einem Ringen von mehreren Jahren, danach in rascher Folge »Maria Stuart«, »Die Jungfrau von Orleans«, »Die Braut von Messina«, »Wilhelm Tell« und der »Demetrius«, der Fragment bleibt.

Das ganze Jahr 1795 ist ein Zurüsten für diesen Weg. 1795 schließt Schiller seine Briefe »Über die ästhetische Erziehung des Menschen« ab; er betrachtet sie als sein *politisches Glaubensbekenntniß*. Er schreibt die kunsttheoretische Betrachtung »Über naive und sentimentalische Dichtung«, in der er, ohne die Namen zu nennen, Goethe als den *naiven* und sich als den *sentimentalischen* Dichter charakterisiert; der *naive* strebt nach dem untergegangenen *Arkadien* zurück, während der *sentimentalische* – der moderne – hin nach *Elysium*, dem künftigen Paradies, will.

*Mein System nähert sich jetzt einer Reife, und einer inneren*

*Consistenz, die ihm Festigkeit und Dauer versichern*, heißt es am 29. Dezember 1794 an Körner. *Was meine Arbeiten betrifft, so bin ich jetzt ungemein gut mit mir zufrieden.* Und an Cotta am 9. Januar 1795: durch die Briefe »Über die ästhetische Erziehung des Menschen«, *welche sich über die ganze Kunsttheorie ... verbreiten* – sie *muss ich für das beßte erklären, was ich je gemacht habe und was ich überhaupt hervorbringen kann –, hoffe ich zur Unsterblichkeit zu gehen.*

Seit Sommerbeginn 1795 entstehen wieder Gedichte. »Poesie des Lebens«, »Natur und Schule«, »Die Ideale«, »Pegasus in der Dienstbarkeit«, »Der philosophische Egoist«, »Würde der Frauen«, »Die Macht des Gesanges«, »Das Reich der Schatten« und die »Elegie«.

»Das Reich der Schatten« nennt er später »Das Ideal und das Leben«, die »Elegie« den »Spaziergang«.

Der Umschwung vollzieht sich zunächst innerhalb der lyrischen Gattung. Die Gedichte handeln von *betastlichen Objekte⟨n⟩*. Sie sind gleichsam Zwitterwesen, Fortführung seiner Philosophie, Demonstrationsobjekte seiner Idee, daß es das Ideal der Schönheit sei, durch welches *man zu der Freiheit wandert*, daß ein elysischer Zustand schon im Jetzt möglich sei.

Schiller ist begierig, die Meinung der Freunde über seine lyrische Produktion zu hören; er ändert, kürzt, will verstanden werden. *Körners Urtheil hab ich schon*, heißt es am 27. September 1795, bezogen auf die »Elegie«. Am 5. Oktober schickt er sie an Humboldt: *Hier die Elegie. Ich habe sie heute auch Göthen gelesen, auf den sie sehr gewirkt hat.*

Goethe ist nur für einen Tag in Jena. Am Abend reitet er nach Weimar zurück. *Ihren Gedichten hab' ich auf meiner Rückkehr hauptsächlich nachgedacht, sie haben besondere Vorzüge und ich möchte sagen, sie sind nun wie ich sie vormals von Ihnen hoffte. Diese sonderbare Mischung von Anschauen und Abstraktionen, die in Ihrer Natur ist, zeigt sich nun in vollkommenem Gleichgewicht und alle übrigen poetischen Tugenden treten in schöner Ordnung auf*, Goethe am 6. Oktober.

August Wilhelm Schlegel schreibt Schiller: *Diese Gedichte zeichnen nebst einigen andern meinen Uebergang von der Speculation zur Poesie. Ich hoffe aber, wenn ich nur Zeit und Stimmung finde, nicht immer so ängstlich mehr am Ufer der Philosophie hinsteuren zu müssen, sondern etwas weiter ins freye Meer der Erfindung zu segeln.*

Die *Erfindung* – die er meisterhaft in seinen frühen Dramen gehandhabt hat – zieht ihn wieder an. Nach Jahren der Abstinenz.

Dazu trägt nicht zuletzt Goethes »Wilhelm Meister« bei; *eine süße und innige Behaglichkeit ..., ein Gefühl geistiger und leiblicher Gesundheit* bereite ihm die Lektüre, gesteht er dem Freund am 7. Januar 1795. *Ich kann Ihnen nicht ausdrücken, wie peinlich mir das Gefühl oft ist, von einem Produkt dieser Art in das philosophische Wesen hinein zu sehen. Dort ist alles so heiter, so lebendig, so harmonisch aufgelößt und so menschlich wahr, hier alles so strenge, so rigid und abstrakt, und so höchst unnatürlich, weil alle Natur nur Synthesis und alle Philosophie Antithesis ist. Zwar darf ich mir das Zeugniß geben, in meinen Speculationen der Natur so treu geblieben zu seyn, als sich mit dem Begriff der Analysis verträgt; ja vielleicht bin ich ihr treuer geblieben, als unsre Kantianer für erlaubt und für möglich hielten. Aber dennoch fühle ich nicht weniger lebhaft den unendlichen Abstand zwischen dem Leben und dem Raisonnement – und kann mich nicht enthalten in einem solchen melancholischen Augenblick für einen Mangel in meiner Natur auszulegen, was ich in einer heitern Stunde bloß für eine natürliche Eigenschaft der Sache ansehen muß. Soviel ist indeß gewiß, der Dichter ist der einzige wahre ›Mensch‹, und der beßte Philosoph ist nur eine Carricatur gegen ihn.*

Die hohe Bewertung der Dichtung; bis zu seinem Lebensende wird er daran festhalten. Wird die Dichtung über Philosophie, Moral und Politik stellen. *Die höchste Philosophie endigt in einer poetischen Idee, wie die höchste Moralität, die höchste Politik. Der dichterische Geist ist es, der allen Dreyen das Ideal vorzeich-*

*net*, schreibt er am 4. November 1795. *In der Poesie endigen alle Bahnen des menschlichen Geistes.*

Seine Hinwendung zur Dichtung ist beschlossen. *Poesie wird auf jeden Fall mein Geschäft seyn; die Frage ist also bloß ob ›episch‹ (im weitern Sinne des Worts) oder dramatisch*, hieß es schon am 5. Oktober 1795 sehr bestimmt an Wilhelm von Humboldt, als er um Rat in dieser *ästhetischen Gewissensfrage* bat.

Einen Monat später schreibt er: *Von jeher war Poesie die höchste Angelegenheit meiner Seele, und ich trennte mich eine Zeitlang bloß von ihr, um reicher und würdiger zu ihr zurückzukehren.*

Der Entschluß 1787 – wir erinnern uns –, *der erste Geschichtsschreiber Deutschl⟨ands⟩* zu werden, erwuchs aus der Existenznot eines freiberuflichen Autors, hatte handfeste ökonomische Hintergründe.

Nachdem das Ziel erreicht war, setzte schnell der Überdruß am akademischen Lehramt ein; *zu einem musterhaften Profeßor werde ich mich nie qualifizieren.*

Die schwere Erkrankung 1791 ließ ihn das Amt niederlegen, noch auf dem Krankenbett begann er mit der Lektüre Kants. Die dänische Schenkung von tausend Talern jährlich – für drei Jahre gewährt, um zwei Jahre nochmals verlängert – schuf den finanziellen Rahmen. *... keine Arbeit mehr, die mir ein anderer auflegt oder die einen andern Ursprung hat als Liebhaberey und Neigung.*

Wie nun beurteilt er rückblickend den acht Jahre lang gegangenen Weg der Geschichte und Philosophie? Als Umweg, Abweg, als Verlust oder Gewinn?

Vom *sauren Weg durch die Aesthetik* wird er sprechen. Abwertend von *metaphysischen Uebungen*, davon, daß er *in der Theorie* sich *immer mit Principien* habe *plagen* müssen. *Da bin ich bloß ein Dillettant.*

Mit den Jahren vergrößert sich seine Distanz noch. So schreibt er im November 1801: *Der Gang unsers Geistes wird so oft durch zufällige Verkettungen bestimmt. Die Metaphysisch-critische Zeitepoche, welche besonders in Jena herrschte, ergriff auch mich, es regte sich das Bedürfnis nach den letzten Principien der Kunst und so entstanden jene Versuche, denen ich keinen höheren Werth geben kann und will, als daß sie ein Stück meines Nachdenkens und Forschens bezeichnen, und eine vielleicht nothwendige Entladung der metaphysischen Materie sind, die wie das Blatterngift in uns allen steckt, und heraus muß.*

Und 1805, wenige Wochen vor seinem Tod, heißt es an Wilhelm von Humboldt: *Die speculative Philosophie, wenn sie mich je gehabt hat, hat mich durch ihre hohle Formeln verscheucht, ich habe auf diesem kahlen Gefild keine lebendige Quelle und keine Nahrung für mich gefunden ...*

Schillers Neigung, seine theoretischen Bemühungen als Zeitvergeudung ohne fruchtbare Konsequenzen für seine künstlerische Entwicklung zu betrachten, hängt mit seiner generell überkritischen Wertung von zurückgelegten Wegstrecken zusammen. Das gilt für seine frühen Dramen wie für die Arbeiten zur Historie. Vergangenes legt er ab, es interessiert ihn nicht mehr, beziehungsweise er beurteilt es hart und sich selbst gegenüber oft ungerecht. Das scheint eine notwendige Bedingung seines Weitergehens zu sein: stets lebt er in seinem Schaffen intensiv im Gegenwärtigen; bedrängt schon vom Zukünftigen, nach ihm suchend.

Friedrich Nietzsche, Herbert Marcuse und Hans-Georg Gadamer werden sich mit den großen Fragestellungen von Schillers philosophischer Prosa befassen.

Und seine Zeitgenossen? Die ästhetischen Schriften erregen Aufsehen und stoßen zugleich auf Widerspruch. Nur vereinzelt positive Urteile. *... der Aufsatz über die aesthetische Erziehung des Menschengeschlechts ist ein Meisterstück ... wie wohl muß es Kant tun, die Früchte seiner Arbeit schon in so würdigen Nachfolgern zu erblicken*, schreibt Hegel am 16. März 1795 an Schelling.

Humboldt dagegen, der Schiller wohlgesonnen ist und ihn verehrt, findet, er sei einen *zu strengen und abstrakten* Weg gegangen. *Ich zweifle, daß diese mit den gehaltreichsten Ideen und einer seltenen Schönheit des Vortrags ausgestatteten Aufsätze ... noch häufig gelesen werden.*

Jean Paul und August Wilhelm Schlegel wenden sich gegen die *matte Schillersche* Einteilung von drei- oder viertausend Jahren Dichtkunst in *sentimentalisch und naiv.*

Hölderlin ist unzufrieden, weil Schiller *einen Schritt weniger über die Kantische Gränzlinie gewagt hat, als er nach* seiner *Meinung hätte wagen sollen.*

Fichte schreibt am 27. Juni 1795 an Schiller: *Ihre philosophischen Schriften sind gekauft, bewundert, angestaunt, aber so viel ich merke, weniger gelesen und gar nicht verstanden worden; und ich habe im größern Publikum keine Meinung, keine Stelle, kein Resultat daraus anführen hören. Jeder lobt, so sehr er kann; aber er hütet sich wohl vor der Frage: was denn eigentlich darin stehe?*

Schön wäre es, der Leser würde hier das Buch aus der Hand legen und nach Schillers Texten greifen, sich in seine Briefe »Über die ästhetische Erziehung des Menschen«, seine Schrift »Über naive und sentimentalische Dichtung« vertiefen.

Es ist keine leichte Lektüre. Man strandet *an den kahlen Sandbänken trockener Abstraktionen* – so Schillers Formulierung –, scheitert in den *unfruchtbaren Steppen der Spekulation.* Schiller verliert seinen Ausgangspunkt zuweilen aus den Augen, er verwendet Begriffe mehrdeutig oder stellt zwei Auffassungen unkommentiert nebeneinander. Seinen abrupt wechselnden Gedankengängen zu folgen ist oft schwierig. Man muß den Weg durch den Text in langsamen Schritten gehen; erst dann öffnet er sich.

Der Text, ein sich veränderndes Wesen; die Zeit, in der er entstand, die, in der wir ihm begegnen. Wir nehmen ihn aus unserer Wirklichkeit am Beginn des dritten Jahrtausends wahr. Dazu jeder aus seiner individuellen Erfahrung. Keiner aber wird diesen analytischen Text mit dem beharrlich utopischen Gestus verlassen, ohne Denkanstöße empfangen zu haben; im Schillerschen Sinn, der schreibt, er wolle *wenigstens versuchen, wie weit der entdeckte Pfad* ihn *führt. Führt er mich gleich nicht zum Ziel, so ist doch keine Reise ganz verloren, auf der die Wahrheit gesucht wird.*

Und am Ende des Weges durch den Text ahnen wir, bezogen auf Schillers Lebensweg, inwiefern dieser *reicher und würdiger* zur Poesie zurückkehrt, inwiefern er in den acht Jahren ein anderer geworden ist.

Seine Überzeugung, die Welt sei durch die politische Tat – wie in den »Räubern« – oder durch ideologischen Appell – wie im »Don Carlos« – zu verändern, ist aufgebraucht.

Die Verarbeitung von Geschichte, Philosophie und Gegenwart, die Erfahrungen der Französischen Revolution haben zur Revision dieser Auffassung geführt.

Allein im moralischen Handeln und im Erkennen der Wahrheit durch den Menschen sieht Schiller nun die Voraussetzungen für eine mögliche Veränderung gesellschaftlicher Verhältnisse: *es gibt keinen andern Weg, den sinnlichen Menschen vernünftig zu machen, als daß man denselben zuvor ästhetisch macht.* Zu erreichen ist das über die *ästhetische Erziehung des Menschen*; durch das Ideal der Schönheit *wandert man zu der Freiheit.*

Heißt das, die Kunst übernimmt für Schiller die Funktion der Politik, sie vermittelt dem Menschen die Identifikationserfahrung, welche ihm die Wirklichkeit verweigert? Das große Thema von Schillers philosophischer Prosa ist zweifellos die Frage, was das Versöhnungspotential der Kunst angesichts einer Krise vermag, die die Gesellschaft ebenso wie das Individuum ergriffen hat.

Schillers zunächst unbedingtes Vertrauen in die Kunst, sein Vertrauen darauf, daß über die ästhetische Freiheit auch der politischen der Weg zu bereiten ist, dieses Vertrauen, das für die ersten Briefe »Über die ästhetische Erziehung des Menschen« bezeichnend ist, tritt in den letzten Briefen dann hinter eine merkliche Skepsis zurück.

Schillers Weg führt über die Elysiumshoffnung in seinen Gedichten hin zum Verlust dieser Hoffnung, führt von der Lyrik wieder zum Drama, zu seinem »Wallenstein«, in dem spätestens der Glaube an die Realisierbarkeit des Ideals in dieser Welt aufgegeben ist. Das Versöhnungspotential der Kunst erweist sich unter den gegebenen Bedingungen als machtlos.

Das wird Schillers bitterer Weg der Erkenntnis sein.

Zugleich öffnen sich auf diesem Weg neue Räume, die mir den zur *Idealisation* neigenden Schiller, den *Astralgeist*, sympathisch machen, ihn mir als einen diesseitigen Idealisten erscheinen lassen.

Seine Überlegungen zum *Vergnügen*, zum *Spiel*. Sein Theater verwandelt sich von einem *Tribunal* in ein *Spielhaus*. Der *Spieltrieb* allein sei es, der *den Menschen, sowohl physisch als moralisch, in Freiheit* setze. Der *Mensch* ist *nur da ganz Mensch, wo er spielt*, resümiert er in seinem 15. Brief der »Ästhetischen Erziehung«.

Mich fasziniert sein Gedanke, den *Antagonismus der Kräfte* von Natur und Vernunft als das *große Instrument der Kultur* anzusehen; ohne Larmoyanz über die Gewalttätigkeiten der Gegenwart, immer mit den kleinen Bleigewichten an den Füßen, definiert er die Kunst als das Gebiet, das vor der *Willkür der Menschen* geschützt ist: *der politische Gesetzgeber kann ihr Gebiet sperren, aber darinn herrschen kann er nicht.*

Der Gewinn des Jahre währenden Umgangs mit Historie und Kunsthistorie, der *Einfluß philosophischer Studien* auf seine *Gedankenoekonomie*, ist für Schillers neu einsetzendes dramatisches Schaffen unbestritten groß.

Dennoch wäre zu fragen, ob Schiller sich überhaupt so lange mit spekulativer Philosophie befaßt hätte, wenn die Freundschaft zu Goethe Jahre früher zustande gekommen wäre. Ich komme darauf, weil Schiller sich nach der beglückenden Rückkehr zur Dichtung mehrfach dahingehend äußert, daß Theorie und Dichtung einander im Schaffensprozeß ausschließen. 1802 wird er schreiben, daß die *beyden Operationen*, die *des poetischen Hervorbringens und der theoretischen Analysis, wie Nord- und Südpol von einander geschieden* seien; *ich müßte fürchten, ganz von der Production abzukommen, wenn ich mich auf die Theorie zu sehr einlassen wolte.* Und 1804 heißt es: *In der That verträgt sich diese Geistesoperation* – das *Theoretisieren* – *nicht mit der Ausübung, denn da muss man die Gesetze aus dem Gegenstand schöpfen und findet sich mit keiner allgemeinen Formel gefördert.*

Meine Frage ist müßig, die Wirklichkeit hat anders entschieden.

Die Ermutigung jedenfalls, die *philosophische Bude* zu schließen, verdankt Schiller dem neugewonnenen Freund.

## II

1795 ist das Jahr, in dem beide erstmals den Alltag ihrer Freundschaft erleben.

Der Ort der Zusammenkünfte ist ausschließlich Jena. Goethe ist es, der zu Schiller reist.

Dieser wird sich seines eingeschränkten Lebens bewußt. *Es kommt mir oft wunderlich vor, mir Sie so in die Welt hineingeworfen zu denken*, gesteht er Goethe, *indem ich zwischen meinen papiernen Fensterscheiben sitze und auch nur Papier vor mir habe, und daß wir uns doch nahe sein und einander verstehen können.*

Die so unterschiedliche Existenzweise. Goethe: *in die Welt hineingeworfen.* Schiller: *zwischen ... papiernen Fensterscheiben.*

Ist der maßgebliche Grund für sein zurückgezogenes Leben sein körperlicher Zustand?

Im Jahr 1795 ist er in der zweiten Aprilhälfte krank, Mitte Juni krank, Juli, August, September meistens krank.

*... ich könnte ... ein ganz glücklicher Mensch seyn, wenn ich*

*aus dem Sturm, der mich solange herumgetrieben, meine Gesundheit gerettet hätte*, schreibt er seinem einstigen Fluchtgefährten Andreas Streicher. Dessen Einladung, ihn in Wien zu besuchen, kann er nicht folgen: *eben dieser Zustand meiner Gesundheit läßt mich nicht daran denken, eine Reise zu unternehmen.*

Die Symptome von Schillers Krankheit sind die gleichen wie die 1791 beschriebenen: Krämpfe in Brust und Unterleib, ständige Erkältungen, Stimmungsschwankungen infolge starker Wetterfühligkeit.

Die *eingeschloßene LebensArt*, die er im Winter *nothgedrungen führen* müsse, wirke sich *nachtheilig auf* seine *Stimmung* aus. *Das elende Wetter hat wieder allen meinen Mut mit fortgenommen*, heißt es am 19. Februar.

Am 27. Februar dann: *Mich hat diese Ankündigung des Frühlings recht erquickt, und über mein Geschäft, das deßen sehr bedurfte, ein neues Leben ausgegoßen. Wie sind wir doch mit aller unsrer geprahlten Selbstständigkeit an die Kräfte der Natur angebunden, und was ist unser Wille, wenn die Natur versagt! Worüber ich schon 5 Wochen fruchtlos brütete, das hat ein milder Sonnenblick binnen drei Tagen in mir gelöst ...*

14. Mai: die *jetzige Witterung* habe auf ihn *keinen guten Einfluß.*

20. Juli: eine *ganze Woche lang* sei er *zu jeder Arbeit untüchtig gewesen.*

13. September: *Aus dem Zimmer kann ich noch immer nicht...*

18. Oktober: *Ich habe in diesen schönen Herbsttagen ordentlich wieder aufgelebt, und mich eine Zeitlang ganz erträglich befunden.*

8. Dezember: *Das üble Wetter hat mich sehr gedrückt, so daß ich aus Nacht Tag und aus Tag Nacht machen mußte.*

Soweit das Jahr 1795. Man könnte ein anderes Jahr herausgreifen, die Schilderungen blieben sich annähernd gleich. Die Existenz hinter den *papiernen Fensterscheiben*, die *Thürschwelle* als *Grenze* für Schillers *Wünsche* und *Wanderungen*, seine *eingeschloßene LebensArt.*

Goethe dagegen ist in *die Welt hineingeworfen* – in all den Jahren, so auch 1795. Er legt in diesem Jahr, um dem Freund nahe zu sein, allein sieben Mal die Strecke von Weimar nach Jena zurück – reitend oder mit der Kutsche –, reist im Sommer nach Karlsbad, im Herbst nach Ilmenau und Eisenach.

Die wechselnden Absendeorte seiner Briefe.

Erwacht in Schiller Sehnsucht?

*Warum*, schreibt er dem Freund nach der Karlsbad-Zeit, als dieser von einer Fahrt nach Ilmenau im Thüringer Wald zurückkommt, *kann ich nicht diese kleinen Veränderungen mit Ihnen teilen, die Leib und Seele stärken!*

Will er das wirklich?

Jede Reise, jede Veränderung, die Unruhe bringt, empfindet er als seiner Arbeit abträglich, auch in gesunden Zeiten. Seine eigene Reiseunlust. Die Reiselust und der Reisezwang des anderen dagegen.

Ist es einzig und allein die Krankheit, die Schiller hinter die *papiernen Fensterscheiben* bannt? Oder ist dieses im *Gehäuse* des Zimmers am Schreibtisch Sitzen, dieses das *Papier vor sich haben*, die Existenzform, in der er sich selbst am nächsten ist?

Eine schwer zu beantwortende Frage. Allzuviel Widersprüchliches. Dient ihm sein körperlicher Zustand nicht zuweilen geradezu als Rechtfertigung seiner Lebensweise?

Mehrfach rückt er Gesundheit in die Nähe von Müßiggang und Krankheit in die von Arbeit. Sieht er Krankheit gar als eine Chance für Arbeitsintensität?

Wie sonst wären Äußerungen wie diese zu verstehen: *Wenn ich aber physisch wohl bin, so bin ich gewöhnlich moralisch desto müßiger.* Im Oktober 1795 an Körner; und im Dezember an denselben: *Hätte ich meine gesunden Tage nur zur Hälfte so genutzt, als ich meine kranken benutze, so möchte ich etwas weiter gekommen seyn.*

Oder jenes Lob: *Auch die Kränklichkeit ist zu was gut, ich habe ihr viel zu danken.* Das schreibt er in einem Brief vom November 1797 an einen anderen Leidenden. Es ist als Trost gedacht und hat doch fast etwas Brutales. An Garve sind die Zeilen gerichtet, den Schriftsteller Christian Garve, der Gesichtskrebs hat und ein Jahr später, am 1. Dezember 1798, daran sterben wird.

Schillers er *habe ihr viel zu danken*, der *Kränklichkeit*, läßt Krankheit fast als einen stimulierenden Zustand erscheinen. Denkbar ist: Schiller macht aus der Not eine Tugend. Bereits 1784 in Mannheim war er gezwungen, *unter* seiner *Krankheit mit dem Kopf arbeiten zu müssen.* Mit Krankheitsausbruch und Todeserfahrung 1791 wird dies immer so sein: auch in Phasen der Krankheit zu schreiben. Er zwingt sich dazu, wartet nicht auf *Stimmung*, lernt, daß sich im *Nothfall ... die poetische Muse ... auch commandiren läßt.*

Mit unendlichem Fleiß treibt er sein Werk voran, nichts fällt ihm zu; Friedrich Schlegel will von Körner wissen, daß Schiller *die Gedanken mit der größten Anstrengung ›heraufpumpen‹* mußte. Er selbst spricht davon, daß er eine *langsame Feder* habe, sich alles *aus den Nägeln saugen* müsse.

Schiller befindet sich in einem permanenten Zustand der Überforderung seiner Kräfte, immer im Bewußtsein der Begrenztheit seiner Lebenszeit, stets von der Angst gejagt, daß die *Krankheit* seine *physischen Kräfte* vollends untergräbt, *das Gebäude zusammenfällt.*

Nimmt es da wunder, daß er mit seiner Zeit geizt, sich von den *papiernen Fensterscheiben* umschließen läßt, Reisen – trotz Sehnsucht – als Zeitvergeudung empfindet und sich – wider besseres Wissen – über weite Strecken rücksichtslos zu seinem Körper verhält.

Die Zeiten, die er ins Haus gebannt bleibt, werden immer länger.

Jahre zuvor, 1789, beklagte er noch den *ew'gen traurigen Kreis von* seinem *Studierzimmer in das auditorium* und vom *auditorium* an den Schreibtisch. Sprach, wenn er vierzehn Tage *nicht im*

*Freyen geathmet*, sich nicht *mit der Natur zusammen gefühlt* hatte, vom *lebendigen Begräbniß auf* seinem *Zimmer.*

Im Januar 1795 spricht er von vier Monaten, die er nicht ins Freie gekommen ist; *die schmutzigen gelben Wände und der einförmige Markt* seien *die einzigen Gegenstände, die* er *schon seit 4 Monaten vor Augen habe.*

Seit der Rückkehr aus Schwaben lebt er in einer Professorenwohnung an der Südostecke des Marktes. Mitte April 1795 wechselt er vom Unteren Markt 1 in ein Haus am Saaltor, am Löbdergraben. *Wir ziehen jetzt zu Grießbach und erhalten eine der schönsten Wohnungen, die in Jena zu finden sind.* Die Familie Schiller bewohnt die beiden oberen Stockwerke des Hauses mit Blick auf den Berg Jenzig.

Aber auch das neue Domizil verläßt Schiller kaum. *Heute fuhr ich spazieren, nachdem ich wohl 3 Monate nicht ins Freye gekommen war*, schreibt er am 19. Oktober 1795 an Körner. *Meine Krämpfe regten sich immer stärker, wenn ich ausgehen wollte.*

Drei Monate ins Zimmer gebannt in der warmen Jahreszeit?

Im Brief an die Schwester ist Anfang 1796 sogar von fast einem Jahr die Rede. Christophine erwidert am 28. April: *Daß deine Gesundheit selbst wieder wankend ist, thut mir sehr weh ... Wie ist es möglich daß man fast ein Jahr lang immer zu Hause und nicht in die frische Luft geht das muß schon ohne krank zu seyn den Körper äußerst schwächen. Ich habe oft auch so hipocondrische Perioden wo ich nicht ausgehn mag aber mein Mann läßt mir keine Ruhe und darinn hat er sehr recht ...*

Trifft ihre Anspielung auf Phasen von Antriebslosigkeit, »Hypochondrie«, zu? Zuweilen ist sie wohl – verständlicherweise – mit im Spiel.

Auch eine Episode von 1798 legt das nahe. Goethe, der stets der Krankheit des zehn Jahre Jüngeren mit Verständnis und großem Mitgefühl begegnet, verliert ein einziges Mal in all den Jahren die Geduld.

Es geht um einen Schnupfen Schillers, und der Dialog zwischen den Freunden ist nicht ohne Komik.

Ende August kündigt Schiller seinen Besuch in Weimar an.

Goethe am 1. September: *Erfüllen Sie nur wo möglich Ihr Versprechen.*

Schiller am 2. September: *Das Wetter hat sich wieder sehr glücklich verändert und meinen Entschluß nach Weimar zu gehen, etwa auf den Donnerstag sehr ernstlich bestimmt.* Am 4. September: *Ich habe mir zwar jetzt einen starken Schnupfen zugezogen, doch denke ich, wenn nichts dazwischen kommt, auf den Donnerstag zu kommen.*

Goethe am 5. September: *Treten Sie ja von Ihrem guten Vorsatz nicht zurück Ihre Reise wird Ihnen gewiß wohlbekommen.*

Schiller am selben Tag: *Weil mein Schnupfen noch heftig ist, so will ich meine Wanderung lieber noch einen Tag oder zwei verschieben.*

Schiller am 7. September: *Ich lege mich mit dem festen Vorsatz nieder, morgen zu Ihnen hinüber zu fahren.*

Am 9. September: *Es tut mir leid, daß ich am Samstag mein Kommen bestimmt und wieder nicht gehalten habe, aber ich bin sehr unschuldig, denn ich habe in den 4 letzten Tagen zwei Nächte ganz schlaflos zugebracht, welches mich sehr angegriffen ... Jetzt habe ich den Mut verloren, etwas Festes über mein Kommen zu beschließen, doch wenn ich diese Nacht schlafen kann und mich ein wenig erhole, komme ich morgen doch.*

Am 10. September endlich dann macht er sich auf den Weg, trifft in der Tat in Weimar ein und bleibt fünf Tage.

Am 6. September war Goethe der Geduldsfaden gerissen, er hat an Schiller geschrieben: *Wir haben Sie mit Sehnsucht erwartet und, was den Schnupfen betrifft, so hätten Sie ihn, nach unsers Fürsten erprobter Theorie, eben dadurch kuriert wenn Sie sich der Luft ausgesetzt hätten.*

Schillers Ängste, das Zimmer zu verlassen; Wetterfühligkeit, Reiseunlust, Übervorsichtigkeit.

Wie verhält sich Charlotte dazu? Begann ihre und Schillers Beziehung nicht mit langen Spaziergängen im Saaletal, in der

Umgebung von Volkstedt und Rudolstadt? Sie liebt die Natur, hält sich gern draußen auf.

Kann sie Schiller nicht auch dazu bringen, wagt sie es nicht? Weil jede Arbeitsunterbrechung ihn stört, ihm nicht willkommen ist? Und ein Garten, in den sie ihn schicken könnte, fehlt. In dem Gartenhaus in der Zwätzengasse, das sie von April 1793 bis zur Reise nach Schwaben bewohnten, fühlte er sich beim Anblick von *Feld und Himmel* gut, war wohl auch leichter herauszulocken. Charlotte tauscht sich mit ihrer Schwägerin Christophine aus. Vielleicht wird da die Idee geboren, einen anderen Garten zu kaufen. *Ein Haus mit einem Garten* suche sie, schreibt Charlotte, *oder besser Garten mit Haus, denn das Nötigere* sei *der Garten. Schiller fühlt jetzt auf das lebhafteste was er entbehrt daß er immer in der Stube eingeschlossen ist, und wie er sich nur durch eine Wohnung im Freien wieder an die Luft gewöhnen kann.*

Schiller als ein besessener Arbeiter kann sich selten vom Schreibtisch lösen, zu *Pausen in seinen Geschäften* muß er offenbar immer wieder gezwungen werden. Charlotte wird 1802 an Christophine schreiben, dieser Sommer sei eine *unruhige Periode*, Freunde und Unbekannte kämen zu Besuch, es gäbe *manche Veranlassung zu Zerstreuungen, die Schiller nicht immer lieb sind, weil er gern seine Zeit zu seinen Geschäften braucht, und es ihm nicht recht behaglich ist, wenn er auch nicht etwas erschaffen kann; doch dünkt mir, wären diese Pausen in seinen Geschäften für seine Gesundheit zuträglich...*

Genau diese *Pausen* gönnt er sich nicht, und wann sollte er sie auch machen, angesichts des enormen Arbeitspensums, das er bewältigt. Im Jahr 1795 entstehen die bereits erwähnten Gedichte und ästhetischen Hauptschriften. Darüber hinaus drei weitere Abhandlungen zur Ästhetik.

Als Herausgeber und Redakteur des »Musen-Almanach« und der »Horen« hat er viel zu tun, dazu gehört die umfangreiche Korrespondenz mit seinem Verleger Cotta und die mit zu gewinnenden Beiträgern. Er muß vieles lesen, vieles, was er nicht gebrauchen kann. Muß für andere einspringen. Die »Merkwürdige

Belagerung von Antwerpen in den Jahren 1584 und 1585«, eine historische Studie, schreibt Schiller nur, um eine Lücke in seinen »Horen« zu füllen.

Außerdem begleitet Schiller die Entstehung des »Wilhelm Meister« als erster Leser und Kritiker; eine umfangreiche, ihn fordernde Sache. In langen Briefen teilt er dem Freund seine kritischen Anmerkungen mit, ermutigt ihn durch seine begeisterte Zustimmung.

Der Briefwechsel der Freunde beginnt in diesem Jahr 1795. Fünfundvierzig Briefe Schillers an Goethe sind überliefert. Siebenundfünfzig von Goethe an Schiller.

Neben dem brieflichen Austausch das Glück ihrer persönlichen Begegnungen in diesem Jahr. *Ihr Hierseyn wird eine Quelle von Geistes- und Herzens Nahrung für mich seyn*, heißt es zu Jahresbeginn. Vom 11. bis 24. Januar 1795 ist Goethe in Jena.

Im Februar kommt er mit dem Herzog, weilt vom 11. bis 13. in der Stadt und besucht Schiller mehrfach.

Der ist nicht immer mit dem Freund zufrieden. Er wünscht sich häufigere Begegnungen. Am 8. März heißt es: *Aber weder von Ihnen zu hören noch zu sehen, ist etwas, wozu ich mich kaum mehr gewöhnen kann.*

Er ersehnt seine Nähe: *ich bedarf auch wieder einer lebhaftern Anregung von aussen von einer freundschaftlichen Hand.*

Auch bei Goethe ist von *lebhafter Sehnsucht* die Rede. *Ich wünsche daß gutes Wetter mir einen schnellen Ritt zu Ihnen erlauben möge, denn ich verlange sehr nach einer Unterredung und nach Ihren bisherigen Arbeiten.* So am 11. März. Am 19. März dann: *Ich arbeite alles weg, was mich hindern könnte, mich bald in Ihrer Nähe zu freuen und zu erbauen.*

Am 29. März trifft er in Jena ein, am 2. Mai reist er zurück.

Den Vorfrühling, den gesamten Monat April sind die Freunde zusammen. *Göthe ist schon seit 14 Tagen hier, und erscheint jeden Abend pünktlich*, Schiller am 10. April. Am 1. Mai: *Göthe ist noch immer hier und wir bringen viele vergnügte Stunden miteinander zu.*

Dann tritt eine Pause ein. Goethe ist krank. *Daß Sie Sich nicht wohl befanden, erfuhr ich erst vorgestern, und beklagte Sie aufrichtig*, Schiller am 15. Mai. *Wer so wenig gewöhnt ist, krank zu sein, wie Sie, dem muss es gar unleidlich vorkommen. Daß die jetzige Witterung auf mich keinen guten Einfluß hatte, ist etwas so gewöhnliches, daß ich nicht davon reden mag.*

Das Stocken der Arbeit durch Witterungseinflüsse. Durch fehlende Anregung von außen. *Könnten Sie kommen*, schreibt er Goethe am 12. Juni, *und Ihren Geist auch nur sechs Wochen lang und nur soviel ich davon in mich aufnehmen kann, in mich hauchen, so würde mir geholfen seyn.*

Der Freund aber kommt nicht, er entschließt sich, eine Trinkkur in Karlsbad zu machen, wird vom 2. Juli bis 11. August in Böhmen sein.

*Ziemlich verwaißt* werde er *eine Zeitlang seyn*, klagt Schiller.

Vor der Abreise nach Karlsbad hält sich Goethe von Montag, dem 29. Juni, bis Donnerstag, dem 2. Juli, in Jena auf. *Ich freue mich*, schreibt Schiller, *daß ich von den 30 Tagen Ihrer Abwesenheit viere wegstreichen darf.*

Juli, August, September. Der Freund kehrt zurück, begibt sich aber unverzüglich in Bergwerksangelegenheiten nach Ilmenau.

Am 5. Oktober ein kurzes Wiedersehen. *Heute ritt Göthe zu mir herüber und ist soeben wieder abgereißt*, Schiller an Humboldt.

Am 11. Oktober verläßt Goethe erneut Weimar, im Auftrag des Herzogs soll er eine Reise nach Frankfurt machen, um die politische und militärische Lage zu beobachten; er kommt bis Eisenach, wartet dort, bricht dann die Reise wegen der drohenden Auseinandersetzungen zwischen Österreichern und Franzosen ab. Am 25. Oktober ist er wieder in Weimar.

Schiller notiert am 5. November in seinen Kalender: *Goethe angekommen.* Am 9. schreibt er an Humboldt: *Göthe ist seit dem 5ten hier und bleibt diese Tage noch hier, um meinen Geburtstag mit zu begehen. Wir sitzen von Abend um 5 Uhr biß Nachts 12 auch 1 Uhr beysammen, und schwatzen.*

Goethe schreibt am gleichen Tag an Christiane: *Vielleicht bleibe ich bis zu Ende der Woche hier, denn im stillen Schloß läßt sichs gut denken und arbeiten. Abends bin ich bei Schillern, und da wird bis tief in die Nacht geschwätzt.*

Am 30. Oktober 1795 ist Goethe zum vierten Mal Vater geworden. Christiane hat ihm den Sohn Carl geboren. Ihre Furcht nach dem Tod des zweiten und dritten Kindes. An diesem 9. November schreibt sie: *das Kleine ist seit zwei Tagen sehr matt und schläft den ganzen Tag ... ich leugne es nicht, ich bin sehr ängstlich dabei ...*

Sie schickt einen Boten mit dem Brief nach Jena.

Vermutlich erreicht Goethe die Nachricht am Abend des 10. November, die Feier zu Schillers Geburtstag findet statt.

*Es hat uns weh getan, daß Sie uns so schnell verlassen mußten*, schreibt Schiller am 11. November. An diesem Tag ist Goethe wieder in Weimar. Das *Kleine* lebt noch wenige Tage. Am 16. November stirbt es.

*Ich hörte lange nichts von Ihnen und habe auch selbst lange geschwiegen,* schreibt Schiller am 8. Dezember. Und am 29. Dezember: *Auf Ihre baldige Hieherkunft freue ich mich nicht wenig.*

Am dritten Tag des neuen Jahres kommt Goethe, bleibt bis zum 17. Januar. *Alsdann erschien Göthe, der mir alle Abendstunden nimmt*, heißt es in dieser Zeit. Und: *denn Göthe, der bey uns ist, macht mir zuviel Lerm ...* Das bezieht sich offenbar auf Goethes Umgang mit dem zweijährigen Carl. *Göthe ist ganz von ihm eingenommen*, berichtet Schiller, *und mir, der ich nur in dem engsten Lebenskreis existiere, ist das Kind so zum Bedürfniß geworden, daß mir in manchen Momenten bange wird, dem Glück eine solche Macht über mich eingeräumt zu haben.*

Aber auch von einem anderen Kind ist zwischen den Freunden die Rede, einem geistigen; Frucht ihres intensiven Austausches und Arbeitsalltags im Jahr 1795. *Das Kind, welches Göthe und ich mit einander erzeugen, wird etwas ungezogen und ein sehr wilder Bastard seyn*, teilt Schiller am 1. Februar 1796 Körner mit.

Er spielt auf die »Xenien« an; Epigramme, Spottverse nach antikem Muster. Knapp 200 dieser Xenien entstehen in den ersten Januarwochen 1796, mit ihnen greifen die Freunde erstmals gemeinsam in das *Possenspiel des deutschen Autorenwesens* ein. Auslöser für die Spottverse ist die unfreundliche Aufnahme von Schillers Zeitschrift »Die Horen« durch Leserschaft und Kritik.

## III

Die *litterarische Monathsschrift* »Die Horen«, Schillers ehrgeiziges Projekt. Hochfliegende Pläne – wir erinnern uns –, unter seiner Führung sollten *die vorzüglichsten Schriftsteller der Nation in eine litterarische Association* treten, die *dreißig oder vierzig beßten Schriftsteller Deutschlands* seine *Mitarbeiter* sein.

Auf drei Jahrgänge werden es die nach den drei die Himmelspforten bewachenden Zeustöchtern benannten »Horen« bringen, dann ist ihr Schicksal besiegelt.

Wielands Zeitschrift »Teutscher Merkur« dagegen, 1774 gegründet, wird bis 1810 weiterexistieren.

*Eben habe ich das Todesurtheil der drei Göttinnen Eunomia, Dice und Irene* (Eirene) *förmlich unterschrieben,* teilt Schiller am 26. Januar 1798 Goethe mit. *Weihen Sie diesen edeln Todten eine fromme christliche Thräne, die Condolenz aber wird verbeten.*

Warum ist dieser mit so viel Enthusiasmus und Arbeitselan begonnenen Zeitschrift nur eine Dauer von drei Jahrgängen beschieden?

Der Start der »Horen« ist zunächst überaus erfolgversprechend. Schiller erweist sich als geschickter Werbefachmann. Fünfhundertmal versendet er persönlich die Ankündigung der »Horen«, läßt diese in gekürzter Form in verschiedene große Zeitungen setzen.

1743 Subskribenten schreiben sich für den ersten Jahrgang ein.

Die Druckauflage beträgt 2300 Exemplare. Neugier und Interesse der Leserschaft sind vorhanden.

Im Januar 1795 erscheint das erste Heft, dann monatlich ein weiteres. Im ersten Jahrgang sind Fichte und Herder, August Wilhelm Schlegel, Jacobi, Humboldt und Woltmann vertreten, vor allem aber Goethe mit literarischen Arbeiten, den »Unterhaltungen deutscher Ausgewanderten«, den »Römischen Elegien«, dem »Märchen« und natürlich Schiller mit seinen großen ästhetischen Schriften und seinen Gedichten. Es gelingt ihm in der Tat, die *beßten Schriftsteller Deutschlands* zu versammeln.

Die Kritik würdigt das nicht. Bereits im Herbst 1795 werden die ersten Gegenstimmen laut. *Wir leben jetzt recht in Zeiten der Fehde. Es ist eine wahre Ecclesia militans – die Horen meyne ich*, schreibt Schiller am 1. November an Goethe. *Ausser den Völkern, die Herr Jacob in Halle commandirt und die Herr Manso in der Biblioth⟨ek⟩ d⟨er⟩ S⟨chönen⟩ W⟨issenschaften⟩ hat ausrücken lassen, und außer Wolfs schwerer Cavallerie haben wir auch nächstens vom Berliner Nicolai einen derben Angriff zu erwarten.*

Konkurrenten und Skeptiker tadeln bereits am ersten Jahrgang das Mißverhältnis zwischen elitärer Programmatik und der zum Teil mittelmäßigen Qualität der Beiträge. Der Zweifel, daß die »Horen« ihr Programm der Geschmackserziehung auf höchstem Niveau würden durchsetzen können, ist allgemein.

Auch wegen ihrer politisch konservativen Tendenz wird die Zeitschrift kritisiert. Sie habe, schreibt Reichardt, entgegen ihrer öffentlichen Ankündigung, durchaus *Beziehungen auf den jetzigen Weltlauf*, jedoch vorwiegend mit revolutionskritischem Grundton. Nicolai setzt gegen den angestrengten theoretischen Ehrgeiz von Schillers »Horen« die intellektuelle Eleganz von Wielands »Teutschem Merkur« und die Urbanität von Heinrich Christian Boies »Deutschem Museum«.

Die massivste Kritik jedoch erfahren Schillers eigene Beiträge, vor allem die Briefe »Über die ästhetische Erziehung des Menschen«. Nicolai bezeichnet sie als geschwätzige, platte Kantnachahmung ohne jeglichen Erkenntniswert in ästhetischen Fragen. Mackensen kritisiert in den »Annalen der Philosophie und des philosophischen Geistes« die terminologische Unsauberkeit und die mangelnde Konsequenz von Schillers philosophischer Methodik. Manso greift in der »Neuen Bibliothek der schönen Wissenschaften und freyen Künste« die Verbindung von abstrakter Begrifflichkeit und bildhaften Sprachelementen an, spricht von dunkler Terminologie und fordert boshaft die Übersetzung der Texte *ins Deutsche.*

Bereits Fichte hat Schiller in jenem schon erwähnten Brief vom 27. Juni 1795 in dieser Richtung attackiert. Die öffentliche Kritik haut in dieselbe Kerbe.

Streut sie Salz in Wunden? Schiller ist das Problem poetischer versus philosophischer Diktion durchaus bewußt, er reflektiert es mehrfach kritisch.

Die Stelle, wo er am dünnhäutigsten ist, wird getroffen. Die Schärfe und Gereiztheit, mit der er auf die Kritik reagiert, läßt das Ausmaß seines Verletztseins ahnen.

Vor allem muß für Schiller enttäuschend gewesen sein, daß die Kritik auf die inhaltlichen Belange seiner Briefe »Über die ästhetische Erziehung« – sein *politisches Glaubensbekenntniß . . ., das beste, was ich je gemacht habe* – überhaupt nicht eingeht.

Schreibt er ins Leere? Streitet ins Leere? Wie existentiell er an seinen ästhetischen Überzeugungen und Idealen hängt, *den sinnlichen Menschen vernünftig zu machen*, indem man *denselben zuvor ästhetisch macht*, läßt ein Brief Charlotte von Steins an ihren Sohn Fritz vom 17. April 1796 deutlich werden. Sie schreibt: *Heute Abend kommt die Herzogin zu mir und Schiller. Gestern war er auch einige Stunden bei mir. Wir haben uns ganz müde übers Menschengeschlecht gestritten, welches zu verbessern ihm möglich scheint, mir aber nicht. Endlich mußte er mir zugeben, daß die menschliche Natur nicht zu verändern sei, aber das Streben nach etwas Höherm ihm doch eigen wäre, sagte er. Das gab ich ihm zu, indem der Mensch sich moralisch erheben könnte, er wollte aber behaupten, daß die Menschen durch Kunstgefühle erhoben würden. Mir deucht, dawider streitet die Erfahrung; mir deucht sogar, die Kunstgefühle erkälten das Herz.*

Die Macht der Kunst. Der Abschied von Illusionen. Schiller fällt er schwer. Die Übereinstimmung mit dem Publikum – Voraussetzung seines Erziehungsgedankens – stellt sich nicht ein. Hatte er es in der »Rheinischen Thalia« noch als *Souverän* und *Vertrauten* bezeichnet, so sieht er es nun zunehmend als breite, von intellektueller und kultureller Trägheit bestimmte Masse. Die Hoffnung, daß der bessere Teil des Publikums, zu dem er die Subskribenten der »Horen« zählt, seine Botschaft annimmt, zerschlägt sich. Seine Skepsis gegenüber dem Publikum wird so weit gehen, daß er es eine feindliche Macht nennt, die man bezwingen muß. Am 25. Juni 1799 schreibt er an Goethe: *Das einzige Verhältniß gegen das Publicum, das einen nicht reuen kann, ist der Krieg ...*

Die Enttäuschung über die Aufnahme der »Horen« führt bereits Ende 1795 dazu, daß Schiller das Aufgeben der Zeitschrift erwägt. *Nur durch eine unermüdete Sorge habe* er *das Ganze bisher zusammengehalten*; er klagt nicht nur über die *Stumpfsinnigkeit der Leser*, sondern auch über die *schlechte Unterstützung von Seiten der Mitarbeiter.* Selbst *von Göthen* erwarte er für den nächsten Jahrgang *soviel als nichts.*

Arbeitsaufwand und Ergebnis. Schiller steht seinem enthusiastisch begonnenen Projekt bald schon mit wachsendem Desinteresse gegenüber. Indiz dafür ist, daß er den enormen Zeitaufwand, den die redaktionelle Arbeit erfordert, drastisch reduziert.

Am 30. Januar 1795 schreibt er Cotta: *Fürchten Sie nicht, daß ich durch NebenUnternehmungen den Horen Abbruch thun werde. Vom ganzen Jahre ist alle meine Zeit biß auf etwa 6 Wochen Ihnen gewidmet.* Bereits ein Jahr später aber, am 18. Januar 1796, heißt es – allerdings nicht an seinen Verleger, sondern an den Dresdner Freund Körner –, daß er *entschloßen* sei, seinen *Antheil an den Horen auf das Minimum zu reduciren.*

Von diesem Zeitpunkt an überläßt Schiller zum Teil Cottas Kompagnon Christian Jakob Zahn die Zusammenstellung der einzelnen Hefte. Er vernachlässigt seine Sorgfaltspflicht als Herausgeber.

Nachteilig wirkt sich auch aus, daß Goethe, der ein Zugpferd für die Zeitschrift ist, ihm seine besten Sachen, den »Wilhelm Meister« und sein Epos »Herrmann und Dorothea«, nicht gibt, weil er sich verlegerisch bereits gebunden hat oder andere Publikationsformen offenbar für geeigneter hält.

Im Jahrgang 1797 druckt Schiller Nachlaßtexte von Jakob Michael Reinhold Lenz, veröffentlicht Gedichte Hölderlins. Nochmals ein künstlerischer Glanzpunkt.

Doch dieses hohe Niveau kann er nicht halten, dem eigenen Anspruch im zweiten und dritten Jahrgang seiner Zeitschrift nicht gerecht werden.

Zu fragen ist, wie sich Schillers künstlerische Arbeit – er ist in der entscheidenden Phase seiner Neuorientierung, in der er die *philosophische Bude schließen* und sich der *Poesie* zuwenden will – mit seiner Herausgebertätigkeit verträgt. Nur schwer. Als Herausgeber muß er *einem fremden Gesetz ... gehorchen.* Das, denke ich, macht seinen Konflikt aus.

Fordert ihn die Zeitschrift nicht ganz? Ist Redakteur nicht ein Hauptberuf? Anfänglich sieht er das selbst so. Nur *6 Wochen* will er sich *NebenUnternehmungen* widmen. Dann rückt er davon ab. Kann er *im Maschinengang eines soliden Geschäfts* nur kurzfristig *verharren*?

Es ist nicht nur eine Frage der Zeiteinteilung, es geht auch um soziale Kompetenz. Als Herausgeber muß er als Autor zurücktreten, muß Kräfte konzentrieren können, viele Stimmen zu Wort kommen lassen, unterschiedlichste künstlerische Sichtweisen tolerieren, die nachfolgende Generation einbeziehen.

Das alles versucht Schiller, wie seine umfangreiche Korrespondenz beweist, er wirkt auf jüngere Kollegen ein, regt an, initiiert, fordert Beiträge.

Zu beobachten aber ist, daß sein Engagement rasch nachläßt oder in schroffe Zurückweisung umschlägt, sobald unterschiedliche künstlerische Urteile aufeinandertreffen oder er sich in seinen Erwartungen getäuscht sieht.

Ein Beispiel: Johann Gottlieb Fichte, dem er persönlich zugetan ist, den er für sein Herausgebergremium der »Horen« gewonnen hat, von dem er im November 1794 sagt, er sei *nach Kant ... gewiß der größte Speculative Kopf in diesem Jahrhundert*, schickt ihm im Sommer 1795 ein Manuskript. Schiller lehnt es mit einem groben Brief für den Druck ab, nennt es *schielend und unsicher.* Als Fichte daraufhin dessen ästhetische Schriften angreift, bricht Schiller beleidigt den Kontakt zu dem Philosophen ab. Daß er Fichtes Manuskript als Konkurrenz empfindet, das die Wirkung seiner eigenen Abhandlung einschränken könnte, ist unschwer zu erkennen.

Schiller ist empfindlich gegen Kritik und zugleich in seinen Angriffen äußerst scharf.

1791 hatte Gottfried August Bürger das zu spüren bekommen; Schiller wirft dem zwölf Jahre Älteren fehlende Bildung und Reife vor, führt die Mängel in seiner Dichtung auf seine Person zurück: *Das Feuer der Begeisterung scheint ihm zu einer ruhigen Arbeitslampe herabgekommen zu seyn ...*

Daß Schiller mit diesem ungerechten Urteil auch sich selbst meint (in der Rezension vollzieht er den Bruch mit der eigenen Vergangenheit), kann Bürger, der sich gegen Schillers *Herren- und Meistergebärde* zur Wehr setzt, wenig trösten.

Demgegenüber Schillers überschwengliches Lob des unbedeutenden Lyrikers Friedrich von Matthisson. Und seine Vorbehalte gegen *diese Richter* (Jean Paul), *diese Hölderlins. Ob*, fragt er seinen Freund Goethe, die Genannten *absolut und unter allen Umständen so subjectivisch, so überspannt, so einseitig geblieben wären, ob es an etwas primitivem liegt, oder ob nur der Mangel einer aesthetischen Nahrung und Einwirkung von aussen und die*

*Opposition der empirischen Welt in der sie leben gegen ihren idealischen Hang diese unglückliche Wirkung hervorgebracht hat.*

Schillers Vorbehalte gegen Hölderlin (Goethe bestärkt ihn darin) empfinde ich als besonders schmerzlich, denn Hölderlin verehrt und bewundert Schiller als seinen Lehrer. *Ich bin vor Ihnen, wie eine Pflanze, die man erst in den Boden gesezt hat. Man muss sie zudeken um Mittag*, gesteht er ihm 1797, und: *Ich habe Muth und eignes Urtheil genug, um mich von andern Kunstrichtern und Meistern unabhängig zu machen, ... aber von Ihnen dependir' ich unüberwindlich.* Schiller seinerseits setzt große Hoffnungen auf Hölderlin: *Er hat recht viel Genialismus, und ich hoffe auch einigen Einfluß darauf zu haben ... Ich rechne überhaupt auf Hölderlin für die Zukunft der Horen ...* Hölderlin gibt seine Hauslehrerstelle auf, kommt nach Jena, die günstigen Honorare der »Horen« lassen ihn sogar glauben, er könne davon leben. Schiller bestärkt ihn darin. Aber er ist nicht fähig, Hölderlins überragendes Talent vorbehaltlos anzuerkennen; in dem Moment, wo sich zwischen ihnen künstlerische Gegensätze zeigen, läßt er die Beiträge liegen. Schweigt. Stößt Hölderlin zurück.

Fehlt es Schiller an dem für einen Zeitschriftenherausgeber notwendigen Maß an Flexibilität? An Diplomatie? August Wilhelm Schlegel gegenüber verhält er sich durchaus diplomatisch. Dessen Beiträge, schreibt er Humboldt, *seien eine trefliche Acquisition, aber nicht um das Journal in Schwung zu bringen oder auch nur darinn zu erhalten, sondern bloß um demselben eine Masse zu geben.*

Letztlich geht es – bewußt oder unbewußt – um die Durchsetzung auf dem Literaturmarkt, um Konkurrenzdenken, um Geltungsansprüche und aus ihnen erwachsende Empfindlichkeiten.

Um 1800, als sich Schillers Erfolg als Dramatiker immer klarer abzeichnet, wird er weitaus souveräner auch mit Kritik umgehen können. Mitte der neunziger Jahre dagegen reagiert er überempfindlich und zuweilen ungerecht, weil er seine ästhetischen Überzeugungen weder vom Publikum noch von der Kritik aufgenommen, geschweige denn verstanden sieht. *Mit den Horen*, schreibt er enttäuscht, *gebe ich zuweilen die Hofnung auf. Nicht allein deßwegen, weil es zweifelhaft ist, ob uns das Publicum treu bleiben wird, sondern weil die Armuth am Guten und die kaltsinnige Aufnahme des wenigen vortreflichen mir die Lust mit jedem Tage raubt.*

Nicht zu vergessen ist auch der finanzielle Hintergrund. Schiller bedenkt bei jedem Projekt die Kostenseite, den Verkaufserfolg mit.

Die Auflage der »Horen« sinkt von durchschnittlich 2000 Stück auf 1500, schließlich auf 1000. Cotta muß erhebliche Verluste hinnehmen. Nicht wenige Abbestellungen erfolgen, als im September 1796 die »Xenien« erscheinen.

Die »Xenien«. Geheimnisvoll heißt es bereits im März 1796 in einem Brief an Cotta, er arbeite *mit Göthen ... seit etlichen Monaten* an einem Werk. *Ich kann Ihnen von dem Innhalte deßselben nicht wohl schreiben, aber mündlich sollen Sie einen deutlichen Begriff davon erhalten. Die Einkleidung des Werks ist völlig neu, und der Innhalt für Jedermann.*

*... daß Sie und kein anderer der Verleger* wären, wünscht Schiller sich und unterstreicht die Bedeutung des Unternehmens: es *findet sich der Umstand doch nicht alle Tage, daß 2 poetische Schriftsteller sich in Einem poetischen Werk vereinigen; in Deutschland ist der Fall noch nie vorgekommen, und schon von dieser Seite würde das Werk Sensation erregen.*

Schiller spricht von den »Xenien«.

Es erstaunt nicht, daß noch während der Redakteurstätigkeit für die »Horen« ohne jede Schwierigkeit aus dem Herausgeber Schiller der scharf angreifende Spötter und Epigrammatiker wird. Es scheint für ihn eine Art Befreiungsschlag gewesen zu sein.

Bereits am 15. Juni 1795 schreibt er Goethe, *daß wir wohl daran thun würden, einen kritischen Fechtplatz in den Horen zu eröfnen.*

Goethe hat ihm einen Monat zuvor erklärt: *Lassen Sie uns nur unsern Gang unverrückt fortgehen; wir wissen, was wir geben ›können‹ und ›wen‹ wir vor uns haben. Ich kenne das Possenspiel des deutschen Autorwesens schon zwanzig Jahre in- und auswendig; es muß nur ›fortgespielt‹ werden, weiter ist dabei nichts zu sagen.*

Am 23. Dezember 1795 greift er Schillers Vorschlag doch auf; fast beiläufig heißt es: *Den Einfall auf alle Zeitschriften Epigramme, iedes in einem einzigen Disticho, zu machen, wie die Xenia des Martial sind ..., müssen wir cultiviren und eine solche Sammlung in Ihren Musenalmanach des nächsten Jahres bringen.*

Schiller ist begeistert. Schnell sind sich die Freunde einig, daß in der *Zeit der Fehde* kompromißlose Antworten angebracht sind.

Von *Kriegserklärung gegen die Halbheit* spricht Goethe, von Xenien als *mordbrennerische Füchse*, von *Pfählen ins Fleisch der Kollegen* Schiller; vom Xenien-Krieg bald beide. Die Triebfeder der satirischen Aktion ist die Kritik literarischer Tendenzen, der Angriff auf Personen, Gruppierungen und Schulen, die ihnen verderblich erscheinen.

Der Grundgestus der Texte ist dabei eindeutig von der Überzeugung getragen, daß *ihr* Standpunkt der fortschrittliche ist. Die literarische Avantgarde sind sie. Ihre *Classizität* und Geschichtsdenken vereinende Konzeption, der künstlerische Rang der eigenen Dichtung ist Maßstab der Bewertung. Das wird natürlich nicht direkt gesagt. Indirekt aber steht es fest, denn bei der Reflexion ästhetischer Theorien und bei kunstkritischen Betrachtungen werden die Kriterien des ästhetischen Urteils den eigenen Texten entnommen; die vielen Selbstzitate etwa aus Goethes »Reineke Fuchs«, seinem »Wilhelm Meister«, dem »Märchen«, aus Schillers »Geisterseher« oder seiner »Würde der Frauen« beweisen es.

Das Verbergen der Autorschaft ist dabei Vorsatz und zentrales Element der Wirkungsstrategie der »Xenien«. Der Leser soll nicht erkennen, wer von beiden der Verfasser ist: Schiller oder Goethe. Später wird wiederholt der Versuch einer Rekonstruktion der Verfasseranteile unternommen werden; stilistisch sei

Goethe erkennbar an seiner konzilianten Art, Schiller an seiner verletzenden Schärfe. Von Schiller sollen zwei Drittel der Spottverse sein. Von einer *mächtigen durch Interessenharmonie bestimmten Personalallianz* wird Goethe Eckermann gegenüber sprechen. Mit den »Xenien« demonstrieren die beiden erstmals ihre Freundschaft in der literarischen Öffentlichkeit.

*Das meiste*, schreibt Schiller, *ist wilde gottlose Satyre, besonders auf Schriftsteller und Schriftstellerische Produkte, untermischt mit einzelnen philosophischen, auch poetischen Gedankenblitzen.*

Vom Sommer 1796 ist ein Zeugnis Minna Körners überliefert. Charlotte und sie saßen unten in den Jenaer Wohnräumen *und hörten über sich ... die Stimmen der dichtenden Freunde. In kürzeren und längeren Pausen ertönte ein schallendes Gelächter, zuweilen von sehr vernehmlichem Fußstampfen begleitet. Wenn die Herren um 12 Uhr zum Mittagessen herunter kamen, waren sie äußerst aufgeräumt, und sagten mehr als einmal: Heute sind die Philister wieder gründlich geärgert worden!*

Goethe berichtet in den »Tag- und Jahresheften« für 1796 von ihrem *unablässigen Thun und Treiben. Die ›Xenien‹, die aus unschuldigen ja gleichgültigen Anfängen sich nach und nach zum Herbsten und Schärfsten hinaufsteigerten, unterhielten uns viele Monate und machten, als der Almanach erschien, noch in diesem Jahre die größte Bewegung und Erschütterung in der deutschen Literatur.*

In den ersten beiden Januarwochen 1796 entstehen knapp 200 Xenien. In neun Monaten insgesamt 900. Drei Viertel davon finden Aufnahme in Schillers »Musen-Almanach für das Jahr 1797«, der am 29. September 1796 erscheint.

Die satirische Attacke – persiflierend, parodierend, witzig, aggressiv – gegen den Konservatismus, gegen jegliche Form von Provinzialismus und Chauvinismus. Da werden in der Tat die *Philister*, das künstlerische Mittelmaß und der *Dilettantismus* angegriffen. Mit Nicolai, Manso, Eschenburg und Adelung zum

Beispiel die eklektischen Vertreter der Spätaufklärung. Ebenso der Populismus der Trivialliteratur in Gestalt des Dramatikers August Kotzebue. Mit Satiren auf Stolberg, Lavater, Matthias Claudius und Jung-Stilling wird die empfindsame, oft religiös gefärbte Schwärmerei aufs Korn genommen.

Aber das ist nur die eine Seite.

Die Satiren haben eine doppelte Stoßrichtung.

Ins Visier gerät auch eine politisch fortschrittliche Strömung. Und ebenso die junge Autorengeneration.

Mit Satiren auf Georg Forster und Johann Friedrich Reichardt wird die Revolutionsbegeisterung deutscher Jakobiner lächerlich gemacht. Die Exzentrik des Kreises der jungen Frühromantiker wird angegriffen, noch bevor sie überhaupt ihre programmatischen Leitlinien formuliert haben. Hauptzielscheibe ist Friedrich Schlegel. Schiller hat von dessen Essay »Über das Studium der griechischen Poesie« nur zehn Druckbogen – zudem noch durch private Vermittlung seines Bruders August Wilhelm – zu lesen bekommen, das ist knapp die Hälfte des späteren Gesamtumfangs, aber er glaubt seine Konstruktion des Sentimentalischen parodiert und startet daraufhin den Angriff.

Auch Autoritäten wie Kant und Klopstock werden nicht verschont. Gnadenlos wird verfahren. Nur Wieland wird mild behandelt, *einen kleinen Streifschuß* lediglich wolle man auf ihn *loslassen*, einigen sich die Freunde. Als einziger bleibt Johann Gottfried Herder ungeschoren, wegen seiner übersteigerten Empfindlichkeit und seiner langjährigen Freundschaft mit Goethe. In diesem Fall zählt persönliche Rücksichtnahme. Außer mit Manso und Nicolai ist man mit allen persönlich bekannt, zum Teil auch befreundet oder befreundet gewesen. Johann Friedrich Reichardt zum Beispiel hat Gedichte Schillers und Singspiele sowie kleine Dramen Goethes vertont. Allein 70 Xenien des Originalkonvoluts richten sich gegen ihn, fast alle gegen seine politisch engagierte Publizistik.

Die Vehemenz, mit der Schiller seine Angriffe führt und dabei in Kauf nimmt, zu verletzen, veranlaßt Goethe, mäßigend einzugreifen. Am 10. Juni 1796 erinnert er, *daß wir bey aller Bitterkeit uns vor kriminellen Inkulpationen hüten*, bittet, *daß alles wegbliebe, was in unserm Kreis und unseren Verhältnissen unangenehm wirken könnte*. Schiller aber sieht sich – so erwidert er am 31. Juli 1796 – *in einer gerechten Fehde*, weshalb *keine Schonung nöthig* sei.

Wie nun werden die »Xenien« aufgenommen? *Man wird schrecklich darauf schimpfen, aber man wird sehr gierig darnach greifen*, prophezeit Schiller am 4. Januar 1796 Humboldt, *und an recht guten Einfällen kann es natürlicherweise unter einer Zahl von 100 nicht fehlen. Ich zweifle, ob man mit Einem Bogen Papier, den sie etwa füllen, so viele Menschen zugleich in Bewegung setzen kann, als diese Xenien in Bewegung setzen werden.*

Das von ihm Erwartete trifft ein. Bereits drei Wochen nach dem Erscheinen zeichnet sich der Markterfolg ab. Am 17. Oktober 1796 schreibt Schiller: *Es sind jetzt von dem Almanach über 1400 Exemplarien auf die Leipziger Meße verschickt, gegen 400 sind roh an Cotta gelaufen, 108 sind bloß hier und in Weimar verkauft worden, obgleich in beyden Städten über 1 Dutzend verschenkter Exempl. cirkulirt.*

Ende des Monats hat Cotta fast 1000 Almanache vertrieben und Schiller selbst 435 Stück in Kommission abgesetzt, eine Nachauflage von 500 ist bis zum Januar des nächsten Jahres ebenfalls verkauft.

Die »Xenien« sind Tagesgespräch der literarisch Interessierten. Es ist die Sensationsgier und Spekulationslust, die das Publikum an den persönlichen Hintergründen der Spottverse interessiert sein läßt. Ein Wirbel entsteht, Mutmaßungen, wer wer ist. Skandalisierend wirkt sich vor allem die aufs Persönliche zielende Tendenz der »Xenien« aus.

Die »Xenien«-Adressaten, von Schiller und Goethe als *Esel, böses Insekt, Hallischer Ochs* tituliert, setzen sich zur Wehr, eine Reihe »Anti-Xenien« erscheinen, noch 1796 in Leipzig die »Gastgeschenke an die Sudelköche in Jena und Weimar«, in denen die Angegriffenen Manso und Dyk sich rächen und nun ihrerseits Schiller als *Kants Affen in Jena* und Goethe als *stößigen Bock* bezeichnen. *Mir wird*, so Schiller am 18. November an Goethe, *bey allen Urtheilen dieser Art, die ich noch gehört, die miserable Rolle des Verführten zu Theil, Sie haben doch noch den Trost des Verführers.*

Realistischer sieht es Charlotte von Stein: *Aber eigentlich ist mir's politisch nicht recht, daß die beiden guten Freunde diese Späße haben drucken lassen; Goethe schadet's zwar nicht, aber Schiller könnte es in der Folge schaden, besonders im Holsteinischen; man lebt doch nicht vom Verstand allein. Ich denke freilich nicht wie eine Poetin, sondern hausmütterlich.* Sie hat recht. Goethes Position ist wesentlich gefestigter. Schiller wird es zu spüren bekommen. Sein dänischer Mäzen schreibt: *Schiller hat wirklich beynahe meine ganze Achtung durch seine Xenien verlohren.* Auch Baggesen und Frau von Schimmelmann reagieren empört. Es werden sogar Sanktionen gegen Schiller erwogen.

Die Reaktionen sind emotional erregt, niemals gleichgültig; die Kritik aber ist uneingeschränkt negativ.

Wieland distanziert sich im »Neuen Teutschen Merkur« von Schiller, den er als Hauptakteur der »Xenien« darstellt, schreibt: *Der Unwille, den das widerliche Gemisch von Witz, Laune, Galle, Gift und Unrath, womit die Verfasser dieser Distichen so manche im Besitz öffentlicher Achtung stehende ... Männer übergießen, bei allen Arten von Lesern erregt hat, ist allgemein und spricht nur gar zu laut.*

Christian Garve sieht Goethes und Schillers Spottverse als Ausdruck kleingeistigen Revanchedenkens jenseits der von den Verfassern sonst für sich beanspruchten Souveränität. *Menschen geflissentlich zu kränken, von denen man nie ist beleidigt worden ... Fehler über alle Wahrheit und über die innere Ueberzeugung vergrößern: wie können dieß Männer bei sich selbst entschuldigen, die selbst in der öffentlichen Achtung stehn, und deren höhere Geisteskräfte sie über alle solche Beleidigungen, oder Rivalitäten, durch welche Schriftsteller und Gelehrten von geringe-*

*rem Range zu Ausbrüchen einer unedlen Rachsucht bewogen werden hinwegsetzen sollten.*

Einen Bildungsnotstand verrate das öffentliche Interesse an den »Xenien«, meint August Hennings: *Es ist schwer zu entscheiden, ob der Heißhunger, womit der Schillersche Musenalmanch bisher gesucht worden ist, mehr für die Verfasser, oder das Publicum entehrend sei; allemahl aber werfen Erscheinungen dieser Art ein nachtheiliges Licht auf die Geistescultur eines Volks, und gemeiniglich bezeichnen sie die sinkende Periode derselben.*

Als einziger betont der junge Friedrich Schlegel, der die gegen ihn gerichteten Angriffe nonchalant abwehrt, daß er eine scharf geführte Auseinandersetzung, wenn sie der Sache diene, außerordentlich schätze.

Genau diese Sachauseinandersetzung aber kommt nicht zustande. Schillers und Goethes Angriffe sind ja nicht allein gegen Philister und ein träges Publikum gerichtet; sie richten sich gegen jeden, in dem sie einen Gegner ihrer Prinzipien der *Classizität* vermuten. Ebendiese aber – die Prinzipien, die beide befähigen werden, in ihrer Kunst die gültigsten Antworten auf die auftretenden Lebensfragen zu geben – werden von den tonangebenden Literaten in Frage gestellt. Insofern zeigt sich in der literarischen Öffentlichkeit in der Tat ein eklatanter Mangel an Souveränität. Der hohe Anspruch wird als elitär und provozierend diskreditiert, die literarische Öffentlichkeit wehrt sich gegen eine *Aufklärung von oben*, gegen eine *ästhetische Erziehung*, die ihr verordnet wird.

Der »Xenien«-Kampf mit der *Wir*-Identität der beiden – Goethe spricht von *Opposition* – ist unter diesem Aspekt ein Kampf um den Wirkungsraum ihrer literarischen Tätigkeit.

Am Ende sehen Goethe und Schiller sich isoliert und ausgegrenzt. Nur bei wenigen, die ihnen persönlich verbunden sind, Meyer, Humboldt, Körner, finden sie Zustimmung.

Goethe schreibt am 15. November 1796, einen Schlußstrich

ziehend, an Schiller: *nach dem tollen Wagestück mit den Xenien müssen wir uns bloß großer und würdiger Kunstwerke befleißigen und unsere proteische Natur, zur Beschämung aller Gegner, in die Gestalten des Edlen und Guten umwandeln.*

Ihre Einsamkeit in der literarischen Landschaft. Was ihnen Kritik und Leserschaft vorenthalten, vermitteln sie sich von nun an wechselseitig: die Bestätigung, daß ihre künstlerischen Arbeiten höchstes Format haben.

An die Stelle eines Bündnisses mit dem Publikum tritt, ausgelöst durch die enttäuschende Wirkung der »Horen« und die Reaktion auf die »Xenien«, die auf persönliche Wertschätzung gründende Publikationsallianz. Bereits ein Jahr zuvor hatte Goethe Schiller erklärt: *Daß man unsere Arbeiten verwechselt, ist mir sehr angenehm; es zeigt, daß wir immer mehr die Manier los werden und ins allgemeine Gute übergehen. Und dann ist zu bedenken, daß wir eine schöne Breite einnehmen können, wenn wir mit Einer Hand zusammenhalten und mit der andern so weit ausreichen als die Natur uns erlaubt hat.*

## IV

Das in literaturpolitischer und literarischer Hinsicht für Schiller und Goethe so wichtige Jahr 1796 ist mit Blick auf Schillers familiäre Lebensumstände ein Jahr der Veränderungen.

Anfang 1796 schreibt Johann Caspar seinem Sohn von seiner Krankheit, fügt aber der Nachricht zugleich zur Beruhigung hinzu, daß er auf dem Weg der Besserung sei.

Der Vater ist im dreiundsiebzigsten Lebensjahr. Er hat Projekte, Pläne; ist unermüdlich tätig. *In der RenntKammer fängt man auf ein Neues an, meine Bemühungen und Kenntnisse zu schäzen, und ich bin wirklich im Begriff ... der vor 2. jahren gemachten Erweiterung der Baumschule bei meinem ehemaligen Logie, eine 3. mal so grosse Fortsezung dieser Anlage zu Stand zu bringen, die mit starken Schritten voran geht, so, daß ich in Zeit von*

*8. Tagen gegen 8000. junge Pflanzen und etlich Tausend okulirte aus der Forstschul, dahin sezen lassen*, heißt es im Frühjahr 1795. Im Sommer: *Mit meiner neuen Anlage ... hab ich sehr viel zu schaffen. Alle Morgen bin ich um 4. Uhr auf, und den ganzen Tag muß ich gegenwärthig seyn.*

Der alte Mann, der Bäume pflanzt, für die Zukunft arbeitet. Ungeachtet unruhiger Zeiten: die Kriegswirren haben Württemberg längst erreicht. Seit April 1794 ist auf der Solitude ein *Feld-Spital* der österreichischen Armee. Kranke und Verwundete sind im Marstall, im Komödienhaus, den Orangerien und dem Plantagenhaus untergebracht. Im *Spital ... befinden sich gegenwärtig 1200. kranke und blessierte*. Die Familie Schiller lebt in latenter Gefahr einer Ansteckung durch Seuchen.

*Die Krankheit des lieben Vaters hat mich erschreckt und ich danke Gott, daß es sich sobald gegeben hat*, antwortet Schiller den Eltern in seinem Neujahrsbrief vom 8. Januar 1796, der nur aus wenigen Zeilen besteht.

Doch die Erleichterung war verfrüht, der Zustand des Vaters verschlimmert sich wieder. Er muß das Bett hüten. Schillers jüngste Schwester Caroline Christiane, genannt Nanette – sie ist achtzehn –, beschreibt am 28. Februar aufs genaueste die Krankheitssymptome: *die Krämpfe vermehrten sich ... und die Schmerzen die er empfindet beim Stuhlgang und wasserabschlagung sind über alle Beschreibung, so bald er das Bett verläßt (das so nie um keiner andern Ursache kan geschehn als aus dieser) werden die Krämpf die immer im Rüken und Schinkel sind so hefftig daß sie allen Reiz zur Öffnung verhindern, und er nur mit taussend Sorge und Angst kan wieder zu Bette gebracht werden. Ist er dort, nun so fangt der Reiz wieder an, und so gehts beihnahe Tag und Nacht ohnaufhörlich.*

Nach heutigen medizinischen Erkenntnissen war Johann Caspar an Krebs erkrankt, einem Prostata-Karzinom mit sich rasch ausbreitenden Metastasen in den Knochen, vor allem in der Lendenwirbelsäule. Am 4. März berichtet er dem Sohn von *hefftigsten Schmerzen im Kreuz, den Hüften und Schenkeln* und daß ihm *jede Wendung des Körpers äusserst empfindlich* sei.

Verschiedene Ärzte seien erfolglos konsultiert worden. Er war offenbar ein schwieriger Patient. Von *seinen sehr üblen Launen* schreibt Nanette; *die liebe Mama wird gewis noch durch Schreken ihre Kräffte verliehren, die ihr doch jezt so ganz ohnentbehrlich sind sie hat bei Tag und Nacht keine Ruhe ohngeachtet ich und Louise noch immer abwechslen mit wachen.*

Als Nachsatz von Schillers Schwester Louise ist zu lesen: *Ach die Gute liebe Mamma steht so viel aus ... sie muss den Papa heben, legen an und aus ziehen, und das geht Tag und Nacht fort wir wechslen ab mit Wachen die Nane und ich, und besorgen das ubrige.*

Eine Dienstmagd ist schwer zu bekommen; das Lazarett auf der Solitude schreckt alle ab, *es will nemand hieher wann es auch zehenfach bezalt wird*, meint die Mutter.

Am 7. März erkrankt auch Nanette, und zwar an Typhus, dem gefürchteten *Schleimfieber*. Bereits im Dezember des vergangenen Jahres hatte sie *einen Anfall von hiesigem Schleimfieber*; *viele enwohner von hier* seien daran *gestorben*, schreibt Elisabetha Dorothea. ... *die Franzhosen haben zwar nehmlich die gefangene, die schlemste Krankheit hieher gebracht, es wird aber eusserst sorgfeldig dabei verfahren, wann sie gestorben, wird alles was sie gehabt haben verbrand.* Im Dezember wird Nanette *durch den Gebrauch dess H: Staabs Cherurgus Butterweck bald wieder hergestellt.*

Auch jetzt tut der Arzt des *FeldSpitals* alles nur Erdenkliche. Nanette wird isoliert, in die oberen Räume des Kavaliershäuschens gebracht. *Herr Staabs-Chirurg hat einen eignen Kaiserlichen Chirurgen schon seit 8. Tagen, Tag und Nacht zugegeben, welcher die Medicin eingibt und die Kranke troken legen hilft*, berichtet Johann Caspar am 22. März nach Jena. Auch, daß man mit *genauer Noth ... ein paar Weibs-Personen zum Abwartten bekommen* habe, *worunter eine Kaiserliche Soldaten Frau ist. Diese Krankheit ist so verschrien daß unsre besten Freunde das Haus meiden.*

*Die liebe Nanette ... leidet zum Erstaunen. es ist heute der 17. Tag ihres Lagers, und sie hat innerhalb dieser Zeit kein Loth Nahrung zu sich genommen. Seit 10. Tagen redet sie irre, und hat nur zuweilen ihr Bewußtseyn.*

Als Schiller am 21. März die Nachricht von der Erkrankung seiner jüngsten Schwester erhält – als Vierzehnjährige war sie in Jena gewesen, in Ludwigsburg hatte sie eine Zeitlang bei Schiller gelebt –, antwortet er: *Ach vielleicht haben wir sie schon verloren, indem ich schreibe, ich gestehe, daß ich das schlimmste fürchte, weil sie schon vor dem Anfall dieser Krankheit nicht ganz gesund gewesen ist.*

Die *liebe gute Nahne,* sie sei *die Krone vom Hause geweßen jeder Mann Ehrte und Liebte sie,* schreibt die Mutter, erzählt von Nanettes Sprachbegabung, von ihrer Anhänglichkeit an ihren Französischlehrer. Johann Caspar habe Nanette mit einem Mann verheiraten wollen, ohne diese zu fragen; *Papa der bekam einen gärtnergeßellen in die Baumschul, Er machte gleich den Plan daß der der künftige Tochter Mann werde und seine Baum Schul übernehmen solle.*

Daß Johann Caspar kaum oder wenig Verständnis für die weibliche Lebenssphäre aufgebracht habe, ist der Vorwurf Elisabetha Dorotheas. Sein Aufbrausen, Recht-haben-Wollen, Nicht-zuhören-Können. Aber nicht sich als Ehefrau beklagt sie, sondern den Umgang des Vaters mit seinen Töchtern.

Schillers jüngste Schwester war ein besonderes Mädchen. Ein Porträt Ludovike Simanowiz' zeigt Nanette. Schön ist sie. Und begabt muß sie gewesen sein. Caroline von Beulwitz sah in ihr eine künftige Schauspielerin, schlug Schiller vor, sie am Weimarer Hoftheater unterzubringen. Lebenserwartung und Lebensangst scheinen in Nanette gekämpft zu haben, lange vor der Anstekkung mit Schleimfieber. Sie fürchtet sich vor Krebs; *über einen tieffen stechenden Schmerzen in ihrer linken Brust* habe sie geklagt. *Das Schiksal der alten Frau von Wollzogen* – sie war an Brustkrebs gestorben – *war ihr bekannt, traurige Besorgnisse, daß es ihr eben so gehen könnte, erfüllten ihre ganze Seele*, weiß der Vater. Und die Mutter: *all ihren Schmerz und kummer* habe sie *in sich verschlossen.*

Noch keine neunzehn Jahre alt, stirbt Nanette am 23. März 1796. *Ich ... konnte sie nimmer sehen, sie nicht trösten, ihr nicht beistehen. Ich kan nicht mehr*, schließt der Vater seinen Brief.

An diesem 23. März 1796 verläßt Schiller – von Goethe überredet – Jena. *Ich reise übermorgen auf 14 Tage nach Weimar, woraus Du siehst, daß ich mir etwas zutraue*, schreibt er am 21. März an Körner.

*Ifland kommt auf den Charfreytag nach Weimar, um einige Wochen dort zu spielen ... Dieß ist es übrigens nicht, was mich selbst nach W⟨eimar⟩ zieht ...*

Schillers Hauptarbeit in Weimar ist die Einrichtung von Goethes »Egmont« für die dortige Bühne. Iffland wird vierzehn Vorstellungen geben, er wird den Egmont spielen. *Egmont, den ich für das Theater bearbeitet habe, und der gewissermassen Göthens und mein gemeinschaftliches Werk ist*, notiert Schiller.

Am 16. April werden seine »Räuber« gegeben.

Länger als geplant, vom 23. März bis 20. April, hält Schiller sich in Weimar auf.

Die Nachricht vom Tod der Schwester. Die Trauer der Eltern um den Verlust der Tochter. Elisabetha Dorotheas Angst um den Ehemann. Dann erkrankt auch Schillers Schwester Louise.

*Wie schmerzt es mich, so entfernt von Ihnen zu leben und so ganz ausser Stande zu seyn, Ihre Beschwerden und Leiden mit Ihnen, mit der lieben Mama und den armen Schwestern zu theilen, und soviel möglich zu erleichtern*, schreibt Schiller dem Vater.

Dieser bittet den Sohn um Vermittlung, daß die älteste Tochter Christophine ihnen zu Hilfe kommen möge; *Her und Rükreise auf meine Kosten.* Auf diese am 22. März geäußerte Bitte geschieht zunächst nichts. Reinwald will seine Ehefrau in Meiningen nicht entbehren.

Erst Schillers Brief vom 25. April gibt den Ausschlag für den Reiseentschluß der Schwester. Zu der Dringlichkeit, die er ihr gegenüber an den Tag legt, werden ihn die Zeilen seiner Mutter vom 18. April bewogen haben: *o mein liebstr Sohn unser jamer ist nicht aus zu sprechen, wir gehen alle zu grunt, die Schmerzn bei Papa thauren noch emmer fort schon 12 wochen ist kein Feuer und Licht verlescht worden* ... Daß der Vater *schreidt und lamentiert daß wir nicht wißen vor schrecken wo wir bleiben solln*, berichtet sie; auch bei Louise hieß es, daß *er offt seinen Schmerz so laut ausstieß daß man es 3. Häuser weit hörte.*

*Ueberlege, meine liebe Schwester*, argumentiert Schiller, *daß Eltern in solchen Extremitæten den gerechtesten Anspruch auf kindliche Hilfe haben. – Kannst Du es möglich machen ... so mache doch ja die Reise ... Gott, warum bin ich jetzt nicht gesund – und so gesund als ich es bey der Reise vor drey Jahren war, ich hätte mich durch nichts abhalten lassen, hinzueilen. Aber daß ich über 1 Jahr fast nicht aus dem Hause gekommen macht mich so schwächlich, daß ich entweder die Reise nicht aushalten, oder doch selbst krank bey den guten Eltern hinfallen würde. Ich kann leider nichts für sie thun als mit Geld helfen, und Gott weiß daß ich das mit Freuden thue.*

Dieser 25. April 1796 ist der Tag, da in Weimar »Egmont« mit Iffland in der Hauptrolle uraufgeführt wird. Schiller ist drei Tage zuvor nach Jena zurückgereist, weil er seinen Freund Körner mit Frau und Kindern erwartet. Vom 27. April bis zum 17. Mai sind Körners zu Gast. Am 28. April kommt auch Goethe nach Jena, bleibt den Mai über bis zum 8. Juni.

Eine Zeit entscheidender Impulse und großer Geselligkeit für Schiller.

Über Cotta läßt er der Schwester Christophine Reisegeld anweisen, verfährt sehr großzügig. Als er von der Abreise hört, ist er erleichtert, dankt dem Schwager: *Herzlich umarme ich Dich ... für Deine Bereitwilligkeit, Deine Frau nach der Solitude reisen zu lassen. Sie dort zu wißen nimmt mir eine schwere Last von der Seele ...*

Am Abend des 30. April bricht Christophine von Meiningen auf. An diesem 30. April beendet Elisabetha Dorothea einen zwei Tage zuvor angefangenen Brief an ihren Sohn. Es ist jener bereits erwähnte große Klagebrief, in dem sie schreibt: *Lieber bester Sohn der Papa wird uns bede über leben ...*

Ihr heiteres, gütiges Gesicht, das wir von den Porträts kennen. Die Kummerfalten über der Nasenwurzel schon der jungen Frau. Jetzt habe sie ihre *Kräffte gänzlich verlohren*, sei *sehr ellend.*

Seit Tagen ist sie ans Bett gefesselt; *entschuldige mein langes geschmir ich schreibe auf dem Bett.* In der Kammer zu ebener Erde im Kavaliershäuschen schreibt sie, im selben Raum ist das Krankenlager ihres Ehemannes. Über ihr im ersten Stockwerk, dort, wo Nanette vor fünf Wochen gestorben ist, liegt jetzt die kranke Tochter Louise.

Elisabetha Dorothea muß diesen Brief ohne Wissen ihres Mannes verfaßt haben. Schreibt sie, wenn er schläft?

Sie muß der Aufwärterin den Brief heimlich zur Beförderung mit der Post gegeben haben.

Denn es ist Johann Caspar, über den sie klagt.

Ihr Mut dazu erwächst aus der Angst, daß sie keine Zeit mehr haben könnte, sich dem Sohn anzuvertrauen: *überhaupt bester Sohn mus ich jihm mein Herz ganz entdecken, weil ich nicht weiss, ob ich es noch thun kan, o wie glüklich wehre ich wann mein Leiden auch bald zu ende ...*

Die für den Sohn abgelegte Lebensbeichte; ein berührender Brief. Die Atemlosigkeit ihrer Wortfolge, die eigenwillige Orthographie: *der Papa denkt niemahlen so zertlich und wirde alles in 24 stunden vergeßen haben, wann Er wiedr gesund und in seine Baum Schul gehen kente eine Magd wird ihm alles versehn was eine Frau thun kente. Sein Betragen ist schon viele jahre gegen den seunige sehr gleich giltig und ist emmer mehr auf seine Leidenschafften und Begierden durch zu treiben was er sich in Kopf gesezt, als auf der seinigen Wohl bedacht, wegen ihrer Bildung und erzieung, oder ihr könftiges Wohl hat er sich keine zeit neh-*

*men kenen, wo wir öfters Vertruss, und mir den Vorhalt gemacht daß ich sie zum stath und grossthun erziehen wolle. ein handwerks Mann wirde kein solche frau brauchen und sunst werde keiner komn, und so geng Er fort, und kam er zuruck ist schon alles vergeßen, was ich an meinen Kindern gethan, mußte es alles unter uns geschehen, die mir wahrlich mehr am Herzn als alles in der Welt, und so habn sie auch selbst nichts mit ihm sprechen kenen es geng jedes Mahl auf ein ungestem aus und die Zeit wird ihm gleich zu lange, weil er sie emmer so uhnfreundlich behandelt und auf keine Art vor sie sorgte, haben sie alle anhänglichkeit und o Gott Liebe vor ihm verlohren, welches mir dan noch viel sorge machte ich wolt sein amt und sein überiches Temperment ihnn vorschüzen es wolte aber nichts helfen ...*

*.... daß er sich weder um Liebe oder Neigung nichts macht – viel weniger seiner Kinder Tempranent bemüth zu erfahren ... weil er ganz ein rohes und nicht zur Zertlichkeit geschicktes gefühl dass weiss ich leider am besten Er mußte in allen Dengen recht behalten, und wann er öffters noch so uhn geräumt, ich mußte durch mein Betragen vieles bei andern Menschen gut machen was er durch sein Betragen und auf Braußen verdorben, es ist seine Art und glaubt es mus alles nach seinm Kopf gehen, aber was ich in ettliche 40jahr dabei gelitten weiss Gott auch meine 2 Kinder die es nur zu gut eingesehen, ich habe gewiss wenige Menschen zu feind und es bethauren Alle die mich kinen mein trauriges schicksall ...*

Das Porträt, das Elisabetha Dorothea von ihrem Mann zeichnet, wird zutreffen. Johann Caspar ist ganz und gar ein Mann des Ancien régime, vom Soldatenwesen geprägt, befehlsgewohnt. Daß er in späten Jahren durch seine mühsam autodidaktisch erworbenen Fähigkeiten vom Militär in die Gärtnerwelt überwechseln kann, wird ihm seinen Beruf zur Berufung gemacht haben. Wie sehr er an ihm hängt, geht aus seinen Briefen an den Sohn hervor. Und den Posten des Intendanten der Baumschule auf der Solitude über zwanzig Jahre innezuhaben wird ihn enorme Kraft gekostet haben. Einzig für seine Arbeit, seine *Baum Schul* lebe ihr Ehemann, dahin gingen alle seine *Leiden-*

*schafften und Begierden*, heißt es im Brief der Mutter an den Sohn.

*Der letzte Brief meiner lieben guten Mutter hat mich herzlich betrübt*, schreibt Schiller seiner Schwester Christophine, die am 10. Mai auf der Solitude ankommt. *Ach wieviel hat die gute Mutter nicht ausgestanden und mit welcher Geduld und Stärke hat sie es ertragen! Wie rührte michs, daß sie ihr Herz mir öfnete, und wie wehe that mirs, sie nicht unmittelbar trösten und beruhigen zu können. Wärst Du nicht hin gereist, ich hätte nicht hier bleiben können.*

Zugleich teilt er ihr einen weiteren Grund mit, weshalb für ihn eine Reise nach Schwaben unmöglich sei. Charlotte erwartet ihr zweites Kind; *erst heute haben wir Gewißheit daß sie sich in andern Umständen befindet. Sie ist schon am Ende des siebenten Monats der Schwangerschaft. Ende des Julius spätestens* werde sie *niederkommen*, er könne sie *in einem solchen Zustande weder mitnehmen noch verlassen.*

Christophines Anwesenheit beruhigt die Mutter. *Die gute l⟨iebe⟩ Fene* – so ihr Rufname – *komt mir sehr wohl, sie ist mir nicht nur allein die beste gehülfn, auch ihr umgang beruhiget mich recht sehr, und ich kan sie nimmr entbehren bis alles wiedr in Ortnung ist*, schreibt Elisabetha Dorothea am 21. Mai nach Jena, und, daß es *leider ... mit dem l. Vatter emmer schlimmer* werde, *da seine schmerzen schon euniche Zeit emmer zulegen und* er *offt stunden lang schreid.*

Daß sich sein Zustand rapide verschlechtert, geht aus Christophines Bemerkung hervor, das *Laudanum*, das *Opium Ladwerge wirkt ... jezt auch weniger; er muß schon 3fache Portion nehmen, wenn er Linderung haben will.*

Er *will gar keinen Arzt mehr brauchen weil alle ihre Verordnungen bisher nicht im mindesten fruchteten ...*

Auch Schiller, der Mediziner, äußert sich, macht den Vorschlag, dem Vater *ein Künstliches Geschwür zu veranlaßen*. Christophine lehnt das ab: *Der l. Vater kann gar nichts auf dem schmerzhaften Theil vornehmen laßen ohne daß die heftigsten Schmerzen erfolgen. Deßwegen ist es sehr übel solche Kuren mit ihm vorzunehmen ... Deßwegen würde Dein Vorschlag liebster Bruder ihm ein Künstliches Geschwür zu veranlaßen bei ihm nicht ausgeführt werden könen; weil die Schmerzen dan dopfelt, und ganz seine Kräfte übersteigen würden.*

In seinen schmerzfreien Phasen aber, so Christophine, sei Johann Caspar *heiter in seinem Geist, er nihmt an allem Theil. ... Auser den Schmerzen kan er so munter und gesprächich seyn daß es eine rechte Freude ist sich mit ihm zu unterhalten.*

Im Mai und Juni, noch bis Ende Juli versieht der Schwerkranke sein Amt vom Bett aus.

Er mache *in sein Amt* noch immer *bestellungen*, heißt es am 20. Mai und am 10. Juni: *daß er bißher noch sein Amt ... versah, erst jezt hat er den Herzog um einen Gehülfen gebetten (welcher in der Person des H⟨errn⟩ Rittmeisters Beutels von Seiner D⟨urchlaucht⟩ gewährt worden ist), und zwar meist nur des Spitals wegen weil jezt mehr Transporte vom Rhein kommen dabei er als Marschcommissair viel zu besorgen hatte.*

*... mehr Transporte vom Rhein kommen.* Das bedeutet, die Kämpfe haben sich verstärkt, die Franzosen rücken vor, sie sind längst über den Rhein übergesetzt. Am 6. Juli muß die österreichische Armee in aller Eile das *FeldSpital* auf der Solitude räumen. Die aus achtzehn Invaliden bestehende Schloßwache, untergebracht in den Kasernenräumen der Solitude, bleibt auf dem Gelände zurück.

Württemberg wird Kriegsschauplatz. Die *Franzhosen* hätten, schreibt Christophine, *um freundschaftlichen Durchzug durch unser Land gebetten, welches unser Herzog auch verwilligt hatte.*

Der Herzog selbst verläßt sein Land, bringt sich in Sicherheit. Viele Einwohner fliehen. *Es war ein solches Lermen in der ganzen Gegend und jedes flüchtete so gut es konnte.*

Auch Johann Caspar trifft Vorsorge, will mit den Seinen fort. Nach Leonberg; *wozu er, der Papa*, berichtet Christophine, *sich die Erlaubniß vom Herzog gebetten und bekommen hatte, sich in das dasige Schloß so lang die Gefahr währte zu begeben.* Wertvoller Hausrat – *unsre besten Evekten* – wird bereits dorthingeschafft.

Diese Nachricht erreicht Schiller noch. Dann verunsichern die Kriegswirren die Postwege.

*Die Schwäbischen Angelegenheiten und die politischen überhaupt beunruhigen mich doch sehr*, schreibt er. *Leider verflicht sich die allgemeine und öffentliche Unordnung auch in unsre Privatbegebenheiten auf die fatalste Weise.*

Und Ende Juli an Goethe: *Die politischen Dinge, denen ich so gern immer auswich, rücken einem doch nachgerade sehr zu Leibe.*

In der Zeit vom 28. Juni bis 11. Juli verfaßt er seine Briefe zum »Wilhelm Meister«. *Göthe war unterdeßen auch auf einige Tage hier, um mit mir eine Conferenz über den Meister zu halten.*

Am 11. Juli 1796 bringt Charlotte den Sohn Ernst zur Welt. Wieder kann sie das Kind nicht stillen; von der Kuhmilch *leidet der Kleine viel von Säure und Krämpfen*, heißt es am 28. Juli an Goethe. *Man sollte nicht denken, daß man bey soviel Sorgen von innen und aussen einen leidlichen Humor behalten oder gar Verse machen könnte. Aber die Verse sind vielleicht auch darnach.*

Mit dem *aussen* spielt er auf das Kriegsgeschehen in Württemberg an. Am 25. Juli wendet sich Frau von Stein besorgt an Charlotte: *Hat denn Schiller Briefe von den Seinigen aus Schwaben? Wie werden nicht noch Alles die Franzosen ausbrandschatzen!*

Am 31. Juli klagt Schiller Goethe: *Aus Schwaben sind seit 8 Tagen keine Nachrichten mehr angelangt, ich weiß nicht wie es um meine Familie steht, noch wo sie sich jetzt aufhält.* Am 8. August wiederum an Goethe: *Aus Schwaben ist noch immer keine Nachricht gekommen, und ich kann keine dort hin bringen.*

Der Posttransport funktioniert nicht. Das hat Auswirkungen auch auf die »Horen«. Verlag und Druckerei befinden sich in Schwaben. Am 1. August schreibt Schiller an Cotta: *Können*

*Sie aber die Druckerey ununterbrochen fortsetzen, so soll nichts eine Unordnung in meine Lieferungen bringen.* Der Brief bleibt liegen, am 15. August der Nachsatz: *Dieser Brief ist vor 14 Tagen von der Post nicht mehr angenommen worden, welche keine Bestellung nach Schwaben mehr übernehmen wollte.*

Am selben Tag teilt Schiller Körner mit: *Die Post nach Schwaben ist wieder offen, und ich habe eine starke Expedition dahin.* Das heißt, er schickt Manuskripte für die »Horen« ab.

An diesem Tag erreicht ihn auch ein Brief von der Solitude, verfaßt von Christophine, ein langer Bericht, wie es ihnen ergangen ist. *Von meiner Familie in Schwaben habe ich tröstlichere Nachrichten, als ich erwarten konnte. Von dem Kriege hat sie soviel nicht gelitten ...*

Schiller liest von Schrecken, die bereits überstanden sind, das läßt ihn so gelassen reagieren; für die, die den Schrecken zu überstehen hatten, wird es anders ausgesehen haben.

Das Leonberger Schloß als Fluchtort der Familie Schiller. *Mit des lieben Vaters Transport nach Leonberg wird es freilich hart werden, da man ihn bishier nicht vom Bette bringen konte*, hatte Christophine geschrieben.

Und so ist es. *Aber stelle Dir unsere Noth vor*, berichtet sie dem Bruder nach Jena, *als wir alle unsre Einrichtungen getrofen hatten und schon einen Wagen für den Papa vor dem Haus stehen hatten, konte er nicht von der Stelle gebracht werden. Er sagte daß wenn wir darauf dringen ihn fortzubringen unfehlbar sein Tod erfolgen würde. – Also war nichts zu thun als zu erwarten wie es uns gehen würde. In dieser Lagen, Tag und Nacht voller Angst vor einem Überfall und ohne Bedekung (denn von den 18 alten Invaliden die hier sind und nach dem Befehl des H⟨erzogs⟩ jedes Militarische Zeichen ablegen mußten hatten wir wenig Schutz zu hoffen.)*

Die flüchtenden Kaiserlichen, die vorrückenden Franzosen. *Es ist wahr daß jezt die Franzosen nur ungefähr 28. Stunden von hier stehen und uns in zwey Tagen noch überfallen könten ...* Christophine berichtet von *beständigen Ataken zwischen den*

*Kaiserlichen die immer noch in der Nähe sind und den Franzhosen. Die Kugeln saußten um unser Dach daß wir oft fürchteten es möchte Feuer auskommen.*

Am 18. und 19. Juli passieren französische Truppen die Solitude. Am 18. – so Christophine – *marschirte eine Partie von ungefehr 50. Mann Freikorps hier durch.* Am 19. eine ähnliche Truppenbewegung. Für Schillers Eltern und Schwestern werden diese zwei Julitage 1796 vermutlich ein ähnlicher Alptraum gewesen sein wie die Oktobertage 1806 für die Weimaraner, als nach der Schlacht von Jena die französischen Soldaten einrücken, plündern und marodieren, viele Familien ihr Hab und Gut verlieren, der Direktor der Zeichenschule in Weimar, der Maler Georg Kraus, an den Folgen der Mißhandlung durch die Soldaten stirbt und auch Goethes Haus bedroht wird, bis ihm von den Franzosen eine *Sauvegarde*, eine Schutzwache, gegeben wird.

Eine *Sauvegarde* erhält auch die Familie Schiller am 20. Juli 1796. An diesem Tag – die Gefahr ist vorüber – schreibt Christophine ihren Brief, in dem sie dem Bruder ausführlich die Vorkommnisse des 18. und 19. Juli schildert.

Die Soldaten *stiesen mit ungestüm ihre geladenen gewehre an unsere Thüre*, die, wie er wisse, *so elend* sei, *daß sie mit einem einzigen Sabelhieb aufgesprengt werden könne.* Fünf Soldaten dringen ein.

*Du kanst Dir die Angst von uns 3. Weibern vorstellen! Zuerst forderten sie Wein und Brod welches wir schon auf den Nothfall bereit hatten und ihnen gaben.* Dann wollten sie *Hemten Strümpfe Schnupftücher und der⟨gleichen⟩. Wir gaben ihnen auch, so viel wir just da hatten und die erste Parthie deren 5. waren gingen weiter – aber gleich kamen wieder andere mit eben dem Ungestüme und verlangten mit gröster Gewalt indem mir einer das geladene Gewehr auf die Brust sezte ich solte ihm ein Hemd schaffen. Es war wirklich keins mehr im Haus als das der Papa auf dem Leib hatte … also suchten sie andere Sachen nahmen dem Papa seine Hosen mit silbernen Schnallen seine Dose und Schnupftuch, und Geld. Vor seine Augen ohne Schonung für seine Krankheit und sein alter, dann rißen sie der Loui-*

*se mit gröster Frechheit ihre 2 HalsTücher vom Hals herunter... 3 Silberne löffel ... sind auch fort. Doch ist dieser Verlust im Ganzen nicht so groß als die Angst und der Schrecken den wir hatten.*

Die beiden jungen Frauen, Louise ist neunundzwanzig, Christophine achtunddreißig, haben Angst, vergewaltigt zu werden. Die Mutter drängt sie anderentags, da man weiteren Durchzug von Soldaten erwartet, sich zu verstecken. Sie flüchten in eine *im Wald befindliche Höle unter der Brücke ... – hier blieben wir von 7. Uhr des Morgens bis abens um 8 Uhr (den längsten Tag den ich in meinem ganzen Leben durchlebt habe –) ...*

Am Abend erreicht sie die Nachricht, daß *ein franzesisches Comande von Leonberg auf der Solitude eingerükt.* Aus den Akten geht hervor, es war ein Leutnant Maillard, unter dessen *Sauvegarde* die Familie Schiller fortan steht.

*Der Offizier beim Comando ist ein äuserst feiner und höflicher Mann der so eben bei uns eine Viesitte machte. Wir erzählten ihm das Betragen des FreiCorps und er war äuserst unzufrieden hierüber,* schreibt Christophine in ihrem Brief vom 20. Juli. Entschädigt sie der Respekt des Leutnants für das Verhalten der Soldaten, das für den wehrlosen Kranken besonders demütigend gewesen sein muß? Vielleicht gab es bei der *Viesitte* sogar von der Seite Johann Caspars den Versuch einer Konversation, von Militär zu Militär? Oder gar voller Stolz die Mitteilung, daß sein Sohn Bürger Frankreichs sei?

Am 2. August erhält Leutnant Maillard den Befehl zum Abmarsch. Die Franzosen ziehen sich hinter den Rhein zurück. Wiederum ist die Familie schutzlos. Die Solitude wird von Anfang August bis Ende September Lazarett für verwundete und sterbende Franzosen. Am 6. August schreibt Elisabetha Dorothea vom *Spittal der Franzhossen wo gegen 2 Taussend Kranke und Plessirte komen sollen, nun seind schon über 3 Hundert da ... der Rittmeister Beuttel ist jezt zur unterstüzung des Papas da, weil er leider gar nichts mehr versehen auch nicht aus dem bett das er doch bisher bestelt und befohlen gekent hat.*

Anfang August wissen Mutter und Schwestern, daß es für den Vater keine Besserung geben kann. Mitte August weiß es auch Schiller, der zunächst glaubte, der Vater habe Gicht und wohl auch der Mutter vertraute, die ihm schrieb: *seine schmerzen seind beschwehrlich aber nicht gefehrlich.*

Jetzt berichtet er Freunden vom *Zustand* seines *Vaters, der an einer hartnäckigen und schmerzhaften Krankheit dem Tode langsam entgegen schmachtet.*

Dorothea Elisabetha schreibt dem Sohn: *aber die umstende des guten Papa kenen doch noch vieleicht ein Viertel und Halbes jahr thauren, auch kan es ganz schnell sich endern ..., ich werde als eine 63jahriche Person auch bald ihm folgen.*

Noch etwas über einen Monat währt das Schmerzenslager von Johann Caspar Schiller. Die letzten Wochen müssen dem Kranken wie auch seinen Pflegerinnen das Äußerste abverlangt haben.

Er muß trockengelegt werden, denn er *läßt seine Notdurft ins Bett gehen.* Er muß gefüttert werden: *Alles was er ißt und trinkt muß ihm ... in den Mund gegeben werden.*

Er bekommt überall am Körper Ödeme, an Schenkeln, Kopf, an Händen und den Füßen; *da er jezt so sehr geschwollen, ist es allerdeng kein rath wie ich ihn nur etwas in seiner Lagen im Bett auf einen anderen seiden brenge, da er uhnehin sunst nirrgend als auf dem Bauch ruhen kan*, schreibt die Mutter.

Die Schmerzen machen ihn ungeduldig. *Die gute Mutter thut alles mit der größten Gedult und doch begegent er ihr nicht immer danach*, klagt Christophine. *Es thut mir sehr weh dieses von unserem Vater zu sagen aber täglich sehe ichs mehr ein wie wunderlich und weichlich er ist, es ist oft nicht zum ertragen, und läßt sich nicht beschreiben, denn oftmahl hat er uns schon zusamen geruffen daß es jezt gleich mit ihm aus sein werde. Und in einer Stunde darauf sagt er daß er das und das übers Jahr auch thun wolle, oder sich dies und jenes machen laßen wolle – und doch dauert er uns daß er so viel leiden muß.* Das Schwanken zwischen Todesangst und Lebensgier gehört, wie wir heute wissen, zum Krankheitsbild.

Aber bis in seine letzten Tage gibt es noch Momente – auch das ist durch die Briefe der Schwester an Schiller überliefert –, in denen Johann Caspar ganz bei sich ist: *diese Stimmung dauerte oft eine oder 2 stunden dan sprach er von andern Gegenständen mit einer Theilnahme und Heiterkeit, einer starken Gesunden Stimme.*

Auch seinem Sohn gilt seine Aufmerksamkeit bis zuletzt: *Deinen herrlichen Brief mußte ich dem l. Vater vorlesen; er weinte wie ein Kind darüber und dankte Gott mit Innbrunst, daß er ihm einen solchen Sohn gab – Ja ich will ihm würdig zu werden suchen sagte er ...*

Es muß Schillers Brief vom 15. August sein, den er in seinem Kalender vermerkt. Er ist nicht überliefert.

Am 5. September verlangt der Vater abermals nach diesem Schreiben; *deinen letzten Brief mußt ich dem lieben Vater nochmals vorlesen 2 Tage für seinem Ende.*

Am Morgen des 7. September 1796 stirbt Johann Caspar Schiller.

Seine letzte Bitte, in Uniform zu Grabe getragen zu werden, kann man ihm nicht erfüllen. *Der Gute Vater hat verschiednes befolen daß nach seinem Tode geschehen solle auch seine Leiche, da er so sehr geschwollen so kan man ihn nicht wie es gewöhnlich ist in seiner Militair Kleidung beerdigen. Morgen soll er zur Erde bestattet werden nach Görlingen neben das Grab unserer l. Nane nächst der Kirche*, schreibt Christophine am 8./9. September nach Jena. Nicht auf dem Totenfeld der Solitude, sondern im Dorf Gerlingen, auf dem Rappenberger Friedhof, wird Johann Caspar beigesetzt.

Elisabetha Dorothea schildert dem Sohn den Tag der Beerdigung: *Er wahr mit dem hiesigen Comanto ungefehr 30 Mann begraben ... es habn ihn 12 Soltadn getragen bis auf den langen stall* (den Marstall auf der Solitude), *alsdann ist er auf einen Trauer wagen gebracht worden bis vors Torf gerlingen alsdenn ist er wieder bis zu seiner Ruhe stett getragen worden, es seind ettlich Offizier und noch ettliche Honorazion Persohn mit gegangen, überhaupt viele Leid auch von hier und der Nachbar-*

*schafft, es wurde ein Trauer Musig gehalten, ›Herr‹ Pfarrer hate vor dem Sarg seine Personalihn, verleßen nebst einer Parentacion, es würte so lang mit allen Glocken gelitten, nehben der lieben Nahne ist er gelegt, weil er es auch befohlen ...*

Im Sommer 2003 fahre ich nach Gerlingen, suche auf dem alten Friedhof die beiden Gräber. Sie existieren nicht mehr. Aber an der Petrus-Kirche, die an den Friedhof grenzt, erinnert eine Tafel außen an der Mauer an Schillers Vater und seine Schwester: *Hier ruhen nebeneinander Friedrich Schillers Vater und Schwester, Johann Kaspar Schiller, herzoglicher Obristwachtmeister auf der Solitude, gestorben 7. September 1796, und Karoline Christiane Schiller, gestorben 23. März 1796.*

Am 19. September 1796 erreicht Schiller die Nachricht vom Tod seines Vaters. Noch am selben Tag schreibt er ihr. *Liebe Mutter, Herzlich betrübt ergreife ich die Feder, mit Ihnen und den lieben Schwestern den schweren Verlust zu beweinen, den wir zusammen erlitten haben.* Sein Brief wirkt steif. Auch die Einladung an die Mutter, in Jena zu leben, überzeugt nicht sehr: *Ich würde darauf bestehen, daß sie hieher zu mir zögen, wenn ich nicht fürchtete, daß es Ihnen bey mir viel zu fremd und zu unruhig seyn würde.*

Aber er versichert ihr: *Alles, was sie zu einem gemächlichen Leben brauchen, muß Ihnen werden, beste Mutter, und es ist nun hinfort meine Sache, daß keine Sorge Sie mehr drückt.* Finanziell hält er sich daran. Läßt der Mutter über Cotta vierteljährlich 30 Gulden zukommen.

Der Landesherr von Württemberg macht der Witwe des 44.*Jährigen Dieners des Herzoglichen Hauses* ein sofortiges *Gnadengeschenk* von 75 Gulden, später erhält sie eine Pension in Höhe von 100 Gulden pro Jahr. Der Herzog bietet ihr Unterkunft in Leonberg an: *ich bekome ein recht standmäßig Logie im Leonberger Schloss wo sich viele wundern, 2 schöne Zimmer eine große kammer und noch eine zur speißkomer ...* Hier nun wird sie

Danneckers Werk, die *Bieste* des Sohnes, aufstellen und täglich betrachten können.

Christophine schlägt vor, Alleinerbin solle die Mutter sein, die drei Kinder sollten – auch der Gerichtskosten wegen – auf ihr Erbe verzichten. Schiller geht darauf ein. Er legt seinem Brief vom 19. September folgendes notarielles Schreiben bei: *Ich Endesunterzeichneter erkläre durch Gegenwärtiges, daß ich allen Anteil an der Verlassenschaft meines Vaters, des Obristwachtmeisters Schiller auf der Solitude, gänzlich u. für immer entsage u. alle Rechte daran meiner Mutter abtrette, welches ich hiermit mit meines Nahmens Unterschrift u. meinem Insiegel bezeuge.*

Umsichtig löst die Mutter den Haushalt auf, macht am 11. Oktober eine *Auktion*, in der sie Möbel, Bücher und andere Dinge, die sie nicht mehr benötigt, verkauft. Sie bittet den Sohn, das nachgelassene Manuskript des Vaters – so hat er es gewünscht – durchzusehen und zum Druck zu befördern. Es ist die Fortsetzung seines Buches über die Baumzucht, trägt den Untertitel »Eine Beschreibung vieler Obstgattungen und Sorten, nach der Natur aufgenommen«.

Schillers Mutter sucht Erinnerungsstücke zum Verschenken für Sohn, Schwiegertochter und Enkel aus. Macht ein *Kistle, mit schriftlichen Sachen und weiszeug* zurecht. Charlotte erhält *Tischzeug* von der *aussteuer der lieben Seelichn Nahne*, Schiller selbstgesponnenes Tuch *für ein halbduzent Himter* (Hemden). Für Carl *seind die Sacktüchlein*, für *den kleinen Ernst ein Ziz* (Chintz, feiner bunter Kattun) *zu bettkitteln*. Auch das Kindermädchen wird nicht vergessen: *Der Chriestinen 2 paar stremf weil sie fleißig beim meinen lieben Enkel.*

Am 12. November geht die Sendung vom *waaghaus in Stuttgart* ab; *Gott gebe daß das Küstle glüklich anlange es ist 3 Schuh lang und 2 breid.*

Elisabetha Dorothea wartet noch den Herbst auf der Solitude ab, um das Obst zu ernten; sie bleibt *als bis meine Kuchengemiess und Erdbirn ein gethan.*

Mitte November verläßt sie zusammen mit Louise die Solitude und zieht nach Leonberg ins Schloß.

Mitte Januar hat sie noch keine Nachricht von Schiller: *schon etliche BottenTäge erwarte ich Briefe von ihm*; sie will wissen, ob *das Küstle glücklich angekommen, hauptsächlich wegen den schrifften des Seelichen Vatters.*

Am 12. Dezember ist die Sendung in Jena eingetroffen. Charlotte bestätigt dann den Empfang, das ergibt sich aus dem Brief der Mutter vom 30. Januar 1797.

Schiller läßt das nachgelassene Manuskript des Vaters liegen, vergißt es offenbar. Erst sechs Jahre später, 1802, als die Mutter stirbt, erinnert er sich daran. Versucht es bei dem Jenaer Buchdrucker Göpfert unterzubringen. Vergeblich. Den letzten Wunsch des Vaters kann er nicht erfüllen.

Fast zweihundert Jahre später, 1993, wird die Deutsche Schillergesellschaft das Gesamtwerk Johann Caspars herausgeben. Der schönen Ausgabe sind – in verkleinerter Form – die Bildtafeln mit den Obstsorten beigegeben, die Christophine zugeschrieben werden und die sie wohl in jenem Sommer und Herbst 1796 während ihres Aufenthaltes auf der Solitude nach den Angaben von Johann Caspar Schiller gezeichnet und aquarelliert hat.

# Siebentes Kapitel

## I

Im Jahr 1797 verändert Schiller sein Leben. Von *Verbesserung* seiner *Existenz* spricht er: *diese Verbesserung meiner Existenz ist mir alles wert ...*

Worum geht es? Um die äußeren Voraussetzungen zum Erhalt seiner Arbeitskraft, denn Leben und Schreiben sind bei ihm identisch.

Von seinem monate-, ja halbe und dreiviertel Jahre langem Im-Haus-Hocken, von seiner Scheu vor jeglicher Berührung mit frischer Luft war schon die Rede. Auch davon, daß Schillers Frau ein Haus, umgeben von einem Garten, sucht, in den man ihn *lokken* könnte. Schließlich ist auch er überzeugt. *Ich mußte dieses Mittel ergreifen ein eigen Haus und Garten zu kaufen, weil ich sonst gar keine Möglichkeit sehe, mich an die freie Luft zu gewöhnen, die mir so nöthig ist*, schreibt er am 17. Februar 1797 an seine Schwester nach Meiningen.

Im Januar hat er zunächst die Idee, in Goethes Gartenhaus in den Ilmwiesen zu ziehen, es für Monate zu mieten. Aber Goethe lehnt ab – mit der Begründung, es sei *nur ein Sommeraufenthalt für wenig Personen. Da ich ... auch Ihre Lebensweise kenne, so darf ich mit Gewißheit sagen daß Sie darin nicht hausen können, um so mehr als ich Waschküche und Holzstall wegbrechen lassen, die einer etwas größeren Haushaltung völlig unentbehrlich sind. Es kommen noch mehr Umstände dazu, die ich mündlich erzählen will.* (Möglicherweise bezieht sich das auf Christiane, die sich nicht auch noch im Garten, den sie bewirtschaftet, in dem sie sich oft mit dem Kind aufhält, unsichtbar zu machen gedenkt.)

Als der Weimarer Plan scheitert, sucht Schiller nach einem geeigneten Grundstück in Jena.

Bereits am 7. Februar ist die Rede von einem *Garten, den ich im Handel habe*. Der Garten habe *alle Vorzüge, gesunde trockne Lage, schöne Aussicht, nicht zu weit von der Stadt gelegen*. Über 1000 Taler soll er kosten. Diese Summe steht Schiller nicht zur Verfügung. Er wendet sich an Cotta, seinen Verleger. *Da ich im Begriff bin, einen Garten und Gartenhaus hier zu kaufen, so muss ich nicht nur alles Geld, was ich bereits mein nennen kann, sondern auch das, was ich in einiger Zeit einzunehmen hoffen kann, zusammensuchen, weil sich die Capitalien meiner Schwiegermutter so schnell nicht aufkündigen lassen, und hier keins zu entlehnen ist. Ich ersuche Sie daher mir die noch bey Ihnen stehenden 100 Carolins und, wenn es möglich ist, noch andre sechshundert Thaler, als Vorschuß … gütigst zu verschaffen, und zwar in so kurzer Zeit als Sie können, da ich zwischen jetzt und 4 Wochen die Zahlung zu machen habe …*

Cotta hilft wie immer. Am 16. März 1797 kann Schiller den Kaufvertrag abschließen. Er erwirbt das Anwesen des verstorbenen Hofrates Schmidt, gelegen auf dem Jüdengraben, *nebst dem dazu gehörigen Gartenhause und allem, was in letzterem erd-, wand-, band-, nied-, mauer- und nagelfest ist … für Eintausend einhundert und fünfzig Reichsthaler.*

Das Gartenhaus ist groß, Räume zu ebener Erde, im ersten Stock, in der Mansarde. Genug, so Schiller, *um unsere Familie die doch 7 Köpfe stark ist und also viel Raum braucht bequem unterzubringen.* – Sie *könnten* sich *in drei Stockwerke verteilen, die Kinder und das Gesinde bewohnen den unteren Stock, meine Frau den mittleren und ich bewohne die Mansarde.* Diese muß man sich nicht als enge Dachkammer denken, es sind *ein großes Zimmer und zwei kleine Piecen.*

Von Anfang an hat Schiller Um- und Ausbaupläne. Vorerst aber werden nur die allernotwendigsten Reparaturarbeiten erledigt. Er ist ungeduldig, möchte sofort einziehen. *Wie freue ich ⟨mich⟩, ins künftige jeden schönen Sonnenblick auch gleich im Freien genießen zu können. Vor einigen Tagen wagte ich mich zu Fuß und durch einen ziemlich großen Umweg in meinen Garten,* berichtet er Goethe am 18. April. Und: *Den Garten hoffe ich in 4 Tagen beziehen zu können ...*

Am 2. Mai dann: *Ich begrüße Sie aus meinem Garten, in den ich heute eingezogen bin. Eine schöne Landschaft umgiebt mich, die Sonne geht freundlich unter, und die Nachtigallen schlagen. Alles um mich herum erheitert mich und mein erster Abend auf dem eigenen Grund und Boden ist von der frölichsten Vorbedeutung.*

Drei Tage später: *Ich habe mich an die neue Lebens-Art schon ganz gewöhnt und bringe, in Wind und Regen, manche Stunde mit Spazierengehn im Garten zu, und befinde mich sehr wohl dabey.*

Übertreibt er ein wenig? In *Wind und Regen* draußen? Vielleicht ist es ein leichter Frühlingswind, ein warmer Mairegen. Daß er es mit sichtlichem Stolz demjenigen berichtet, der ihn wohl am meisten drängt, gegen seine Wetterüberempfindlichkeit anzugehen, spricht für seine guten Vorsätze.

Alle haben Erwartungen. Auch die Dresdner Freunde. Dora Stock schreibt aus Loschwitz: *Der Kauf eures Gartens freut mich um Schillers willen doppelt, denn nun wird er sich doch wieder mit der freien Luft aussöhnen, sie genießen und desto gesunder sein.*

Nach einem halben Jahr, im Oktober 1797, resümiert Charlotte: *Schiller hat sich doch an die Luft gewöhnt und geht alle Tage in den Garten; darüber bin ich sehr froh, und es wird einen guten Einfluß auf seine Gesundheit haben.*

Schillers Baupläne. Sie betreffen vor allem die Küche. Da ihm die Gerüche beim Arbeiten unangenehm sind, will er sie aus dem Haus verbannen. Auch denkt er an einen Baderaum. Und ein kleines zweites Schreibdomizil.

Er verhandelt mit Maurern und Zimmerleuten, Pläne sind gezeichnet.

Am 18. Juni 1797 wendet er sich an Wilhelm von Wolzogen. *Besonders meines vorhabenden Baues wegen hab ich Deine Gegenwart nöthig, denn binnen wenigen Tagen muß die Resolution gemacht werden.* Wolzogen ist Fachmann, auf der Carlsschule hat er Architektur studiert, war lange Jahre in Stuttgart als Hofarchitekt Carl Eugens tätig. Nach der Heirat mit Schillers Schwägerin Caroline verläßt er Schwaben, seit April 1797 lebt er in Weimar, angestellt am Fürstenhof als Kammerrat. Vielfach wird er Schiller noch behilflich sein, vorerst als Ratgeber beim Bauen. *Es fehlt also bloß an einem verständigen Urtheil, das ich von Dir erwarte, und das Du nur in loco geben kannst …*

Wolzogen ist unabkömmlich bei Hofe, reagiert aber in einem langen Brief vom 22. Juni auf Schillers Pläne. Dringend, fast beschwörend rät er ab: *baue dieses Jahr nicht …* Seine Argumente: *1.) Es ist schon zu spät im Jahr. – Der Zimmermann und Maurer werden es versprechen, aber beide können nicht Worthalten, und dann tritt die Näße ein, wenn das Gebäude noch trocknen soll. … 2.) Du würdest den Sommer und Spätjahr verlieren und die Ruhe, die Dir iezt so wohlthätig ist gegen einen entsetzlichen Spectacle umtauschen.* Er führt noch andere Argumente an, schließt: *Um Deiner Ruhe willen bitte ich Dich daher, laß den Bau noch anstehen, bis nächstes Jahr – ich kann Dir die Details der Unannehmlichkeit nicht beschreiben, wenn der Bau übereilt würde, aber ich fühle sie desto tiefer, da ich sie aus Erfahrung kenne und sie doppelten Einfluß auf Deine Ruhe, Gesundheit und Beutel haben würden.*

Schiller hört auf Wolzogens Rat. Einzig *die GartenSeite des Hauses* läßt er *unterschwellen*, und eine der Gartenhütten wird noch im Laufe des Sommers zu einer *maßivgebauten Küche.*

Erst im Februar 1798 beginnen die eigentlichen Bauarbeiten. Zunächst machen sie Schiller Freude; es *beschäftigt* ihn *auf eine angenehme Weise, in* seinem *Gartenhause und Garten Anstalten zur Verbeßerung* seines *dortigen Aufenthalts zu treffen.* So an Goethe. *Eine von diesen* werde *besonders wohlthätig* und *angenehm seyn: ein Bad nehmlich, das ich reinlich und niedlich in einer von den Gartenhütten mauren lasse. Die Hütte wird zugleich um einen Stock erhöht und soll eine freundliche Aussicht ins Thal der Leitra erhalten.*

Es ist jenes kleine Belvedere, das er sich als Schreibdomizil ausgedacht hat. Am 11. Juli 1798 feiert er *Richtfest.* Fünf Tage später heißt es: *Mein Häuschen ist gerichtet, aber jetzt sieht man erst, wieviel noch geschehen muß, eh man darinn wohnen kann.*

Das Bauen schreitet nicht in dem Tempo voran, wie er es sich wünscht: *es ist sehr schwer jezt in der Aernte die hier schon zu Theil angefangen Arbeiter zu bekommen, welche mir zu Verfertigung eines Strohdachs und zum Ausstacken der Wände nöthig sind.*

Unterbrechung, Unruhe. *Diese Arbeiten ziehen mich öfters als nötig ist vom Geschäft ab.* Der von Wolzogen vorausgesagte Baulärm, alles belästigt ihn; seine Gesundheit leidet, wieder *Krämpfe, Unordnung im Schlafen*; Schreibunlust, *jede Stimmung zur Arbeit* sei ihm verdorben.

Goethe tröstet den Freund, der *sich mit dem Bauen eingelassen* hat. *Ich kenne*, schreibt er, *leider aus frühern Zeiten diese wunderbare Ableitung nur allzusehr, und habe unglaublich viel Zeit dadurch verdorben. Die mechanische Beschäftigung der Menschen, das handwerksmäßige Entstehen eines neuen Gegenstandes, unterhält uns angenehm, indem unsere Tätigkeit dabei Null wird. Es ist beinahe wie das Tabakrauchen. Eigentlich sollte man mit uns Poeten verfahren wie die Herzoge von Sachsen mit Luthern, uns auf der Straße wegnehmen und auf ein Bergschloß sperren.* Goethe schreibt zu der Zeit an einem Tell-Epos. *Ich wünschte*, fährt er fort, *man machte diese Operation gleich mit mir und bis Michael sollte mein Tell fertig sein.* (Goethes »Tell« wird nie fertig werden, Schiller wird es sein, der das Drama schreibt.)

Aus Goethes Worten spricht jene Sehnsucht nach absoluter Konzentration auf die Arbeit, nach Klausur, die auch Schiller, obgleich von Hof- und anderen Pflichten frei, wegen seiner labilen Gesundheit, umgeben von seiner Familie, und nun der Unruhe des Bauens, immer wieder empfindet.

*Freilich habe ich in diesem und im vorigen Jahr meinen Garten nur halb genießen können, weil soviel gebaut werden mußte*, klagt er am 19. Juli 1798 seinem Schwager Reinwald. Die Angst vor weiteren Störungen mag ihn bewogen haben, die Idee, das Haus winterfest zu machen – *des Winters hier* zu *wohnen* –, aufzugeben. Er behält seine Stadtwohnung im Griesbachschen Haus, das wegen seiner Schönheit und Größe auch das »Kastell am Stadtgraben« genannt wird. Nun argumentiert er im Hinblick auf das Gartenhaus: weil *man dem Wind und Schneegestöber in einem freistehenden dünn gebauten Hause ... zu sehr ausgesetzt wäre*. Auch Kostengründe mögen mitspielen; bereits 500 Taler haben die Um- und Ausbauten verschlungen.

Der Garten. Im Herbst 1797 läßt Schillers Frau Spargelbeete anlegen. *Lilien und Rosen* blühen. Von einem Pflaumenbaum ist die Rede. *Wir haben doch etwas Zwetschen bekommen, Schiller hat geschüttelt und Karl aufgelesen, das war ein großes Fest für Karl*, schreibt Charlotte. Frau von Stein in Weimar wird bedacht. *Herzlichen Dank für die Pflaumen; ich freue mich recht, daß sie mir Carlchen hat helfen auflesen.*

Gewiß hätte Johann Caspar, lebte er noch, von der Solitude Setzlinge, junge Bäumchen, für den Garten des Sohnes geschickt. Jahre zuvor hat er Schillers Schwiegermutter, Frau von Lengefeld, damit beschenkt. *Der Papa aus Stuttgart hat mir schöne Obstbäumchen geschickt*, heißt es bei ihr. Vielleicht hätte Johann Caspar für den Jenaer Garten Quittenbäumchen ausgewählt und einem Fuhrmann nach Thüringen mitgegeben.

Zwei Quitten-Arten unterscheidet er, die *Äpfelquitte, Pyrus cydonia maliforma*, und die *Birnquitte, Pyrus cydonia oblonga*; so ist es in seinen Aufzeichnungen zu lesen, die vergessen unter Schillers Papieren liegen. *Beyderley Früchte sind beträchtlich groß, aber unregelmäßig mit ungleichen Erhöhungen. Das Auge liegt tief, und die Blumenhosen sind als kleine grüne Blättchen noch daran zu sehen. Das Fleisch der Quitten ist gelb, strenge, und nicht aus der Hand zu essen, zum Verdämpfen aber sind sie ganz vortreflich, besonders wegen ihrem eigenen starken ... Geruch ...*

Als ich Schillers Gartenhaus im November 2002 besuche, ist das Haus erfüllt von jenem starken Geruch der Quitten, Früchte liegen auf Tellern, die Kustodin schenkt mir eine große gelbe Frucht. Und als ich durch den Garten gehe, überzeuge ich mich von Johann Caspars Beobachtungsgabe: *Das Gewächs der Quittenbäume*, schreibt er, *ist sehr unordentlich, mehr staudenartig als zu hochstämmigen Bäumen geschickt ... Die Rinde an den Ästen ist ganz schwarzbraun, an den dünnen Reisern etwas heller. Die Blätter sind eyrund, am Rand unausgezackt, bald breit, bald schmäler, oben dunkelgrün und eben, unten aber aderícht und etwas wollicht mit kurzen kleberichten Harz umgeben, welches einen starken balsamischen Geruch hat ...*

Der Garten und die ihn umgebenden Steinmauern sind erhalten. Auch die beiden Hütten; steigt man die steile Holztreppe des im Südwesten des Gartens gelegenen Belvedere empor, steht man vor Schillers Arbeitsraum.

Die Gegend aber, in der das Grundstück liegt, ist heute völlig verändert. Bebauung, Autolärm, Abgasgestank.

Damals war es *eine schöne Landschaft ... vor den Toren Jenas in der anmutigsten Gegend*. Der Gasthof »Zum gelben Engel« an der Nordseite. Angrenzend die Krautländer des Herrn Ökonomen Lamprecht und des Herrn Baier. Gärten, Wiesen, *Felder, die bis zur äußersten Spitze des nahen Berges sich hinzogen*. An der Westseite des Grundstücks floß ein Flüßchen, die Leutra, vorbei.

*Eine weite herrliche Aussicht*, erinnert sich Caroline von Wolzogen, *hatte das Haus im oberen Stock*. Auch Eckermann wird, im Oktober 1827, in die Mansarde hochsteigen und aus *Schillers Fenstern die herrlichste Aussicht* genießen. *Die Richtung war ganz nach Süden, so daß man Stunden weit den schönen Strom, durch Gebüsch und Krümmungen unterbrochen, heranfließen sah. Auch hatte man einen weiten Horizont. Der Aufgang und Untergang der Planeten war von hieraus herrlich zu beobachten ...*

Mit Goethe ist Eckermann gekommen. In seiner betulichen Art macht er sich dann zu dessen Mund: *In dieser Laube*, läßt er Goethe sagen, *auf diesen jetzt fast zusammengebrochenen Bän-*

*ken haben wir oft an diesem alten Steintisch gesessen und manches gute und große Wort miteinander gewechselt. Er war damals noch in den dreißigen, ich selbst in den vierzigen, beide noch in vollstem Aufstreben, und es war etwas.*

Die Jahre 1796, 1797, 1798. Die intensivsten und beglückendsten der Freundschaft zwischen Schiller und Goethe. Briefaustausch. Geistige Nähe. Gespräch. Gegenseitige Bewunderung. Liebe. ... *daß es, dem Vortreflichen gegenüber keine Freyheit giebt als die Liebe*, gesteht Schiller Goethe, räumt dem Freund, von dem er unendlich profitiert, dessen Anerkennung ihn trägt, eine große Macht über sich ein; von *der Macht Ihrer unmittelbaren Einwirkungen* spricht er.

Goethe dagegen, der in Schiller wohl eher den Menschen sucht, neigt sich ihm in seinem Liebesbedürfnis zu, sieht sich in dessen bewundernder Anteilnahme bestätigt; die Urteile des Freundes, gesteht er ihm, *seien Stimmen aus einer anderen Welt*. Er sei es *immer gewohnt ... daß Sie mir meine Träume erzählen und auslegen*. Stets seine Begierde nach dem ihn fördernden und weiterführenden Urteil Schillers: *Nun wünschte ich aber daß Sie die Güte hätten die Sache einmal, in schlafloser Nacht, durchzudenken, mir die Forderungen, die Sie an das Ganze machen würden, vorzulegen*, schreibt er ihm bezogen auf seinen »Faust« im Juni 1797.

Geben und Nehmen; *Zweyheit. ... lassen Sie uns ... unsere Zweyheit immer mehr in Einklang bringen*, Goethe an Schiller im Sommer 1797.

Es ist der Sommer, der ihnen die Zusammenarbeit auf dem Gebiet der Balladen bringt.

Schillers Balladen »Der Taucher«, »Der Handschuh«, »Der Gang nach dem Eisenhammer« entstehen in jenem *Balladenjahr*, wie er das Jahr 1797 selbst nennt. Er schreibt am »Ring des Polykrates«, am »Ritter Toggenburg«, an den »Kranichen des Ibykus«.

Seine Hinwendung zur lyrischen Produktion geschieht keineswegs aus einem freudigen Impuls heraus, wirtschaftlicher Zwang steht dahinter: Sein »Musen-Almanach«, auch für ihn gilt der Vorschuß von 600 Talern. Und pünktlich zur Leipziger Herbstmesse muß er auf dem Markt sein.

Produktivität. Die Freunde treten in Wettstreit, werfen einander die Stoffe zu. Vorlesen, kritisch prüfen. »Die Kraniche des Ibykus« will zunächst Goethe schreiben, doch überläßt er den Stoff dann Schiller. Am 5. Juni beginnt dieser die Ballade »Der Taucher«. Am 10. Juni schreibt Goethe ihm: *Leben Sie recht wohl und lassen Ihren Taucher je eher je lieber ersaufen. Es ist nicht übel da ich meine Paare* (er spielt auf »Die Braut von Korinth« und »Der Gott und die Bajadere« an) *in das Feuer und aus dem Feuer bringe, daß Ihr Held sich das entgegengesetzte Element aussucht.*

Ein Brief vom Jenaer Schloß vor die Tore der Stadt.

Am gleichen Tag noch besucht er den Freund. Im Tagebuch die Notiz: *Zu Schiller einen Augenblick.*

Monate später greift Schiller den Ton auf, schreibt an Goethe: *Der Zufall führte mir noch ein recht artiges Thema zu einer Ballade zu, die auch größtentheils fertig ist ... Sie besteht aus 24 achtzeiligen Strophen und ist überschrieben: Der ›Gang nach dem Eisenhammer‹, woraus Sie sehen, daß ich auch das Feuerelement mir vindicirt habe, nachdem ich Waßer und Luft bereißt habe.*

Schillers Garten vor den Toren der Stadt. Hier werden die Balladen vorgetragen, finden die großen Ästhetik-Gespräche mit Goethe statt. Hier wird gefeiert und getrunken, werden nahe Freunde und auswärtige Gäste empfangen.

In erster Linie aber sind Garten und Haus vor den Toren der Stadt der Ort der Rückkehr zur Dramatik, der Ort der Entstehung des »Wallenstein«. Mit ihm sind die wichtigsten Arbeitsschritte des Stückes, von der Konzeption bis zur Ausführung, verbunden; hier liest er Goethe die ersten Szenen vor.

Siebenunddreißig ist Schiller, als er im März 1797 den Garten erwirbt. Eine *Verbesserung meiner Existenz*, die *mir alles wert* ist. Zwei Jahre durch die Bautätigkeit halber Genuß. Nur einen einzigen Sommer noch, den des Jahres 1799, wird Schiller Garten und Gartenhaus nutzen.

Als alles fertig ist, entschließt er sich, die Universitätsstadt Jena zu verlassen und sich in der benachbarten fürstlichen Residenz anzusiedeln.

Am 3. Dezember 1799 zieht Schiller mit seiner Familie nach Weimar. Er tauscht sein ländliches Arbeitsrefugium in *freyer Luft* gegen eine Stadtwohnung in einer *unruhigen Straße*, wie er selbst sagt; Fuhrwerke und Kutschen von und zum nahe gelegenen Markt passieren die Windischengasse, in der seine Wohnung liegt. Er tauscht die *Stille* gegen ein *geräuschvolles Haus*, in dem er *im Arbeiten* gestört wird, aus dem er *fliehen muß*, um *in Ruhe zu seyn*. Erst 1802 wird er sich das Haus an der Esplanade kaufen.

Warum, frage ich mich, der Aufwand an Kraft, Nerven und Geld für das Gartengrundstück, wenn er es so schnell wieder aufgibt.

Für alle Entscheidungen in Schillers Leben gibt es stets nur einen Grund, das ist seine Arbeit, sein Werk. Ist die Entstehung des »Wallenstein« an die Topographie des Jenaer Gartens und Hauses gebunden, so ist es wohl der Erfolg des »Wallenstein«, der ihn nach Weimar zieht.

## II

»Wallenstein«.

Ich lese das Drama, alle drei Teile, »Wallensteins Lager«, »Die Piccolomini«, »Wallensteins Tod«. Die Schwierigkeit, die Phantasie zu mobilisieren, den Text im Kopf zu inszenieren. Nach der Lektüre eine erste Ahnung, was dieses Drama über Macht und Politik heute, am Beginn des dritten Jahrtausends, so beklemmend aktuell erscheinen läßt. Undeutlich, vage diese Ahnung.

Warum überhaupt der Wallenstein-Stoff, frage ich mich. Warum nicht Charlotte Corday? Auf der Liste von Schillers Dramenvorhaben steht: *Charlotte Corday. Tragödie*. Die Frau, die 1793 Marat ermordet hat und deren Kopf dafür unter der Guillotine fällt; ein aktueller Stoff.

Die Französische Revolution als *das* Thema, das für volle Theatersäle und Kassen sorgt. »Der weibliche Jakobiner-Klub« von August Kotzebue erlebt in der Zeit zwischen 1791 und 1795 mehr als zwanzig Einstudierungen, gehört damit zu den erfolgreichsten Theaterstücken. Ein Modetrend. Auch Goethe widersteht ihm nicht mit seinem »Groß-Cophta« und dem »Bürgergeneral«, hat aber nur wenig Erfolg damit.

Scheut Schiller die modische Attitüde, oder sieht er sich durch seine eigene Erklärung in den »Horen«, nur eine dem Zeitgeist enthobene Literatur zu schaffen, gebunden? Seinen Plan zu einer Tragödie über Charlotte Corday wird er nie verwirklichen.

Die Auswirkungen der Französischen Revolution und der Revolutionskriege auf Europa aber sind das ihn weiterhin existentiell beschäftigende Thema. Auch wenn er Schweigen darüber breitet. Vor allem die Frage, wohin treibt der historische Prozeß, welche Auswirkungen hat es, wenn das Leben des Menschen immer stärker und unabwendbar durch Politik bestimmt wird, muß ihn beschäftigt haben.

Schillers Vorliebe für Geschichte. Sein Interesse am Wallenstein-Stoff, das er bereits als Historiker bekundet hat. Mittelalter, Dreißigjähriger Krieg. Die machtpolitischen und gesellschaftlichen Spannungsfelder. Bestimmen sie nicht noch seine Gegenwart, sind sie nicht auch im Europa des ausgehenden 18. und beginnenden 19. Jahrhunderts von Bedeutung?

Geschichte als Paradigma der Gegenwart. Spürt Schiller instinktiv, daß Distanz zum aktuellen Geschehen eine wesentliche Bedingung seiner künstlerischen Souveränität ist, daß sich am Stoff der ferneren Geschichte die beunruhigenden Fragen der Gegenwart schärfer und grundsätzlicher stellen lassen?

Ich lese den »Wallenstein« ein zweites Mal. Schillers Worte dazu. Wallensteins *Unternehmung* sei *moralisch schlecht, und sie verunglückt physisch. Er ist im Einzelnen nie groß, und im Ganzen kommt er um seinen Zweck.*

*Wallenstein ist ein Character,* schreibt er am 21. März 1796 an Wilhelm von Humboldt, *der – als ächt realistisch – nur im Ganzen aber nie im Einzelnen interessieren kann ... Er hat nichts Edles, er erscheint in keinem einzelnen LebensAkt groß, er hat wenig Würde und dergleichen, ich hoffe aber nichtsdestoweniger auf rein realistischem Wege einen dramatisch großen Character in ihm aufzustellen, der ein ächtes Lebensprincip in sich hat. Vordem habe ich wie im Posa und Carlos die fehlende Wahrheit durch schöne Idealität zu ersetzen gesucht, hier im Wallenstein will ich es probieren, und durch die bloße Wahrheit für die fehlende Idealitaet (die sentimentalische nehmlich) entschädigen.*

In einem Brief an Goethe vom 28. November 1796 lese ich den Satz: *Das eigentliche Schicksal thut noch zu wenig, und der eigne Fehler des Helden noch zuviel zu seinem Unglück.*

*... die fehlende Wahrheit, ... das eigentliche Schicksal ...*

Als Napoleon 1808 in Erfurt weilt und Goethe dort am 2. Oktober mit ihm zusammentrifft, wird Napoleon sich im Gespräch unwillig über Tragödien mit metaphysisch gefärbter Tendenz äußern. Nach Goethes Zeugnis soll Napoleon gesagt haben: *Was will man jetzt mit dem Schicksal? Die Politik ist das Schicksal.*

In das Jahr der Uraufführung des letzten Teils der »Wallenstein«-Trilogie fällt Napoleons Staatsstreich vom 9. November, der als 18. Brumaire in die Geschichte eingeht. Nach der gewaltsamen Entmachtung des Direktoriums regiert er als »Erster Konsul«, 1802 ernennt er sich zum »Konsul auf Lebenszeit«, am 2. Dezember 1804 krönt er sich, vom Papst gesalbt, in Notre-Dame zum erblichen Kaiser der Franzosen.

Das Jahr 1806, in dem er nach der vernichtenden Niederlage der Preußen bei Jena und Auerstedt als Sieger in Weimar einzieht, erlebt Schiller nicht mehr.

Von ihm sind keine authentischen Äußerungen über den Usurpator überliefert. Im Gegensatz zu Goethe, den die Stärke von

Napoleons Charakter lebenslang beeindruckte, scheint Schiller dem Alleinherrscher eher mit Distanz begegnet zu sein, wie ein späteres Zeugnis von Caroline von Wolzogen nahelegt; danach soll er nach dem Staatsstreich geäußert haben, *dieser Charakter* sei ihm *durchaus zuwider.*

Doch geht es mir auch weniger um Schillers Haltung zur Person als um das Gespür des Dramatikers dafür, daß durch Napoleon in der Ära der Revolutionskriege die Werte der alten Ordnung ins Wanken geraten, in der Dynamik der Expansion neue sichtbar werden, in ihnen das Gesetz der modernen Zeit zutage tritt; es geht mir um jenes: ... *jetzt* sei die *Politik* ... *das Schicksal.*

Hegel wird es auf andere Art formulieren, wenn er am 13. Oktober 1806 in einem Brief an Niethammer in direktem Bezug auf Napoleon von der *Weltseele* ... *zu Pferde* spricht und an diesem Bild die Verweltlichung und Profanierung des Schicksalsbegriffs festmacht. Ein Vorgang, der heute, zu Beginn des dritten Jahrtausends, wenn auch in anderen, neuen Dimensionen wiederum zu beobachten ist.

Ich glaube dem »Wallenstein« näherzukommen, lese ihn ein drittes Mal.

Wende mich dann den Urteilen von Mit- und Nachwelt, der Geschichte seiner Rezeption und den wissenschaftlichen Arbeiten über »Wallenstein« zu. Eine langwierige Lektüre. An deren Ende ist der Dramentext verblaßt, unentschieden geworden, die aufregenden Fragen des »Wallenstein« sind verschwunden, die Brisanz unter den philologischen Abhandlungen begraben. Hat Heiner Müller recht, wenn er mit Anspielung auf die Tradition der harmonisierenden Wallenstein-Deutung, die mit Goethe beginnt, schreibt: *Die Verwandlung von Sprengsätzen in Teekannensprüche ist die Leistung der deutschen Misere in der Philologie?*

Im Gedächtnis bleiben mir drei Äußerungen von Zeitgenossen Schillers. Eine von Charlotte von Kalb, unmittelbar nach der Uraufführung der »Piccolomini« am Morgen des 31. Januar 1799 niedergeschrieben; fast atemlos, kryptisch, verworren, hellsichtig. *Gestern war ich vielleicht der 6te Theil des Publicums – durch Aufmerksamkeit Antheil inniges Lauschen, durch das lebhafte Auffaßen – und die Verwandlung meines Geistes in die mich ergreifende belebende ideé. Sie sprechen Gedancken aus die das lezte sind in der Würkung und das zu begreifende Ziel der Menschheit ... Die Freiheit. Das Wehen der Geister Welt ist uns nahe. Ein Geist der höhern Ordnung Einsicht kann in ›dieser‹ nicht mehr recht thun. Die Kunst selbst hat keine Regel mehr und ihr Höchstes Verdienst liegt in der Möglichkeit daß ein Ewiger Geist der Welt Erscheine ...*

Die zweite Äußerung ist eine aus dem Nachlaß Hegels veröffentlichte Notiz. *Der unmittelbare Eindruck nach der Lesung des »Wallenstein«*, schreibt er, *ist trauriges Verstummen über den Fall eines mächtigen Menschen unter einem schweigenden und tauben Schicksal: Wenn das Stück endigt, so ist alles aus, das Reich des Nichts, des Todes hat den Sieg behalten; es endigt nicht als Theodizee ... unglaublich! abscheulich! der Tod siegt über das Leben! Dies ist nicht tragisch, sondern entsetzlich! Dies zerreißt das Gemüt, daraus kann man nicht mit erleichterter Brust springen.*

Die dritte geht in die gleiche Richtung wie die Hegels und ist von Jean Paul. 1804 schreibt er: *Niemand hat nach Shakespeare so sehr als Schiller die historische Auseinandersetzung der Menschen und Taten so kräftig zu einer tragischen Phalanx zusammengezogen, welcher gedrängt und keilförmig in die Herzen einbricht.*

Dieses *keilförmig in die Herzen*-Einbrechen, diese Ankunft im *Reich des Nichts*, das Zerreißen des *Gemüt⟨s⟩* ist es, was Schiller in meinen Augen in die Nähe der Moderne rückt.

Die *Weltgeschichte* ist nicht mehr das *Weltgericht*, wie noch in Schillers Gedicht »Resignation«. »Wallenstein« ist die Tragödie der Geschichte selbst; einer Geschichte, die keinen Fortschritt erkennen läßt, in der Gerechte und Ungerechte in den Untergang gerissen werden.

Das Stück ein Dokument von Schillers geschichtsphilosophischer Verzweiflung? Max Piccolomini, als einziger Hoffnungsträger, Schillers alter ego? ... *für den jungen Piccolomini bin ich durch meine eigene Zuneigung interessiert*, schreibt er am 28. November 1796 an Goethe.

*Max muß sterben. – Da kommt das Schicksal – Roh und kalt / Faßt es des Freundes zärtliche Gestalt / Und wirft ihn unter den Hufschlag seiner Pferde – / – Das ist das Los des Schönen auf der Erde!*

Die Totenklage Theklas, der Geliebten Max Piccolominis, variiert Schiller in seinem Gedicht »Nänie«, seiner letzten großen *Idylle*, sechs Jahre vor dem eigenen Tod geschrieben. »Nänie« ist aber auch die Klage über den Verlust der von ihm einst sehnsüchtig genährten Hoffnung, daß Elysium nahe sei. *Siehe! Da weinen die Götter, es weinen die Göttinnen alle, / Daß das Schöne vergeht, daß das Vollkommene stirbt. / Auch ein Klaglied zu sein im Mund der Geliebten ist herrlich, / Denn das Gemeine geht klanglos zum Orkus hinab.*

Auch wenn die Vorstellung eines diesseitigen Elysium nicht Realität wird; ich lese – mit Norbert Oellers – das Gedicht nicht als Entgegensetzung von Kunst und Leben, als Triumph der Dichtkunst über die Vergänglichkeit, sondern: der Mensch bewahrt sich, solange seine Klage darüber währt, nicht ganz Mensch sein zu können; er bekommt Auskunft über sich selbst, in der Kunst, im Spiel ...

Das ist für mich die berührende Botschaft der Schlußzeilen der »Nänie«; eines Gedichts, das in unmittelbarer Nachbarschaft zum »Wallenstein« entsteht, im Winter 1799 in einer Art Nachklang zur Arbeit an der Tragödie.

Der »Wallenstein« gilt als Schillers bedeutendstes Drama, wird zur Weltliteratur gerechnet und in einem Atemzug mit Goethes »Faust« genannt. Aussagen, die erst durch Theateraufführungen Leben gewinnen.

Adolf Dresen hat mit seinem Aufsehen erregenden Essay zu Schillers »Wallenstein« sich als der Mann gezeigt, der neben seinen – mir unvergeßlichen – »Faust«, den er als junger Mann am

Deutschen Theater vorlegte, als reifer Mann eine Inszenierung von Schillers »Wallenstein« hätte stellen können. Sein früher Tod hat ihn daran gehindert.

Die Herausforderung, den »Wallenstein« auf die Bühne zu bringen, die Zündschnüre an die *Sprengsätze* zu legen, wer wird sie – im Jahr 2005 zu Schillers 200. Todestag – annehmen?

Weder Rezeptionsgeschichte des »Wallenstein« noch philologische Abhandlungen über ihn werden im folgenden eine Rolle spielen, auch die Handlung des »Wallenstein« nicht.

Einzig von der Geschichte seiner Entstehung soll die Rede sein, ausführlich und in strenger Zeitfolge.

Sie weist alle für Schillers Schreibverhalten typischen Elemente auf: Unterbrechung durch Krankheitsschübe. Skrupel und Selbstzweifel, schwere Schreibkrisen. Zeitliche Fehleinschätzungen. Bedrängnis in finanzieller Hinsicht. Der von Cotta gezahlte Vorschuß ist aufgebraucht, lange bevor die Arbeit beendet ist.

Er *gehe auf der Breite eines Scheermessers, wo jeder Seitenschritt das Ganze zugrunde richten* könne. Eine enorme Kraftanstrengung; es *sei ein Meer auszutrinken* und er *sehe ... das Ende nicht.*

Nach Schillers eigenem Zeugnis hat die eigentliche Niederschrift insgesamt kaum zwei Jahre in Anspruch genommen. Eine zusammenfassende Notiz in seinem Kalender besagt: 22. *Oktober 1796 an den Wallenstein gegangen, denselben am 17. März 1799 geendigt für Theater und in allem 20 Monate voll mit sämmtlichen drei Stücken zugebracht.*

Das ist für ein Werk dieses Umfangs und ästhetischen Ranges eine verhältnismäßig kurze Zeit.

Rechnet man aber die Auseinandersetzung mit dem Stoff hinzu, so ist der »Wallenstein« in Schillers Gesamtwerk das Drama mit der längsten Entstehungszeit; fast ein Jahrzehnt umfaßt sie.

## III

Erste Pläne zur Dramatisierung des Wallenstein-Stoffes hat Schiller bereits zu Beginn der neunziger Jahre. Er habe die Idee *zu einem Trauerspiel* mit historischem Sujet im Kopf, schreibt er am 12. Januar 1791 an Körner. Seine schwere Erkrankung verhinderte damals die Ausführung. Aber er hält am Plan fest. Ende November will er das *Heldengedicht*, das *poëtisches Intereße* mit *politischen* Aspekten vereine, in Angriff nehmen. Im Mai 1792 heißt es dann: *Ich bin jetzt voll Ungeduld, etwas poetisches vor die Hand zu nehmen, besonders jückt mir die Feder nach dem Wallenstein.*

Aber noch sitzt er in seiner *philosophischen Bude,* ist er in seiner ästhetischen Theorie gefangen. Nach den Worten, daß ihm *die Feder nach dem Wallenstein ... jückt*, fährt er fort: *Eigentlich ist es doch nur die Kunst selbst, wo ich meine Kräfte fühle; in der Theorie muss ich mich immer mit Principien plagen. Da bin ich bloß ein Dillettant. Aber um der Ausübung selbst willen philosophiere ich gern über die Theorie; die Critik muß mir jetzt selbst den Schaden ersetzen, den sie mir zugefügt hat. Und geschadet hat sie mir in der That, denn die Kühnheit, die lebendige Glut, die ich hatte, eh mir noch eine Regel bekannt war, vermisse ich schon seit mehreren Jahren. Ich ›sehe‹ mich jetzt ›erschaffen‹ und ›bilden‹, ich beobachte das Spiel der Begeisterung, und meine Einbildungskraft beträgt sich mit minder Freiheit, seitdem sie sich nicht mehr ohne Zeugen weiß. Bin ich aber erst so weit, daß mir ›Kunstmäßigkeit‹ zur ›Natur‹ wird, ... so erhält auch die Phantasie ihre vorige Freiheit zurük ...*

Während seines Aufenthaltes in Schwaben 1794 entstehen erste konzeptionelle Skizzen und Szenenentwürfe zum »Wallenstein«. Aber die Arbeit kommt über dieses Stadium nicht hinaus. Nach einem Zeugnis seines Jugendfreundes Karl Philipp Conz aus dieser Zeit soll Schiller gesagt haben, *er glaube wahrzunehmen, die zu lang fortgesetzte Beschäftigung mit der abstrakten Philosophie hätte seinem Genius Abbruch getan.*

Das deckt sich mit einer Äußerung vom 4. September 1794

Körner gegenüber: Vor der *Arbeit* am »Wallenstein« sei ihm *ordentlich angst und bange, denn ich glaube mit jedem Tage mehr zu finden, daß ich eigentlich nichts weniger vorstellen kann als einen Dichter... Was ich je im Dramatischen zur Welt gebracht, ist nicht sehr geschickt mir Muth zu machen, und ein Machwerk wie der Carlos eckelte mich nurmehr an, wie sehr gern ich es auch jener Epoche meines Geistes zu verzeyhen geneigt bin.*

Nicht nur seinem »Carlos« steht er kritisch gegenüber. Als am 20. November 1794 Jenaer Studenten seine »Räuber« in einer Liebhaberaufführung in Weimar vorstellen, ignoriert er das. Und als die »Räuber« am 16. April 1796 in Weimar gegeben werden – wie in der Mannheimer Uraufführung mit Iffland in der Rolle des Franz Moor –, verläßt er das Theater; er kann sein eigenes Stück nicht mehr ertragen.

Körner erwidert ihm auf seine Zeilen vom 4. September: *Wenn Dir Deine dramatischen Producte nicht gefallen, so fragt sich's, ob Du nicht selbst – durch Streben nach philosophischem Gehalt – eine nordische Sünde – Deine Phantasie störtest ...*

Die *nordische Sünde*, die Theorie. Sie stellt ihm ein Bein. Er hat seine Naivität verloren.

Zugleich hat die Beschäftigung mit der Ästhetik seine Ansprüche verändert. Seine enorm hohen Forderungen an sich selbst, seine Skrupel und Zweifel sind es, die es ihm schwermachen, sich von der Theorie zu lösen. Im Rückblick wird er das klar formulieren: *meine Foderungen an ein Kunstwerk sind seit diesen 11 Jahren, da ich das letzte Drama gemacht, gestiegen und Gott gebe daß meine Kräfte zugleich gestiegen seyn mögen.*

Der alte Weg ist ein neuer Weg, der ihm als fremder erscheint. *Im eigentlichsten Sinne des Worts betrete ich eine mir ganz unbekannte wenigstens unversuchte Bahn ...*

Lange beherrscht ihn die Angst, mit dem »Wallenstein« ein *verunglücktes Produkt zu erzeugen.*

Die Freundschaft zu Goethe und die Arbeitsgespräche mit ihm sind es, die ihn ermutigen. Das Zögern und Zaudern hat ein Ende.

Am 18. März 1796 berichtet er Goethe von den *Zurüstungen zu einem so verwickelten Ganzen, wie ein Drama ist,* von seiner *allererste⟨n⟩ Operation, eine gewiße Methode für das Geschäft zu suchen, um nicht zwecklos herumzutappen* ... Er sei jetzt *an dem Knochengebäude, und* er *finde, daß von diesem, eben so wie in der Menschlichen Structur, auch in dieser dramatischen alles abhängt. Ich möchte wißen, wie Sie in solchen Fällen zu Werk gegangen sind.*

Er sucht von Anfang an den Rat des Freundes. Wohl wissend, so am 21. März 1796 an Humboldt: *Daß ich auf dem Wege den ich nun einschlage, in Göthens Gebiet gerathe und ich mich mit ihm werde messen müssen ...*

Sommer und Herbst vergehen.

Am 22. Oktober notiert Schiller in seinen Kalender: *An den Wallenstein gegangen.* Sechs Tage später schreibt er Körner: *Der Wallenstein beschäftigt mich jetzt ernstlich und ausschließend. Noch sehe ich zwar nicht auf den Boden, hoffe aber doch in höchstens 3 Monaten des Ganzen ziemlich Herr zu seyn, so, daß ich an die Ausführung gehen kann. Diese ist alsdann die Arbeit von wenigen Monaten.*

Bis Sommer 1797 glaubt er fertig zu werden. So teilt er es auch Cotta mit, der ihm die 600 für den Grundstückskauf benötigten Taler Vorschuß unter anderem für den »Wallenstein« gegeben hat.

Schnell sieht er sich in seiner Planung getäuscht. Zu knapp hat er sein Zeitbudget veranschlagt. Wiederholt muß er es korrigieren.

Aus dem Sommer 1797 wird der Sommer 1798, dann der Herbst 1798 und schließlich das Frühjahr 1799.

Es ist die Fülle des Materials, die ihn bedrängt. ... *den widerspenstigsten Stoff* habe er *zu behandeln,* schreibt er am 18. November 1796 an Goethe, *dem ich nur durch ein heroisches Ausharren etwas abgewinnen kann.* Das Ganze muß *poetisch organisiert* und zu einer *rein tragischen Fabel* verwandelt werden.

Und anspielend auf seine ungenügende Weltkenntnis, seine

Existenz *zwischen papiernen Fensterscheiben*: *Da mir außerdem noch so manche selbst der gemeinsten Mittel fehlen, wodurch man sich das Leben und die Menschen näher bringt, aus seinem engen Daseyn heraus und auf eine größere Bühne tritt, so muß ich, wie ein Thier dem gewiße Organe fehlen, mit denen die ich habe mehr thun lernen, und die Hände gleichsam mit den Füßen ersetzen. In der That verliere ich darüber eine unsägliche Kraft und Zeit, daß ich die Schranken meiner zufälligen Lage überwinde, und mir eigene Werkzeuge zubereite, um einen so fremden Gegenstand als mir die lebendige und besonders die politische Welt ist, zu ergreifen.*

Goethe erwidert am 19. November: *Ich verlange sehr, Ihre Fortschritte an Wallenstein zu erfahren.*

Schiller dann am 28. November: daß *der wahrhaft undankbare und unpoetische Stoff* ihm *noch nicht ganz parieren* wolle, *es sind noch Lücken im Gange, und manches will sich gar nicht in die enge Grenzen einer Tragödien Oeconomie herein begeben ... Das eigentliche Schicksal thut noch zu wenig, und der eigne Fehler des Helden noch zuviel zu seinem Unglück.*

Am gleichen Tag an Körner: *noch immer liegt das unglückselige Werk formlos und endlos vor mir.* Aber er ist voller Optimismus. *Du mußt aber nicht denken, als ob ich meine dramatische Fähigkeit, soweit ich sie sonst mag beseßen haben, überlebt hätte; nein, ich bin bloß deswegen unbefriedigt, weil meine Begriffe von der Sache und meine Anfoderungen an mich selbst jetzt bestimmter und klärer, und die letzteren strenger sind. Keins meiner alten Stücke hat soviel Zweck und Form, als der Wallenstein jetzt schon hat, aber ich weiß jetzt zu genau was ich will und was ich soll, als daß ich mir das Geschäft so leicht machen könnte.*

Er hat hineingefunden. Arbeitet am Gesamtplan, schreibt am ersten Akt. Begreift den Wallenstein nun als Herausforderung: *Gerade so ein Stoff mußte es seyn, an dem ich mein neues dramatisches Leben eröfnen konnte. Hier, wo ich nur auf der Breite eines Scheermesser gehe, wo jeder Seitenschritt das Ganze zu Grund richtet ...*

Mitte Dezember teilt er Goethe mit: *Gegen den Dreykönig Tag denke ich soll der erste Akt . . . soweit fertig seyn, daß Sie ihn lesen können. Denn ehe ich mich weiter hinein wage, möchte ich gerne wißen, ob es der gute Geist ist, der mich leitet.*

Aber Goethe hat keine Zeit, hat wie immer Verpflichtungen bei Hofe; er fährt nach Leipzig, mit dem Herzog nach Dessau. Erst am 10. Januar ist er zurück.

Am 11. Januar 1797 schreibt ihm Schiller: *Diese Zeit Ihrer Abwesenheit von Jena währt mir unbeschreiblich lang, wiewohl es mir gar nicht an Umgang fehlte, so hat es mir doch grad an der nöthigsten Stärkung bey meinem Geschäft gemangelt. Kommen Sie ja, sobald Sie können.*

Am 13. Januar entschließt sich Goethe. Sein Tagebuch vermerkt: *Früh 1/2 8 Uhr nach Jena. Zu Schiller. Mittags mit Knebel und Jacobi im Schloß gegessen, nach Tische den Wasserbau besehen, dann zu Humboldts, wo ich den jüngeren Bruder, Doktor Scherer und Fischer fand. Dann zu Loder; hernach zu Schiller, wo sich auch meine Gesellschaft* (er ist in Begleitung von Knebel und Max Jacobi) *und die Humboldtische befand. Nachts 1/2 12 Uhr kamen wir wieder nach Weimar.*

Kaum wird ein ruhiges Gespräch über Wallenstein möglich gewesen sein. Dennoch fühlt sich Schiller ermutigt. *Ihr letzter Besuch, so kurz er auch war*, schreibt er am 17., *hat eine gewiße Stagnation bey mir gehoben und meinen Muth erhöht. Sie haben mich durch Ihre Beschreibungen wieder in die Welt geführt, von der ich mich ganz abgetrennt fühlte.* Letzteres bezieht sich auf Goethes Reiseberichte, unter anderem den über den Zustand des Leipziger Theaters.

*Benutzen Sie ja Ihre besten Stunden um die Tragödie weiter zu bringen damit wir anfangen können uns zusammen darüber zu unterhalten*, erwidert Goethe ihm einen Tag darauf.

Die Unterhaltung kommt nicht zustande. Das Gegenteil tritt ein. Schiller zieht sich plötzlich zurück. Er ist *in der schwersten Krise*, fürchtet, von Goethe *über den Haufen* gerannt zu werden. *Das seh ich jetzt klar*, schreibt er ihm am 24. Januar, *daß ich Ihnen nicht eher etwas zeigen kann, als biß ich über alles ›mit mir selbst‹ im reinem bin. Mit mir selbst können Sie mich nicht einig machen, aber mein Selbst sollen Sie mir helfen, mit dem Objekte übereinstimmend zu machen. Was ich Ihnen also vorlege, muß schon mein Ganzes seyn, ich meine just nicht mein ganzes Stück, sondern meine ganze Idee davon. Der radikale Unterschied unserer Naturen, in Rücksicht auf die Art, läßt überhaupt keine andere, recht wohlthätige Mittheilung zu, als wenn das Ganze sich dem Ganzen gegenüber stellt; im einzelnen werde ich ›Sie‹ zwar nicht irre machen können, weil Sie fester auf Sich selbst ruhen als ich, aber Sie würden mich leicht über den Haufen rennen können.*

Die *Krise* dauert an, aber am 7. Februar kann er Goethe mitteilen, daß er *sein bestes feinstes Wesen zusammennehme, um sie gut zu überstehen. Insofern ist mirs lieb, daß die Ursache die Sie abhält hieher zu kommen, gerade diesen Monat trifft, wo ich mich am meisten nöthig habe zu isolieren.*

Ende Februar dann ein Gespräch. Am 22. notiert Goethe: *Zu Schiller, der mir den ausführlichen Plan der drei ersten Akte seines Wallensteins erzählte.*

Noch gibt der Schreibende nichts aus der Hand, noch zögert er das Vorlesen um ein Vierteljahr hinaus. Möglicherweise auf Körners Bemerkung hin: *Beym Carlos hat es vielleicht dem Ganzen geschadet daß Du auf die Wirkung einzelner Scenen zu viel Gewicht legtest.*

Schiller sucht Rat bei den alten Griechen, bei Shakespeare, liest, liest ...

Und der Austausch mit Goethe geht weiter, offenbar aber nicht der über den Gegenstand selbst. Vom 20. Februar bis 31. März und die letzten beiden Apriltage ist Goethe in Jena. Schreibt an »Herrmann und Dorothea«. Tagsüber arbeitet jeder für sich. Am Abend Gespräche. Episches, Dramatisches; objektivierend, Abstand gewinnend. *Das epische Gedicht von Göthen, ... welches, in unsren Gesprächen, alle Ideen über epische und dramatische*

*Kunst in Bewegung brachte, hat, verbunden mit der Lecture des Shakespear und Sophocles, die mich seit mehrern Wochen beschäftigt, auch für meinen Wallenstein große Folgen ...*

Eine gute Zeit für Schiller. Eingeschränkt allein durch familiäre Abhaltungen. Es *wimmelte in meinem Hause ... von Familien Besuchen*; Schwiegermutter, Schwägerin und Schwager sind zu Gast. Der im Vorjahr am 11. Juli geborene Sohn Ernst wird *inoculirt*, das heißt, gegen Pocken geimpft, eine damals nicht ungefährliche Sache, er bekommt das *Blatternfieber*, Schiller kann *bei dem Schreien des lieben Kindes nicht viel ... thun*. Die Enge der Stadtwohnung; *die Unruhe bei mir, da wir einander auch nicht ausweichen können*, zerstreut ihn sehr. *Hier in der Stadt* könne er *gar nichts mehr arbeiten.*

Er setzt alle Hoffnungen auf den Garten; *dann wird mein erstes Geschäft seyn ... ein detailliertes Scenarium des ganzen Wallenstein* anzufertigen, *um mir die Uebersicht der Momente und des Zusammenhangs auch durch die Augen mechanisch zu erleichtern.*

Die neue Umgebung, der eigene Grund und Boden; die Hoffnungen erfüllen sich. Intensivste Schreibarbeit; auch die Zunge löst sich. Vom 19. Mai bis 16. Juni ist Goethe in Jena. Ende Mai drei Eintragungen in sein Tagebuch: 21. Mai: *... zu Schiller. Vorlesung seines Prologs.* 22. Mai: *Abends bey Schiller ... Verschiedenes über die Theilung des Wallensteins.* 27. Mai: *Abends bey Schiller ... einen Theil des Prologs zum Wallenstein.*

Wie vor Jahren Goethe von der Zustimmung des Freundes bei der Niederschrift des »Wilhelm Meister« getragen wurde, so erhält Schiller nun Rückenwind von ihm für sein Drama.

Am 16. Juni 1797 fährt Goethe nach Weimar zurück. Zwei Tage später klagt Schiller: *Seit Ihrer Entfernung habe ich schon einen Vorschmack der großen Einsamkeit, in die mich Ihre völlige Abreise versetzen wird.*

Wovon ist die Rede? Goethe plant einen längeren Italienaufenthalt, er will ein großes Kunstbuch schaffen, gemeinsam mit Heinrich Meyer, der bereits im Vorjahr dort Material gesammelt hat. Der Einmarsch der napoleonischen Truppen in die Lombardei machte 1796 die Reise unmöglich, mit dem Friedensschluß im Frühjahr 1797 sieht Goethe wieder eine Chance. Meyer wartet in der Schweiz auf ihn. *Eine große Reise und viele von allen Seiten zudringende Gegenstände* seien ihm *nöthiger als jemals*, argumentiert er.

Erinnert sei, es ist die Zeit ihrer größten Nähe, ihrer *Zweyheit*. Beschwörend schreibt Goethe dem Freund: *Lassen Sie uns, so lange wir beysammen bleiben, auch unsere Zweyheit immer mehr in Einklang bringen, damit selbst eine längere Entfernung unserm Verhältniß nichts anhaben könne.*

Schiller empfindet den Reiseentschluß des Freundes als tiefen Einschnitt. Zumal Wilhelm von Humboldt genau zu dieser Zeit Jena in Richtung Paris verlassen hat und er auch diesen geduldigen Zuhörer und selbstlosen Ratgeber für lange Zeit entbehren muß. *Je mehr Verhältnißen ich jetzt abgestorben bin*, gesteht er Goethe, *einen desto größern Einfluß haben die wenigen auf meinen Zustand, und den entscheidendsten hat Ihre lebendige Gegenwart.*

Das den *Verhältnißen ... abgestorben*-Sein bezieht sich auf Wieland und Herder, vor allem aber auf die jungen Romantiker, die Brüder Schlegel.

Zu Wieland würde seine *Bekanntschaft ... fortvegetieren*, heißt es; sein Brief vom 1. Mai 1797 an Körner aber wirkt eher wie eine abschließende Wertung: *W⟨ieland⟩ ist beredt und witzig aber unter die Poeten kann man ihn kaum mit mehr Recht zählen als Voltairen und Popen. Er gehört in die löbliche Zeit, wo man die Werke des Witzes und des poetischen Genies für Synonyma hielt.*

In den Sommer 1797 fällt auch Schillers hartes Urteil über Herder. Dessen Abneigung gegen Kant, in deren Folge er Schillers »Ästhetische Briefe« ablehnt, dessen Nähe zu jakobinischen Auffassungen, seine Forderung, Kunst und Humanität von der praktischen Politik nicht zu trennen, die Schiller als eine entschiedene

Kritik an seinem »Horen«-Konzept auffassen muß, haben ihn immer weiter von Herder weggetrieben. *Herder*, schreibt er an Körner, *ist jetzt eine ganz pathologische Natur, und was er schreibt, kommt mir bloß vor, wie ein KrankheitsStoff, den diese auswirft, ohne dadurch gesund zu werden. Was mir an ihm fatal und wirklich ekelhaft ist, das ist die feige Schlaffheit bei einem innern Trotz und Heftigkeit. Er hat einen giftigen Neid auf alles Gute und Energische und affektiert, das Mittelmäßige zu protegieren. Göthe hat er über seinen Meister die kränkendsten Dinge gesagt. Gegen Kant und die neusten Philosophen hat er den größten Gift auf dem Herzen, aber er wagt sich nicht recht heraus, weil er sich vor unangenehmen Wahrheiten fürchtet, und beißt nur zuweilen einen in die Waden. Es muss einen indignieren, wenn eine so große ausserordentliche Kraft für die gute Sache so ganz verloren geht ...*

Um *die gute Sache* geht es Schiller auch im Verhältnis zu den jungen Romantikern. Er schätzt August Wilhelm Schlegels Sprachkultur und die philologische Seriosität seiner Kritiken, fordert ihn zur Mitarbeit an seinen »Horen« und am »Musen-Almanach« auf, lädt ihn, den acht Jahre Jüngeren, nach Jena ein. *Warum können Sie nicht hier in Jena bey uns leben? Dieß sollte mir eine große Freude seyn*, schreibt er ihm am 10. Dezember 1795.

Auch Friedrich Schlegel ist er zunächst zugetan. 1792 hat er ihn in Dresden kennengelernt; im Mai 1796 schreibt er nach einer Begegnung in Jena: *er macht einen recht guten Eindruck und verspricht viel ...*

August Wilhelm Schlegel folgt Schillers Einladung. Im Juli 1796 zieht er mit seiner Frau Caroline nach Jena. Charlotte Schiller bereitet den Haushalt vor, vermittelt ein Dienstmädchen aus Rudolstadt.

*Schlegel ist seit 14 Tagen ... hier mit seiner Frau. Diese hat viele Talente zur Conversation und man kann leicht mit ihr leben; es kommt nun darauf an, ob eine längere Bekanntschaft, wenn sie besonders zur Vertraulichkeit werden sollte, nicht irgend einen*

*Dorn entdecken wird*, schreibt Schiller am 22. Juli an Wilhelm vom Humboldt.

Trotz Schillers Skepsis entsteht ein freundschaftliches Verhältnis der vier, in das auch Goethe – von Caroline hochverehrt – mit einbezogen wird. Im Naserümpfen über dessen Gefährtin scheinen sich die Frauen einig zu sein. *Ich sprach noch heute mit der Schillern davon*, schreibt Caroline am 25. Dezember 1796, *warum er* – Goethe – *sich nur nicht eine schöne Italiänerinn mitgebracht hat?*

August Wilhelm Schlegel wird Mitarbeiter der »Horen«, bespricht sie auch wohlwollend in einer seiner Kritiken, die er für die Jenaer »Allgemeine Literatur-Zeitung« schreibt (bis Mitte 1799 werden es insgesamt 285 Besprechungen sein).

Auch der jüngere Bruder Friedrich – dreizehn Jahre Altersabstand liegen zwischen ihm und Schiller – mischt sich ins kritische Geschäft. In den Jahren 1796/97 erscheinen von ihm in Reichhardts Journal »Deutschland« mehrere Besprechungen, sowohl von Schillers »Horen« (Stück 2 bis 7) – in der Reihenfolge des Erscheinens – als auch von zwei Jahrgängen des »Musen-Almanach«. Im Almanach für das Jahr 1796 mit einem scharf-witzigen Angriff auf Schillers Gedicht »Würde der Frauen«: *Doch gewinnt sie, wenn man die Rhythmen in Gedanken verwechselt und das Ganze strophenwärts liest* ... Daß Friedrich Schlegel den »Horen« wenig abgewinnen kann, geht bereits aus einem frühen Brief an seinen Bruder vom Februar 1796 hervor: *Sch⟨iller⟩* sei *sehr tief gesunken in dem ersten Stück ... in dem er die Plattheit durch alle Kategorien verfolgt ...*

Mit diesem Gestus kritisiert er Schiller auch in der Öffentlichkeit. Als im Mai 1797 Schlegels Besprechung der »Horen« (Stück 8 bis 12) des Jahrgangs 1796 erscheint, ist für Schiller das Maß voll. Er, der Friedrich Schlegel in den »Xenien« nicht gerade geschont hat, nimmt dessen Rezension zum Anlaß, um dem Bruder die Mitarbeit an den »Horen« aufzukündigen und sich persönlich von ihm zu trennen.

*... so werden Sie mich für die Zukunft entschuldigen*, liest der

völlig überraschte August Wilhelm Schlegel in einem Brief vom 31. Mai 1797. Einen Tag später: *In meinem engen Bekanntschaftskreise muß eine volle Sicherheit und ein unbegränztes Vertrauen seyn, und das kann, nach dem was geschehen, in unserm Verhältniß nicht statt finden.* Einen Verteidigungsbrief August Wilhelm Schlegels läßt er nicht gelten.

Spricht Schillers Verhalten für die Tiefe seines Verletztseins, oder mehr noch für seine enorme Fähigkeit zum Selbstschutz: das von sich abzuwehren, was ihm künstlerisch nicht förderlich ist, ihn nicht weiterführt. *Man schleppt sich mit sovielen tauben und hohlen Verhältnissen herum, ergreift in der Begierde nach Mittheilung und im Bedürfniß der Geselligkeit so oft ein leeres, das man froh ist, wieder fallen zu lassen*, wird er 1798 Körner schreiben, *es giebt so gar erschrecklich wenig wahre Verhältnisse überhaupt und so wenig gehaltreiche Menschen, daß man einander, wenn man sich glücklicherweise gefunden, desto näher rücken sollte.*

Dieses *näher rücken* ist Schiller im Verhältnis zu Goethe geglückt.

Verführt ihn das dazu, sich völlig auf diesen zu orientieren, keine neuen Bündnispartner zu suchen; im Gegenteil, sie zurückzuweisen oder sich rigoros von ihnen zu trennen?

Sieht er allein in Goethe einen ihm ebenbürtigen Partner? Den *entscheidendsten ... Einfluß ...* auf seinen *Zustand* habe dieser, und zwar durch seine *lebendige Gegenwart*, gesteht er ihm unter dem Schock der Reisenachricht. Und diese *Gegenwart* soll er nun auf unbestimmte Zeit entbehren?

Vor seinem Reiseantritt lädt Goethe den Freund nach Weimar ein. Vom 11. bis 18. Juli 1797 ist Schiller am Frauenplan zu Gast, *um* – so schreibt er Körner – *Göthen in den letzten Tagen die er hier zubringt noch zu genießen.* In Gegenwart von Herzogin Louise und Frau von Stein liest er seine Ballade »Der Handschuh« vor. Arbeit. Gespräch. Nähe. *Sie hätten mir zum Abschiede nichts Erfreulicheres und Heilsameres geben können als Ihren*

*Aufenthalt*, schreibt Goethe ihm am 19. Juli, *ich glaube mich nicht zu täuschen wenn ich dießmal unser Zusammenseyn wieder für sehr fruchtbar halte ...*

*Nichts Erfreulicheres und Heilsameres*? Sind es private Hintergründe, auf die er anspielt? Unruhe und Spannungen. Goethes Lebensgefährtin ist entschieden gegen die Reise. Welche Zäsur die Reise für ihn bedeutet, zeigt sich daran, daß er ein großes Autodafé veranstaltet, unter anderem alle Briefe Christianes aus ihren ersten fünf Liebesjahren verbrennt, daß er sein Testament macht. Er setzt seinen Sohn als Erben ein, sichert Christiane Vulpius wirtschaftlich ab. Ist es eine zweite Flucht nach Italien? Dem Testament vom 24. Juli 1797 fügt er eine »Nachricht wegen meines Hauses« und eine »Verordnung wegen meiner Schriften« bei. Diese Dokumente sind auf den 28. Juli datiert. Am 30. Juli verläßt Goethe Weimar. Der Entschluß, seiner Mutter Frau und Sohn vorzustellen. Christiane Vulpius und August begleiten ihn bis Frankfurt am Main.

Von alldem vermutlich kein Wort zu Schiller. Dessen konventionelle Haltung zu seinem *Ehstand ohne Zeremonie* schließt Offenheit im privaten Bereich aus. Dabei ist Schiller, wie Goethes Gefährtin, gleichfalls entschieden gegen diese Reise. Nicht, weil er allein zurückbleibt, sondern, weil er für den Freund mitdenkt: In seinen Augen ist die Reise dessen Schaffen abträglich.

Ob er im Gespräch gewagt hat, Goethe dies anzudeuten; und wenn, ob er dafür ein Ohr gefunden hat?

Möglicherweise verläßt er sich ganz auf den diplomatischen Weg. Noch ehe Goethe aufbricht, schreibt Schiller am 21. Juli 1797 einen Brief. Der Adressat ist Heinrich Meyer, der an der Grenze zu Italien auf Goethe wartet. Schiller wählt Meyer zum Verbündeten, wohl wissend, daß er Goethe den Brief zu lesen geben wird.

Von unserem *Freund, der sich in diesen letzten Jahren wirklich selbst übertroffen hat*, schreibt Schiller. *Sein episches Gedicht haben Sie gelesen, Sie werden gestehen, daß es der Gipfel seiner und unsrer ganzen neueren Kunst ist. Ich hab es entstehen sehen und mich fast eben so sehr über die Art der Entstehung als über das Werk verwundert. Während wir andern mühselig sammeln und prüfen müssen, um etwas leidliches langsam hervorzubringen, darf er nur leis an dem Baume schütteln, um sich die schönsten Früchte, reif und schwer, zufallen zu lassen. Es ist unglaublich, mit welcher Leichtigkeit er jetzt die Früchte eines wohlangewandten Lebens und einer anhaltenden Bildung an sich selber einärntet ...*

*Sie werden mir aber auch darinn beypflichten*, appelliert er an Meyer, *daß er auf dem Gipfel wo er jetzt steht mehr darauf denken muß, die schöne Form die er sich gegeben hat, zur Darstellung zu bringen, als nach neuem Stoffe auszugehen, kurz daß er jetzt ganz der poetischen Praktik leben muß.*

Dann fast beschwörend: *Wenn es einmal einer unter tausenden, die darnach streben, dahin gebracht hat, ein schönes vollendetes Ganzes aus sich zu machen, der kann meines Erachtens nichts beßeres thun, als dafür jede mögliche Art des Ausdrucks zu suchen ... ich gestehe daher, daß mir alles, was er bey einem längern Auffenthalt in Italien für gewiße Zwecke auch gewinnen möchte, für seinen höchsten und nächsten Zweck doch immer verloren scheinen würde. Also bewegen Sie ihn auch schon deßwegen, lieber Freund, recht bald zurück⟨zu⟩kommen, und das was er zu Hause hat, nicht zu weit zu suchen.*

Goethe will, da erneut Kriegswirren die Wege unsicher machen, zunächst den Winter in der Schweiz abwarten und im Frühjahr 1798 weiterreisen.

Aber im Oktober macht er kehrt. Die Italienreise findet nicht statt. Am 20. November trifft er wieder in Weimar ein.

Wieviel wiegt Schillers Stimme im Chor derer, die ihn zurückziehen? Die bedrängendste ist die von Goethes Lebensgefährtin. *Ich kann aber auch wohl sagen daß ich nur um deiner- und des Kleinen willen zurück gehe*, schreibt Goethe ihr. *Ihr allein bedürft meiner, die übrige Welt kann mich entbehren.* Ein deutlich resignativer Zug. Und über Italien: *so werd ich es wohl nicht wiedersehen.* Reisen sind für ihn stets ein wichtiges Element im physischen und psychischen Kräftehaushalt seines Künstlertums.

Schiller kündigt er seine Rückkehr mit den Worten an: *die Hoffnung, mit Ihnen das erbeutete zu teilen und zu einer immer größern theoretischen und praktischen Vereinigung zu gelangen ist eine der schönsten, die mich nach Hause lockt.*

Schiller ohne den Freund in der Zeit zwischen 30. Juni und 20. November. Im August ist er in seinem Garten; *drückende Hitze am Tage und ... fast unaufhörliche Gewitter des Nachts.* Er erkältet sich, von *starken Fieberbewegungen* ist die Rede, er habe *weder Stimmung noch Kraft zu irgend einer productiven Thätigkeit.* Den ganzen August bis Mitte September ist er krank. *Catarrhalfieber, hartnäckiger Husten.* Noch am 15. September heißt es, der *Husten* greife *den Kopf weit mehr an als das malum domesticum, die Krämpfe zu thun pflegen.*

Aber er arbeitet auch unter diesen Bedingungen. Termindruck. Die Leipziger Messe rückt heran, er muß seinen »Musen-Almanach« füllen.

Dennoch beschäftigt ihn auch der »Wallenstein«. Unablässig wandert der Stoff des Dramas in seinem Kopf. Ein ständiger Spannungszustand. Im Hochsommer heißt es an Körner: *Du glaubst nicht, was es einem armen Schelm von Poeten in meiner abgeschiedenen, von allem Weltlauf getrennten Lage kostet, eine solche fremdartige und wilde Masse zu bewegen ...* Goethe auf seiner Reise nach Süden besucht im September 1797 in Neckarrems das Lager der kaiserlichen Armee. Schiller schreibt: *Die Base, worauf Wallenstein seine Unternehmung gründet, ist die Armee, mithin für mich eine unendliche Fläche, die ich nicht vors Auge und nur mit unsäglicher Kunst vor die Phantasie bringen kann ...*

Dazu noch die Unterbrechung durch den »Almanach«. Am 2. Oktober Aufatmen: *Jetzt, da ich den Almanach hinter mir habe, kann ich mich endlich wieder zu dem Wallenstein wenden.*

Am 17. Oktober verläßt er den Garten und das Gartenhaus. Am 20.: *Wir sind seit 3 Tagen wieder in der Stadt und ich sitze und schwitze am Wallenstein.*

Am 4. November trifft Schiller eine grundsätzliche Entscheidung. Kalendereintrag: *Angefangen, den ›Wallenstein‹ in Jamben zu machen.*

Nachdem er das Drama in Prosa begonnen hat, entschließt er sich nun zur Versifikation, überträgt den gesamten Text in das von ihm gewählte Versmaß.

Am 20. November ist Goethe von seiner Reise zurück. Sein Weg führt ihn durch das Saaletal über Uhlstädt nach Jena. *Nachmittags 1 Uhr ... Jena*, notiert sein Diener Geist.

Schiller: *Diesen Mittag überraschte mich Göthe* ... Ein Treffen von einer Stunde.

Wiederaufnahme des Arbeitsgesprächs.

Vorerst schriftlich. *Seitdem ich meine prosaische Sprache in eine poetische=rhythmische verwandle*, schreibt Schiller am 24. November, *befinde ich mich unter einer ganz andern Gerichtsbarkeit als vorher* ... Eine Woche später: *Es ist mir fast zu arg, wie der Wallenstein mir anschwillt ... Sie werden beurtheilen ob ich kürzer seyn sollte und könnte.*

Für Dezember kündigt Goethe sein Kommen an.

Er kommt nicht. Schiller: *Ich wünschte sehr zu wissen, wie bald wir auf Ihre Ankunft rechnen dürfen. Es wird nun bald ein halbes Jahr, daß wir nicht zusammen gelebt haben.*

Hoffnung auf den Beginn des Jahres. Am 8. Januar an Körner: *In acht Tagen erwarte ich Göthen hier und mit ihm eine wichtige Epoche für mein Geschäft, denn ich werde ihm den Wallenstein vorlesen soweit er fertig ist.*

Goethe ist verhindert, am 12. Januar schreibt Schiller ihm: *Daß Sie Ihre Herreise bis zum Februar verschieben verlängert mir wirklich diesen traurigen Januar, aber ich werde aus dieser Einsamkeit wenigstens den einzigen Vortheil zu ziehen suchen den sie hat, und im Wallenstein fleißig voranschreiten.*

Auch der Februar vergeht und der größte Teil des März, ohne daß Goethe kommt.

Acht Monate werden es sein – die Mittagsstunde des 20. November abgerechnet –, bis Schiller den Freund wiederhat.

Schiller arbeitet intensiv. *Ich befinde mich recht wohl, bin in guter Stimmung zum Arbeiten und es geht mir von der Hand,* in den ersten Januartagen. Mitte des Monats: *Ich hab mich in eine Hauptscene so vertieft, daß ich vom Nachtwächter gemahnt werde aufzuhören.* Wie stets arbeitet er bis in den frühen Morgen, macht die Nacht zum Tage, putscht sich mit Kaffee und Tabak auf.

Sein Zustand kann sich von einem auf den anderen Tag ändern. In der zweiten Dezemberhälfte war er krank, vom 6. bis 12. Februar wird er krank sein, Mitte März unwohl; im April wird er das Bett hüten müssen.

Mitte Dezember wird er von einem *starken Erbrechen und Durchfall befallen*, es ist ein *böser Anfall von Cholera,* der ihn *für* eine *ganze Woche geschwächt und verstimmt hat*, so *daß* er *an etwas Poetisches* nicht einmal *denken* mochte. *Auch das böse Wetter kommt dazu, jede Tätigkeit in mir stocken zu machen.* Von *greulichem Wetter* ist die Rede. *Ich fühle es in allen Nerven.* Seine Wetterfühligkeit. Mitte Januar: *Meine poetische Arbeit stockt seit drei Tagen, ungeachtet einer ganz guten Stimmung: Verschleimung des Halses, Fieber. Es ist mir in diesem Zeitpunkt doppelt lästig, da ich gerade im beßten Zuge war.* Immer wieder verliert er Tage, wird aus der Arbeit gerissen. *Hätte ich 10 Wochen ununterbrochene Gesundheit, so wär er* – der »Wallenstein« – *fertig*, klagt er am 25. Januar Körner.

Nur deshalb, weil Schiller jeden Schnupfen, jede Temperaturerhöhung, jede Stimmungsschwankung so akribisch auflistet, wissen wir überhaupt davon. Ansonsten würden wir nur das Geleistete wahrnehmen, das immense Arbeitspensum, das er bewältigt.

*Ich bin imstand*, schreibt er Goethe zu Jahresbeginn, *Ihnen viermal mehr als der Prolog beträgt, vorzulegen, obgleich noch nichts von dem III Akte dabey ist. Jetzt da ich meine Arbeit von einer fremden Hand reinlich geschrieben vor mir habe und sie mir fremder ist, macht sie mir wirklich Freude. Ich finde augenscheinlich, daß ich über mich selbst hinausgegangen bin, welches die Frucht unsres Umgangs ist; denn nur der vielmalige continuir-*

*liche Verkehr mit einer, so objektiv mir entgegenstehenden, Natur, mein lebhaftes Hinstreben darnach und die vereinigte Bemühung, sie anzuschauen und zu denken konnte mich fähig machen, meine subjectiven Grenzen soweit auseinander zu rücken. Ich finde, daß mich die Klarheit und Besonnenheit, welche die Frucht einer spätern Epoche ist, nichts von der Wärme einer frühern gekostet hat. Doch es schickte sich beßer, daß ich das aus Ihrem Munde hörte, als daß Sie es von mir erfahren.*

Goethe antwortet umgehend, gratuliert: *Ich wünsche Ihnen Glück zu Ihrer Zufriedenheit mit dem fertigen Theil Ihres Werkes, ... ich zweifle ... nicht an der völligen Gültigkeit Ihres Zeugnisses.*

Um dann seinerseits Schillers Einfluß auf sich, Goethe, zu würdigen. *Das günstige Zusammentreffen unserer beyden Naturen hat uns schon manchen Vortheil verschafft und ich hoffe dieses Verhältniß wird immer gleich fortwirken. Wenn ich Ihnen zum Repräsentanten mancher Objecte diente, so haben Sie mich von der allzustrengen Beobachtung der äußern Dinge und ihrer Verhältnisse auf mich selbst zurückgeführt, Sie haben mich die Vielseitigkeit des innern Menschen mit mehr Billigkeit anzuschauen gelehrt, Sie haben mir eine zweyte Jugend verschafft und mich wieder zum Dichter gemacht, welches zu seyn ich so gut als aufgehört hatte.*

Schöneres hätte er dem Freund nicht sagen können. Ist es zugleich eine leise Anspielung auf dessen versuchten Rückruf von der Reise, ein Eingeständnis, daß er recht hatte? *Sehr sonderbar*, fährt er fort, *spüre ich noch immer den Effect meiner Reise. Das Material, das ich darauf erbeutet kann ich zu nichts brauchen und ich bin außer aller Stimmung gekommen irgend etwas zu thun.* Von *aller Production* sei er *gleichsam abgeschnitten*. In einer *Art Verzweiflung* gesteht Goethe noch am 16. Mai Schiller: *Es wird nun bald ein Jahr, daß ich nichts getan habe ...*

Wie immer in nichtschöpferischen Phasen stürzt er sich in die *Weimarische Sozietätswoge*. Organisiert am 30. Januar 1798 zum Geburtstag der Herzogin einen Maskenzug, besucht Soupers und mit Christiane Redouten, besichtigt mit Frau und Kind Elefanten und Papageien in einer in Weimar gastierenden Tierschau, versucht vergeblich zum »Faust« zurückzukehren, arbeitet an seiner »Farbenlehre«, treibt sich *in allerley practischen herum, obgleich mit wenig Freude*, wendet sich Dienstgeschäften im Rahmen der neugegründeten Kommission für die Weimarer Bibliothek, den Schloßbau und das Theaterwesen zu, investiert im Januar und Februar viel Zeit dahinein, hält nach Landbesitz Ausschau; Anfang März schließt er den Kaufvertrag für ein Gut in Oberroßla ab.

Schiller schreibt am »Wallenstein«; arbeitet, wartet ... Am 20. März ist es endlich soweit.

## IV

20. März 1798, Goethes Tagebuch: *Bey Schiller zu Mittag. Abends den ersten Act zum Wallenstein.* Am 21. März: *Mittag bey Schiller ... Abends Fortsetzung vom Wallenstein.* Am 22. März: *Abends bey Schiller ... Wallenstein einzeln vorgenommen.*

Einen Tag später, am 23. März, schreibt er an Heinrich Meyer: *Vom Wallenstein habe ich nun drey Akte gehört, er ist fürtrefflich und in einigen Stellen erstaunend.*

Ermutigung für Schiller.

Goethe fährt im Brief an Meyer fort: *Ihn* – den »Wallenstein« – *aus seiner jetzigen freyern Form, auf die Beschränktheit des deutschen Theaters zu reduciren, ist eine Operation von der ich noch keinen deutlichen Begriff habe und die sich nur mit einer grausamen Schere wird machen lassen.*

Von dieser Theaterrealität und der für sie notwendigen *grausamen Schere* wird er dem Freund gegenüber schweigen. Daß er aber als Theaterdirektor die entstehende Dichtung auch auf der Bühne sieht, ist sicher. Andeutungsweise wird er schon früh Aufführungsabsichten geäußert haben, vielleicht schon bei dem

Stundengespräch im November. Am 2. Dezember schreibt er jedenfalls an Schiller: *Es wird für uns, sowohl practisch als theoretisch, von der größten Bedeutung seyn was es noch für einen Ausgang mit Ihrem Wallenstein nimmt.*

Schiller zieht sich erschrocken zurück, erwidert, er müsse, *um die poetische Freiheit zu behalten ... jeden Gedanken an die Aufführung verbannen.* Von Schröder, dem Hamburger Schauspieler, ist in Goethes Brief an Meyer die Rede, den Wallenstein *von ihm spielen zu sehen wäre glaube ich das höchste was man auf dem deutschen Theater erleben könnte.* Auch das beunruhigt Schiller, am 4. Mai schreibt er: *Ich ... bin beinahe entschloßen, die ganze Idee von der Repræsentation des Wallensteins fallen zu lassen ...* An anderer Stelle: *Nachfragen nach dem Wallenstein ... von außen ... ängstigen mich ...*

Der Zeitdruck wird für ihn immer stärker, die Spannung, die er halten muß, immer unerträglicher. *Diese Arbeit raubt mir die ganze Gemächlichkeit mein⟨er⟩ Existenz, sie heftet mich anstrengend auf einen Punkt, läßt mich an kein ruhiges Empfangen von andern Eindrücken kommen, weil zugleich auch die Idee eines bestimmten fertigwerdens drängt ... Wie will ich dem Himmel danken, wenn dieser Wallenstein aus meiner Hand und von meinem Schreibtisch verschwunden ist. Es ist ein Meer auszutrinken und ich sehe manchmal das Ende nicht.*

Goethe, ein guter Psychologe und Taktiker, der zudem solche Zustände aus eigener Erfahrung kennt, drängt den Freund liebevoll. *Nach nichts verlangt mich jetzo mehr als nach Ihrem Wallenstein*, ist zu lesen. Oder: *Ich wünschte in gar vielen Rücksichten, daß Ihr Wallenstein bald fertig werden möge.*

In seinem Kopf ist: die Residenzstadt plant für 1798 einen Umbau des Theaters, eine Kommission beschäftigt sich bereits damit.

Im Mai 1798 ist Goethe elf Tage in Jena, im Juni vom 4. bis 21. Am 15. Juni vermerkt sein Tagebuch: *Abends bei Schiller, viel über Poesie überhaupt, besonders über die Ökonomie des 5ten Aktes vom Wallenstein.*

Fünf Tage nach dem Aufenthalt in Jena, wieder in Weimar, liest er: *Ich habe heute den Wall⟨enstein⟩ aus der Hand gelegt und ich werde nun sehen, ob der lyrische Geist mich anwandelt. – Schwerlich werde ich vor Ende Augusts zum Wallenstein zurückkehren können.*

Der »Musen-Almanach« zwingt Schiller zur Unterbrechung. Anders als im Vorjahr, dem *Balladenjahr* 1797, will sich die rechte Stimmung nicht einstellen: *Es fehlt mir dieses Jahr an aller Lust zum lyrischen, ja ich habe sogar eine Abneigung dagegen, weil mich das Bedürfniß des Almanachs, wider meiner Neigung, aus dem beßten Arbeiten am Wallenstein wegrief*, gesteht er Körner am 15. August. Der »Horen« hat er sich Ende 1797 entledigt. Nun entschließt er sich, auch den »Musen-Almanach« aufzugeben. *Ich hab es ... verschworen, daß der Almanach außer dieser nur noch eine einzige Fortsetzung erleben und dann aufhören soll.* Aber noch sind die Jahrgänge 1798 und 1799 zu bewältigen. Mit Unlust und unter doppeltem Zeitdruck.

In Weimar beginnt im Juli der Theaterumbau. Goethe berichtet. 14. Juli: *Der Riß zum neuen Theater ist nun bestimmt, ja sogar auf dem Fußboden schon aufgezeichnet* ... 18. Juli: *Mit unserer Theateranlage geht es lebhaft fort* ... 25. Juli: *In 14 Tagen soll das innere Gerippe unserer neuen Theatereinrichtung schon stehen* ... Dann die Aufforderung des Theaterdirektors an den Freund: *Schaffen Sie uns nur jetzt noch den Wallenstein zur Stelle.*

Schiller aber ist außer Stimmung, die Lyrik gelingt nicht, der Baulärm in seinem Garten hält ihn zusätzlich ab; Erkältung, Schlaflosigkeit.

Goethe kommt erneut nach Jena. Ermutigt Schiller. Sein Tagebuch vermerkt sieben Begegnungen mit ihm. 9. August: *Abends mit Schiller bis an die hohe Saale spazieren.* 13. August: *Früh die Theatersachen ... Abends bei Schiller.*

*Ich habe Göthen dieser Tage die zwey letzten Akte des Wallensteins gelesen, soweit sie jetzt fertig sind*, Schiller am 15. August an Körner, *und den seltenen Genuß gehabt, ihn sehr lebhaft zu bewegen, und das ist bei ihm nur durch die Güte der Form möglich, da er für das Pathetische des Stoffes nicht leicht empfänglich ist.*

Nach Weimar am 18. August zurückgekehrt, drängt Goethe, schreibt am 22. August zum Drama: *Ich wünsche je eher je lieber eine klare Uebersicht darüber zu haben, noch mehr aber es vollendet zu sehen. Es wird sehr hoch stehen wenn es fertig ist, ich wünsche Ihnen zum Nachsommer noch gute Stimmung.*

Schiller berichtet von der Arbeit am *fünften Akte*. Am 31. August heißt es: *ich brauche zur Beendigung des Wallensteins allerhöchstens noch den Rest dieses Jahres.*

Goethe wird sich von dieser Nachricht alarmiert fühlen. Der Termin der Wiedereröffnung des Theaters rückt näher. Schiller hat versprochen, nach Weimar zu kommen, um *das theatralische Bauwesen* zu besichtigen. Ein Schnupfen hindert ihn daran, mehrfach verschiebt er die Reise. Goethe verliert die Geduld, es kommt zu jener bereits erwähnten Unmutsäußerung: *was den Schnupfen betrifft, so hätten Sie ihn, nach unsers Fürsten erprobter Theorie, eben dadurch kuriert wenn Sie sich der Luft ausgesetzt hätten.*

Am 10. September entschließt sich Schiller endlich zur Reise, trifft in Weimar ein. Bleibt bis zum 15. Entscheidende Tage. Goethe am 13./14. September: *Wallenstein zusammen gelesen und über dessen Aufführung beratschlagt.*

*... nach reifer Ueberlegung und vielen Conferenzen mit Göthe* habe er den »Wallenstein« *in zwey Stücke getrennt*, schreibt Schiller am 30. September an Körner. Bereits im Dezember 1797 hatte Goethe diesen Vorschlag gemacht: *Sollte Sie der Gegenstand nicht am Ende noch gar nöthigen einen Cyklus von Stücken aufzustellen?* Der nochmalige Anstoß, Schiller geht darauf ein. *Ich sehe mich also jetzt um ein complettes 5 Ackte nstück reicher und kann auf einmal drey Schauspiele zu Markte bringen.*

Auch seinem Verleger gegenüber korrigiert er am 21. September die bisherigen Angaben, erstmals ist von *drey zusammen hängenden Schauspielen* die Rede: »Wallensteins Lager«, »Piccolomini«, »Wallenstein« (später erst wird er den dritten Teil »Wallensteins Tod« nennen).

*Der Prolog wird in 14 Tagen in Weimar gespielt werden*, steht in ebenjenem Brief an Cotta.

Hat Goethe den Freund überredet? Überzeugt? *Göthe hat mir keine Ruhe gelassen, biß ich ihm meinen Prolog zu Eröfnung der Theatralischen Winter Vorstellungen und eines renovierten Theatergebäudes überließ.*

Einer Bemerkung Goethes gegenüber Meyer ist zu entnehmen, daß eine letzte Unsicherheit bleibt. 26. September: *Schillern hoffe ich noch das Vorspiel zu entreißen, sein Zaudern und Schwanken geht über alle Begriffe ...*

Von nun an wird es ein Wettlauf mit der Zeit.

Von *mechanischer Hetzerei* spricht Schiller, Goethe bewundernd, der dabei *Lust und Humor* nicht verliert. Goethe leitet die Leseproben, inszeniert das Stück. Schiller schreibt noch daran.

Botenfrauen und reitende Post gehen zwischen Jena und Weimar hin und her. Jede fertige Rolle wird umgehend in die Hände der Schauspieler befördert.

29. September: Schiller notiert in seinen Kalender: *Wallensteins Lager abgeliefert.* Der Part des Kapuziners fehlt noch. Goethe sendet als Anregung dazu ein Buch von Abraham a Santa Clara, »Judas, der Erzschelm«. *... dieser Pater Abraham ist ein prächtiges Original*, dankt Schiller. Goethe wünscht weiterhin noch einen Prolog, der sich auf die Wiedereröffnung des Theaters bezieht. Schiller schreibt am Prolog, schreibt an der Kapuzinerpredigt. Am 4. Oktober hat Goethe den Prolog; am 7. oder 8. geht die Kapuzinerpredigt mit Boten nach Weimar.

Goethe hat mit den Theaterproben begonnen. 6. Oktober: *Es war heute Probe auf dem Theater.* Er, der am Morgen noch bat, *arbeiten Sie ja* – am Prolog – *noch fort*, beschwört den Freund am Abend, mit Rücksicht auf die Schauspieler keine Textänderungen mehr vorzunehmen. *Wir müssen aber auf die geringste Verände-*

*rung Verzicht tun. Bey der Schwierigkeit eine so neue und fremde Aufgabe mit Ehren zu vollenden, klammert sich jeder so fest an seine Rolle, wie ein Schiffbrüchiger ans Brett, so daß man ihn unglücklich machte wenn mans ihm wacklig macht.*

Und: *Sobald aber Prolog und Vorspiel so eingelernt sind daß sie solche mit Vergnügen hören könnten, schicke ich einen Expressen. Halten Sie sich daher parat um abgehen zu können.*

Für den 12. Oktober wird die *Eröffnung* des *Theaters* festgelegt. Es ist ein Freitag. *Ich ersuche Sie also sich Donnerstags,* bittet Goethe, *zu guter Vormittagszeit, einzufinden, damit wir noch alles besprechen und Abends die Hauptprobe abwarten können.*

In Goethes Tagebuch am 11. Oktober 1798: *Kam Hr. Hofr. Schiller*; in Schillers Kalender unter dem 12. Oktober die lakonische Notiz: *Wallensteins Lager in Weimar gegeben.*

Es bleibt kaum Zeit zum Aufatmen; schon ist der nächste Uraufführungstermin festgelegt, der 30. Januar 1799, für die »Piccolomini«.

Am 14. Oktober notiert Goethe: *Früh ... Schiller weg.* Am gleichen Tag reist auch er nach Jena. *Abends bey ... Schiller.* Am nächsten Morgen teilt er Kirms, seinem Stellvertreter am Theater, mit: *Schiller ist gleich an den ›Piccolomini‹ gegangen und ich habe die besten Hoffnungen.*

Schiller dagegen schreibt an Körner: *Wenn ich Dir sage, daß ich in 9 Wochen die zwey noch übrigen Wallensteinischen Schauspiele auf die Bühne zu bringen habe, so wirst Du Nachsicht mit meiner Saumseligkeit im Schreiben haben. In der That habe ich absolut keinen Begriff davon, wie ich in diesem Zeitraum fertig werden soll ...*

Es ist ein schöner Spätherbst, kein Baulärm stört ihn mehr in seinem Garten. Er arbeitet intensiv.

An *Gemächlichkeit der Existenz* ist freilich nicht zu denken, aber er lebt auch nicht als Einsiedler, der zurückgezogen nur an seinem Manuskript sitzt.

Sein Garten vor den Toren der Stadt ist Anziehungspunkt; Gesprächsrunden, Gastlichkeit. Verwandte, Kollegen, auswärtige Besucher.

Ende August ist Fichte zu Gast. Es kommt wieder zu einer Annäherung. Goethe scheint erleichtert, schreibt am 29. August: *Nutzen Sie das neue Verhältniß zu Fichten für sich soviel als möglich und lassen es auch ihm heilsam werden. An eine engere Verbindung mit ihm ist nicht zu denken, aber es ist immer sehr interessant ihn in der Nähe zu haben.*

Und August Wilhelm Schlegel? *Ich muß doch noch einmal wegen Schlegels anfragen*, so Goethe vorsichtig am 4. April 1798 an den Freund, er *wünscht* Schillers *Gesinnungen zu vernehmen, weil man von mir immer eine Mittlerschaft erwartet ... Haben Sie, auch für die Zukunft seine Verbannung fest beschlossen, so lassen wir alles ruhen und ich werde mich danach benehmen ...*

Man muß sich vergegenwärtigen: Goethe wird von den jungen Romantikern verehrt. Die Schlegels loben Bürger, Jacobi, Georg Forster. Vor allem aber Goethe. Er rangiert für sie konkurrenzlos an der Spitze.

Schiller dagegen wird als Herausgeber attackiert, als Lyriker kritisiert. Im Wesentlichen seines Schaffens aber, dem dramatischen, wird er übergangen; in keinem Punkt wird diese Arbeit gewürdigt.

Daß dies Schiller gekränkt haben muß, ist gut vorstellbar.

Auch, daß er darin eine Gefahr für seine geistige Übereinstimmung mit Goethe sieht. Der Geringschätzung seines ästhetischen Konzepts gegenüber der hohen Wertschätzung von Goethes versucht Schiller entgegenzuwirken, indem er die Allianz mit dem Freund stärkt; es dabei nicht an kritischen Bemerkungen gegen die Romantiker fehlen lassend. So nennt er Friedrich Schlegel einen *kalten Witzling*, und über August Wilhelm Schlegels Rezension von »Herrmann und Dorothea« in der »Allgemeinen Literatur-Zeitung« äußert er, den Brüdern fehle das *Gemüth*, das ihnen gestattet, Goethes Werk angemessen zu würdigen.

Die Brüder Schlegel gründen das »Athenäum«, eine Zeitschrift, in der *Meisterstücke der höhern Kritik und Polemik* versammelt sein sollen: *Alles, was sich durch erhabene Frechheit* auszeichne. Ihr Ziel: *daß wir uns eine große Autorität in der Kritik machen, hinreichend um nach 5-10 Jahren kritische Dictatoren Deutschl⟨ands⟩ zu seyn.*

*Was sagen Sie zu dem neuen Schlegelischen Athenäum, und besonders zu den Fragmenten?* So Schiller am 23. Juli 1798 an Goethe. *Mir macht diese naseweise, entscheidende, schneidende und einseitige Manier physisch wehe.*

Mit diesem entschiedenen Urteil fordert er den Freund heraus.

Goethe entgegnet gelassen; widerspricht, sieht die Dinge anders: *Das Schlegelsche Ingrediens, in seiner ganzen Individualität scheint mir denn doch in der Olla potrida unsers deutschen Journalwesens nicht zu verachten. Diese allgemeine Nichtigkeit, Partheisucht fürs äußerst mittelmäßige, diese Augendienerey, diese Katzbuckelgebärden, diese Leerheit und Lahmheit in der nur wenige Producte sich verlieren, hat an einem solchen Wespenneste wie die Fragmente sind einen fürchterlichen Gegner.*

In der Sache sind damit die Unterschiede ihrer Haltungen formuliert.

Im Persönlichen aber verfolgt Goethe offenbar eine Art Doppelstrategie.

Einerseits ist er interessiert an den jungen Leuten, ist gern mit ihnen zusammen, fördert sie, genießt ihre Verehrung; als *göttliche alte Exzellenz* läßt er sich von ihnen feiern. (Caroline Herder meint, er sei *umnebelt von der Weihrauch-Wolke der Jenaischen Rotte, zum Staunen der Bessern in Weimar.*)

Andererseits versucht Goethe, das vor Schiller zu verbergen, ist sich des Ungleichgewichts der Bewertung und des den Freund Kränkenden daran wohl bewußt.

Er beruhigt Schiller. Das gelingt ihm offenbar, wie aus dessen Brief vom 23. November 1800 hervorgeht. *An der lächerlichen Verehrung welche die beiden Schlegels Göthen erweisen ist er selbst unschuldig, er hat sie nicht dazu aufgemuntert, er leidet vielmehr dadurch und sieht selbst wohl ein, daß die Quelle dieser*

*Verehrung nicht die reinste ist; denn diese eiteln Menschen bedienen sich seines Nahmens nur als eines Paniers gegen ihre Feinde, und es ist ihnen im Grund nur um sich selbst zu thun. Dieses Urtheil, das ich Ihnen hier niederschreibe* – die Adressatin ist Frau von Schimmelmann –, *ist aus Göthens eigenem Munde, in diesem Tone wird zwischen ihm und mir von den Herren Schlegel gesprochen.*

Von dieser Beruhigungsstrategie ist noch beim alten Goethe die Rede. 1830 äußert er gegenüber Adele Schopenhauer: *Soviel aber weiß ich recht gut: daß ich Schillern oft zu beschwichtigen hatte, wenn von den talentvollen Brüdern die Rede war; er wollte leben und wirken, deshalb nahm er es vielleicht zu empfindlich wenn ihm etwas in den Weg gelegt wurde, woran es denn die geistreichen jungen Männer mitunter nicht fehlen ließen.*

Daß Goethe mäßigend auf die Romantiker eingewirkt hat, ist durch den Naturforscher Henrik Steffens überliefert. Im Februar 1799 veranstaltet der Jenaer Romantikerkreis eine private Theateraufführung. Dramen Ifflands und Schillers sollen parodiert werden. Goethe ist bei der Generalprobe zugegen. *Als ich die Stellen aus den ›Schillerschen‹ Stücken deklamiert hatte*, berichtet Steffens, *trat Goethe freundlich auf mich zu. »Wählen Sie doch«, sagte er, »andere Stücke; ›unsern guten Freund Schiller‹ wollen wir doch lieber aus dem Spiele lassen.«*

Je intensiver das Verhältnis der Romantiker zu Goethe wird, desto vorsichtiger gehen sie mit Schiller um. Aber nicht aus inhaltlichen, sondern allein aus taktischen Gründen. *Wenn wir mit Schiller übel umgehen*, schreibt August Wilhelm Schlegel am 1. November 1799 an Schleiermacher, *so verderben wir unser persönliches Verhältniß mit Goethe, woran mehr gelegen ist, als an allen Teufeleyen der Welt.*

Die offenen Angriffe weichen versteckten; das *unbegränzte Vertrauen*, das Schiller sich in seinem *engen Bekanntschaftskreise* wünscht, ist nicht herstellbar. Zu tief sind die Differenzen.

... *physisch wehe* macht Schiller die *Manier.* Verständlich aus seiner Sicht: die Überbetonung des Subjektiven, Individuellen, die Auflösung der dichterischen Form, die Vorrangigkeit der Transzendenz, alles steht seinem eigenen künstlerischen Konzept diametral entgegen.

Zu dem Schlegel-Kreis tritt 1798 Friedrich Wilhelm Joseph Schelling, der im Wintersemester 1798 seine Philosophie-Vorlesungen an der Universität beginnt. Schiller hat ihn bereits 1796 kennengelernt, war angetan von ihm. Freundet sich mit ihm an. In Schillers Garten begegnet auch Goethe – vom 14. bis 22. Oktober ist er in Jena – erstmals Schelling.

Dessen Naturphilosophie muß Schiller – im Gegensatz zu Goethe – fremd gewesen sein, sie ist kaum mit seinen von Kant geprägten Auffassungen vereinbar. Die Annäherung von empirischer und theoretischer Naturforschung, die bei Schelling, aber auch bei Novalis und dem Physiker Ritter zu beobachten ist, die Debatten über Galvanismus, Elektrizität, Magnetismus, die Goethe faszinieren, interessieren Schiller wenig.

Dennoch bleibt dessen Verhältnis zu Schelling stets freundschaftlich; er schickt ihm seine Werke, lädt ihn zu Uraufführungen ein.

Am 30. Oktober 1798 schreibt Schiller: *Wir sind noch immer im Garten, wo wir uns des ungewöhnlich schönen Wetters noch recht erfreuen, und vergessen, daß es auf lange Zeit von uns Abschied nimmt. Mit Furcht sehe ich aber den November herankommen, wo ich so viel zu leisten und einen so unfreundlichen Himmel zu erwarten habe.*

Am 6. November zieht er in sein *Castell in der Stadt* um. *Leider fällt diese für mich so dringende Epoche des Fertigwerdens in eine sehr ungünstige Zeit, ich kann jetzt gewöhnlich über die andere Nacht nicht schlafen, und muß viel Kraft anwenden, mich in der nöthigen Klarheit der Stimmung zu erhalten. Könnte ich nicht durch meinen Willen etwas mehr, als andere in ähnlichen Fällen können, so würde ich jetzt ganz und gar pausieren müssen.*

Wie immer bei Einbruch der kalten Jahreszeit – Ende November liegt hoher Schnee, von *Schlittengeklingel* schreibt er – seine

Wetterfühligkeit. *Der November und December sind schlechte Monate für einen Poeten, der ... von jedem rauhen Lüftchen abhängt, wie ich. ... der Schnupfen nimmt mir den Kopf so ein, daß ich ganz betört von der Arbeit aufstehe*, am 14. Dezember an Goethe. Am 18.: *Das Sudelwetter ... hat mich doch sehr mitgenommen, und schon der traurige Anblick des Himmels und der Erde drückt die Seele nieder.*

Von der Anspannung der Arbeit erholt er sich beim Kartenspiel. Schelling ist sein Partner. *Schelling seh ich wöchentlich nur einmal, und, zur Schande der Philosophie sei es gesagt, meistens l'hombre mit ihm zu spielen.*

Anfang Dezember hat er noch eine wichtige inhaltliche Entscheidung über das Motiv zu treffen, *wodurch der Abfall Wallensteins eingeleitet werden ... soll.* Er schwankt zwischen einem astrologischen Spiegel und einem Buchstabenorakel, dem des fünffachen »F«. *Ich muß Sie heute mit einer astrologischen Frage behelligen, und mir Ihr aesthetischkritisches Bedenken in einer verwickelten Sache ausbitten*, am 2. Dezember an Goethe.

Dieser rät vom fünffachen, als Pentagramm angeordneten »F« ab, weil es *dem modernen Orakel-Aberglauben* angehöre, auch wegen *inkurable⟨r⟩ Trockenheit*, zudem sei dieses *Buchstabenwesen* auf dem Theater schwer darstellbar. Schiller folgt dem Rat. *Es ist eine rechte Gottesgabe um einen weisen und sorgfältigen Freund ...*

Sein Ziel ist, die »Piccolomini« *nicht unvollendet in die neue Jahreszahl hinüber* zu *schleppen*. Am 22. Dezember heißt es noch: *Ich sehe zwar kaum ein kleines Vorrücken in der Arbeit, denn bei dem Corrigiren der letzten Akte für den Theaterzweck bin ich auf weit mehr Schwierigkeiten gestoßen als ich erwartete, und diese Arbeit ist erstaunlich penib⟨e⟩l und Zeitverderbend.*

Der entscheidende Tag wird der 24. Dezember 1798, mit Hilfe von drei Abschreibern vollendet Schiller »Die Piccolomini«.

Am Abend teilt er Goethe mit, *daß* er *heute* seine *ganze Willenskraft zusammen nahm, drei Copisten zugleich anstellte ...*

*Eine recht glückliche Stimmung und eine wohl ausgeschlafene Nacht haben mich secundirt ... So ist... schwerlich ein heiliger Abend auf 30 Meilen in der Runde verbracht worden, so gehezt nemlich und qualvoll über der Angst nicht fertig zu werden.*

Am 25. Dezember beglückwünscht der Freund ihn, gesteht: *ich will Ihnen gar nicht leugnen, daß mir in der letzten Zeit alle Hoffnung zu vergehen anfing.*

Diesen Weihnachtstag verbringt Schiller mit Frau und Kindern, dem fünfjährigen Carl und dem zweijährigen Ernst. Geschenke werden ausgepackt, am 29. schreibt er seiner Schwiegermutter: *Ihre schönen Geschenke, beste chère mère, haben uns ... große Freude gemacht und den alten Kindern wie den jungen. Nehmen Sie unsern herzlichen Dank dafür. Es war überhaupt ein Tag des Glücks für mich, da ich den Abend vorher die Piccolomini fertig gemacht ... hatte.*

Am 29. Dezember liest er im Familienkreis sein Stück vor. Vermutlich sind Schwägerin und Schwager zu Gast, denn Wilhelm von Wolzogen nimmt am 30. Dezember die Rolle der Gräfin Terzky mit nach Weimar.

Der Schrecken beim Vorlesen ist groß. Schiller stellt fest, *daß vier Stunden nicht zu der Präsentation hinreichen werden.* Er ist gezwungen, zu kürzen. Der 30. Dezember ist der Tag, an dem er streicht, streicht ...

*Ich dachte schon genug davon weggeschnitten zu haben, als ich aber vorgestern zum erstenmal das ganze hintereinander vorlas, nach der bereits verkürzten Edition ... so erschrack ich so, daß ich mich gestern nochmals hinsetzte, und noch etwa 400 Jamben aus dem ganzen herauswarf. Sehr lang wird es auch jetzt noch spielen, aber doch nicht über die vierte Stunde, und wenn man Schlag halb Sechs anfängt, so kommt das Publicum noch vor 10 Uhr nach Hause.*

Diesem Brief an Goethe vom Silvestertag legt er das Manuskript bei. *Hier erhalten Sie die Piccolomini ganz, aber wie Sie sehen ganz erschrecklich gestrichen.*

*Und so lege ich denn das Stück in Ihre Hände. Ich habe jetzt schlechterdings kein Urtheil mehr darüber, ja manchmal möchte ich an der theatralischen Tauglichkeit ganz verzweifeln. Möchte es eine solche Wirkung auf Sie thun, daß Sie mir Muth und Hofnung geben können, denn die brauche ich.*

Zu diesem Zeitpunkt hat Schiller die Berührungsängste gegenüber dem Theater längst überwunden, steht in Vertragsverhandlungen mit verschiedenen Bühnen. Bevor er Goethe das Stück in die Hände gibt, hat er es am 24. Dezember an Iffland geschickt, der es in Berlin inszenieren will. Auch mit Kotzebue, Theaterdirektor in Wien, steht Schiller in Kontakt. Ebenso mit den Bühnen in Dresden und Leipzig. Mit Frankfurt soll Goethe verhandeln. *Es wäre mir jetzt doch lieb, wenn Sie den Frankfurtern bald wollten wissen tun lassen, daß die 3 Wallensteinischen Stücke für 60 Dukaten zu haben sind.*

Sein Verleger Cotta ist schon früh der Vertraute des Wallenstein-Projektes. Bereits im Oktober 1796 bittet Schiller ihn: *Sehen Sie Sich diesen Winter nach Papier um für den Wallenstein.* Auf Cottas mehrmalige Sendungen mit Papierproben antwortet er im Februar 1797: *Die letzt übersandte Papierprobe gefällt mir der Feinheit und Weisse nach überaus wohl, aber ich wünschte großes Papier zum Wallenstein, weil man da viel weißen Raum lassen kann, welches die Ausgabe am elegantesten kleidet.*

Er schlägt Cotta vor, den »Wallenstein« in Jena drucken zu lassen, *und zwar mit einer dem Auge angenehmen Schrift und auf recht schönem Schreibpapier.* Auch Vorstellungen von der Auflagenhöhe hat er: *Ich dächte wenn Sie 2000 Exempl. auf SchreibPapier Median (den Ballen zu 30 rth. hiesigen Courant) 125 auf Velin und 400 auf gutem Druckpapier (für die Reichsgegenden und des Nachdrucks wegen) abdrucken ließen, so wärs am besten.*

Für die Ostermesse 1799 ist die Buchausgabe angekündigt. Der Zeitpunkt der Fertigstellung des Dramas hat sich mehrfach verzögert. Nun ist selbst dieser Termin noch zu früh angesetzt. Schiller bittet Cotta, die Buchausgabe zurückzuhalten. Ansonsten sei es für ihn *beträchtlicher Geldverlust ... Ich dächte unmaßgeblich das Neujahr 1800.* Cotta erfüllt wie immer die Wünsche seines Autors, revidiert seine öffentliche Anzeige.

Dessen Hoffnung allerdings, den »Wallenstein« von vielen Bühnen gespielt zu sehen, erfüllt sich nicht. Nur in Weimar und Berlin wird er aufgeführt. In Wien schreitet die Zensur mit Verbot ein. Die Aufnahme des Stückes erfolgt nicht unbeeinflußt von der durch die Französische Revolution geprägten politischen Stimmung. Auch Iffland in Berlin läßt, um dem Eindruck vorzubeugen, das Stück ergreife auf irgendeine Art für den politischen Umsturz Partei, einfach »Wallensteins Lager« weg. Verschweigt das aber zunächst Schiller. Erst als er von ihm das Manuskript der »Piccolomini« erhält, gesteht er es. Es scheine ihm in *einem militärischen Staate bedencklich, wenn ein militärischer König der erste Zuschauer ist,* daß *eine Armee in Maße deliberirt, ob sie sich da oder dorthin schicken laßen soll und will*, schreibt er am 10. Februar 1799 an Schiller. Erst 1803 wird »Wallensteins Lager« auf der Berliner Bühne gespielt werden.

Zurück nach Weimar. »Die Piccolomini« wollen Schiller und Goethe gemeinsam inszenieren. Schiller muß nach Weimar reisen, und das im Winter. Er will zudem seine Gewohnheiten beibehalten, sich nicht von Frau und Kindern trennen. Goethes Einladung, am Frauenplan zu logieren, muß er von daher ablehnen, denn Charlotte Schiller hält es für unschicklich, mit Christiane Vulpius unter einem Dach zu sein.

Schiller fragt an, ob Goethe für ihn *das Logis, worin Thouret gewohnt, auf 3 oder 4 Wochen vom Herzog* ausbitten könne. Er möchte, erklärt er dem Freund, *Ihnen mit mir nicht auf so lange Ueberlast machen. Freilich würden unsre wechselseitigen Communicationen dadurch etwas gehemmt ...*

Goethe erwidert: *Gern lasse ich Sie nicht aus meiner Nähe ... Wir müssen nur eine Einrichtung treffen, denn sonst verlieren wir Zeit und Gelegenheit.*

Schiller darauf: *Was unsre Communicationen betrifft, so wird sich mit einer Kutsche schon eine Einrichtung machen lassen.*

*Das Thouretische Quartier steht ... ganz leer, ist rein und dürfte nur möbliert werden*, antwortet Goethe, *wofür ich schon sorgen will. Es sind zwei heizbare Zimmer und einige Kammern.*

Schiller: *Für Ihre Güte, mir das Logis zu verschaffen, danke ich Ihnen sehr. Meubles, hölzerne, wird mein Schwager missen können, Betten aber nicht, und wenn Sie mir also davon etwas leihen wollen, so brauche ich desto weniger mit zu bringen.*

Am 4. Januar reist Schiller nach Weimar.

Am 8. Januar findet die erste Leseprobe statt. Die Schwierigkeit, Versmaß, Jamben, zu sprechen. Zehn Tage nehmen die Leseproben mit den Schauspielern in Anspruch.

Am 25. Januar ist die erste Bühnenprobe.

Bereits fünf Tage später, am 30. Januar 1799, anläßlich des Geburtstages der Herzogin, findet die Uraufführung statt. Ein großer Erfolg.

Charlotte Schiller schreibt ihrer Schwägerin Christophine von der *Wärme*, mit der das *Publikum das Stück aufgenommen* habe: *Es schluchzte Alles im Theater; selbst die Schauspieler mußten weinen ... Aber mir dünkt auch, ich kenne nichts, was mehr rührte, unter allen Tragödien. Mich selbst hat die Vorstellung so gerührt, daß ich mich nicht zu fassen wußte; ob ich gleich Alles kannte und Schiller es mir mehr wie einmal gelesen hatte ...*

Der junge Henrik Steffens, der die Aufführung neben Schiller in dessen Loge sitzend verfolgt, überliefert: *Schiller war mit Allem nicht allein zufrieden, sondern überaus glücklich ... Selbst Goethe ... schien ... sehr zufrieden, obgleich er sich nicht enthusiastisch äußerte, wie Schiller.*

Am 2. Februar steht das Stück nochmals auf dem Spielplan. Schiller wird geehrt, mit Goethe zum Herzog geladen. Auch Frau von Stein gibt ein Diner für ihn.

Aber noch ist der letzte Teil des »Wallenstein« nicht fertig. 7. Februar: *Früh nach 11 von Weimar nach Jena mit Schiller im Schlitten*, notiert Goethe und anderntags: die *gestrige Fahrt* sei sehr *vergnügt und glücklich abgelaufen.*

Er bleibt bis zum 28. Februar in Jena. Bei großer Kälte unternimmt er dort fast täglich Schlittenfahrten, reitet auch aus. *Erwartung der Eisfahrt*, heißt es am 21. Februar. Die durch Jena fließende Saale ist zugefroren, beim Wetterumschwung wird das Eis aufreißen. Am 22.: *Früh 5 Uhr ein Gewitter, das Eis fing an zu brechen und zu ziehen.* Ein zweites Mal kann er wohl Schiller nicht zu einer Schlittenfahrt überreden. Aber am 23. Februar lockt er ihn aus dem Haus: *aß mit Schiller zu Mittag, ging mit ihm nach Tische spatzieren.* Vermutlich genießen sie das Schauspiel des Eisgangs auf der Saale; *das Wasser hatte am Schloß vier Stufen erreicht.*

Fast jeden Mittag, jeden Abend sehen sie sich. *Abends bey Schiller, über die letzten Acte von Wallenstein*, Eintrag vom 19. Februar. Meist aber kreist ihre Unterhaltung – von beiden ist es aus dieser Zeit belegt – um Goethes Arbeit, um seine »Farbenlehre«.

Am letzten Februartag trennen sich die Freunde. Am nächsten Tag schreibt Schiller nach Weimar: *Nach acht Wochen Stillstand beginnt also das Commercium durch die Botenfrau wieder.* Im selben Brief läßt Schiller Goethe wissen, daß eine Kopie von »Wallensteins Lager« nach Kopenhagen gelangt und dort vorgelesen würde; er bittet darum, es zu untersuchen. Am 4. März weist Goethe an, daß *die drey Wöchner, der Copist* und *der Souffleur* zu *vernehmen* seien. Am 16. März wird das Weiterreichen eines Manuskriptes ohne Wissen der Theaterkommission durch Weisung Goethes unter *Strafe* gestellt. Dennoch wird sich diese Veruntreuung von Manuskripten Schillers auch bei der »Braut von Messina« wiederholen.

Am 7. März Schiller: *Versprochener maaßen sende hier die zwey ersten Akte des Wallenstein ...*

Goethe am 9. März: *Die zwey Acte Wallensteins sind fürtrefflich und thaten beym ersten lesen auf mich eine so lebhafte Wirkung, daß sie gar keinen Zweifel zuließen.*

Schiller am 12. März: *Die Arbeit avanciert jetzt mit beschleunigter Bewegung ...*

Am 13. März: *Montags erhalten Sie den Wallenstein ganz. Todt ist er schon und auch parentiert, ich habe nur noch zu beßern und zu feilen.*

Goethe am 16. März: *Recht herzlich gratuliere zum Tode des theatralischen Helden!* Und er fügt gleich hinzu: *Den April müssen wir auf die Vorstellung von Wallenstein ... rechnen.*

Schiller am 17. März: *Hier erfolgt nun das Werk ...*

Am 18. März nennt Goethe es ein *unschätzbares Geschenk für die deutsche Bühne ... Ich sage nichts weiter und freue mich nur auf den Zusammengenuß dieses Werks. ... wir wollen ... das Stück zusammen lesen und ich will mich in gehöriger Fassung daran erfreuen.*

Am 21. März kommt Goethe wieder nach Jena, bleibt bis zum 10. April. Gleich am ersten Tag sind sie zusammen, lesen gegen Abend *die vier ersten Akte von Wallenstein zusammen.*

10. April: *Mit Schiller von Jena abgefahren.* Charlotte mit Kindern und Dienerschaft folgt einen Tag später.

Die Rollen sind bereits in den Händen der Schauspieler, sind zum Teil in Jena ausgeschrieben worden. Am 11. April findet die erste Leseprobe statt.

Neun Tage später, am 20. April 1799, dann die Uraufführung des dritten Teils, der – laut Programmzettel – noch immer »Wallenstein« heißt, erst mit der Berliner Aufführung vom 17. Mai 1799 wird es »Wallensteins Tod« sein.

Die Weimarer Inszenierung ist ein großer Erfolg. Am 22. April folgt eine zweite Vorstellung.

Am Tag darauf wird Schiller zur Tafel bei der Herzoginmutter geladen. Herzogin Louise läßt als Dank ein silbernes Kaffeeservice für Schiller anfertigen. Zum Abschluß der »Wallenstein-Trilogie« beglückwünscht Carl August den Autor vor aller Augen in der Hofloge und äußert den Wunsch, Schiller möge nach Weimar ziehen.

# Achtes Kapitel

## I

Schiller entscheidet sich für Weimar. Sollte es wirklich der Wunsch des Herzogs sein, der ihn zum Umzug bewegt?

Um zu verstehen, was die Gratulation in der Hofloge ihm bedeutet haben mag, muß man die Geschichte seiner schwierigen Beziehung zu Carl August mitdenken. Schiller wird vierzig. Fünfundzwanzig war er, als er am Darmstädter Hof vor dem Herzog las und dieser, unsicher, ob seine spontane Entscheidung, den berühmt-berüchtigten Autor der »Räuber« zum »Weimarischen Rat« zu ernennen, richtig war, ein geheimes Gutachten von Wieland anfertigen ließ. Seit zwölf Jahren lebt Schiller inzwischen im Herzogtum. Distanz und Vorbehalte überwiegen. Carl August hat ihn keineswegs verwöhnt.

Ändert sich jetzt alles? Empfänglich für freundliche Gesten und fürstliches Lob ist Schiller gewiß. Aber nicht abhängig davon.

Welche anderen Gründe sprechen für Weimar?

Der Freund am Frauenplan, der Gedanke, ihm täglich nah zu sein?

Oder Charlotte, seine Frau? Ihr ist schon immer die Stadt des Hofes näher gewesen als die der Universität. Ihrer Zustimmung für den Ortswechsel kann er gewiß sein. Ihre engste Freundin Frau von Stein lebt hier, zudem wohnen seit über einem Jahr Schwester und Schwager in Weimar. Die von ihm einst geliebte Caroline ist nicht nur Beiträgerin für seine Zeitschriften, sondern hat auch immer ein offenes Ohr für seine literarischen Arbeiten. Und Wilhelm von Wolzogens Anstellung am Fürstenhof verschafft ihm den Vorteil, nicht mehr allein auf Goethe oder Voigt angewiesen zu sein.

Oder ist es das Weimarer Hoftheater? Kehrt für den Mann, der sich viele Jahre lang von Drama und Bühne fernhielt, nach dieser Abstinenz, nach seinen frühen zwiespältigen Mannheimer Theatererfahrungen – eine Haßliebe war es damals –, nun, bei der erneuten Berührung mit dieser Welt, die Faszination zurück, die vom Bühnengeschehen, von den Schauspielern, von der Theateratmosphäre ausgeht?

Der Erfolg des »Wallenstein«.

*Für die nächsten 6 Jahre werde* er, teilt er Körner mit, sich *ganz ausschließend an das dramatische halten.* Schlußfolgerung: *so kann ich es nicht umgehen, den Winter in Weimar zuzubringen um die Anschauung des Theaters zu haben.* Von der *sinnlichen Gegenwart* der Bühne, die ihm *nöthig* sei, ist die Rede. Die *Nähe des Theaters*, heißt es an Cotta, werde auf ihn *begeisternd* wirken. *Auch kann ich auf diese Art mehr mit Göthen zusammen sein.*

*Dadurch wird meine Arbeit um vieles erleichtert werden, und die Phantasie erhält eine zweckmäßige Anregung von aussen, da ich in meiner bisherigen isolierten Existenz alles, was ins Leben und in die sinnliche Welt treten sollte, nur durch die höchste innre Anstrengung und nicht ohne große faux frais zu Stande brachte.*

Die Jahre in Weimar. Wird er den Ortswechsel bereuen? Im Spätwinter 1803 heißt es: *Oft treibt es mich mich in der Welt nach einem andern Wohnort und Wirkungskreis umzusehen; wenn es nur irgendwo leidlich wäre, ich gienge fort.* Im Frühjahr 1804 wird er versuchen, sich von der Stadt loszumachen, er will nach Berlin: *ich bin nicht Willens in Weimar zu sterben,* schreibt er da verbittert, nennt die Residenzstadt verächtlich ein *schlechtes Nest*, ein *Dorf* und das Weimarer Theater ein *Dorftheater.*

In mehrfacher Hinsicht erweist sich Schillers Umzug nach Weimar als problematisch. Weder verbessert sich das Verhältnis zum Herzog grundlegend, noch kann er die Nähe zu Goethe genießen, denn dieser behält sein Arbeitsdomizil in Jena. Die Reiserichtung kehrt sich fast um, will Schiller Goethe sehen, muß er nun nach Jena fahren. Diese Weimarer Jahre sind nicht die besten ihrer

Freundschaft. Die jungen Romantiker hofieren Goethe und schmähen Schiller, versuchen, die beiden gegeneinander auszuspielen. Die Weimarer Kotzebue-Partei dagegen will Schiller auf ihre Seite ziehen, zuungunsten Goethes. Schiller wird in Hof- und Theaterintrigen verwickelt. Seine Wohnverhältnisse in Weimar – knapp zweieinhalb Jahre lebt er in dem lauten Quartier in der Windischengasse – sind seiner Arbeitskonzentration nicht zuträglich.

Von Anfang 1800 bis zu seinem Tod im Mai 1805 bestimmt Schiller das Bühnengeschehen am Weimarer Theater nicht unwesentlich mit; er bestreitet einen großen Teil des Repertoires mit eigenen Stücken und eigenen Bearbeitungen, er inszeniert, allein oder mit Goethe zusammen. Bei der Konzeption der Spielpläne – für neun Monate jährlich müssen sie aufgestellt werden, drei Aufführungen gibt es pro Woche – fungiert er als Berater des Theaterdirektors. Und er vertritt Goethe, wenn dieser krank oder abwesend ist, ohne jemals offiziell mit einem Amt am Theater betraut zu werden. Alles in allem eine enorm hohe und angesichts seiner angeschlagenen Gesundheit mit Gefahren verbundene Belastung.

Carl Augusts Einladung. Mit sicherem Instinkt wird er gespürt haben, welches Kapital dieser Autor für sein Theater bedeuten könnte.

Monate später wird das preußische Königspaar anreisen, um in Weimar den »Wallenstein« zu sehen. Schiller wird Friedrich Wilhelm III. und der Königin Luise vorgestellt. Der Besuch aus Berlin ist eine Ehre für ihn, vor allem aber ein Prestigegewinn für Carl August. Dieser kann mit seinem Autor Schiller renommieren, mit ihm Staat machen.

Immerhin, was in Wien nicht möglich war – Aufführungsverbot durch die Zensur –, was in Berlin nur halbherzig umgesetzt wurde – durch Weglassen von »Wallensteins Lager« –, geht in Weimar über die Bühne.

Ein in Theatersachen liberaler Fürst? Einer, der die Künste fördert? Gewiß. Wie aber wäre Schiller zumute gewesen, hätte er das tatsächliche Urteil Carl Augusts gekannt? *Über den gestrigen Wallenstein*, heißt es in dessen Brief an Goethe einen Tag nach der Uraufführung der »Piccolomini«, *möchte* er *über seine Fehler ein ordentliches Programm schreiben.* Der *Charakter des Helden* mißfällt dem Fürsten, *der meiner Meynung nach auch einer Verbeßerung bedürfte, könnte gewiß mit wenigen ständiger gemacht werden.*

Er schränkt zwar ein: *indeßen muß mann den zweyten Theil erst abwarten*, gibt auch *die außnehmend schöne Sprache* zu, *die wirklich vorzüglich, vortreflich ist.* Aber im Grunde will er ein anderes Stück. *Ich glaube wircklich, daß aus beyden Theilen ein schönes Ganze könnte außgeschieden werden; es müste aber mit vieler Herzhaftigkeit davon abgelöset und anders eingeflickt werden.*

Diplomatisch, wie Goethe immer nach allen Seiten ist und sein muß, verschweigt er Schiller diesen Brief.

Carl August gibt sich als Kenner der Theatermaterie. Er will mitbestimmen. Möglicherweise spricht er unter diesem Aspekt die Einladung an Schiller auch aus, um den Dramatiker künftig in seiner Nähe und damit besser unter Kontrolle zu haben.

Selbst ein anderer Hintergedanke ist nicht auszuschließen: Mit Schiller auch Goethe wieder stärker an Weimar zu binden. Mit Argwohn beobachtet der Fürst, wie sein Favorit und Minister seit 1794, dem Beginn der Freundschaft zu Schiller, sich für immer längere Zeiträume in Jena aufhält, dem Hof fernbleibt. Tagtäglich ist Goethe in Jena mit Schiller zusammen, neuerdings auch mit Fichte und den jungen Romantikern.

Carl August muß diese Abwesenheit von Weimar insofern tolerieren, als Goethe in seinem Auftrag in Jena Pflichten zu erfüllen hat: für *Ordnung* im *academischen Leben* zu sorgen. Genau diese Pflichten aber vernachlässigt er angeblich. Im Dezember 1798 kommt es zu einer massiven herzoglichen Rüge.

Anlaß ist eine Beschwerde des sächsischen Kurfürsten. Dieser konfisziert auf seinem Territorium das in Jena von Niethammer und Fichte herausgegebene »Philosophische Journal« wegen angeblicher atheistischer Inhalte. Er unterrichtet darüber in einem Rundschreiben zahlreiche auswärtige Höfe und verlangt am 18. Dezember 1798 vom Weimarer Regenten die Bestrafung der Verfasser.

Carl August sieht sich mit Rücksicht auf die politischen Beziehungen zu Kursachsen zum Handeln gezwungen. Auch ökonomische Gründe spielen eine Rolle. Der Kurfürst droht, seinen Landeskindern den Besuch der Jenaer Universität zu verbieten, diese aber ist auf die Kolleggelder der zahlreichen Studenten aus Sachsen angewiesen.

Am 26. Dezember 1798 macht Carl August zunächst seinem Ärger über Goethe Luft. Er geht den Dienstweg, richtet sein Schreiben an Voigt. *Über Göthen habe ich wohl zehn mahl mich halb zu schanden geärgert, der ordentl.⟨ich⟩ Kindisch über das alberne critische wesen ist ... er besieht dabey das Ding, u⟨nd⟩ das ganze academische Wesen mit einem solchen leichtsinn daß er alles das gute was er bey seinen häufigen anwesenheiten zu Jena stiften könnte, unterläßet... Statt ... sie durch vermahnungen in der Ordnung halten ... findet er die sudeloyer charmant u⟨nd⟩ das Volck glaubt mann aprobire sie ... Mit Göthen kan ich gar nicht mehr über diese Sache reden, denn er verliert sich gleich dabey in eine so wort- u⟨nd⟩ Sophismen reiche discution daß mir alle Geduldt ausgeht. Am Ende heißt es: Ich kan gar nicht aufhören über diesen gegenstand zu reden, weil ich mich schon seit 4-5 Jahren darüber erboße.*

Der Herzog will die Sache offenbar regierungsintern bereinigen. Der Vorgang aber zieht Kreise. Weitet sich zu einem Skandal aus. Fichte verteidigt sich öffentlich in einer »Appellation an das Publicum«. Die Studenten sammeln Unterschriften für ihren Professor. Der Vorgang um das »Philosophische Journal« wird nicht nur in Jena und Weimar zum Gespräch, sondern bald in ganz Deutschland.

Goethe sieht ihn in größeren Zusammenhängen. Die Beschwerde Kursachsens signalisiert ihm, daß die Restauration auf dem Gebiet der Religion längst begonnen und bereits eine politische

Stoßrichtung erhalten hat. Es wirkt wie eine Vorwegnahme kommender Umbrüche – in das Jahr 1799 fallen der 18. Brumaire, an dem Napoleon das Direktorium stürzt, und der Beginn des Zweiten Koalitionskrieges –, wie eine Vorahnung des napoleonischen Zeitalters, das auf den deutschen Territorien zum Erstarken von Reaktion und Restauration führen wird, wenn er schreibt: *Wäre es also auch möglich, in dieser Sache* – der Fichtes – *gelassen und der ruhigen Gerechtigkeit gemäß zu verfahren, erst die Vertheidigung zu hören, und dann weiter zu schreiten, so würde es meiner Einsicht nach das beste seyn. Denn überhaupt haben wir uns noch auf manches dieser Art zu rüsten; man wende einige Oeltonnen an, die Wellen ums Schiff her zu besänftigen, das hohe Meer sehen wir vielleicht unser lebenlang nicht wieder in Ruhe.*

Es geht also um weit mehr als um die Verärgerung Carl Augusts.

Zugleich hat das Bild von den *Oeltonnen* auch einen rein persönlichen Bezug; im Sinne einer Besänftigung des Mäzens. An Konflikte mit ihm gewöhnt, schreibt Goethe scheinbar leichthin bereits einen Tag nach Erhalt des herzoglichen Schreibens vom 26. Dezember an Voigt: *Serenissimi Strafrede ist gut ...*

*Weder warm noch kalt* sei Goethes Haltung Fichte gegenüber, *eher das letztere*, meint Caroline Schlegel. Und August Wilhelm Schlegel schreibt an Novalis: *Der wackere Fichte streitet eigentlich für uns alle, und wenn er unterliegt, so sind die Scheiterhaufen wieder ganz nahe herbeigekommen.*

Fichte sendet seine Verteidigungsschrift auch an Schiller. Seit jenem Besuch 1798 in dessen Garten gibt es wieder Kontakte zwischen den beiden. Schillers Antwort vom 26. Januar 1799 kommt aus Weimar, wo er sich für Wochen aufhält. Es sei *gar keine Frage*, daß Fichte sich *von der Beschuldigung des Atheismus vor jedem verständigen Menschen völlig gereinigt* habe, läßt er ihn wissen, auch, daß er, Schiller, gegen die Konfiszierung durch den sächsischen Kurfürsten sei, *daß das Verbot Ihrer Schrift, selbst wenn sie wirklich atheistisch wäre, noch immer unstatthaft bleibe; denn eine aufgeklärte und gerechte Regierung kann keine theoretische Meinung, welche in einem gelehrten Werke für Gelehrte dargelegt wird, verbieten.*

Es scheint fast, als trete er an Fichtes Seite, erkläre sich mit ihm solidarisch. Aber das trifft nicht zu. Auch er ist *weder warm noch kalt*, sondern *eher das letztere.*

*Nur wäre zu wünschen gewesen*, wendet er ein, *daß der Eingang ruhiger abgefaßt wäre, ja daß Sie dem ganzen Vorgange die Wichtigkeit und Konsequenz für Ihre persönliche Sicherheit nicht eingeräumt hätten.* Schiller tadelt – Fichte hatte, für den Fall, daß das Journal verboten wird, gedroht, um seine Entlassung nachsuchen zu wollen – den Zusammenhang, den der Philosoph zwischen öffentlicher Kritik und persönlichem Ehrgefühl herstellt.

Schiller gibt sich Fichte gegenüber fast als Sachwalter des Fürsten aus. *Denn so wie die hiesige Regierung denkt* ..., heißt es in seinem Brief. Und: *Ich habe in diesen Tagen Gelegenheit gehabt, mit Jedem, der in dieser Sache eine Stimme hat, darüber zu sprechen, und auch mit dem Herzoge selbst habe ich es mehrere Male gethan.*

Mit großer Wahrscheinlichkeit ist Schillers Schreiben an Fichte mit Goethe abgesprochen; auf jeden Fall ist es in dessen Sinne abgefaßt. Schiller weiß um den Handlungsbedarf Carl Augusts und die *Strafrede* gegen seinen Freund.

Fichtes Entlassung wird betrieben. Wie in anderen heiklen Fällen – so bei seinem Plädoyer für das Todesurteil der Kindsmörderin – ist auch in diesem Fall Goethes Votum nicht mehr vorhanden. Mit einem Reskript des Herzogs vom 29. März 1799 wird der Philosoph von der Universität entfernt.

Schiller ist dem bedrängten Freund zur Seite getreten. Diesmal nun, bei diesem Vorgang, der als »Atheismusstreit« in die Geschichte eingehen wird, nicht wie Jahre zuvor bei der Herausgabe der »Erotica Romana« *gegen* den Herzog, sondern im Bündnis *mit* dem Herzog.

Im Mai 1799 schafft sich Goethe Pferde und Kutsche an, fährt nach Jena, lädt den Freund zu Ausflügen in die Umgebung ein.

5. Mai: *mit Schiller nach Burgau spatzieren gefahren ... Mittag bey Schiller, dann mit demselben spatzieren.* 7. Mai: *Um 11 Uhr mit ... Schiller gegen Lobeda spatzieren gefahren.* 8. Mai: *Abends mit ... Schiller gegen Lobeda spatzieren gefahren. Die Idee von dem Naturgedichte durchgesprochen. Abends mit demselben allein gegessen.* (Das *Naturgedichte* wird nicht geschrieben werden.) 9. Mai: *Abends bey Schiller. Vorher gegen Lobeda Spazieren gefahren mit ihm. Über Englische Geschichte.*

Schiller erzählt ihm vermutlich von der Arbeit an »Maria Stuart«. Goethe dagegen von der an seiner Kunst-Zeitschrift »Propyläen«. Mit *seiner* – Schillers – *Beyhülfe* habe er *zwey bis drey wichtige Grundlagen gelegt*, schreibt Goethe am 10. Mai an Meyer. Schiller ist ihm Gesprächspartner, Ratgeber. Direkte Mitarbeit, *Beystand zu einem bestimmten Zwecke*, erwartet er nicht: *Von Schillern hoffe ich lieber gar nichts* für die »Propyläen«. Die Vertragsverhandlungen mit Cotta aber übernimmt Schiller für den Freund. Die Zeitschrift hat keinen Erfolg, von den 1000 gedruckten Exemplaren werden nur 54 abgesetzt. Cotta hat einen hohen Geldverlust.

Das Pfingstfest naht. *Versprochenermaßen*, schreibt Goethe am 7. Mai an Christiane, *werde ich dir die Pferde zu den Feyertagen schicken ... Sie sind mir jetzt ein wahres Bedürfniß, denn mit meinen Fußpromenaden will es gar nicht recht fort.* Am 10. Mai gehen die Pferde nach Weimar. Die gemeinsamen Spazierfahrten der Freunde haben vorerst ein Ende.

Am 10. Mai zieht Schiller von seiner Stadtwohnung in den Garten.

Am 18. Mai kommen Christiane, der Sohn August und der Kutscher mit den Pferden nach Jena.

Einen Tag später ein außergewöhnliches Ereignis. 19. Mai: Goethe besucht mit seiner Lebensgefährtin und dem Sohn Schillers Familie. Offenbar ist er es, der die Initiative ergreift, ein Zeichen setzt. Ist es ein Hinweis auf den Umgang, den er wünscht, wenn Schiller mit seiner Familie nach Weimar zieht?

Dafür spricht auch ein anderer Umstand. Charlotte von Stein hält sich zu der Zeit bei Schillers auf, Goethe muß dies einkalkuliert haben. Erhofft er von ihr Vermittlung? Sein anfänglicher Plan, in die Freundschaft zu Schiller auch dessen Frau einzubeziehen und sich über sie der einst von ihm geliebten Charlotte erneut zu nähern, ist aufgegangen. Sie laden einander wieder ein, besuchen sich gelegentlich, Goethe schickt ihr wieder seine Werke, vor allem aber schickt er den kleinen August zu ihr. *August ist bei mir; sein Gesichtchen tut mir auch wohl*, schreibt Charlotte an Schillers Frau. *Er wollte an Karlchen schreiben und freute sich übers Couvertchen, das ich ihm gemacht habe. Possierlich ist's, daß er sich das Siegel in meinem Schreibtisch ausgesucht hat, das mir sein Vater (ich glaube, vor zwanzig Jahren) geschenkt hat. Lassen Sie ihn es nicht sehen.*

Das Kind als Mittler. Das Haus der einstigen Geliebten als Ort, wo die Söhne der Dichter, Goethes Sohn August und Schillers Sohn Carl – zehn und sechs sind sie 1799 – miteinander spielen. Bereits 1795 hatte Goethe – offenbar in Anspielung auf ein Gespräch über die Zukunft ihrer Kinder – an Schiller geschrieben: *Das Schwiegertöchterchen säumt noch.* Und Schiller hatte Christiane Humboldt gegenüber *Schätzchen* genannt: *Göthe erwartet jeden Tag die Niederkunft seines Schätzchens.*

Nun die Begegnung der beiden Ehepaare in Anwesenheit von Frau von Stein in Schillers Jenaer Garten. Wir wissen nur durch Goethe davon: *Mit den Meinigen Nachmittag zu Schiller, wo sich Frau von Stein befand*, trägt er am 19. Mai in sein Tagebuch ein. Wie mag Charlotte Schiller reagiert haben, wie Schiller selbst? Bahnt sich eine Veränderung an? Man könnte es aus einem Brief an Goethe vom 19. Juli schließen. Kommentarlos heißt es da: *Den August haben wir gestern hier gehabt.* Christiane Vulpius macht, wie belegt ist, an jenem Tag mit Freunden einen Ausflug nach Triesnitz.

Goethe geht bereits am 20. Juli dankbar auf die Geste der Schillerschen Familie ein: *August hat sich sehr gefreut Carl und auch Ernsten wieder zu sehen, von dem er viel erzählt hat.*

Nach der Begegnung der beiden Familien bleibt Goethe die Sommermonate bis Mitte September Jena fern. Dieses Fern-Bleiben ist nicht zuletzt eine Folge der herzoglichen Rüge.

Goethe muß sich Carl August wieder geneigt machen. Juni, Juli, August und den halben September bleibt er in Weimar. Steht dem Herzog beim Schloßbau zur Verfügung. Er zieht in sein Gartenhaus in den Ilmwiesen, schickt Christiane und seinen Sohn nach Jena.

*... man wende einige Oeltonnen an, die Wellen ums Schiff her zu besänftigen*, hat Goethe an Voigt bezogen auf Carl August geschrieben. Dieser *man* muß er selbst sein. Und das Ausgießen des Öls nimmt Zeit in Anspruch.

An Schiller ist eine Überreaktion auf die dreimonatige Entbehrung des Freundes zu beobachten. *Wenn ich allein bin, versinke ich in mich selbst*, klagt er. Seine *hiesige* – Jenaer – *Existenz* sei *eine absolute Einsamkeit und das* sei *doch zuviel*. Von einem *innern Zustand* der *Beraubung* spricht er, schlußfolgert, daß dies sein *Verlangen nicht wenig ... verstärke, den Winter in Weimar zuzubringen.*

Zunächst denkt er nicht an einen vollständigen Umzug, nur *die Wintermonate* will er in der Residenz, den Sommer über weiterhin in seinem Gartenhaus vor den Toren Jenas leben.

Als er am 9. August Körner mitteilt, was er für die Zukunft plant, schließt er mit der nüchternen Erwägung: *Ich werde meinem Herzog zu Leibe rücken, daß er mir Zulage giebt, um eine doppelte Wohnung und Einrichtung und den theuren Auffenthalt in Weimar mir zu erleichtern.*

Carl August hat dem am 20. April 1799 in der Hofloge geäußerten Wunsch, Schiller möge nach Weimar ziehen, keine weitere Geste folgen lassen. Wieder muß es Schiller sein, der die Initiative ergreift.

Am 1. September 1799 richtet er ein Gesuch an den Fürsten. Schreibt, wie es sich gehört, schmeichelnd: *Die wenigen Wochen meines Auffenthalts zu Weimar und in der größern Nähe Eurer*

*Durchlaucht im lezten Winter und Frühjahr haben einen so belebenden Einfluß auf meine Geistesstimmung geäusert* ... Er lobt Fürst und Fürstenhof, *alles dieß* habe *ein lebhaftes Verlangen in* ihm *erweckt, künftighin die Wintermonate in Weimar zuzubringen.*

Geschickt kommt er auf die mündlich ausgesprochene Einladung zurück, *da ich mich*, heißt es, *in Ansehung der Gründe die mich zu dieser Ortsveränderung antreiben, ›Ihrer‹ höchst eigenen gnädigsten Bestimmung versichert halten darf*. Zum Schluß spricht er vom Wichtigsten, den Finanzen, bittet, *die Kosten Vermehrung ... durch die Translocation nach Weimar ... durch eine Vermehrung* seines *Gehalts gnädigst zu erleichtern.*

Carl August antwortet persönlich: *daß ich gerne beytrage Ihnen den hiesigen auffenthalt zu erleichtern; 200 rth. gebe ich Ihnen von Michaeli dieses Jahres an, zulage*. Damit steigt Schillers Gehalt, das er seit seiner schweren Krankheit 1791 bezieht, auf 400 Taler. Es ist die Summe, die Carl August ihm bereits 1795 bei der Ablehnung der Tübinger Professur für den Fall seiner Arbeitsunfähigkeit zugesagt hat, die aber Schiller bisher nicht in Anspruch nahm. Von einer großmütigen Entscheidung Carl Augusts kann kaum die Rede sein. Noch *etwas Holz in natura* bewilligt er, *welches* – so Schiller – *mir bei dem theuren Holzpreiß in W⟨eimar⟩ sehr zu statten kommt.*

Dann ist es der Herzog, der schmeichelt. *Ihre Gegenwarth wird unsern Gesellschaftlichen Verhältnißen, von großen nutzen seyn*, läßt er Schiller wissen. Um seine Bedingungen zu nennen: *und Ihre Arbeiten können vieleicht Ihnen erleichtert werden, wenn Sie den hiesigen theater liebhabern etwas zutrauen schencken, und sie durch die mittheilung der noch im werden seyenden stükke, beehren wollen.*

Unter den *theater liebhabern*, denen Schiller sein *zutrauen schencken* soll, versteht er natürlich in erster Linie sich selbst. Im Klartext, er will vorher wissen, was auf der Bühne seines Hoftheaters zu sehen sein wird, will Schillers Stücke vorab lesen; man kann auch von Zensur sprechen. Freilich von einer in sublimer Form; der Herzog gibt sich als Kenner der Theatermaterie, verbindlich, freundlich, zuweilen witzig waltet er als Zensor. Das macht schon einen Unterschied zu anderen Höfen, wo die Zensur anonym in strikten Befehlen über einen bürokratischen Beamtenapparat läuft. Aber persönliche Nähe und Verbindlichkeit Carl Augusts machen es nicht unbedingt leichter, mitunter sogar schwerer; die Gefahr der Selbstzensur und der freiwilligen Zurücknahme ist nicht zu übersehen.

Wir erinnern uns der tadelnden Ermahnung Carl Augusts, als Schiller die »Erotica Romana« herausgab. Sein Hauptvorwurf war, daß Schiller als Herausgeber allein gehandelt und nicht ihn, den Fürsten, um Rat gefragt hatte. Dies wiederholt er nun, deutlich warnend. *Was auf die Gesellschaft wircken soll, bildet sich gewiß auch beßer indem mann mit mehreren Menschen umgeht, als wenn mann sich isolirt.*

Schiller wird seinen Herzog nicht mit der *mittheilung der noch im werden seyenden stücke beehren.* Zu dessen großem Ärger. Den er an Goethe, seinen Theaterdirektor, weitergeben wird. Oder an Caroline von Wolzogen, Schillers Schwägerin.

Goethe wiegelt ab, schützt den Freund. 1801 schreibt Carl August an Frau von Wolzogen: *So oft und dringend bat ich Schillern ... aber alle meine Bitten waren vergebens.*

Sein Einladungsschreiben vom 11. September 1799 schließt der Fürst mit der freundlichen Versicherung: *Mir besonders ist die Hofnung sehr schätzbar Sie öfter zu sehn, und Ihnen mündlich die Hochschätzung der Freundschaft, wiederholt versichern zu können die ich für Sie hege ...*

Wie es damit dann in der Realität aussieht, kann man einem Brief Schillers entnehmen. Am 2. Februar 1802 schreibt er an Frau von Stein: *Da ich nun zwey Jahre hier wohne, ohne nach Hofe eingeladen worden zu seyn (denn auch am Hof der Herzogin Mutter war ich nie in größerer Gesellschaft) so wünschte ich auch fürs künftige, wegen meiner Kränklichkeit, davon ausgeschloßen zu bleiben. Für mich selbst bin ich, wie Sie mich ken-*

*nen, nach keiner Auszeichnung begierig, die nicht persönlich ist, und das Wohlwollen meines gnädigsten Herrn und meiner gnädigsten Herzogin zu verdienen und zu erhalten ist alles wornach ich strebe. Von Ihrer Güte, beste Frau von Stein, hoffe ich, daß Sie dieser meiner Bitte bei Ihrer Durch⟨laucht⟩ der Fr⟨au⟩ Herzogin die gehörige Auslegung geben werden.*

## II

Daß Schiller so große Hoffnungen an Weimar knüpft, mag auch damit zusammenhängen, daß er sich bei seinen bisherigen Aufenthalten dort stets Anforderungen gegenübersah, denen er sich in seiner hypochondrischen Ängstlichkeit eigentlich nicht gewachsen glaubte, um dann überrascht festzustellen: er ist dem gewachsen, es schadet seiner Gesundheit nicht, im Gegenteil.

Ein Beispiel von 1796, als er für drei Wochen in Weimar ist, um den »Egmont« zu inszenieren. Es ist das erste Gastspiel Ifflands in Weimar. Er bemerkt: *Dieß ist es übrigens nicht, was mich selbst nach W⟨eimar⟩ zieht, denn ich werde ihn schwerlich spielen sehen, da ich in dieser Jahrszeit nicht bey Nacht aus dem Hause kann.* Goethe ist es, der ihn überzeugt, mit sanftem Nachdruck; wie ein zärtlicher Liebhaber sorgt er für ihn, läßt ihn in der Sänfte ins Theater tragen oder mit der Kutsche fahren. Schillers Ängsten, sich vor Publikum zeigen zu müssen, begegnet er, indem er ihm einen kleinen Verschlag zimmern läßt. *Im ComödienHaus, das kleine Logen hat, hat Goethe mir eine besonders machen lassen*, schreibt er Körner, *wo ich ungestört seyn kann, und, wenn ich mich auch nicht ganz wohl fühle, wenigstens den Vortheil habe, mich vor niemand zwingen zu dürfen.* Beim Theaterumbau ist die Loge im Wege. Caroline Schlegel berichtet: *Bey der Umwandlung des Hauses war Schillers Käfig weggefallen, so daß er sich auf dem offnen Balkon präsentiren muste ...* Goethe findet dem sensiblen Freund gegenüber gewiß ein Argument.

*Ich habe mich in den 19 tagen die ich jetzt hier bin, ziemlich wohl befunden, und die beträchtliche veränderung in meiner LebensArt gut ausgehalten.* Er könne *ohne große Beschwerlichkeit, die Gesellschaft besuchen, die hier im Hause sich versammelt, schlafe wieder die Nächte und bin bey heitrem Humor*, so Schillers positive Bilanz seines Aufenthalts.

Ähnlich bejahend resümiert er die Weimarwochen 1798/99, die Zeit der Einstudierung des »Wallenstein«. *Mein Auffenthalt in Weimar hat mir auch in Rücksicht auf meine Gesundheit wieder neue gute Hofnungen erweckt. Ich bin genöthigt gewesen alle Tage in Gesellschaft zu seyn, und ich habe es wirklich durchgesetzt, mir etwas zuzumuthen. Selbst an den Hof und auf die Redoute bin ich gegangen, ohne daß meine Krämpfe mich daran gehindert, und so hab ich in diesen 5 Wochen wieder als ein ordentlicher Mensch gelebt und mehr mitgemacht, als in den letzten 5 Jahren zusammen genommen.*

Auch Goethe beobachtet die gesellschaftliche Aufgeschlossenheit und die Belastbarkeit des Freundes, er habe *sich*, heißt es an Wilhelm von Humboldt, *in Absicht auf Gesundheit und Stimmung ... sehr wacker gehalten ... gar viel gewonnen.*

Am 1. März 1799 schreibt Schiller optimistisch nach Weimar: *das theatralische Wesen, der mehrere Umgang mit der Welt, unser anhaltendes Beisammenseyn haben meinen Zustand indeßen um vieles verändert, und wenn ich erst der Wallensteinischen Massa werde los seyn, so werde ich mich als einen ganz neuen Menschen fühlen.*

Genau das ist der Trugschluß. Weder wird er ein *ganz neuer Mensch*, noch fühlt er sich als ein solcher. Für Momente nur diese Vision. Er kehrt zu sich zurück. Bleibt der, der er war. Besessen von seinem Schreiben, getrieben davon, etwas zu schaffen.

Bereits zwei Tage nachdem er die *Wallensteinische Massa* von sich geworfen hat, nach dieser langanhaltenden ungeheuren Arbeitsanstrengung, heißt es am 19. März: *bestimmungslos ... hienge ...* er *im luftleeren Raume.*

*Ich habe mich schon lange vor dem Augenblick gefürchtet, den ich so sehr wünschte, meines Werks los zu seyn; und in der That befinde ich mich bei meiner jetzigen Freiheit schlimmer als der bisherigen Sklaverey. ... Zugleich ist mir, als wenn es absolut unmöglich wäre, daß ich wieder etwas hervorbringen könnte; ich werde nicht eher ruhig seyn, bis ich meine Gedanken wieder auf einen bestimmten Stoff mit Hofnung und Neigung gerichtet sehe.*

Bald schon beschäftigt ihn die Geschichte der schottischen Königin Maria Stuart. Über mehrere Wochen läßt sie ihn nicht los. Am 27. April steht sein Entschluß fest, er wird den Stoff dramatisch bearbeiten. *Jetzt bin ich gottlob wieder auf ein neues Trauerspiel fixiert, nachdem ich 6 Wochen lang zu keiner Resolution kommen konnte*, heißt es aufatmend. Der *Gegenstand* sei *nicht so widerstrebend als Wallenstein, und dann habe ich an diesem das Handwerk mehr gelernt*.

Am 4. Juni 1799 beginnt er mit der Niederschrift, am 19. Juli ist schon der erste Akt fertig.

Zweimal reist Schiller im Sommer 1799 nach Weimar. Vom 30. Juni bis 3. Juli und vom 13. bis zum 15. September ist er am Frauenplan.

Im Hochsommer ist der Anlaß die »Wallenstein«-Aufführung vor dem preußischen Königspaar. *Sollten Sie sich entschließen bey uns zu bleiben*, schreibt Goethe ihm am 29. Juni, *so könnte ein Bett bald aufgestellt werden, wenn Sie bey mir einkehren und die beyden Tage der Königl⟨ichen⟩ Gegenwart mit uns überstehen wollten.*

Friedrich Wilhelm III. und die Königin von Preußen sind zu Gast und weitere Hoheiten. Goethe erscheint, wie durch Augenzeugen belegt ist, *im seidenem Galakleid mit Degen und Chapeaubas*. Was Schiller trägt, wissen wir nicht. In frühen Briefen beschreibt er zuweilen Kleidungsstücke, die er sich anschafft. Jetzt ist davon nicht mehr die Rede. Vielleicht ist es jenes *schwarze Kleid*, das er sich 1787 bei seiner Ankunft in Weimar hat schneidern lassen, um sich bei Hofe zu präsentieren. Aber es blieb, wie auch der dafür angeschaffte *Degen*, im Schrank, da er nicht zu Hofe geladen wurde. Oder trägt er jenes *Seidenkleid*, von dem während seines Aufenthaltes in Schwaben 1793/94 die Rede ist, oder das schöne dunkelblaue, in dem Ludovike Simanowiz ihn gemalt hat? Eine *anständige Eleganz* sei, so berichtet Schillers Freund von Hoven, *an die Stelle seiner vormaligen Nachlässigkeit in seinem Anzug getreten.*

Die Aufführung des »Wallenstein« vor dem Königspaar. Fürstliche Tafel, Konversation. Von *überstehen* spricht Goethe, der Hoferfahrene. Und Schiller? In bezug auf seinen dänischen Mäzen schreibt er einmal: *Ich kanns nicht lassen. Bey einem Prinzen fällt mir immer zuerst ein, ob er nicht zu etwas gut sey?*

Den Vorgänger des in Weimar anwesenden Monarchen, Friedrich Wilhelm II., hatte er ein Jahrzehnt zuvor einmal drastisch als *Schwein* bezeichnet. In einem Brief – *allenfalls der einzige Platz, wo man ganz ›wahr‹ seyn kann*, wie es etwa zeitgleich bei ihm heißt – vom 11. Dezember 1788 an Charlotte von Lengefeld ist das zu lesen. Schiller berichtet Charlotte von der Aufführung seines »Don Carlos« in Berlin: *auf Befehl des ›alten Schweins‹* sei das Stück *mit vielem Pomp gegeben worden. Die Ingenheim* (Friedrich Wilhelms Gemahlin »zur linken Hand«) *war mit dem König in einer Loge, welches bei Gelegenheit der Scene Carls mit der Eboli einiges Gesumse im Parterre veranlaßt haben soll. Die Scene des Marquis mit dem König soll gut gespielt worden, und seiner Majestät dem dicken Schwein sehr ans Herz gegangen seyn.*

Mit Anspielung auf den preußischen Staats- und Kabinettsminister Ewald Friedrich von Hertzberg fährt er fort: *Ich erwarte nun alle Tage auf eine Vocation nach Berlin, um Herzbergs Stelle zu übernehmen und den preußischen Staat zu regieren.*

Schillers Ironie und Schärfe mögen auch mit dem Augenzeugen zusammenhängen, der ihm, von Berlin kommend, berichtet: Ludwig Albrecht Schubart, mit dem Schiller die Carlsschule besuchte, nun Legationssekretär der preußischen Gesandtschaft in Nürnberg, der Sohn des zehn Jahre vom württembergischen Monarchen eingekerkerten Dichters Christian Daniel Schubart. Im Frühjahr 1787 ist er entlassen worden, er stirbt wenige Jahre später, am 10. Oktober 1791, an den Folgen der langen Haft. Gespräch darüber, vermutlich, wie auch über den Monarchen. Auch Wilhelm von Wolzogen, Untertan Carl Eugens, hält in Briefen an Schiller und Charlotte die Erinnerung wach. An Charlotte schreibt er am 18. Dezember 1788: *Je näher man dem Lande des Despoten kam, je mehr fühlte ich den erstickenden Einfluß desselben.*

Schiller am Weimarer Hof 1799 vor dem preußischen Königspaar. Er habe sich, berichtet er Körner Wochen später, *dem königlichen Paar auch präsentieren müssen. Die Königin ist grazios und von verbindlichem Betragen.*

Beobachtet er die Vorgänge mit Distanz?

Und mit wachem Geschäftssinn? Die Anwesenheit der königlichen Hoheiten hat die Eintrittspreise für das Theater enorm in die Höhe schnellen lassen. Vielleicht bringt dies ihn auf den Gedanken, als Kirms ihm mitteilt, der »Wallenstein« solle auch in Bad Lauchstädt gespielt werden, der Aufführung nur unter der Bedingung zuzustimmen, daß ihm die *zweite Kasseneinnahme zugestanden werde.*

Schillers Rückkehr in sein stilles ländliches Jenaer Domizil in der Nacht vom 3. auf den 4. Juli 1799. Keinerlei Klagen über Krankheiten in diesem Sommer. Nur die über seine *absolute Einsamkeit*, weil Goethe ihm fehlt.

*Einsamkeit* im geistigen Sinne muß gemeint sein. Denn Schiller lebt keineswegs isoliert, es fehlt ihm nicht an Geselligkeit, an Anregungen von außen.

So ist am 6. Juni 1799 Christian Wilhelm von Dohm, preußischer Gesandter auf dem Kongreß in Rastatt, zu Gast. Am 12. Juni der Diplomat und Schriftsteller Joseph Charles Mellish of Blith, der ihn auf die Dornburger Schlösser einlädt, von denen er eines zu dieser Zeit gepachtet hat. Am 13. Juni kommt Frau von Kalb. Am 23. Juli der Dichter Ludwig Tieck. Ebenfalls im Juli reist Sophie Brentano an, ihr Bruder Clemens ist als Student der Medizin an der Jenaer Universität immatrikuliert. In Begleitung Sophie Brentanos befindet sich Susette Gontard, Hölderlins Diotima, sie berichtet Hölderlin am 23. August von diesem Besuch.

Am 8. Juni folgt Schiller einer Einladung des Jenaer Anatomieprofessors Justus Christian Loder zu einem Fest nach Schloß Belvedere bei Weimar. Danach schreibt er: *aber ich machte doch die Erfahrung, daß eine achtstündige Erschütterung im Wagen und gesellschaftliche Unruhe, in den Zeitraum von einem 3/4 Tag gedrängt, eine zu gewaltsame Veränderung für mich ist, denn ich brauche 2 Tage, um mich ganz davon zu erhohlen.*

Schon wird es ihm zuviel, setzt sein Geizen mit der Zeit wieder ein. Er wird ungeduldig, wenn ihm *Zeit und Stimmung genommen* werden.

Am 24. Juni kommen seine Schwester Christophine und sein Schwager Reinwald aus Meiningen zu Besuch. Über das Wiedersehen mit der Schwester freut er sich, hat sie doch auch zu seinem Werk eine innige Beziehung: *ich lese immer Deine Gedichte*, schreibt sie ihm, *so lange bis ich sie ganz auswendig kan; wo ich mir dann, bei jedem stillen, einsamen Augenblick sie wiederhole.*

Über den *durch hypochondrische Kränklichkeit* gebeugten Schwager aber ist er verzweifelt. *Uebrigens*, klagt er am 25. Juni Goethe, *raubt mir dieser Auffenthalt, der bis auf den Sonntag dauert, einen großen Theil meiner Zeit und alle gute Stimmung für den Ueberrest, ich muß diese Woche rein ausstreichen aus dem Leben.*

Der gewiß schwierige Reinwald hält nun seinerseits Schiller für hypochondrisch und launenhaft. In einem frühen Brief drückt er gegenüber Charlotte seine Bewunderung aus, wie sie damit umzugehen verstehe. Sie erwidert: *Es* sei *kein großes Verdienst, sich in Schillers Launen gut zu fügen. Erstlich hat er doch im Ganzen genommen nicht viele, dann ersetzen auch wieder seine heitern freien Momente die trüben leichter.*

Ist der 27. Juli solch ein *freier Moment*? Im Garten stehen *die Rosen und Lilien in der Blüthe*. Am frühen Morgen bricht Schiller mit Charlotte, Christophine und Reinwald zu einem Ausflug nach den flußabwärts auf der Steilhöhe an der Saale gelegenen Dornburger Schlössern auf. Der Schloßherr Joseph Charles Mellish of Blith empfängt seine Gäste. Ein schöner Sommertag. Der

Blick weithin ins Tal der Saale. Der Gang durch die Gärten. Von Schillers *Heiterkeit* berichtet Christophine. *Mein lieber Bruder hat mich auch durch seine Heiterkeit so glüklich gemacht ...* Mellish mag davon sprechen, daß er »Maria Stuart« ins Englische übersetzen werde. Vielleicht trägt dieser Tag dazu bei, daß er *diese Woche* doch nicht *rein ausstreichen* muß *aus dem Leben.*

In den Vorjahren unterbrach Schiller seine dramatische Arbeit stets in der Sommermitte, um mit seinem »Musen-Almanach« pünktlich zur Leipziger Herbstmesse auf dem Markt zu sein.

Hält ihn jetzt »Maria Stuart« so fest, daß er anscheinend alles darüber vergißt? Am 3. September, fast beiläufig, die Bemerkung, in der *dramatischen Arbeit ... pausieren* zu *müssen.*

Aber am 4. September macht er wiederum eine Reise. Mit Charlotte – sie erwartet erneut ein Kind, ist bereits hochschwanger – fährt er nach Rudolstadt. Bis zum 13. September bleibt er dort. Auf dem Rückweg besucht er Goethe für zwei Tage in Weimar.

Dann Panik. *Es ist allerhöchste Zeit, wenn wir den Almanach nicht zu spät auf die Messe bringen wollen*, schreibt er am 24. September an Johann Christian Gädicke, den Drucker, der sich in Weimar gerade selbständig gemacht hat. *Zwey Drucker* solle er einsetzen, drängt Schiller, schickt *den Anfang,* der *Rest kommt noch diese Woche.*

Einen umfangreichen Beitrag hat er bereits, Amalie von Imhoffs »Die Schwestern von Lesbos«, ein Epos in sechs Gesängen. Das füllt immerhin – in großzügigem Druck – 182 Seiten des Almanachs. Aber das reicht bei weitem nicht aus. Von Goethe ist nichts zu erwarten. Also muß er sich selbst hinsetzen.

In atemberaubendem Tempo, in wenigen Tagen, entsteht Ende September das »Lied von der Glocke«. Vorarbeiten, die zwei Jahre zurückliegen, existieren schon. Am 7. Juli 1797 hieß es an Goethe, er sei an das *Glockengießerlied gegangen und studiere seit gestern in Krünitz Encyclopædie, wo ich sehr viel profitiere.* Die technischen Abläufe des Glockengusses waren wohl skizziert, grob auch der Inhalt. Die eigentliche Arbeit aber ist erst noch zu leisten. In fünf oder sechs Tagen entstehen 414 Verse. Zweiundzwanzig Seiten kann Schiller damit füllen. Am 29. September geht das Gedicht in die Druckerei.

Zur Messe kommt der Almanach zu spät, aber am 19. Oktober hält Schiller das erste Exemplar in Händen. Das »Lied von der Glocke« kursiert unter Freunden und Gegnern. Caroline Schlegel schreibt am 21. Oktober 1799 an ihre Tochter, sie seien – Ludwig Tieck ist zu Gast – bei der Lektüre *fast von den Stühlen gefallen vor Lachen.* August Wilhelm Schlegel meint, die »Glocke« *ließe sich herrlich parodieren.* »Das Lied von der Glocke« wird in der Tat das meistverspottete Gedicht Schillers werden, bereits 1877 zählt man über siebzig Parodien.

Das spricht weder für noch gegen das Gedicht. Ich lese es nach vielen Jahren wieder, angezogen und befremdet, und während ich lese, wandern unablässig die starken Bilder vom Gießen der Glocke aus Tarkowskijs Film »Andrej Rubeljow« durch meinen Kopf.

Am 11. Oktober 1799 bringt Charlotte in einer schweren Geburt mit hohem Blutverlust eine Tochter zur Welt. Nachts 12 Uhr teilt Schiller dies seiner Schwiegermutter mit, bittet sie, zu kommen. Am 14. trifft – laut Schillers Kalender – die *chère mère* aus Rudolstadt ein. Am 15. vormittags wird das Kind auf den Namen Caroline Henriette Louise getauft.

Charlotte erkrankt, Fieberphantasien, Bewußtseinsstörungen; mehrere Wochen dauert dieser Zustand, man fürchtet um ihr Leben. Goethe schreibt dem Freund: *Unsere Zustände sind so innig verwebt daß ich das, was Ihnen begegnet, an mir selbst fühle.*

Schiller *wacht eine Nacht über die andere* bei seiner Frau; sie *leidet* nur ihn, ihre Mutter und die *Griesbachin* um sich, aber *schon der Anblick der Christine* – des Kindermädchens – *machte ihre Zufälle heftiger.*

Trotz der *Sorgen* und der *Schlaflosigkeit* bleibt Schillers Gesundheit stabil.

Christiane Vulpius bietet ihre Hilfe an, um die Kranke und

Schiller zu entlasten. Vom 10. bis 26. November nimmt sie Carl zu sich. *Er hat sich so an mich gewöhnt, daß er überall mit mir herumgeht*, berichtet sie Goethe nach Jena. Dieser bittet sie, während der Zeit des Umzuges alle drei Kinder und die Amme am Frauenplan aufzunehmen. Christiane entgegnet: *Die beiden Kinder, den Karl und den Ernst, will ich sehr gern nehmen, denn Du weißt, daß ich gern alles thu, was Du wünschest. Aber mit der Amme und ⟨dem⟩ kleinen Kinde geht es ohnmöglich an; ich will Dir es mündlich auch sagen, warum, und Du wirst mir Recht geben. Ich dächte, die könnte recht gut bei Wolzogens sein.*

Der Umzug ist für den 3. Dezember 1799 festgesetzt. Am 30. November Goethes Notiz: *Wegen Besorgung der Fuhre für... Schiller. Dank dafür.* 2. Dezember: *Schiller bereitet sich zur Abreise.* 3. Dezember: *Schiller ging nach Weimar.*

Frau von Stein nimmt die kranke Charlotte auf. Schiller muß die Hauptlast des Umzugs allein tragen. Er bittet Goethe: *Wenn es nicht eine große Gefälligkeit misbrauchen heißt, so wünschte ich wohl mich der Wegbau-Pferde noch einmal bedienen zu dürfen um alle meine in Jena noch zurückgebliebenen Schränke und andre Sachen noch herüber zu schaffen, denn das hiesige Lokal fordert solche, und die weibliche Regierung besonders vermißt diese Bequemlichkeiten ungern.* Er beaufsichtigt die Räumarbeiten, den *Tüncher,* er läßt *den Ofen in der Leutestube ... zum Kochen* einrichten, bestellt *Vorhänge*; von *mechanischen Arbeiten und uninteressante⟨n⟩ Geschäfte⟨n⟩* spricht er.

Zwischen Schillers Wohnung in der Windischengasse und dem Stiedenvorwerk Frau von Steins gehen Zettel hin und her. *Ich mache eben Feierabend von meinem Geschäft und sage meiner guten Maus noch einen Gruß.* Als alles fertig ist, schreibt Schiller am 15. Dezember: *Das beste ist, daß Du morgen selbst einziehst.*

Das tut Charlotte. Sie erholt sich dann rasch, bereits am 2. Januar besucht sie einen Ball in Weimar.

## III

Schillers zweite Weimarer Jahre nach jenen ersten von 1787 bis 1789. Damals von Goethe geschnitten, nun von ihm erwartet. *Schiller ist hier zu meinem großen Troste*, heißt es am Tag seiner Ankunft.

Zärtlichste Besorgnis Goethes: *Ich frage an ob Sie mich heute ein wenig besuchen wollen? Sie können sich ins Haus bis an die große Treppe tragen lassen, damit Sie von der Kälte weniger leiden. Ein Gläschen Punsch soll der warmen Stube zu Hülfe kommen ein frugales Abendessen steht nachher zu befehl.*

Silvester sind die Freunde bei Schiller zusammen. Goethe am 1. Januar 1800: *Ich war im Stillen herzlich erfreut gestern Abend mit Ihnen das Jahr und da wir einmal 99ger sind auch das Jahrhundert zu schließen. Lassen Sie den Anfang wie das Ende seyn und das künftige wie das vergangene.* Schiller am gleichen Tag: *Ich begrüße Sie zum neuen Jahr und neuen Säculum ...*

Im Januar Schlittenfahrten; auch da die Fürsorglichkeit des zehn Jahre Älteren für seinen anfälligen Freund. *Es ist heute nicht kalt und es geht keine Luft. Ich würde Sie im Schlitten abholen und Sie würden verschiednes sehen, das Sie interessiren müßte.* Oder: *Wollten Sie eine Stunde spazieren fahren, so hole ich Sie um 12 Uhr mit dem Schlitten ab.*

Zuweilen verfehlen sich die Freunde.

Goethe: *Gestern hoffte ich Sie gegen Abend zu sehen, welches mir aber nicht gelang.*

Schiller: *Ich dachte Sie heute mittag oben beim Herzog zu finden, wo ich eingeladen war ...*

Goethe: *Gestern suchte ich Sie in der Loge in dem ersten und zweyten Act, und konnte nicht erfahren wo Sie hingerathen waren.*

Schiller: *Ich hatte diesen Abend darauf gerechnet, Sie im Klub zu finden, wohin mich mein Schwager eingeladen hat.*

Goethe: *Ich hoffte Sie heute entweder in der Komödie oder nach derselben zu sehen ...*

Schiller: *Werden Sie in die Oper gehen? So kann ich Sie dort vielleicht sehen ...*

Und immer wieder Begegnungen im Haus am Frauenplan. Vertrautes Zusammensein der beiden. Zuweilen nur für eine Stunde.

Meist aber wird Schiller zu großen Gesellschaften in Goethes Haus geladen. Herzog und Herzogin und Hofleute sind zugegen. Auswärtige Besucher. Die Jenaer Professorenschaft. Oft lädt Goethe zwanzig und mehr Gäste zu sich. Eine große Tafel, Sitzordnung mit Tischkarten, ausgewählte Köstlichkeiten; zeremonielle Abfolgen, beginnend mit dem Heraufschreiten der Gäste auf den breiten italienischen Stufen und dem Empfang durch den Hausherrn, der meist im steifen Habit und mit ordensgeschmückter Brust erscheint.

Kein Zusammentreffen mehr in der bescheidenen bürgerlichen Atmosphäre von Schillers Jenaer Wohnungen, in die Goethe eintrat, mit der Familie zu Abend aß oder des Sommers bei Wein im Garten am Steintisch saß.

Schiller liebt eher das Zwanglose. Er empfängt seine Gäste zuweilen im Schlafrock, wie überliefert ist, und mit wirrem Haar. Was man verstehen kann von einem, der in der Carlsschule fast ein Jahrzehnt lang in eine strenge Kleiderordnung gezwungen war, dem vorgeschrieben wurde, wann er den Löffel zum ersten Bissen in die Hand zu nehmen und wann er ihn wieder zurückzulegen hatte. Schillers äußerst bescheidene Lebensführung; ohne eigene Küche in den ersten Ehejahren, eher eine Art Boheme-Leben. Auch seine finanziellen Möglichkeiten setzen seiner Gastfreundschaft Grenzen. Und zu viele oder aufdringliche Besucher können ihn unwirsch machen; Charlotte rät er einmal, sich einen solchen mit *Grobheiten* vom *Halse* zu halten.

Daß er zuweilen schroff auftrat, ist belegt; vom *felsigten Schil-*

*ler, an dem wie an einer Klippe alle Fremde zurükspringen,* schreibt Jean Paul.

Anderseits wird Schiller mehrfach von Zeitzeugen als äußerst schüchtern und zurückhaltend geschildert. Er selbst spricht von seiner *Schüchternheit*; *Leiden* und *Fehlschlüsse* hätten ihn *im Umgang mit Menschen schüchtern und mißtrauisch* gemacht.

Offenbar gehörte er nicht zu den Menschen, die in Gesellschaft und Fremden gegenüber im Gespräch sofort brillieren. Er brauchte Vertrautheit, das Gefühl einer inneren Zustimmung, brauchte Zeit. *... es gibt Menschen, worunter ... auch meine Wenigkeit – ist, die, was sie zu gewinnen haben,* schreibt er 1789 an Charlotte, *erst langsam und so in ruhiger Stille gewinnen.*

Bestimmt ihn auch in Gesellschaft seine Sehnsucht nach Alleinsein? *Es sieht vielleicht misanthropisch aus,* schreibt er, *aber ... ich bin ›Kleists‹ Meinung: Ein wahrer Mensch muss fern von Menschen seyn.*

Seine abnehmenden körperlichen Kräfte erfordern Einsamkeit, Konzentration, lassen ihn zunehmend vor *mittelmäßigem Umgang* zurückschrecken, neugierige durchreisende Besucher als Arbeitsstörung empfinden. Goethe überliefert, daß Schiller es *zuwider* war, *wenn ein Fremder sich bei ihm melden ließ. Wenn er augenblicklich verhindert war ihn zu sehen und er ihn etwa auf den Nachmittag vier Uhr bestellte, so war in der Regel anzunehmen, daß er um die bestimmte Stunde vor lauter Apprehension* (Bedrängnis) *krank war. Auch konnte er in solchen Fällen gelegentlich sehr ungeduldig und auch wohl grob werden.*

Dieser Schiller nun als Gast der großen Gesellschaften am Frauenplan; er erlebt den diplomatisch gewandten, den offiziellen Goethe, den Dichterfürsten, der hofhält.

Seit fast einem Vierteljahrhundert lebt Goethe inzwischen in Weimar. Längst hat er sich mit den Höflingen, die er bei seiner Ankunft *Scheißkerle*, die auf dem *Fasse sitzen*, nannte, arrangieren müssen. Er ist als Freund des Herzogs und als ein über lange Zeit verantwortlicher Politiker, nun als Carl Augusts persönlicher Berater Teil eines Macht-Geflechts. Das bedeutet Abhängigkeiten. Am stärksten sind die von seinem Fürsten. Dieser hat ihm zwei Häuser geschenkt, er läßt seine Besoldung weiterlaufen; nur mit Hilfe seines Mäzens kann Goethe das großzügige Leben, seine Sammelleidenschaft, die aufwendigen Gelage am Frauenplan finanzieren. Müßte er von den Einnahmen seiner literarischen Arbeit leben wie Schiller, wäre er – trotz günstigerer Voraussetzungen durch seine begüterten Eltern – zu einem vollkommen anderen Lebensstil gezwungen.

Das Leben im Macht-Geflecht. Einerseits spricht Goethe von der *fürchterlichen Prosa* Weimars, andererseits braucht er die *Weimarische Sozietätswoge*. Er ist viel stärker als Schiller ein Gesellschaftsmensch. Er muß alle kennen, will von allen bewundert, geschätzt werden. Infolgedessen ist er viel abhängiger von den Urteilen seiner Umwelt.

Und: Niemals darf er sein Verhältnis zum Herzog aufs Spiel setzen. Der Preis des Lebens im Machtgefüge. Ein Balance-Akt. Er muß ständig alles im Gleichgewicht halten; nach allen Seiten Diplomat sein und Kompromisse schließen.

Heinrich Heine schreibt vom *sitzenden Jupiter des Phidias zu Olympia*, der das *Dachgewölbe des Tempels zersprengen würde, wenn er einmal plötzlich aufstünde. Dies war die Lage Goethes zu Weimar; wenn er ... einmal plötzlich in die Höhe gefahren wäre, er hätte den Staatsgiebel durchbrochen oder, was noch wahrscheinlicher, er hätte sich daran den Kopf zerstoßen.*

In Analogie zu diesem Bild könnte man Schillers Lage in Weimar als die eines frei Herumgehenden bezeichnen. Er ist freier, weil er weniger zu verlieren hat. Seine bescheidenere Lebensführung. Sein nur bedingtes Eingebundensein in das Machtgefüge. Weniger Verpflichtungen. Die vorrangigste: die seinem Werk gegenüber.

Wie mag Schiller unter diesem Aspekt seinen hofhaltenden Freund sehen? Nimmt er dessen Taktiken und Einladungsstrategien wahr, durchschaut er sie?

Ein Beispiel. Am Abend des 17. April 1800 lädt Goethe Schiller mit Frau, Schwägerin und Schwager zu einem *Conzert* ein. Auch Johann Gottfried Herder und Geheimrat Voigt sind anwesend.

Am 25. April wird dieses *Conzert* wiederholt, nun ist der Hof zugegen; mehrere adlige Damen und – wie Goethes Tagebuch ausweist – Carl Augusts Tochter Caroline: *Durchlaucht Prinzessin.*

Wie das erste wird auch das zweite *Conzert* von den 2 *Demoiselles Jagemann* bestritten. Eine der Schwestern, die begabte Henriette Caroline Jagemann, in Weimar geboren und aufgewachsen, ist von der Herzoginmutter zur Ausbildung als Schauspielerin und Sängerin nach Mannheim geschickt worden. Als sie zurückkehrt und ihr Engagement am Hoftheater in Weimar antritt, wirft der zwanzig Jahre ältere Herzog ein Auge auf sie, bald wird sie seine Geliebte. Goethe fällt die delikate Aufgabe zu, sie, ohne sein Verhältnis zu Carl Augusts Ehefrau, Herzogin Louise, zu beschädigen, in die Weimarer Gesellschaft einzuführen. Dies ist wohl der Hintergrund der beiden Konzerte. Nimmt Schiller das wahr?

Als er wenig später in Abwesenheit Goethes über Besetzungsfragen am Theater zu entscheiden hat, weist er Caroline Jagemann nicht die richtige Rolle zu. Sie zeigt sich verstimmt; am 28. oder 29. April schreibt sie Schiller: *Ich hoffe Sie werden mir verzeyhen bester Herr Hofrath, wenn ich die drey kleinen Rollen aus Macbeth die mir zugetheilt sind dießmahl nicht annehme.... verdrießlich* sei sie, *eine wichtige ausgezeichnete Rolle* würde sie *würdig darstellen.*

Gibt Goethe Schiller einen Wink, lenkt er ein? Noch am 11. Mai ist ihre Verstimmung nicht behoben, sie lehnt eine Einladung in Schillers Haus zur Leseprobe der »Maria Stuart« ab.

Ein anderes Beispiel für Goethes Taktik und Einladungsstrategien.

Am Morgen des 17. Dezember 1799 erreicht Schiller folgendes Billett: *Der Herzog und die Herzogin werden heute den Thee bey mir nehmen und der Vorlesung des Mahomets ein, wie ich hoffe, günstiges Ohr leihen. Mögen Sie dieser Function beywohnen, so sind Sie schönstens eingeladen.*

Goethes Tagebuch verzeichnet die Besucher in ihrer Rangfolge. *Der Herzog. Die Herzogin. Der Prinz. Der Prinz von Gotha. von Haren. von Haake. von Wedel. von Waldner. von Riedesel. von Stein. von Löwenstern, Gemahlin, Tochter. Schiller und Voigt.* Die beiden Letztgenannten sind die einzigen Bürgerlichen.

Goethes Übersetzung von Voltaires »Mahomet«, einem Paradestück des vom Herzog so geliebten französischen Klassizismus, gehört noch immer zum Beschwichtigungsprogramm, ist ein Akt des guten Willens Carl August gegenüber. Dafür spricht die demonstrative Art, in der er den »Mahomet« vorstellt. Am 23. Dezember wird die Lesung wiederholt, nun ist die Herzoginmutter zugegen, außerdem Herder und eine Reihe adliger Damen. Und wiederum Schiller. Diesmal mit Charlotte.

Schafft Goethe damit ein Gegengewicht zu der im »Wallenstein« von Schiller bevorzugten offenen Form des Historiendramas, das sich an Shakespeare orientiert? Wir stehen dir mit beidem zu Diensten, könnte Goethe seinem Mäzen damit zu verstehen geben wollen. Und zugleich auf diese Weise für den Freund eintreten, nicht nur dadurch, daß er für dessen Anwesenheit sorgt. Auch in den noch folgenden Jahren wird er das tun: geduldig und diplomatisch vermitteln und für die Anerkennung des Freundes werben.

Schiller, der dem »Mahomet« anfangs skeptisch gegenübersteht, begreift, springt dem Freund mit seinem Gedicht »An Goethe als er den Mahomet von Voltaire auf die Bühne brachte« zur Seite. Genau ein Jahr nach der Uraufführung der »Piccolomini« geht Voltaires »Mahomet« in Goethes Bearbeitung am 30. Januar 1800 über die Hofbühne.

Der Herzog ist hoch zufrieden. Läßt sich das Manuskript geben. Lobt Goethe überschwenglich: *dann giebt deine Übersetzung den teutschen Theatern gewiß eine neue und sehr wichtige Epoche ...*

Das wird nicht der Fall sein. Mit mäßigem Erfolg nur wird das Stück in Weimar aufgeführt.

Schiller in den Weimarer Adelskreisen. Durch Goethe eingeführt. Auch durch Wilhelm von Wolzogen. Opern, Bälle, Klubbegegnungen. Mehrfach heißt es, daß er *willens* sei, *sich Zerstreuung zu machen*. Hat ihn die *Weimarische Sozietätswoge* erfaßt?

Schon im Januar sind auch andere Töne zu vernehmen. Von *einer Menge von Zeitverderbenden Verhältnißen*, die seine *Versetzung nach Weimar* nach sich ziehe, schreibt er Cotta am 12. Januar.

Und daß er zur Arbeit zurückkehre. Am 6. Januar der Entschluß, Shakespeares »Macbeth« für die Bühne einzurichten. Im Brief an Cotta spricht Schiller davon, als handle es sich bereits um eine fertige Arbeit; *das Mscrpt kann gleich verabfolgt werden*. Cotta solle es den Theatern in Stuttgart und Frankfurt für *12 Dukaten* anbieten. Er glaubt, die Bearbeitung werde *ein Werk von 8 oder 14 Tagen seyn...*

*Der Einfall, den Macbeth auf das Theater zu bringen*, veranlaßt ihn, *die Maria auf einige Wochen zurück zu legen*.

Warum die Unterbrechung der Arbeit an »Maria Stuart«? Ist es das Geld, das *liebe Brot*, wie Caroline Schlegel ihm unterstellt?

*... der hiesige Auffenthalt ist sehr viel theurer als ich gedacht*, läßt Schiller am 5. Januar Körner wissen. Ist es die Weimarer Bühne, deren Spielplan er mit einem neuen Stück bereichern will? Ist es eine Gefälligkeit für den Freund, oder will er gar ein Pendant zu dessen »Mahomet« schaffen?

Der Herzogin Louise wird Schillers »Macbeth« besser als Goethes »Mahomet« gefallen; ihre Ansicht allerdings ist nur ein kleines Gegengewicht zum traditionellen Theaterverständnis ihres Gatten.

Arbeit am »Macbeth«. Die Prosaübertragungen von Wieland und Eschenburg sind Grundlage für Schillers Versfassung, nicht eine eigene Übersetzung; Schiller ist des Englischen nicht mächtig. Goethe überläßt ihm sein englisches Lexikon. Frau von Stein leiht ihm das englische Original. Vielleicht übersetzt seine

Frau Charlotte ihm einiges. Hilfreich ist ihm wahrscheinlich auch die »Macbeth«-Bühnenbearbeitung von Heinrich Leopold Wagner.

Nach der von ihm veranschlagten Zeit müßte Schiller Ende Januar fertig sein. Mitte Februar macht eine schwere Erkrankung alle Planung zunichte. Bis Ende März hat er mit Fieber und Husten zu kämpfen. Die Arbeit geht nur schleppend voran. Am 24. März aber teilt er Cotta mit: *Der Macbeth soll noch diese Woche abgeschickt werden.*

Schiller kann zur Arbeit an »Maria Stuart« zurückkehren. Aber ihm fehlt die Konzentration, *denn die Proben vom Macbeth zerschneiden* ihm *die Zeit gewaltig.*

Am 11. Mai trägt er in seinen Kalender ein: *Habe die Schauspieler bei mir gehabt und 4 Akte der M. Stuart vorgelesen.* Es ist jener Tag, an dem Caroline Jagemann Schillers Einladung ablehnt. Vielleicht hat sie sich doch noch zum Kommen entschlossen, sie wird die Rolle der Elisabeth übernehmen. Von den Theaterleuten ist überliefert, daß Schiller ihnen zunächst ein ausgiebiges Abendessen bot, auch etliche Flaschen Wein geleert wurden, ehe die Lesung begann. Sie dauert dann bis zum Morgengrauen.

Das findet drei Tage vor der Premiere des »Macbeth« statt. Am 14. Mai die Aufführung. Ein Erfolg.

Die Kritik aber – Friedrich Schleiermacher ist der erste Rezensent – setzt durchgängig bei Schillers Umdeutung der Hexen ein. Er macht sie zu Repräsentantinnen des Schicksals, die den Menschen auf die Probe stellen. Gleich in der ersten Szene läßt er in diesem Sinne durch sie die Hauptperson deuten.

Von Caroline Schlegel, die mit Schelling die Aufführung besucht, kommt hierzu die schärfste Gegenstimme. An August Wilhelm Schlegel schreibt sie: *Meinst Du, daß er* – Schiller – *um etwas anders als das liebe Brot solche verfluchte Hexenszenen macht ...*

*Schellings Wut hat er auch gänzlich auf sich geladen ... daß er ... die Hexen moralisch konsequent hat machen wollen – ist das auszustehn? Du solltest ihm durchaus im nächsten Teil mit der ächten Übersetzung hinter drein kommen.*

Schlegels Shakespeare-Übertragungen, an denen er seit 1797 arbeitet, bleiben lange unbeachtet. Schillers »Macbeth« dagegen setzt sich durch. Wenn auch zögernd nur zu seinen Lebzeiten; 1800 übernehmen ihn die Theater in Frankfurt am Main und Breslau, 1802 das in München, 1804 wird er in Erfurt, Hannover, Magdeburg, Dresden und erneut in Weimar aufgeführt. Iffland, dem Schiller den »Macbeth« für Berlin angeboten hat, spielt weiterhin die Übertragung von Gottfried August Bürger. Zuweilen werden Bürgers Hexen-Szenen auch der Schillerschen Version einverleibt. Erst mit dem Erscheinen der Gesamtausgabe von Schlegels Werken 1839-1840 stellt sich der Erfolg der Schlegelschen Shakespeare-Übertragungen ein; das bedeutet das Ende von Schillers »Macbeth« auf den Theaterbühnen.

Am 15. Mai 1800, einen Tag nach der Premiere von »Macbeth«, zieht Schiller sich in *eine poetische Einsamkeit* zurück, um an »Maria Stuart« zu arbeiten. Bisher habe er *zum fünften Akte der Marie ... nicht kommen können, auch nicht wollen, weil ich dazu einer eignen Stimmung bedarf.*

Der Herzog bietet ihm sein nördlich von Weimar gelegenes Schloß Ettersburg als Schreibasyl an. Dort quartiert sich Schiller mit seinem Diener und Sekretär Georg Gottfried Rudolph ein.

Ettersburg, 16. Mai: *Habe den 5. Akt der Marie vorgenommen.*

Am 23. Mai fährt er für zwei Tage nach Weimar zurück. Wieder lädt er die Schauspieler in seine Wohnung ein. Die Rollen sind inzwischen ausgeschrieben und in ihren Händen. *Leseprobe von den 4 ersten Akten,* notiert Schiller.

Zurück in seiner Schloßeinsamkeit, klagt er Charlotte, er sei *noch nicht recht wieder ins Geschäft gekommen ... die Einsamkeit, scheint es, macht es allein noch nicht aus, ich habe zu Hause oft mich weit mehr sammeln können ... in den Stunden, wo ich nicht arbeite, fühle ich die Leere um mich herum sehr.* Am

29. sind einige Schauspieler bei ihm; die Zeit aber ist *verschwazt worden anstatt zu probieren.*

Am 2. Juni kehrt er zu Frau und Kindern in seine gewohnte Umgebung zurück. Am 9. Juni trägt er in seinen Kalender ein: *Maria Stuart geendigt.*

Am Abend des 9. Juni erfährt der Herzog, daß in Schillers neuem Stück eine *Kommunion* dargestellt werde. Von wem es ihm hinterbracht wird, ist nicht belegt. Nach dem Zeugnis des Schauspielers Anton Genast soll es Herder gewesen sein. *Einen großen Anstoß gab die Abendmahlsszene, und Herder besonders soll gegen diese Profanierung der Kirche protestiert haben.* Möglicherweise war es auch Caroline Jagemann.

Anderntags richtet der Herzog folgendes Schreiben an seinen Theaterdirektor: *Es ist mir gestern abend erzählt worden, daß in der Marie Stuart eine förmliche Kommunion oder Abendmahl auf den Theater passieren würde.* Im vertraulichen Ton des Du bittet er den Freund, dafür Sorge zu tragen, daß *nichts sehr Anstößiges* vorkomme. *Siehe doch zu, daß dieses ... bei Marie Stuart der Fall sei; ich erinnere dich daran, weil ich der prudentia mimica externa Schilleri nicht recht traue. So ein braver Mann er sonsten ist, so ist doch leider die göttliche Unverschämtheit oder die unverschämte Göttlichkeit, nach Schlegelscher Terminologie, dergestalt zum Tone geworden, daß man sich mancherlei poetische Auswüchse erwarten kann, wenn es bei neuern Dichtungen drauf ankommt, einen ›Effect‹, wenigsten ›einen sogenannten‹ hervorzubringen ...*

Goethe sendet Schiller daraufhin ein Billett, auf das er viele Jahre später, als er ihrer beider Briefwechsel herausgibt, mit Bleistift rechts oben notiert: *W. 12 jun 1800* und unten, ebenfalls mit Bleistift: *Kurz vor Maria Stuart.*

Es hat folgenden Wortlaut: *Der kühne Gedancke, eine Communion aufs Theater zu bringen, ist schon ruchtbar geworden und ich werde veranlaßt Sie zu ersuchen diese Funcktion zu umgehen. Ich darf jetzt bekennen daß es mir selbst dabey nicht wohl zu Muthe war, nun da man schon zum voraus dagegen protestirt, ist es in doppelter Betrachtung nicht räthlich. Mögen Sie mir vielleicht den 5ten Ackt mittheilen? und mich diesen Morgen nach 10 Uhr besuchen? damit wir die Sache besprechen könnten.*

Goethes Tagebuch, 12. Juni: *Abends war Hr. Hofr. Schiller bei mir.*

Was Schiller nach diesem Gespräch geändert beziehungsweise gestrichen hat, ist nicht zu rekonstruieren, das Theatermanuskript ist nicht überliefert. Als er Iffland am 22. Juni eine Abschrift schickt, fügt er hinzu: *Sollte man auf dem Berliner Theater nicht so weit gehen dürfen, als ich in der sechsten Szene des fünften Akts gegangen bin, und hier in Weimar gehen durfte, so ist mit einigen Strichen geholfen, die ich Ihnen ganz überlasse.*

»Maria Stuart« wird ein Erfolg. Über die Weimarer Uraufführung am 14. Juni 1800 berichtet Anton Genast: *Von allen Orten waren Zuschauer herbeigeströmt und alle Räume des Auditoriums bis auf den letzten Platz besetzt. Schillers Ruhm hatte sich nicht nur in den Städten Thüringens, sondern auch auf den Dörfern schon verbreitet, und selbst Bauern sah man im Theater, wenn ein Schillersches Stück gegeben wurde.*

Im »Journal des Luxus und der Moden« ist zu lesen, mit diesem *langsam gereiften Werk eines anerkannten Meisters* sei *unsre vaterländische Literatur um ein vorzügliches Stück reicher geworden.*

Sogar August Wilhelm Schlegel kann Schiller ein Kompliment nicht versagen: *Die Wirkung ist unfehlbar, Maria's letzte Szenen sind wahrhaft königlich ...*

Allein in Weimar kommt es bis 1817 zu sechsunddreißig Aufführungen. In Wien dagegen wird die Buchausgabe gleich nach Erscheinen auf den Index gesetzt, weil der Kaiser sich von der Szene der Hinrichtung der schottischen Königin an die Exekution seiner Tante Marie-Antoinette erinnert fühlt.

Schillers zunehmende Popularität ist es, die auch seinem »Wallenstein« einen Verkaufserfolg bringt. In Jena bei Göpfert gedruckt, erscheint er Ende Juni 1800 in der Cottaschen Verlagsbuchhandlung in Tübingen. Das Publikum läßt sich *durch einen teuern Preis nicht vom Kaufen abschrecken*, so der Autor an Goethe. Und an Körner am 3. September: *Mit dem Absatz des Wallenstein bin ich und mein Verleger recht wohl zufrieden. Eine Auflage von vierthalb tausend Exemplarien ist schon beinahe ganz vergriffen und Cotta macht Anstalt zu einer zweiten Auflage; welches viel Glück ist, da der Wallenstein erst seit 2 Monaten aus der Presse ist.*

Cotta selbst dankt er: *Es sollte mich herzlich freuen, wenn der Wallenstein Sie endlich einmal für das viele belohnte was Sie an mich und meine Werke schon gewendet.* (Um so unverständlicher ist es mir, daß er sein übernächstes Stück, »Die Jungfrau von Orleans«, an den Verleger Johann Friedrich Unger nach Berlin verkauft.)

Der Erfolg, der Schiller beflügelt. Von *größerer Sicherheit in der Ausführung* spricht er. Für die »Maria Stuart« habe er *nach Abrechnung der Zeit, wo ich nicht daran arbeitete, 7 und 1/2 Monat gebraucht*. Am 1. Juli hat er die Idee zur »Jungfrau von Orleans«. Daneben beschäftigt ihn ein weiteres Drama. ... *mich verfolgt ein böser Geist, bis ich die zwei nächsten Stücke die ich im Kopf habe, ausgeführt sehe*, schreibt er Körner. Er hoffe, *das Versäumte herein zu bringen, und,* vorausblickend, *wenn ich das fünfzigste Jahr erreichen kann, noch unter den fruchtbaren Theaterschriftstellern einen Platz zu verdienen ... Das Mädchen von Orleans läßt sich in keinen so engen Schnürleib einzwängen, als die Maria Stuart. Es wird zwar an Umfang der Bogen kleiner sein, als dieses letztere Stück; aber die dramatische Handlung hat einen größern Umfang, und bewegt sich mit größerer Kühnheit und Freiheit. Jeder Stoff will seine eigene Form, und die Kunst besteht darin, die ihm anpassende zu finden. Die Idee eines Trauerspiels muß immer beweglich und werdend sein, und nur virtualiter in hundert und tausend Formen sich darstellen.*

Im September beginnt er mit der Niederschrift der »Jungfrau von Orleans«.

Die abendlichen entspannenden Gespräche mit Goethe aber, die für beide in Schillers Jenaer Zeit so beglückend waren, gibt es nicht mehr. Der einstige Jenenser sitzt in seiner Weimarer Einsamkeit im lauten Haus in der Windischengasse, der Weimarer dagegen in seinem kahlen Jenaer Schloßquartier. *Göthe ist auch in die Einsamkeit gegangen, um etwas zu treiben*, notiert Schiller, *denn er hat das Unglück, daß er in Weimar gar nichts arbeiten kann. Was er binnen 4 und 5 Jahren geschrieben ist alles in Jena entstanden.*

Goethes lange Abwesenheiten. Gewiß hat sich Schiller das anders vorgestellt. Vom 10. September bis 4. Oktober, vom 14. bis 25. November und vom 12. bis 26. Dezember ist der Freund in Jena.

Am 23. September schreibt Schiller ihm: *Wir wollen uns übrigens beide in unsern Arbeiten nicht stören, wenn Sie die absolute Einsamkeit lieber haben*; er kündigt sein Kommen nach Jena und seinen Aufenthalt im Gartenhaus an. Aber Goethe geht nicht darauf ein, im Gegenteil, mehrfach schiebt er Gründe vor, weshalb Schiller nicht kommen solle.

Der Jahreswechsel 1800 auf 1801, an dem im exakt mathematischen Sinn das neue Jahrhundert beginnt, soll in Weimar mit einer großen Feier begangen werden. Ein gemeinsamer Plan der Freunde, an einem schönen Maiabend 1799 in Schillers Gartenhaus ausgedacht. *Abends Idee zu einem Feste im Weimarischen Parck*, notiert Goethe am 22. Mai 1799 in sein Tagebuch. An einen *Mitternachtsjubel*, Diners und Tanzvergnügen, eine Art Volksfest mit Umzügen, Theatervorstellungen nach antikem Muster ist gedacht.

*Leben und Bewegung* solle – so Schiller – *in der Stadt* entstehen. Er engagiert sich, lädt Iffland ein, fragt an, ob er den »Wallenstein« spielen werde. Pläne, Ideen. Ein *Säkularumlauf* geht auch nach Jena.

Da schreitet Carl August ein. *Der Herzog*, teilt Schiller am 18. Dezember 1800 Goethe mit, *hat gegen unsre vorgeschlagene Secularische Festlichkeiten ganz neuerdings ... Sein entschiede-*

*nes Misfallen zu erkennnen gegeben und unter andern dagegen angeführt, daß solche ohne Zuziehung der TheaterDirection unternommen wären.*

Hat Schiller sich zu weit vorgewagt?

Sind es die alten Vorurteile Carl Augusts ihm gegenüber?

*Wir haben unsre Secularischen Festlichkeiten nicht ausführen können*, heißt es bei Schiller, *weil sich Partheien in der Stadt erhoben und auch der Herzog den Eclat vermeiden wollte ...*

Welche Rivalitäten und Intrigen im einzelnen im Spiel waren, ob die Kotzebue-Partei intrigierte oder ob es die Schauspielerin Caroline Jagemann war, auf deren Intervention hin Carl August handelte, ist nicht mehr festzustellen.

Schiller fühlt sich vom Herzog empfindlich zurechtgewiesen. Zieht sich zurück.

*Unter diesen Umständen*, schreibt er an Goethe, *aber kann ich keinen Antrieb mehr haben, mich mit diesen Sachen zu beschäftigen, und ich überlaße es also Ihnen ganz, ob von seiten der TheaterDirection mit Ifland oder Fleck etwas arrangiert werden soll. Ich selbst schreibe an Ifland, daß die projectierten Festivitäten nicht mehr statt haben und daß er meine Insinuation als eine Privatsache ansehen möge. Zugleich bitte ich Sie, unser nach Jena gesandtes Cirkular dort von Lodern zurückzufodern und cassiren zu laßen.*

Enttäuschung spricht auch aus den Schlußzeilen: *Unter diesen Umständen haben wir hier auch mit keinen Theater Arrangements zu eilen, und wir wollen in Gottes Nahmen uns in unsere Poesien vergraben und von innen zu produciren suchen, da uns die Production nach aussen so schlecht gelungen ist.*

Er ahnt nicht, daß die nächste Konfrontation mit dem Herzog kurz bevorsteht.

# IV

Anfang Januar 1801 erkrankt Goethe lebensbedrohlich. Eine Gürtelrose, die den ganzen Körper einschließlich der Augen befällt; Fieberphantasien, Erstickungsgefahr.

Schiller besucht ihn fast täglich. Zweimal trifft er am Krankenbett mit dem Herzog zusammen. 5. Januar: *Besuchten mich Serenissimus und Hr. H. R. Schiller.* 23. Januar: *Serenissimus und Hr. Hofr. Schiller.* Die Eintragungen sind von Goethes Schreiber.

Dringliche Theaterarbeiten. Der 30. Januar, der Geburtstag der Herzogin, steht bevor. Wiederum hat Goethe einen Voltaire übersetzt, diesmal den »Tancred«. Schiller übernimmt die Einstudierung für den kranken Freund. Nach den Proben berichtet er ihm jeweils, so am 27. und 28. Januar. Am 29.: *Abends aus der Probe Hr. Hofr. Schiller.* 30. Januar: *Aus der Probe Hr. Hofr. Schiller.* Am 31. Januar: *Abends Aufführung des »Tancreds«; nach dem Schauspiel Hr. Hofr. Schiller.*

Trotz Übernahme von Goethes Theaterpflichten und vieler Krankenbesuche, zu einer Jahreszeit, da Schiller das Haus nicht gern verläßt, arbeitet er unbeirrt an der »Jungfrau von Orleans« weiter. Im Februar sind die ersten drei Akte fertig. Als Schiller den Freund außer Gefahr und auf dem Wege der Besserung weiß, zieht er sich am 5. März nach Jena zurück, um, wie er hofft, dort *die rohe Anlage des ganzen Stücks vollends hinzuwerfen.*

Den ganzen März über sitzt er in seinem Gartenhaus. Freilich ist die frühe Jahreszeit in dem leichtgebauten Haus für ihn nicht günstig. *Der unaufhörliche Wind, dem ich auch bei verschloßenen Zimmern nicht entweichen kann, macht mir meinen Auffenthalt im Garten oft lästig, und hindert mich auch am Ausgehen, weil er mir die Brust angreift.*

Hinzu kommt – offenbar ist der Aufführungstermin für Weimar schon festgelegt – der Zeitdruck, unter dem er steht. *Die Schwürigkeiten meines jetzigen Pensums spannen mir den Kopf noch zu sehr an, dazu kommt die Furcht, nicht zu rechter Zeit fertig zu werden, ich hetze und ängstige mich und es will nicht recht damit fort. Wenn ich diese pathologischen Einflüße nicht bald überwinde, so fürchte ich muthlos zu werden. Vielleicht sind Sie mitten unter Ihren Weimarischen Zerstreuungen productiver als ich in meiner Einsamkeit, welches ich Ihnen herzlich wünsche.*

Goethe jedoch hat Weimar verlassen, ist auf seinem Oberroßlaer Gut. Beobachtet dort am 30. März die *Mondfinsterniß*, beschäftigt sich mit *Weidenpflanzung*, notiert Gedanken über *Genie*, bewirtet Gäste, unter anderem den Dichter Johann Isaak Gerning aus Frankfurt, der ihm seine Verse »Das achtzehnte Jahrhundert« vorträgt. *Da fand Goethe, daß des großen Schillers dramatische Kunst nicht gefeiert worden* sei, überliefert Caroline Herder. Gerning ändert daraufhin seinen Text.

Anfang April kehrt Schiller zurück. Am 3. schreibt er nach Oberroßla: *Am Mittwoch bin ich wieder hier eingetroffen und habe sehr beklagt, Sie nicht zu finden.* Er berichtet von seiner Arbeit: *Der Schluß des vorlezten Acts ist sehr theatralisch und der donnernde Deus ex machina wird seine Wirkung nicht verfehlen.*

Am Abend des 14. April kommt Goethe wieder nach Weimar. Am folgenden Morgen schickt der Freund ihm ein Billett: *Ich heiße Sie herzlich willkommen in Weimar und freue mich, nach einer so langen Abwesenheit wieder mit Ihnen vereinigt zu sein ... Ich werde heute mit meinem Stücke fertig ...*

Goethe erwidert: *Auch ich freue mich recht sehr wieder in Ihrer Nähe zu seyn und besonders an diesem Tage anzukommen der* – mit der Fertigstellung der »Jungfrau von Orleans« – *eine solche Epoche macht.*

Den Abend des 15. April verbringen die Freunde miteinander. Drei Tage später schickt Schiller Goethe das Manuskript seiner »Jungfrau von Orleans« und einen Entwurf der Rollenbesetzung.

Am 20. sendet dieser es zurück: *Nehmen Sie mit Danck das Stück wieder. Es ist so brav, gut und schön daß ich ihm nichts zu vergleichen weiß. Lassen Sie uns gegen Abend zusammen spazieren und zusammen bleiben. Morgen geh ich wieder auf⟨s⟩ Land.*

Er reist wieder nach Oberroßla.

Schiller bleibt zurück. Böse Tage beginnen für ihn. Der Herzog verlangt das neue Drama zu sehen. Da der Theaterdirektor abwesend ist, wendet er sich an die Frau seines Kammerrates, an Caroline von Wolzogen.

Sein Ton zeigt Ungeduld. *So oft und dringend bat ich Schillern, ehe er Theaterstücke unternähme, mir, oder sonst jemandem, der das Theater einigermaßen kennt, die Gegenstände bekannt zu machen, die er behandeln wollte. So gerne hätte ich alsdann solche Materien mit ihm abgehandelt, und es würde ihm nützlich gewesen sein; aber alle meine Bitten waren vergebens. Jetzt muß ich recht dringend wünschen die neue Pucelle zu perlustriren, ehe das Publikum diese Jungfrauschaft unter dem Panzer bewundere.*

*Machen Sie doch, gnädige Frau, daß ich dieses Stück zu Gesichte bekomme ehe es in die Welt tritt oder ehe es, auf unserm Theater gespielt zu werden, die Einrichtung bekommt.*

Schiller kann sich nicht verweigern. Er übergibt Caroline sein Manuskript, und diese wiederum läßt es dem Herzog zukommen.

*Ihrem Herrn Schwager bitte ich für die Mitteilung seines Werkes unsre verbindlichste Erkenntlichkeit zu erkennen zu geben,* bedankt sich Carl August. Er behält das Manuskript.

*Die Jungfrau habe ich vor 8 Tagen dem Herzog schicken müssen und habe sie noch nicht aus seinen Händen zurück erhalten,* schreibt Schiller am 28. April beunruhigt an Goethe.

Der Hintergrund ist folgender. Als Carl August – *mit Schrekken,* wie er sagt – erfährt, daß Schiller eine *Pucelle d'Orleans* geschrieben hat, kann er sich, orientiert an der französischen Literatur, eine solche nur im despektierlichen Stil Voltaires vorstellen. Da die Schauspielerin Caroline Jagemann meist die Hauptrollen spielt, vermutet der Fürst einen Anschlag auf seine zwanzig Jahre jüngere Geliebte, die er als seine Mätresse in Weimar etabliert hat. Er fürchtet, daß ihre und seine Person der Lächerlichkeit preisgegeben werden. *Das Sujet ist äußerst scabrös* (anstößig), schreibt er Caroline von Wolzogen, *und einem Lächerlichen ausgesetzt, das schwer zu vermeiden sein wird, zumal bei Personen, die das Voltairsche Poem fast auswendig wissen.*

Bei Schiller setzt daraufhin jener Vorgang ein, den man als die subtilste Form von Zensur bezeichnen könnte: die Selbstzensur.

Er nimmt seine »Jungfrau von Orleans« zurück, verzichtet auf eine Aufführung auf der Weimarer Hofbühne. *Nach langer Beratschlagung mit mir selbst werde ich sie ... nicht aufs Theater bringen ...*

Mit Raffinement drängt der Herzog ihn zu diesem Schritt. Er lobt die »Jungfrau von Orleans«. *Wie er sich*, schreibt Schiller, *gegen meine Frau und Schwägerin geäusert, so hat sie, bei aller Opposition, in der sie zu seinem Geschmacke steht, eine unerwartete Wirkung auf ihn gemacht.* Es herrsche – so Carl August an Frau von Wolzogen – darin *eine Wärme*, die *auch denjenigen nicht kalt bleiben lässet, der nie christlicher Mythologie einen Geschmack abgewinnen konnte, und der nie ein Interesse an einer Person oder Heldin zu fassen vermochte, die durch nicht menschliche Inspiration zu das wurde, was sie merkwürdig macht. Die betrübte deutsche Sprache ist in die schönste Melodie gezwungen, deren sie fähig ist, und die der deutschen Muse angeborene Herzlichkeit hat Schiller so veredelt wirken lassen, daß man zwischen Erhabenheit und Herzlichkeit schwebt ...*

Carl August gibt zu, daß *›wir‹* (damit sind er und die Herzogin gemeint: *Niemand hat es gesehn als wie meine Frau*) *auch nicht einen Augenblick nur, bei Lesung, oder ›Hörung‹ der Schillerschen Jungfrau, an Voltaires Pucelle dachten, oder zur Vergleichung gereizt wurden.*

Dann kommt der Einwand. Er nennt das Stück nicht Drama, sondern *ein Unternehmen seltner Art*, ein *Poem*, ein *Heldengedicht*. Was nahelegt, man müsse es drucken, aber keineswegs durch die Nachteile des Theaters belasten. Schiller kommentiert: *Er meint aber, sie könne nicht gespielt werden ...* Carl August lobt das Stück von der Bühne weg.

Verlegt sich aufs Schmeicheln. *Schiller macht aber vielleicht eine Ausnahme*, heißt es an Frau von Wolzogen, *und schenkt einmal ein geneigtes Ohr seinem Verehrer, indem er auf ein Weil-*

*chen seine Bitten und Wünsche erfüllt.* In einem zweiten vertraulichen Schreiben an Schillers Schwägerin heißt es: *um die Wahrheit zu gestehen, Caroline* (gemeint ist Caroline Jagemann) *ist mir zu lieb, als daß ich ihr schönes Talent und Bemühen so zwecklos und ihr nachtheilig hier gezwungen sehn möchte.*

Als Frau von Wolzogen ihm die definitive Entscheidung ihres Schwagers übermittelt, schreibt er: *Sie haben mir ordentlich einen Stein vom Herzen gehoben ... Schillers Werth erhöht sich durch seine beispiellose Gefälligkeit sehr in meinem Herzen; sehnlich wünsche ich, daß ich fähig sein möge ... ihm so gute Tage machen zu können, als er mir ... bei Lesung seines Stücks und heute* – durch den Verzicht auf die Aufführung – *gemacht hat.*

Goethe weiß von alledem vermutlich nichts. Am 27. April fragt er von Oberroßla aus an: *Sagen Sie mir doch ein Wort wie es mit dem Nathan geht, und ob die tapfere Jungfrau sich weiters producirt hat ... Indessen Sie allerlei außerordentliche theatralische Ergetzlichkeiten genießen muß ich auf dem Lande verweilen und mich mit ... gerichtlichen und außergerichtlichen Händeln, Besuchen in der Nachbarschaft und sonstigen realistischen Späßen unterhalten ...*

Als diese Zeilen Schiller erreichen, teilt er dem Freund umgehend die Sachlage mit. Sein Schreiben ist vom 28. April. Noch am selben Tag antwortet Goethe, läßt den Brief vom Bauinspektor Steffany nach Weimar befördern.

*Einer Vorstellung Ihrer Jungfrau*, schreibt er Schiller, *möchte ich nicht ganz entsagen. Sie hat zwar große Schwierigkeiten doch haben wir schon große genug überwunden, aber freilich wird durch theatralische Erfahrungen Glauben, Liebe und Hoffnung nicht vermehrt. Da Sie persönlich etwas besseres thun können als sich einer solchen Didaskalie zu unterziehen bin ich selbst überzeugt es käme darauf an ob ich bey meiner jetzigen Halbthätigkeit dazu nicht am besten taugte. Doch davon wird sich reden lassen wenn wir wieder zusammen kommen.*

Goethe nimmt Schillers Verzicht als gegeben hin, stimmt ihm

mit der Bemerkung, er habe *besseres* zu tun, als sich *einer solchen Didaskalie* (Anweisung für die Einübung eines Bühnenstückes) *zu unterziehen*, zu. Schiller selbst hat ihm dazu die Brücke gebaut, indem er schrieb: *Dann schreckt mich auch die schreckliche Empirie des Einlernens, des Behelfens und der Zeitverlust der Proben davon zurück, den Verlust der guten Stimmung nicht einmal gerechnet.*

Außer daß er vage andeutet, selbst die Inszenierung übernehmen zu können, setzt Goethe auf Zeit. Wohl wissend, wie verletzbar Carl August in Sachen seiner jungen Geliebten ist, und im Bewußtsein der moralischen Grundsätze seines Freundes Schiller und dessen Familie, ihrer Vorbehalte der Mätresse des Herzogs gegenüber. (Goethe selbst wird unter Caroline Jagemann zu leiden haben, wird viele Jahre später – Carl August hat ihr den Adelstitel verliehen, sie zur Frau von Heygendorf gemacht – durch die Schauspielerin zu Fall kommen, wird als Theaterdirektor entlassen werden.)

Schillers Brief vom 28. April 1801 enthält noch eine weitere Mitteilung, die den Theaterdirektor Goethe getroffen haben dürfte. Auf seinen Wunsch hin hat Schiller Lessings »Nathan der Weise« für die Bühne eingerichtet. Goethe bat ihn: *Nehmen Sie sich doch einer Leseprobe vom Nathan einstweilen an, bis ich eintreffe.*

Aber Schiller weigert sich. *Nathan ist ausgeschrieben und wird Ihnen zugeschickt werden, daß Sie die Rollen austheilen*, schreibt er, fügt hinzu: *Ich will mit dem Schauspielervolk nichts mehr zu schaffen haben, denn durch Vernunft und Gefälligkeit ist nichts auszurichten, es giebt nur ein einziges Verhältniß zu ihnen, den kurzen Imperativ, den ich nicht auszuüben habe.*

Spielt er mit dem *kurzen Imperativ* darauf an, daß er mit keinerlei Entscheidungsbefugnissen betraut ist, die Stellvertretung einzig aus Gefälligkeit für den Freund übernommen hat? Kündigt er damit seine inoffizielle, auf ihrer Freundschaft basierende Kooperation auf?

In einer 1800 in Jena erschienenen anonymen Besprechung

seiner »Maria Stuart« ist über die personelle Konstellation des Weimarer Theaterdirektorates zu lesen: *Wie sehr wäre es zu wünschen, da Goethe durch andere Geschäfte abgehalten wird, so wie er könnte, auf das Theater zu wirken, daß Schiller diesen Theil der Direction übernähme, denn so könnten wir in Weimar eins der ersten Theater Deutschlands erhalten.* Caroline von Wolzogen überliefert, Schiller habe sich in der Zeit seines Umzugs nach Weimar vorstellen können, die Direktion der Hofbühne zu übernehmen. Schiller selbst hat sich wohl nie dazu geäußert.

Von Goethe aber wissen wir, er bemüht sich mehrfach in dieser Richtung. 1795 macht er Carl August – ohne Schillers Wissen offenbar – den Vorschlag, daß dieser die Theaterdirektion übernehmen solle. Der Fürst erwidert schroff, wenn Goethe weggehe – er will nach Italien – , *so ist freylich unser Theater im A – denn die Idee mit Schillern, die du einmal äusertest, möchte wohl schwerlich ausführbar seyn.* Später schlägt Goethe Schiller für die neu zu gründende Theaterkommission vor, auch dieser Versuch scheitert am Widerstand Carl Augusts.

Wie ernst es Schiller im April 1801 mit seinem Ausstieg aus der praktischen Theaterarbeit ist, geht daraus hervor, daß er am gleichen Tag, an dem er Goethe seinen Entschluß mitteilt, nach Berlin an die Schauspielerin Friederike Unzelmann schreibt: *Unser Theater ist jetzt leider in einer Krise und ich habe mich für meine Person ganz davon zurückgezogen.* Freilich ist dies auch ein Schachzug, er beugt, indem er seinen Rückzug und das Motiv dafür in der wichtigen Berliner Theaterszene öffentlich macht, Gerüchten und Klatsch vor.

Was die Freunde nach Goethes Rückkehr aus Oberroßla beredet haben, wissen wir nicht. Am 12. Mai sind sie zusammen. Einen Tag danach schreibt Schiller an Körner über seine »Jungfrau von Orleans«: *Göthe meint, daß es mein bestes Werk sei und ist mit dem Ensemble besonders zufrieden.*

Wochen später ein Brief Schillers an Goethe: *mein Entschluß ist nun ernstlich gefaßt, in etwa 3 Wochen an die Ostsee zu reisen, dort das Seebad zu versuchen und dann über Berlin und Dresden zurückzugehen ... ich muß neue Gegenstände sehen, ich muß einen entscheidenden Versuch über meine Gesundheit machen, ich wünsche einige gute Theatervorstellungen wenigstens einige vorzügliche Talente zu sehen ...*

Das Schreiben ist vom 28. Juni. Dann gibt es von Schillers Seite in der Korrespondenz mit Goethe eine Pause von mehreren Monaten. Eine außergewöhnliche Tatsache, dieses Schweigen. Bis zum 10. November 1801 keine Zeile an Goethe.

Schillers Brief von diesem 10. November, mit dem er auf Goethes Geburtstagsgrüße vom selben Tag reagiert, könnte man als versteckte Mitteilung an den Freund lesen: ich bin nicht auf Weimar angewiesen. Noch fällt das Wort vom *Dorftheater* nicht, gedacht wird es vielleicht schon: das *Dorftheater*, die Provinzbühne eines kleinen Fürstentums, von der Geliebten des Herzogs dirigiert.

Bedeuten Schillers Reisepläne, daß er wieder mit dem Gedanken umgeht, sein Leben zu verändern, wie das bei seiner Reise nach Schwaben 1793/94 der Fall war und bei jener in die preußische Hauptstadt 1804 sein wird?

Wir wissen es nicht. Nur soviel: In Berlin sitzt Unger, der Verleger der »Jungfrau von Orleans«. Iffland ist dort, der große Schauspieler und Direktor der Hofbühne. Mit ihm hat der Weimarer Theaterdirektor Goethe bereits den Erfolg vom »Wallenstein« teilen müssen. Iffland hat »Maria Stuart« inszeniert. Schiller steht in Kontakt mit der Schauspielerin Friederike Unzelmann.

Die Ausführung von Schillers großangelegtem Reiseplan fällt wesentlich bescheidener aus. Auf das Meer und Berlin wird verzichtet. Dresden und Leipzig sind die Orte, die er aufsucht. An die Leipziger Bühne hat er seine »Jungfrau von Orleans« verkauft, am 11. September 1801 findet dort die Uraufführung statt.

Vom 6. August bis zum 20. September ist Schiller, begleitet von seiner Frau Charlotte, unterwegs.

Am 9. August Ankunft in Dresden. Einquartierung in Körners

Loschwitzer Weinberghäuschen. Eine Reise auch in die Vergangenheit. Fast genau sechzehn Jahre ist es her, am 12. September 1785 war er hier angekommen, schrieb an seinem »Don Carlos«. Gerade in diesen Tagen jetzt erscheint eine Buchausgabe des um 800 Verse gekürzten Stückes.

Augusttage im Weinberghaus. Wir wissen über sie wie über die ganze Reise wenig. Schiller ist kein Reisender, der Gesehenes und Erlebtes festhält. Im Gegenteil. *Die Reise hat mich zum Briefschreiben ganz unfähig gemacht.* Das gilt für diese wie für die meisten seiner Reisen. Möglicherweise hat er eine Mitteilung an seine Mutter gerichtet oder Charlotte damit beauftragt; Elisabetha Dorothea erwähnt zwei Briefe, die aber nicht erhalten sind.

Am 1. September Umzug in Körners Dresdner Stadtwohnung. Besuch der Gemäldegalerie, Gesellschaften. Vierzehn lange Tage. Dann Abreise.

Am 17. September erlebt Schiller in Leipzig die dritte Vorstellung seiner »Jungfrau von Orleans«. Keinem *großen Prenzen* (Prinzen) könne so viele *Ehren bezeigung* gemacht werden, schreibt Schillers Mutter. Ovationen des Publikums. *... unter dem Ertönen der Pauken und Trompeten, mit allgemeinem Klatschen, Vivat und Zuruf .... empfieng man ... den Verfasser*, ist im Weimarer »Journal des Luxus und der Moden« im Dezember zu lesen. Und: *Die Jungfrau von Orleans* sei, *seit dem 11ten September, als der ersten Darstellung, kurz hintereinander acht Mal mit ausnehmendem Beifall gegeben worden.*

Am 20. September passiert der so Umjubelte mit Charlotte wieder das Tor der kleinen thüringischen Residenzstadt.

Goethe – auch er war im Juli und August auf Reisen – ist da, ist mit den Vorbereitungen zu einer Kunstausstellung beschäftigt; *in den Zimmern des Komödienhauses* wird sie *für 8 Groschen Entree* am 21. September eröffnet.

Im Oktober wird Schiller krank. Ein *Catarrh*, der ihn *noch nicht ganz verlassen* habe, zumal er sich *nicht gleich in eine ganz freie produktive Tätigkeit zu versetzen wußte*, habe, teilt er Körner am 2. November mit, zu dem Entschluß geführt, Gozzis Märchenkomödie »Turandot« für das Theater zu bearbeiten.

Für den 30. Januar 1802, den Geburtstag der Herzogin, ist das Stück gedacht. Ein Wunsch Goethes, ein Wiedereinstieg in die Arbeit am Theater? Am 2. November beginnt Schiller die »Turandot«, am 27. Dezember beendet er sie.

Ende Dezember erkrankt Schiller abermals. Wie er im Vorjahr für den Freund eingesprungen war, übernimmt nun Goethe die Leseproben für »Turandot«. Schon vor der Premiere werden skeptische Stimmen laut. Wieder ist die Caroline Schlegels darunter: *Schiller bearbeitet ein Stück von Gozzi. Seine Hand wird schwer darauf liegen.* Daß Schiller die Commedia dell'arte wenig liegt, wird durchgängig von der Kritik beklagt; seine Bearbeitung treffe den Geist der Gozzischen Märchen- und Maskenwelt nicht.

Für Schiller ist es wohl eine Gelegenheitsarbeit, wie Goethe sie so oft auch erledigt. Eine Zeitüberbrückung während unproduktiver kränklicher Tage. Und eine Gefälligkeit für den Freund.

Die Reise, die ihm Distanz schafft. Die Publikumsreaktionen in Leipzig, die ihm seine Leistung bestätigen. Er ist nicht auf Weimar angewiesen. Hat an Selbstsicherheit gewonnen.

Hat nacheinander alles von sich geworfen: Historienschreiberei, ästhetische Theorie, Herausgebertätigkeit, mit kleinen Ausnahmen auch die lyrische Produktion. Einzig die dramatische Arbeit beschäftigt ihn. Er bündelt seine Kräfte.

*Endlich glaube ich mich, was die Schriftstellerei betrift auf dem Punkte zu befinden, wohin ich seit Jahren gestrebt habe,* schreibt er am 13. Oktober 1801 an Cotta. *Der schnelle und entschiedene Erfolg, den meine neuesten Stücke, zu denen ich auch die Jungfrau von Orleans rechnen darf, bei dem Publicum gehabt haben, versichert auch den künftigen Entreprisen in diesem Fache einen ungezweifelten Succeß, und ich darf endlich hoffen, ohne Ihren Schaden, meine Arbeiten im Preiße steigern zu können. ... Zum Guten und Vollendeten ... gehört Musse, und ich kann, bei meiner abwechselnden Gesundheit, nur weni-*

*ges unternehmen. ›Ein‹ bedeutendes neues Stück ist alles, was ich in Einem Jahre liefern kann, und ich will also nicht meine ›Lage‹ sondern meine ›Werke‹ dadurch verbeßern, wenn ich sie höher taxiere.*

# Neuntes Kapitel

## I

Schillers Weg ist vorgezeichnet, er hat eine magische Zeitgrenze im Auge: *das fünfzigste Jahr.*

Die Wegmetapher. Wir erinnern uns der Zurückweisungen durch Goethe, Schillers verzweifelter Bemerkung: Er sei ihm weit voraus, er werde ihn nie einholen, nie neben ihm gehen können.

Dann das Glück der Annäherung. Und wieder die Wegmetapher: *daß die so sehr verschiedenen Bahnen*, am 31. August 1794 an Goethe, *auf denen Sie und ich wandelten, uns nicht wohl früher, als gerade jetzt, mit Nutzen zusammenführen konnten. Nun kann ich aber hoffen, daß wir, soviel von dem Wege noch übrig seyn mag, in Gemeinschaft durchwandeln werden, und mit um so größerm Gewinn, da die letzten Gefährten auf einer langen Reise sich immer am meisten zu sagen haben.*

Goethe wird diese Worte mit Befremden gelesen oder überlesen haben. ... *soviel von dem Wege noch übrig seyn mag ... die letzten Gefährten ...* Schiller ist vierunddreißig, als er das niederschreibt.

Für Goethe gehört Altwerden zur Lebenskunst. Und er beherrscht diese auf vielfältigste und bewundernswerte Weise. Zweiundachtzig Lebensjahre werden ihm zur Verfügung sein.

Schiller, dem bereits als junger Mann der Tod begegnet ist, wird nicht einmal die von ihm selbst beschworene Grenze des fünfzigsten Jahres erreichen können. Eine Lebenszeit von nicht einmal sechsundvierzig Jahren ist ihm gegeben.

Lebt nicht jeder Mensch mit einer inneren Vorstellung von der Länge seiner Lebenszeit? Bewußt oder unbewußt. Es ist keineswegs allein eine Frage von Krankheit oder Gesundheit, sondern eine der Mentalität, der Lebensumstände, des Verhältnisses zum eigenen Körper wie zur Existenz überhaupt.

In diesem Sinne haben Schiller und Goethe als zwei sehr verschiedene Naturen auch ein extrem unterschiedliches Verhältnis zur Zeit.

Wenn man dieses vereinfachend charakterisieren wollte, so könnte man für Schiller jenes *Nulla dies sine linea* (Kein Tag ohne Zeile) anführen, 1799 gegenüber Goethe geäußert: *Meine Arbeit rückt doch immer etwas voran. Nulla dies sine linea.* Und für Goethe einen Ausspruch aus einem frühen Brief von 1775 an Herder: *Ich tanze auf dem Drahte; Fatum congenitum* (vorbestimmtes Schicksal) *genannt: mein Leben so weg!*

In ihrer diametral entgegengesetzten Auffassung von Zeit liegt ein großes Konfliktpotential für ihre Freundschaft.

Schiller kann aus seinem Gefühl der begrenzten Zeit heraus Goethes Das-Leben-weg-Tanzen nicht verstehen und auch nicht tolerieren.

Es bringt ihn, den zehn Jahre Jüngeren, dazu, der unermüdlich Treibende und moralisch Fordernde zu werden.

Mit Sensibilität, Ausdauer und Diplomatie spielt er diesen Part dem schwierigen Goethe gegenüber. Ein großer Freundschaftsbeweis. Sein Neid ist verstummt. Das Werk des anderen ist ihm so wichtig geworden wie das eigene.

Erinnert sei an das Jahr 1797, an Schillers an Meyer gerichtete Beschwörungen, daß Goethe *auf dem Gipfel wo er jetzt steht*, einzig *darauf denken muß, die schöne Form die er sich gegeben hat, zur Darstellung zu bringen*, nicht aber, wie er es mit seinem Italienprojekt vorhat, *nach neuem Stoffe auszugehen.* Dann, ebenso dringlich mahnend, an Goethe selbst: *Da Sie auf einem solchen Punkte stehen, wo Sie das Höchste von sich fodern müssen ...*

Und bestätigt Goethe ihm nicht, daß er recht hat, wenn er ihm Anfang 1798 dankt: *Sie haben mir eine zweyte Jugend verschafft und mich wieder zum Dichter gemacht, welches zu seyn ich so gut als aufgehört hatte.*

Aber Goethe spricht in der Vergangenheit. Das durch *Geistesreibung* einander *Electrisieren* – Schillers Wort –, *die praktische und theoretische Vereinigung* – Goethes Wort –, wie sie sich in der Zeit seiner Arbeit am »Wilhelm Meister« und der Schillers am »Wallenstein« darstellt und für beide Rückenwind auf ihrem Weg bedeutet, setzt sich nicht fort.

»Wilhelm Meister« und »Herrmann und Dorothea«, dem *Gipfel* Ende der neunziger Jahre folgt nichts Vergleichbares. »Tell-Epos« und »Naturgedicht« werden nicht ausgeführt. Auch die Arbeit am »Faust« geht bis auf den Helena-Akt nicht voran.

Goethe fürchtet um sein fünfzigstes Lebensjahr herum, gänzlich unproduktiv zu werden, er ist in einer langanhaltenden Schaffenskrise.

Schiller dagegen, nicht gesund, stets gefährdet, von der Zeit gejagt – unabwendbar das Gefühl, auf der letzten Wegstrecke zu sein –, konzentriert seine gesamte Energie auf sein Werk. Schritt für Schritt geht er voran; es sind die Jahre seines großen an- und fortdauernden Erfolgs.

Die Weggefährten. Das Schrittmaß divergiert.

Der Erfolg des einen, die anhaltende Schaffenskrise des anderen. Hat Schiller möglicherweise Anteil an Goethes Krise? Der Erfolg des Jüngeren als Druck auf den Älteren? Eine Mitbeteiligung psychischer Ursachen ist bei seiner lebensgefährlichen Erkrankung 1801 nicht auszuschließen.

Die Balance der Kräfte, die im ersten Jahrfünft ihrer Beziehung keine Hierarchien zuließ und gerade deshalb so beglückend war, ist gestört. Die zweite Hälfte ihrer Freundschaftsjahre, insbesondere das letzte Drittel, wird davon überschattet. Geben und Nehmen gestalten sich auf andere Weise.

Schiller ist es, der nicht müde wird, Goethe anzustacheln. *Die Natur hat Sie einmal bestimmt, hervorzubringen*, drängt er den Freund 1799, *jeder andere Zustand, wenn er eine Zeitlang anhält, streitet mit Ihrem Wesen. Eine so lange Pause, als Sie dasmal in der Poesie gemacht haben, darf nicht mehr vorkommen, und*

*Sie müssen darinn ein Machtwort aussprechen und ernstlich wollen.*

*Mit einem kritischen Freund kommt man immer schneller vom Fleck*, meint Goethe. Und: *Man erkennt nur denjenigen von dem man leidet.* Ist das das Geheimnis ihrer Freundschaft?

Schiller kann den Finger auf die Wunde legen, aber die Wunde zu schließen, das vermag nur Goethe allein. Und das ist sein Problem.

Möglicherweise erinnert sich Schiller jetzt öfter jener seltsamen Passage in Goethes Brief vom 27. August 1794, am Beginn ihrer Freundschaft. Goethe nimmt die Wegmetapher auf, spricht vom *mit einander fortwandern*, fügt dann den Satz an: *Wie groß der Vortheil Ihrer Theilnehmung für mich seyn wird werden Sie bald selbst sehen, wenn Sie, bey näherer Bekanntschaft, eine Art Dunckelheit und Zaudern bey mir entdecken werden, über die ich nicht Herr werden kann, wenn ich mich ihrer gleich sehr deutlich bewußt bin.* Eine für Goethe ungewöhnliche Selbstanalyse, die bei ihrer bisherigen Fremdheit fast einem intimen Geständnis gleichkommt.

Sind es diese *Dunckelheit*, das *Zaudern*, die das von Schiller geforderte *Machtwort* sich selbst gegenüber, das *ernstlich wollen* verhindern?

Die Einsamkeit beider nimmt zu.

Die Ungeduld gegeneinander.

Besonders von Schillers Seite. Am 10. Dezember 1801 schreibt er an Cotta: *Sie fragen mich nach Göthen und seinen Arbeiten. Er hat aber leider seit seiner Krankheit gar nichts mehr gearbeitet und macht auch keine Anstalten dazu. Bei den treflichsten Planen und Vorarbeiten die er hat, fürchte ich dennoch daß nichts mehr zu Stande kommen wird, wenn nicht eine große Veränderung mit ihm vorgeht. Er ist zu wenig Herr über seine Stimmung, seine Schwerfälligkeit macht ihn unschlüssig und über die vielen Liebhaber Beschäftigungen, die er sich mit Wißenschaftlichen Dingen macht, zerstreut er sich zu sehr. Beinahe verzweifle ich daran, daß er seinen Faust noch vollenden wird.*

Schiller erlebt das Ende von Goethes Schaffenskrise nicht mehr.

Erst 1806, nach der Schlacht von Jena und Auerstedt, infolge der existentiellen Bedrohung und der Schreckensvision der Vernichtung sämtlicher Manuskripte – eine zweifache Todeserfahrung –, gelingt es Goethe, sich allmählich aus der Krise herauszuarbeiten. Neue *Gipfel*: die »Wahlverwandtschaften«, der »West-östliche Divan«.

Noch über dreißig Schaffensjahre stehen ihm zur Verfügung. Die Vollendung des »Faust«. Erster Teil, Zweiter Teil.

Lassen wir die Zeit springen. Und stellen uns vor, Schiller läse Goethes »Faust«.

Das Drama, auf das er begierig und neugierig ist wie auf kein anderes, zu dem er Goethe immer wieder drängt, für das er dem Freund zuliebe die Verhandlungen mit Cotta übernimmt, auf dessen Vollendung er Jahr für Jahr hofft, an dessen überwältigenden Erfolg er glaubt – eine Startauflage von 8000 Exemplaren hält er für realistisch. Und dessen Fertigstellung er zunehmend in Zweifel zieht. Bereits die *Bruchstücke*, so schreibt er dem Freund Ende 1794, seien ihm *der Torso des Herkules. Es herrscht in diesen Scenen eine Kraft und eine Fülle des Genies, die den besten Meister unverkennbar zeigt, und ich möchte diese große und kühne Natur, die darinn athmet, so weit als möglich verfolgen.*

Goethe fühlt *keinen Muth* zur Weiterarbeit.

Schiller läßt nicht nach mit seiner *Fürbitte wegen ›Faust‹*. 1797 nimmt Goethe ihn dann wieder vor, von einem *Ausführlichen Schema zum ›Faust‹* ist die Rede; es ist kurz vor Goethes Reise, Schiller ist überrascht, wird aber sofort tätig. Seine Bemerkungen zwingen Goethe, sich über die Struktur des Ganzen klarer zu werden. Aber wieder stockt die Arbeit.

Schiller denkt sich eine List aus, bittet Cotta am 24. März 1801, er möge Goethe durch eine *anlockende Offerte* veranlassen, den »Faust« zu vollenden. Cotta bietet 4000 Gulden. Schillers Plan scheint aufzugehen. *Ich habe einen Brief von ihm über Faust, den Sie mir wahrscheinlich zugezogen haben. Wofür ich danken muß*, schreibt Goethe dem Freund, *wirklich habe ich auf diese Veranlassung das Werk heute vorgenommen und durchdacht.* Aber wenige Tage später legt er den »Faust« wiederum beiseite.

Erst 1808 wird der Erste Teil erscheinen. Die Arbeit am Zweiten Teil zieht sich hin. 1826 heißt es an Wilhelm von Humboldt: *Aus Schillers Briefen vom Anfang des Jahrhunderts sehe ich, daß ich ihm den Anfang vorzeigte, auch, daß er mich zur Fortsetzung treulich ermahnte.* Bis kurz vor seinem Tod wird Goethe am »Faust« arbeiten. Wird den Zweiten Teil nicht veröffentlichen, wird ihn Publikum und Theaterbetrieb seiner Zeit vorenthalten; er *secretirt* das Manuskript, bestimmt es für die Nachwelt. *Faust Zweyther Theil. 1831* schreibt er auf das mit einem Siegel versehene Paket.

Schillers Lektüre. Die gemeinsam ausgearbeiteten Maximen des klassischen Konzepts hat der Freund weit hinter sich gelassen.

Überwältigtsein. Vom Stück.

Berührung durch die Tatsache seiner Geheimhaltung.

Nachwelt. Mitwelt.

Vor Schillers Augen vielleicht die Metamorphose seines eigenen Verhältnisses zum Publikum. Die absolute Macht, die er ihm in seiner frühen Mannheimer Zeit einräumte: *Das Publicum ist mir jezt alles, mein Studium, mein Souverain, mein Vertrauter.* Dann die Kriegserklärung: *das Publicum mit geladener Flinte ... erwarten* ... Kampfansage. Enttäuschungen. 1797: *das einzige Verhältnis gegen das Publicum, das einen nicht reuen kann, ist der Krieg* ... Unter dem Eindruck seiner großen Bühnenerfolge dann die Versöhnung mit dem zeitgenössischen Publikum. Intensivste Arbeit mit dem Blick auf seine Reaktionen; die größte Nähe. Die Wiedereinsetzung des *Publicums* als *Souverain*? Schließlich, 1805, wenige Wochen vor seinem Tod, der tiefe Zweifel, ob der Weg zum Zuschauer hin der richtige war; Selbstbezichtigung, wieder die Kriegserklärung, nun an sich selbst in seinem Verhältnis zum Publikum. Die Konsequenz des Freundes, den »Faust. Zweiter Teil« zu verschließen, für die Nachwelt zu bestimmen. Zerstörung der Harmonie.

Zurück in die Zeit zwischen 1800 und 1805, in die Goethes Schaffenskrise fällt, Schillers Dramen einen überwältigenden Theater- und Leseerfolg haben.

Auf den meisten deutschen Bühnen ist er mit seinen Stücken präsent. Seine über die Buchhandlungen vertriebenen Dramen erreichen imponierende Verkaufszahlen. Die 3500 Exemplare des »Wallenstein« sind rasch vergriffen, im Herbst 1800 druckt Cotta weitere 1500 und 1802 in einer dritten Auflage nochmals 2500 Exemplare. (Hinzu kommt die Dunkelziffer der Raubdrukke.) Die »Jungfrau von Orleans« erscheint bei Unger in einer Erstauflage von 4000 Stück, sie sind innerhalb eines Jahres verkauft, er druckt weitere 1500. Die »Braut von Messina« kann Cotta im Juni 1803 mit einer Startauflage von 6000 auf den Buchmarkt bringen. Vom »Wilhelm Tell«, der Anfang Oktober 1804 erscheint, werden in den ersten Wochen 7000 Exemplare verkauft, bis Jahresende 10 000.

Ein Erfolg, der Schiller vorwärts trägt. Seine Krankheit. Die drängende Zeit. Arbeits- und Erfolgsrausch im Wechsel.

## II

Erfolg und wachsende öffentliche Anerkennung sind es wohl, die es Schiller möglich machen, an eine Verbesserung seiner Wohn- und Arbeitsverhältnisse zu denken. Noch immer lebt er in der lauten Wohnung in der Windischengasse, alle acht Fenster gehen zur Gasse hinaus. Dazu kommt der ein Stockwerk tiefer in der Beletage wohnende Bassetthornist Herr von Schardt. Um vom Lärm der Fuhrwerke, dem nervtötenden Hornspiel, aber auch den Geräuschen seiner Familie abgeschirmt zu sein, hat Schiller eine Dachstube hinzugemietet. Doch auch sie ist nicht die Lösung.

Im November 1800 taucht erstmals in einem Brief an den Verleger Unger der Gedanke an ein eigenes Haus auf. Dann wohl Suchen, Freunde Befragen, die Annoncen über Hausverkäufe im

»Weimarischen Wochenblatt« Verfolgen; es gibt keine Belege dazu.

Als Schiller Ende 1801 erfährt, Mellish of Blith werde nach England zurückkehren, sein Haus frei werden, ist mit diesem das ideale gefunden. Am 11. Februar 1802 teilt er Goethe mit: *Ich habe mich nun zum Ankauf des Haußes von Mellisch entschloßen, da er etwas davon herunterläßt. Obgleich ich noch immer nicht wohlfeil kaufe, so muss ich doch zugreifen, um einmal für allemal dieser Sorge überhoben zu seyn.*

Es ist das Haus an der Esplanade, das heutige Schillerhaus. Damals ein neuer Bau, noch nicht dreißig Jahre alt, 1777 für einen Weimarer Kaufmann errichtet. Drei Etagen, Seitengebäude, Stallungen. Die Lage: nur wenige Minuten Fußweg zum Komödienhaus, zum Frauenplan. Markt und Schloß liegen keine 300 Meter entfernt. Ein Haus, das die Vorzüge einer Stadtwohnung mit denen eines Landhauses vereint. Ein Garten. Ringsum Grün. Die Esplanade ist Spazierweg, darf nicht von Kutschen befahren werden. Ohne Zweifel ist es eines der schönsten und repräsentativsten Häuser in Weimar.

Der Kaufpreis beträgt 4200 Taler, weitere 470 Taler müssen für die Renovierung veranschlagt werden.

Wiederum zählt Schiller auf Johann Friedrich Cotta, seinen Verleger und Freund. Nur ein großzügiger Vorschuß von dessen Seite ermöglicht ihm den Kauf.

Am 5. Februar 1802 schreibt Schiller an ihn: *Ich kann zwar einen Theil der Summe von meiner Schwiegermutter erhalten und auch etwas auf dem Hause stehen laßen, aber eine Summe von 2600 Gulden brauche ich doch, weil mich das Haus mit den nöthigen Reparaturen auf 8000 Gulden zu stehen kommt ...*

Cotta gewährt ihm umgehend ein Darlehen in der gewünschten Höhe von 2600 Gulden (das sind umgerechnet 1485 Reichstaler). Schillers Schwager Wilhelm von Wolzogen verhandelt die Details in Tübingen mit Cotta. Weiterhin wird auf das Haus eine Hypothek von 2200 Reichstalern aufgenommen. 600 Taler borgt Schiller von seiner Schwiegermutter zu 4% Zinsen.

Noch immer ist das Jenaer Gartenhaus in seinem Besitz. Als er sich für das Weimarer Haus entschließt, schreibt er Goethe: *Unter diesen Umständen ist es mir aber nun doppelt daran gelegen, meinen kleinen Jenaischen Besitz los zu werden, und ich bitte Sie daher, Götzen diese Angelegenheit aufzutragen.* An Cotta fügt er dem Wunsch nach dem zu leihenden Geld hinzu: *Meinen Garten in Jena, von dem ich jene Summe nehmen könnte, wollte ich nicht gern mit Nachtheil verkaufen.*

Goethe beauftragt seinen ehemaligen Diener Götze, der inzwischen in Jena eine leitende Stelle im Wasserbauamt innehat; er engagiert sich auch selbst, nimmt die Schlüssel an sich, um Interessenten die Besichtigung zu ermöglichen. Während Goethe sein Oberroßlaer Landgut, erworben für 13 125 Reichstaler, für 15 500 Reichstaler, das heißt mit Gewinn, veräußert, gelingt dies im Falle des Jenaer Gartenhauses nicht.

Am 1. Juni 1802 gibt Schiller Haus und Grundstück für 1 150 Taler ab, es ist der Preis, den er beim Kauf gezahlt hat; der Verlust beträgt genau jene 500 Taler, die er in die Um- und Ausbauten investiert hat.

Mit der Aufnahme des Darlehens in beträchtlicher Höhe bringt Schiller sich ein letztes Mal unter Erfolgs- und Zeitdruck. Bis über seinen Tod hinaus verschuldet er sich. Eine Ausgabe seiner sämtlichen Theaterstücke wird vereinbart, die erst nach seinem Tod von 1805 bis 1807 unter dem Titel »Theater von Schiller« erscheinen wird.

Schiller gehört inzwischen als erfolgreicher Dramatiker zu den meistverdienenden Autoren. Seine Popularität macht ihn für seine Verleger attraktiv. Für »Wallenstein« und »Maria Stuart« hat ihm Cotta jeweils 565 Reichstaler gezahlt. Unger für die »Jungfrau von Orleans« 630 Reichstaler.

Dennoch reicht das Geld nicht. Seine Familie ist zahlreich. Die Ansprüche sind, wenn auch im Vergleich zu Goethe weitaus bescheidener, mit den Jahren nicht kleiner geworden.

Aus dem Jahr 1802 existiert eine Aufstellung Schillers, wieviel er jährlich für seine Familie benötigt. Die einzelnen Posten werden aufgeführt, ihre Summe beläuft sich auf insgesamt 1525

Reichstaler. 400 Taler erhält Schiller Jahressalär vom Herzog, 200 Taler von der Schwiegermutter. Bleiben 925 Taler, die aus der schriftstellerischen Arbeit kommen müssen. Es ist genau jene Summe von 925 Talern, die Schiller von Cotta nach seiner Höhertaxierung für ein *Originalstück* fordert, davon ausgehend, jährlich ein Stück abliefern zu können. Perfekte Planung, genaue Kalkulation. Cotta wird das für die zwei Dramen, die Schiller noch vollendet, »Die Braut von Messina« und »Wilhelm Tell«, zahlen. Ein Honorar in beträchtlicher Höhe.

Weitere Einnahmen hat Schiller, wenn auch sporadisch, aus Theaterinszenierungen. Von Cotta kommen Sonderzuwendungen, zum Beispiel beteiligt er seinen Autor am Verkaufserfolg des »Wallenstein« mit einer Art Prämie. Zuweilen gibt es unvorhergesehene Geldgeschenke, so überweist Karl Theodor von Dalberg (anonym, weil er aus Rücksicht auf Carl August nicht als Mäzen auftreten will) allein 1802 einen Betrag von 1 300 Reichstalern an Schiller, Ende Juni 1804 nochmals 542 Reichstaler.

Der Kaufvertrag für das Weimarer Haus an der Esplanade wird am 19. März 1802 unterzeichnet. In vier Raten überweist Schiller das Geld zwischen dem 8. April und 24. Mai an die zuständige Territorialbehörde. Am 29. April zieht er ein. Am 5. Mai wird ihm der Kaufbrief ausgehändigt.

*Aus der lärmenden Straße* habe er sich *unter Bäume geflüchtet*, heißt es aufatmend. Und bei Charlotte: *Unsere neue Wohnung ist sehr freundlich und die Kinder glücklich, in der Allee herumzuspringen.*

Aber: der Einzug steht unter keinem guten Stern. *Die ersten Zeiten meiner hiesigen Ortveränderung sind mir durch manches verbittert worden*, schreibt Schiller am 12. Mai an Goethe, *besonders aber durch die Nachricht von dem schweren Krankenlager und Tod meiner Mutter in Schwaben; aus einem Brief den ich vor einigen Tagen erhielt, erfuhr ich, daß an demselben Tag wo ich mein neues Hauß bezog, die Mutter starb. Man kann sich nicht erwehren, von einer solchen Verflechtung der Schicksale schmerzlich angegriffen zu werden.*

Elisabetha Dorothea haben wir verlassen, als sie im November 1796 nach dem Tod ihres Mannes mit der Tochter ins Schloß nach Leonberg gezogen war.

Regelmäßig schreibt sie dem Sohn. Ihre Briefe sind, wenn auch nicht vollständig, so doch im großen und ganzen überliefert. Schillers Korrespondenz dagegen nur bruchstückhaft. Oft wissen wir nur aus seinem Kalender die Absendedaten. Das meiste ist verloren.

Auch schrieb Schiller offensichtlich in großen Abständen.

Die Mutter mag das besonders schmerzlich empfunden haben. Ihre Ängste wegen der schlechten Gesundheit des Sohnes, seines *emmr so schwachliche⟨n⟩ Kerbers.*

Aber nie macht sie ihm Vorwürfe. Sie weiß um die Kostbarkeit seiner Zeit. Drängt sich nicht auf. Keine Anspielung, daß sie in Weimar zu Besuch sein möchte. Dabei ist es sicher ihr sehnlichster Wunsch. Als Christophine ihr von den Kindern berichtet, schreibt sie: *wann ich nur auch zeige* (Zeuge) *dabei sein kente.* Und nach der Geburt der Enkelin Caroline: *die liebe klein Carolen mechte ich doch sehen … und die liebe Junge, wie werdn sie die kleine schwester verlieben.*

Als Ende 1798 die Möglichkeit eines Treffens in Meiningen erwogen wird – offenbar kommt der Vorschlag von Schiller –, denkt sie über das Opfer an Zeit, *kosten* und *unbequehmlichkeit* für den Sohn nach: *Nein bester Sohn, dieses alles vor mich zu unternehmen, wehre zuviel …* Und *so gross mir aber die Freude und dass glück wehre, meine liebste in der Welt noch zu umarmen*, schreibt sie ihm, so *wirde mir als dann die Drengung noch empfindlicher werden, ich will mir diese Hofnung, durch öfftere Nachricht von jihm und der lieben Lotte und meinen lieben Enkeln untertruken …*

Elisabetha Dorothea sucht Nähe zum Sohn durch Anteilnahme an seinem Werk. Ein Exemplar des »Wallenstein« auf Druckpapier möge Cotta seiner Mutter schicken, heißt es am 30. August 1800. Unter dem 12. September vermerkt der Verleger auf dem Konto seines Autors: *Laut Brief vom 30. Aug. für Wallenstein*

*Postp. 3 fl. 36 kr.* Die Mutter dann am 6. November: *Den wallenstein habe ich gleich auf Seinn Befehl von Cotta erhaltn, wovor ich vielen Dank sage, es freute mich um desto mehr, da es hier so gut gegen die also Lange weille, und es uns allen viele unterhaltung gemacht.*

»Maria Stuart« verschafft sie sich selbst. Bittet Cotta, ihr das Drama gegen Entgelt zu senden. Mit ihm korrespondiert sie, da über ihn die finanzielle Zuwendung des Sohnes abgewickelt wird. Quartalsweise muß sie Cotta eine Quittung über den Betrag schicken, daraufhin erfolgt die Zahlung. *Da ich Herrn Cotta die Quettung schicke fragte ich um die Marie Stuar. Es mir von denem Geld abzuziehn*, heißt es Ende August/Anfang September 1801 an den Sohn. *Er schickte mir es mit und ziet es nicht ab. Ich danke davor. Wirklich hat er Buch Bender.* Eine Reaktion zum Inhalt des Buches ist nicht überliefert.

Als im Oktober 1801 »Die Jungfrau von Orleans« erscheint, schreibt sie wenig später: *Daß Madiche von Orlian, schickte mir Herr Regierungsrath Huber, auf ettliche Tag zu leßn.* Es muß sich um das Exemplar handeln, das in Stuttgart zwischen den Familien Stoll und Huber herumgereicht wird. Schillers Freund Ludwig Ferdinand Huber lebt seit 1798 als Redakteur von Cottas »Allgemeiner Zeitung« in Tübingen.

Die Mutter ist stolz auf den Sohn und unzufrieden damit, daß sein Vaterland Schwaben ihn nicht ausreichend würdigt. Das geht aus ihren Zeilen vom 30. Oktober 1801 hervor, die sich auf zwei nicht überlieferte Briefe Schillers oder Charlottes beziehen, in denen von seiner Reise nach Dresden und Leipzig und von den Ovationen des Publikums bei der Aufführung der »Jungfrau von Orleans« die Rede gewesen sein muß. *Mit Taußend Freudn habe ich jhre beeden Brieffe geleßen ... Daß die Reiße so glücklich und mit so vieler Ehren bezeigung mus jhn bester Sohn vor Seine bemühung belohnt habn, keine großen Prenzen kan mehre gemacht werden.* Und sich ihrer Fahrt 1792 nach Jena erinnernd: *Freulich haben die Sachsen viel mehr Ehrerbietung als die Schwaben vor Talenten und große Männer, ich fand auch bei meiner hinein Reiße wo ich meinen Nahme angab wurde ich gefragt ob*

*Hofrath Schiller ein Verwandter von mir wehre, und ich wurde desswegen mehr geerth.*

Elisabetha Dorothea Schillers Jahre nach 1796 bis zu ihrem Tod 1802, ihre Witwenzeit.

Kommt man heute nach Leonberg, steigt zum Schloß hinauf, sieht man im Innenhof, dort, wo ihre Wohnräume waren, in der Höhe des ersten Stockwerks eine Tafel, ihr zur Erinnerung angebracht. Auf der anderen Schloßseite, die dem Tal zu liegt, kann man durch den Pomeranzengarten spazieren. Möglicherweise ging sie hier umher; es kann auch sein, er war zu ihrer Zeit verwildert.

Im *Schloss ist es wie in einem Closter*, heißt es in einem ihrer Briefe, *ich sehe zwar ins grüne aber keinen Menschen, und da bei seind wircklich so unangenehme HaussLeide wo keines zum andern komt, alle aber gehen wir spaziern; und ich bekome auch Besuch vieln von den hiesign Frauen ...*

Die hohen, großen Räume, in denen sie lebt, Danneckers Porträt, *die Bieste* des Sohnes, hat sie nun um sich; jeder Besucher kann sie bewundern.

Eine der *hiesign Frauen* ist die des Vikars Gottlob Ferdinand Heuß. *Herr Helfer* nennt Elisabetha Dorothea ihn, eine übliche Bezeichnung für den zweiten Pfarrer im Ort. Die Kirche befindet sich unmittelbar neben dem Schloß, und in der Gasse dahinter liegt das Pfarrhaus, in dem Friedrich Wilhelm Joseph Schelling geboren wurde. Aus diesem Haus bezieht die Mutter ihren Wein: *wo mir Herr Helfer hier von seinen guten alten Wein gibt, weil in unsern schlechten Keller wir keinn auf behalten kenen ... Ich drenke auch Wein, und brauche ... alle Wochen 3 schopen ...* Der Schoppen, ein altes Flüssigkeitsmaß, umfaßte meist 1/4 Maß, also etwa einen halben Liter.

Auch über ihren Kaffeeverbrauch gibt sie dem Sohn Rechenschaft, er koste ihr *ein guldn*, aber sie benötige *in eim Monat kein ganzes Pfund, weil ich gelbe Ruben dazu nehme*. Bei Schiller ist es noch immer so, daß er *den reinen Kaffe am liebsten* trinkt. Charlotte berichtet von einer *Kaffefabrik in Weimar, wo das Pfund*

4 *Groschen kostet*, offenbar jener Ersatzkaffee, denn sie fügt hinzu: *den man mit dem ordentlichen Kaffee vermischt. Ich lasse mir einen Vorrath an Kaffe und Zucker von der Leipziger Messe kommen, und gewinne dadurch eine Karolin des Jahrs.* Sparsamkeit unter Beweis zu stellen gehört offensichtlich zu den damaligen Tugenden einer Hausfrau.

Bei Schillers Mutter ist oft vom Sparen die Rede. Als im Schloß Bauarbeiten im Gange sind, der *Baumeuster von Waßer-Weßen*, der *hauptmann Duttenhofe*, sie besucht und ihr mitteilt, daß im Schloßhof ein Brunnen gegraben werde, schreibt sie dem Sohn: *mir aber komt es sehr zustattn und ich kan als dann die Magd erspahren weil dass Waßer ungeheuer weid geholt werden muß* ... Tatsächlich entläßt sie ihre Magd, stellt ein *Laufmedichen* ein, das *waßer holz und was wir sunst brauchen ins Hauss brengt.* Nun gebe sie *nicht einmahl die helfte* aus, berichtet sie.

Auch einen Garten bewirtschaftet Elisabetha Dorothea zusammen mit der Tochter; *ich habe auch ein ganz kleines Gärtichen.* Im Juni 1799 sind ihr *die Bohnn und Welschkorn erfroren.* Wenn sie Mais anbaut – *Welschkorn* –, kann das *Gärtichen* nicht allzu klein gewesen sein.

Ihre Sorge ist die noch unverheiratete Louise, die dem Vikar Franckh versprochen ist. Aber der zögert und zögert, ist seiner Zukünftigen gegenüber *nachläßig und kalt*, wie die Mutter wahrnimmt. Die Tochter sei *öfter untröstlich* darüber gewesen. Ihre *Bekantschafft* daure *schon 5 jahr*, die Tochter sei *indeßen ... alt geworden, ihre beste Blüthe* sei *schon ganz dahien*, klagt Elisabetha Dorothea, *wann ich nur noch vor meinem tod sie versorgt gewusst.* Louise ist dreiunddreißig, Johann Gottlieb Franckh wird bald vierzig. Endlich, 1799, erhält er eine Pfarrstelle in dem im Oberamt Neckarsulm gelegenen Dorf Cleversulzbach. Am 13. Oktober 1799 heiraten die beiden.

Zunächst hält Elisabetha Dorothea es für selbstverständlich, daß sie mit nach Cleversulzbach gehen wird, auch Schiller äußert sich der Mutter gegenüber in diesem Sinne. Da aber – so schreibt sie – *der Neue Tochter Mann mir gar kein wort gesacht daß ich zu ihnen oder mit ihnen ziehen sollen*, so bleibt sie allein in Leonberg zurück; *freulich aufdrengen wolte ich mich durch aus nicht …*

Ihr Alleinsein im Alter: … *nieder gebeigt* sei sie, *mich von allen meinen Kindern verlaßen zu wißen …*

Während *die Schwester Louise … jezt ganz Landwirthin* sei *und ihre Vorräthe von Kraut und Schweinefleisch* auf *thürme*, schreibt Christophine dem Bruder, *bebt* die Mutter *bisweilen vor feindlichen Überfällen der Franzosen.*

Fluchtvorbereitung. Ihre guten Sachen sind schon in *ein Beheltnus, welches gleich zugemaurt, und bis her verschlossen bliebte* … Der Zweite Koalitionskrieg hat 1799 begonnen, bis 1801 dauert er und trifft Württemberg hart.

Zu den Ängsten vor den französischen Soldaten kommt die Last von Steuern und Abgaben; *bestendig seind Käußerliche Pressr hier Haber Heu Mehl Geld Brod, und da mus alles zu sahmen legen, wehr nur etwas weniges im Besiz hat* … Immer bedrängender wird es, so daß, schreibt die Mutter, die Leute *lieber Quartier* wollen … *als die schreckliche abgaben …*

Diese *ungeheuren Griegssteuren* führen dazu, daß die Schuldner der Mutter (sie hat ihr Geld angelegt) ihr *keine Ziense bezahlen wollen und … nicht bezahlen kenen.*

Auch sie muß Steuern zahlen: *auf tausend vier Gulden. Ich selbst mus wie alles so gar die DenstBothe bezahlen …, aus allen Habseligkeiten Kleider Bett Möbels, kurz aus allem bezahlen, um die ungeheuren Kosten des Krigs zu bestreuden, es ist ein allgemeunes Lamendo in unsrem Land, und es ist bei nahe nimer auszuhaltn, alle gewerbe liegen …*

Flucht und Einquartierung bleiben der Mutter erspart.

Und an das Alleinsein gewöhnt sie sich, gewinnt ihm zunehmend etwas ab. Selbst den zunächst gefaßten Gedanken, nach Neuenstadt am Kocher, in die Nähe von Cleversulzbach zu ziehen, gibt sie auf. Sie beschränkt sich auf Besuche bei Tochter und Schwiegersohn in den Sommermonaten. Selbstbewußt heißt es am 28. Februar 1801, sie wolle lieber ihr *eugener Herr* sein. Bis zu ihrem Tod behält sie ihren Witwensitz auf Schloß Leonberg.

Ende April 1801 macht sie ihren ersten Besuch in Cleversulzbach. Tochter und Schwiegersohn holen sie mit ihrer eigenen *Chaise* ab. Louise ist schwanger, am 11. August kommt ein Mädchen zur Welt, nach siebzehn Tagen stirbt es. Die Mutter pflegt die nach der Geburt erkrankte Tochter. Sie bleibt bis November. Sie *thue es der gutn Louiße zu gefallen so Lange hier zu bleiben ...*

*Sie wollen haben daß ich emmer da bleiben soll*, schreibt sie nach Weimar, *zu diesem aber ben ich nicht entschloßen ...* Es ist wohl der Tochtermann, der sie abhält. Er versehe sein *Amt ... recht gut*, sei ein *guter Prediger*, aber *gar kein umgänglicher mann.*

Hinzu kommt, daß ihr der Bekanntenkreis fehlt, den sie sich in Leonberg geschaffen hat. *Ich mus sagen ... bei der Louiße ist es mir gar zu Langweilich ... ich könte unmöglich bestendig da bleiben.* Im Leonberger Schloß habe sie *im Wennter... Viel mehr unterhaltung ... als in dem so kleine Ort, wo kein Mensch ist zu gehen ...*

Schiller freut sich darüber: *Ihr Bedürfniß nach Umgang ... macht sie mir ordentlich werther, und ich wünschte sehr, sie in eine Societät gebracht zu sehen, die ihr angenehm wäre.*

Ein einziges Argument spricht für Cleversulzbach. Die Mutter teilt es Schiller mit: *Kente ich vor bestindig hier verbleiben so brauche ich die unterstüzung nimmer von jhm liebster Sohn, Da uhnehin Seine ausgaben emmer mehr werden, und ich jhn noch dieses beraubte.* Es geht um die 30 Gulden, die sie vierteljährlich von Schiller erhält. Immer wieder zeigt sie sich dankbar: *mein bester Sohn macht mein Lebn und alter durch sein güttlichn Zuschuss mir angenehmer...* Doch sie fühlt sich beschämt, mehrfach gebraucht sie das Wort *berauben.* Als Schiller ihr für Arznei 25 Gulden extra zukommen läßt, schreibt Louise, die Mutter wolle *von Dir, lieber Bruder nicht soviel annehmen ..., da Du gar zu viel an ihr thätest, und jezt selbst viele Ausgaben, wegen Deinem Neuen Hauß hättest ...*

Mit Geschenken von *Leinwanden* zeigt sie ihre Dankbarkeit. *Ich spenne jezt bestindig vor jhm*, heißt es. Sie erwirbt nur feinsten Flachs, läßt ihn sich vom Kaufmann Enslen *für 1 Gulden pro Pfund aus der Schweiz* mitbringen, denn der auf dem Leonberger Markt ist schlecht und kostet dreimal soviel. Sie verspinnt den Flachs, schickt das Garn nach Urach, wo es in einer Weberei zu Tuch verarbeitet wird. Von Urach geht es nach Blaubeuren auf die Bleiche.

Im Herbst 1799 zum Beispiel verspricht sie dem Sohn 40 Ellen Leinen. Das Garn ist schon gesponnen, das Tuch gewebt, aber der Krieg macht das Bleichen unmöglich. *Halbgebleicht* kommt es *zuruck, da just die Franzhossen so nahe wahren.*

Erst im nächsten Sommer wird das Tuch fertig. Am 25. November geht es nach Weimar. Aber noch ist Krieg, und die Postwege sind unsicher. Sie glaubt es schon verloren. Auch Schiller, dem sie es mehrfach angekündigt hat, vermutet das wohl. Noch am 9. Dezember kauft er *17 Ellen Leinwand für 13 Groschen pro Elle.*

Anfang Januar dann trifft das Geschenk ein, zur Leinwand hat die Mutter noch 9 Ellen Baumwolltuch für Kinderkleider gelegt. Der Dankesbrief ist nicht überliefert. Aber am 7. Januar 1801 notiert Schiller in seinen Kalender: *Mama aus Leonberg Leinwand 40 Ellen.*

Vielleicht hat die Mutter die Freude, von einer Augenzeugin zu erfahren, wie ihr Geschenk aufgenommen wurde. Im Juni 1801 – sie ist wieder in Cleversulzbach – bekommt sie Besuch vom Kindermädchen der Familie Schiller. Es ist jene Christina Wetzel, die auf ihre Empfehlung hin 1794 mit Sohn und Schwiegertochter von Schwaben nach Thüringen ging. Jene, die Charlotte nichts recht machen konnte. Inzwischen gibt es versöhnlichere Töne. *Die gute Christine steht mir treulich bei und ist mir viel Trost*, heißt es einmal. Ein andermal, Ernst *liebe besonders auch seine alte Christine.*

Christina bringt ein Geschenk von der Schwiegertochter mit. *Aber Liebste Lotte dass geschenk ist wirklich zu gross*, bedankt sich Elisabetha Dorothea.

Christina muß erzählen. Vom Sohn. Den Enkeln. *Carl zeigte sie mir wie groß er wehre, bei einm andern jungen, ich wolte es kaum glauben ... Ich wurde auch bei nahe kaum fertig mit fragen.*

Ihre Schwiegertochter, erfährt sie, sei nach der dritten Schwangerschaft stark geworden. Und wie Goethes Mutter an Christiane Vulpius schreibt: *Liebe Tochter! Sie haben also wohl zugenommen, Sind hübsch Corpulent geworden, das freut mich, denn es ist ein Zeichen guter Gesundheit – und ist in unserer Familie üblich*, so drückt auch Schillers Mutter ihre Freude darüber aus: *Die liebe Lotte sachte Christn wehr so dick und stark nach ihrer Krankheit es freut mich herzlich.*

Christina, so berichtet die Mutter nach Weimar, *weinte benahe emmer.* Die Mutter findet heraus, *was sie bedrükte.* Sie hat ihre Stellung in Schillers Haus aufgegeben, weil ihre Eltern sie nach Schwaben zurückgerufen haben. Sie ist achtunddreißig und soll heiraten. In Neckarrems angekommen, stellt sich heraus, der Heiratskandidat ist ein Witwer mit sieben Kindern, und eigentlich soll sie dem Bruder als Magd dienen. Sie will weder das eine noch das andere, sondern zu ihren *Herrschaften* nach Weimar zurück.

Elisabetha Dorothea wird sie darin bestärkt haben. Ihrer Schwiegertochter schreibt sie: *ich denke ... Sie werden sie wieder annehmen.* Auch von Christina Wetzel selbst sind Zeilen an Charlotte Schiller überliefert: *Dann zu der vorgeschlagenen Heyrath kann ich mich ohnmöglich entschliessen ... u: überhaupt will es mir in Schwaben garnicht mehr gefallen, die Leute seyn durch den Krieg sehr ruinirt u: zurückgekommen ... Ach ich habe gar nicht gut gethan daß ich von Ihnen gegangen bin, u: es hat mir auch recht weh gethan, mich von Ihnen u: den L. Kindern zu Scheiden, es war aber niemand schuld als meine Mutter, die mich nicht mehr so weit in der Entfernung haben wolte ...*

Christina Wetzel wird wieder nach Weimar gehen, bis zu ihrem Tod 1814 als Kindermädchen in der Familie Schiller dienen.

In den Briefen Elisabetha Dorotheas ist stets von guter Gesundheit die Rede, einzig über ihr Gedächtnis klagt sie: *meine Senne laßen eunige Zeither nach, und ich kan mich gleich nicht mehr besenen was ich gethan oder gesprochen habe.*

Ende Oktober 1801 aber erkrankt sie. Bekommt heftige Unterleibsblutungen. Zunächst wird sie vom Praktikus Lächler in Leonberg behandelt, dann, als keine Besserung eintritt, vom Stuttgarter Garnisons- und Hofmedikus Friedrich Jacobi, einem früheren Freund Schillers; *weil Er ein Freund von Frizen ist wollte er alles thun zu meiner Herstellung.* Da er sie jeden Tag aufsuchen muß, soll sie in Stuttgart Quartier nehmen.

Am 20. Dezember reist sie dorthin. Die Familie von Johann Philip Stoll, seit langem mit Schillers befreundet, nimmt sie auf. Siebeneinhalb Wochen wird sie von ihr gepflegt; *die Stollischen erzeigten mir viele freundschafft.* Ihre größte Angst ist, daß sie zum *Schröpfen anderer Menschen werden solte.*

Stolls leben beengt in einem Haus in der Eßlinger Vorstadt. Elisabetha Dorothea ist gezwungen, sich mit zwei anderen Frauen einen nicht heizbaren Raum zu teilen, *ich mus wegen wenign blaz in einer Kaltn Kammer schlafen, und Nachts einen Langen Gang gehen auf den abdritt*, schreibt sie dem Sohn.

Als diesen die Nachricht von der Erkrankung erreicht, wendet er sich am 2. Februar an seinen Freund Friedrich Wilhelm von Hoven, der in Ludwigsburg als Arzt praktiziert, bittet ihn, seine Mutter zu behandeln. Zwei Tage nach Erhalt des Briefes reist von Hoven zu ihr. Trifft sie aber nicht an.

Am 11. Februar hat ihre Tochter Louise die Kranke nach Cleversulzbach geholt. Schiller meint, daß von Hoven der einzige sei, der sie behandeln könne. Auch Christophine in Meiningen plädiert für Ludwigsburg.

In Cleversulzbach gibt es keinen Arzt. Dennoch tut die Tochter wohl instinktiv das Richtige: sie überläßt die Mutter nicht fremden Leuten. Sie holt sie ab, hüllt sie während der Fahrt in ein Federbett, das sie vorsorglich mitgebracht hat. Die Frauen machen die Reise in zwei Etappen, übernachten in Heilbronn.

Im geräumigen Pfarrhaus, das aber nur zwei heizbare Zimmer

hat, findet Elisabetha Dorothea eines der beiden für sich vorbereitet, der Schwiegersohn hat *Mir Seine Stuttierstuben aus geraumt zu meiner bequemlichkeit ... die gute Louiß sorgt vor alle mein umstende ... und ich danke Gott Taussend mahl daß ich bei den Meinigen sein darf ...*

Auch eine hölzerne Wanne steht bereit. Von Doktor Jacobi ist ihr eine *Cur* mit Bädern empfohlen worden. Die Tochter hat daraufhin von einem Schreiner nach den Angaben der Mutter *einen nicht alzu großen Baad Zuber* anfertigen lassen ... *der unten Schmöler u überhaupt nicht so breut u so lasstig ist mit ein dekkel wo oben der halz aus geschnitten ist.* Die Bäder tun ihr gut, *dass ich bereids schon 6 gehabt im warmen Zimmer neben dem bett, und so lange ich in ein baad size keine schmerzn empfinde*, berichtet sie dem Sohn.

Am 15. Februar läßt Pfarrer Franckh, ihr Schwiegersohn, den Stadt- und Amtsphysikus Karl Ludwig Hehl aus dem fünf Meilen entfernten Neuenstadt am Kocher herbeiholen. Doktor Hehl ist der erste, der von einer *krebsartigen Materie* spricht und wenig Hoffnung macht. *Er fund aber zu unseren aller schrecken daß die Mutter* (die Gebärmutter) *in mir sehr übel wäre ... Er kente Nichts thun als so viel möglich mir meine Schmerzen lendern, Er vermuthet wie ich wohl gemergt daß es böss artig werden kente*, schreibt sie am 20. Februar an Schiller.

Es ist der letzte Brief an ihn, es ist ein Abschiedsbrief. *Ach bester Sohn wie entbört sich alles in mir jhm nur solche Nachricht zu geben.* Und sie schließt: *Gott wird jhm Sein so große liebe und sorgfald vor mich mit Taussendfachen Seegen belohnen, ach so gibt es kein Sohn in der Welt ... jhre ihn ewig liebente und dankbare Mutter.*

Dreizehn Tage ist der Brief unterwegs. Als Schiller ihn am 5. März erhält, liest er ihn nicht als Abschiedsbrief.

Noch am gleichen Tag schreibt er wiederum an Hoven, bittet ihn nochmals, die Mutter nach Ludwigsburg zu holen und sie dort zu behandeln. Sein Vertrauen in Schwester und Schwager ist offenbar nicht groß. Oder er will medizinisch nichts unversucht lassen. Auch Christophine plädiert, weil dem Pfarrer das *Opfer* seiner *Studierstube abverlangt* würde, für Ludwigsburg. Auf Schillers Bitten hin konferieren die Ärzte Jacobi, Hoven und Hehl miteinander.

Die Mutter ist die Ruhige, die Überlegene. In einem Brief vom 2. April – es ist ihr allerletzter –, gerichtet an Christophine, äußert sie sich zu Schillers Vorschlag, sie nach Ludwigsburg zu bringen: *wann die noth am grösten u die Ärzte nichts mehr wißen ... mir geth durch aus nichts ab es wird mir Alles gethan ... die Docktor geben sich alle mühe, aber Gott hat es so beschloßen u ich lege desswegen den Brief von Hoven an H: D: Hehl geschrieben bei, Du kanst ihn Frizen auch schiken, dass es nichts geholfen wann ich in Ludwigsburgen dem l: Sohn noch viele Kosten gemacht. u ich wehre noch sehr geniert, bei Louiße kann u darf ich Alles sagen u Besuche wehren mir die größte Last, die Ludwigsburger Frauen wirden die Nahse naufgezogen ...*

*Wann mich nur die schmerzstillenden Mittel nicht verlaßen, wie es ettliche Tag scheind*, schließt die Mutter.

Sie *verliehrt ... immer mehr Kräften*, berichtet Louise den Geschwistern. Sie *ißt sehr wenig auf einmal aber öffters bei nahe alle Stunden, da halte ich immer etwas parat, von Wein gekocht oder von Fleischbrühe, bei Nacht ist es gar arg da muß Sie ... offt, 10. bis 12. mal heraus ... Ihr zimmer wird immer auch bei Nacht warm gehalten und ihre Magd die recht ordentlich vor sie auch besorgt ist ..., schläfft hart an ihrer Thüre wänn sie nur sehr leis ruft hört sies schon ...*

Dieser Brief, ebenfalls vom 2. April, erreicht Schiller am 14. Vier Tage zuvor, am 10. April 1802, hat er an die Schwester Louise nach Cleversulzbach geschrieben: *Dieses Frühjahr beziehen wir ein neues und ein eigenes Haus, das ich mir hier gekauft habe ... Ach, welche Freude würde es für mich seyn, die liebe Mutter und Euch meine Schwestern einmal unter meinem eignen Dach bewirthen zu können!*

Die Mutter aber liegt auf dem Sterbebett. *Wir müßen uns auf alles gefaßt machen.* Louise am 20. April. *Ach Gott das Herz zersprengt mir vast wenn ich ihre Leiden so ansehe und niemand Linderung verschaffen kan als nur auf eine Kurze zeit durch Opium.*

Elisabetha Dorothea trifft noch ihre Verfügungen. Was Töchter, Sohn, Schwiegertochter und Enkelkinder bekommen sollen. Was die Mägde. Sie läßt den Tochtermann ihre Kapitalbriefe zusammenrechnen. Verfügt, daß Louise nach ihrem Tod die fertige Leinwand noch bleichen lassen und nach Weimar schicken soll.

*... ach von Dir lieber Bruder sprach sie gar offt ... ich mußte ihr Dein Metaillion Porträt 2. Tage vor ihrem Ende holen, da drükte sie es an ihr Herz und danckte Gott vor ihren lieben Sohn.*

Am Nachmittag des 29. April 1802 findet ihr Leiden ein Ende; *ihren Leichnam ließen wir 4. Stunden im Bette liegen, und dann legten wir ihr ihr Sterbegewandt an ...* Am *1.ten Mai Nachmittag 2. Uhr* wird sie ... *zur Erde bestattet.*

Sie liege, schreibt Louise, *so nahe an meinem Garten daß ich alle augenblick ihren Grabhügel sehen kan.*

Den Blick auf den neben Kirche und Pfarrhaus gelegenen Dorffriedhof wird Jahrzehnte später ein anderer haben. Er wird in den Raum des Cleversulzbacher Pfarrhauses, in dem Elisabetha Dorotheas Leben endete, einziehen, wird dort seine Predigten und wohl auch Gedichte schreiben: Eduard Mörike.

Auch er wird seine Mutter auf jenem Dorffriedhof begraben. Kaum jemand erinnert sich da noch an Elisabetha Dorothea Schiller, die zwei Sommer lang hier lebte und im dritten Frühjahr hier starb. Ihr Grab ist verfallen. Mörike richtet es wieder her.

Als ich im Sommer 2003 in Cleversulzbach bin, mit Blumen für diese Frau, die mir so nahegekommen ist, wirft ein großer Baum Schatten auf die Grabstätte. Es ist ein heißer Julitag. Ich lege die Blumen an den Stein, in den Eduard Mörike eigenhändig mit einem Steinmeißel eingeritzt hat: *Schillers Mutter.*

## III

Am 10. Mai 1802 erreicht der Brief mit der Todesnachricht Weimar. Charlotte öffnet ihn. Sie hat nicht den Mut, ihn Schiller zu geben. *Diesen Morgen sah ich ihn so friedlich bei der Arbeit sitzen, daß ich unmöglich das Herz nehmen konnte, die Bestätigung auszusprechen. Morgen soll er erst den Brief sehen ...*

Am 11. Mai die Gewißheit. Einen Tag danach jene Zeilen an Goethe, in denen er dem Freund mitteilt, *daß an demselben Tag wo ich mein neues Hauß bezog, die Mutter starb. Man kann sich nicht erwehren, von einer solchen Verflechtung der Schicksale schmerzlich angegriffen zu werden.*

Besonders quält ihn der Gedanke, daß er der Mutter zwar finanziell zur Seite stand, nicht aber mit seiner Gegenwart. ... *ach und wie erscheint mir in diesem Augenblicke alles als Nichts, was ich für die liebe ewig theure zu thun glaubte.*

Er wiederholt einen Gedanken, den er schon 1796 geäußert hat: *In Verhältnißen des Kindes zu den Aeltern haben nur persönliche Dienste einen Werth.* Er schreibt das an Christophine. *Du, meine gute Schwester, hast diese redlich geleistet ..., als Du die schreckliche Lage während des Krieges und beim Sterbebette des lieben Vaters mit ihnen theiltest. Was aber habe ›ich‹ gethan, das neben diesem noch einigen Werth haben könnte!*

Die Arbeit lenkt ihn von seinem Schmerz ab. Drei Tage sind es noch bis zur Premiere von Goethes »Iphigenie« in seiner Bearbeitung. Goethe hat ihm alles überlassen, Stückeinrichtung, Lese- und Theaterproben, er will erst am Tag der Aufführung von Jena zurückkommen, *um*, so schreibt er Schiller, *an Ihrer Seite, einige der wunderbarsten Effecte zu erwarten, die ich in meinem Leben gehabt habe. Die unmittelbare Gegenwart eines, für mich, mehr als vergangenen Zustandes.*

Am 15. Mai 1802 die Aufführung. Ob die *wunderbarsten Effecte* eintreten, weiß man nicht. Aber das Stück hat Erfolg. Wie einst Schillers Bühneneinrichtung des »Egmont«, mit der er 1797 seine Theaterarbeit für den Freund begann.

Später allerdings wird Goethe sagen, Schiller sei *bei seiner Redaktion* des *»Egmont« grausam verfahren.* Das ist 1815. 1829 kommt er im Gespräch mit Eckermann nochmals auf die »Egmont«-Bearbeitung zurück: *daß ein Ganzes sehr empfindlich leiden muß, wenn man eine Hauptfigur herausreißt*, soll Goethe geäußert haben. Und: *Aber Schiller hatte in seiner Natur etwas Gewaltsames; er handelte oft zu sehr nach einer vorgefaßten Idee, ohne hinlängliche Achtung vor dem Gegenstande, der zu behandeln war.*

Goethe stören die inhaltlichen Eingriffe in sein Stück. Schiller streicht Figuren, ändert. Ihm erscheint der »Egmont« als *zu episch*, er opfert alles Lyrische und Meditative im Stück, treibt, seinem eigenen Konzept folgend – um es verkürzt zu sagen –, das Private ins Öffentliche. Es ist – 1797 – der Autor des »Wallenstein«, der sich in der Bearbeitung des Goetheschen »Egmont« bereits zu erkennen gibt.

Eckermann stellt Goethe die berechtigte Frage, warum er Schiller diese Freiheit im Umgang mit seinem Stück gegeben habe. Goethe darauf lakonisch: *Ich hatte sowenig Interesse für Egmont wie für das Theater; ich ließ ihn gewähren.*

Gilt das auch für die Bühneneinrichtung der »Iphigenie« von 1802?

Als Schiller am 20. Januar mit der Lektüre beginnt, notiert er für Goethe, er werde *jedes Wort vom Theater herunter, und mit dem Publicum zusammen, hören.* Am 20. März dann: *Gern will ich das Mögliche thun, um die Iphigenia zur theatralischen Erscheinung, zu bringen ... an dem Erfolg zweifle ich nicht, wenn unsre Leute das ihrige leisten.* Am 12. Mai: *ich hoffe, daß Sie über Ihr Werk nicht erschrecken sollen.*

In einer frühen Notiz von 1788 wertet Schiller die »Iphigenie« als ein *wahrhaft griechisches Stück.* Ganz anders äußert er sich 1797 in einem grundsätzlichen poetologischen Brief an Goethe, in dem er die Wechselbeziehung von Tragödie und Epos entwikkelt. Nun spricht er nicht mehr vom antiken Charakter des Stücks, im Gegenteil: *Aber an Ihrer Iphigenia ist dieses Annähern ans Epische ein Fehler ...*

1802 schreibt er an Körner, die »Iphigenie« sei *so erstaunlich modern und ungriechisch daß man nicht begreift, wie es möglich war, sie jemals einem griechischen Stücke zu vergleichen. Sie ist ganz nur sittlich, aber die sinnliche Kraft, das Leben, die Bewegung und alles, was ein Werk zu einem ächten dramatischen specifiziert, geht ihr ab.*

Ein Brief vom 22. Januar 1802 an Goethe vermittelt einen Eindruck davon, wie er sich die Dramatisierung dieses *epischen* Werkes denkt. *Da überhaupt in der Handlung selbst zuviel moralische Casuistik herrscht, so wird es wohl gethan seyn, die sittlichen Sprüche selbst und dergleichen Wechselreden etwas einzuschränken.* Er macht dazu Kürzungsvorschläge. Aus ihnen allein lassen sich Rückschlüsse darauf ziehen, wie Schillers Bearbeitung ausgesehen haben mag, denn das Manuskript seiner Bühnenfassung existiert nicht mehr.

Am Schluß schreibt er: *Iphigenia hat mich übrigens, da ich sie jezt wieder las, tief gerührt, wiewohl ich nicht läugnen will, daß etwas Stoffartiges dabei mit unterlaufen mochte. ›Seele‹ möchte ich es nennen, was den eigentlichen Vorzug davon ausmacht.* Spielt er damit – mit kritischem Unterton – auf das Besondere des Stückes an, jene Verbindung von Alltäglichem und Mythologischem, die für den »Faust« so charakteristisch werden wird? Gerade in ihr liegt Goethes psychologische Modernität, die von seinen Zeitgenossen kaum wahrgenommen wird; auch der Freund hat wenig Gespür dafür. Goethe steht allein da. In anderer Weise aber auch Schiller. Ihre Vorstellungen von Modernität sind sehr verschieden.

Genau vierzehn Tage nach der Aufführung der »Iphigenie«, am 29. Mai 1802, wird Friedrich Schlegels »Alarcos« aufgeführt. Goethe engagiert sich für die jungen Romantiker. Bereits zu Beginn des Jahres hat er August Wilhelm Schlegels Drama »Ion« unter großem persönlichen Einsatz zu einem Achtungserfolg verholfen.

Den »Alarcos« nimmt er gegen Schillers Rat in den Spielplan. Der Dramatiker Schiller weiß mit Sicherheit, daß die Stärke der jungen Leute nicht auf diesem Gebiet liegt. Trotz seiner Skepsis erklärt er sich solidarisch, schreibt Goethe am 12. Mai: *Mit dem Alarcos wollen wir es also auf jede Gefahr wagen und uns selbst wenigstens dadurch belehren.*

Die Belehrung fällt bitter aus. *Das Stück* wird *nur Einmal, und völlig ohne Beifall gegeben.* Mehr noch: es kommt zu einem Theaterskandal.

Über die Uraufführung am 29. Mai 1802 gibt es ein Zeugnis von Henriette von Egloffstein. Sie berichtet: *Das überfüllte Schauspielhaus ... mitten im Parterre Goethe, ernst und feierlich auf seinem hohen Armstuhle thronend, während Kotzebue auf dem vollgedrängten Balkone, weit über die Balustrade vorgebeugt durch lebhafte Gestikulationen seine Gegenwart bemerkbar zu machen sucht ... je weiter aber das Stück vorwärts schritt, desto unruhiger ward es auf der Galerie und im Parterre ... ob dem fein gebildeten Geschmack des Weimarischen Publikums der barbarische Inhalt der alten spanischen Tragödie nicht behagte, oder ob Kotzebues Bemühungen doch nicht ganz fruchtlos geblieben – kurz, in der Szene, wo gemeldet wird, daß der alte König, den die auf seinen Befehl ermordete Gattin des Alarcos vor Gottes Richterstuhl zitierte, ›aus Furcht zu sterben endlich gestorben sei‹ – da brach die Menge in ein tobendes Gelächter aus, so daß das ganze Haus davon erbebte, während Kotzebue wie ein Besessener unaufhörlich applaudierte. – Aber nur einen Moment. Im Nu sprang Goethe auf, rief mit donnernder Stimme und drohender Bewegung: ›Stille! stille!‹ – – und das wirkte wie eine Zauberformel auf die Empörer. Augenblicklich legte sich der Tumult, und der unselige Alarcos ging ohne weitere Störung, aber auch ohne das geringste Zeichen des Beifalls zu Ende.*

Schiller erlebt das Stück neben dem Herzog sitzend. Überliefert ist durch den Schauspieler Wolf, wie sehr sich Carl August amüsiert; er *wurde nicht müde, Schillern in die Enge zu treiben, bis er Goethes Partei nicht mehr halten konnte.* Ähnliches berichtet Charlotte von Stein, die dem Theater zwar fernbleibt, aber am Abend noch zu Gast bei Schiller ist: er habe in *des Herzogs Loge wie in der Hölle gesessen, da dieser überlaut das Stück herunter-*

*gerissen, das er doch seines Freundes wegen nicht ganz habe fallen lassen können ...*

Am 5. Juli schreibt Schiller resümierend an Körner: *Mit dem Alarcos hat sich Göthe allerdings compromittirt, es ist seine Krankheit, sich der Schlegels anzunehmen, über die er doch selbst bitterlich schimpft und schmält.*

Die Anwesenheit Kotzebues bei der Uraufführung. Der Kampf zwischen Goethe und Kotzebue. Der Bericht führt es uns vor Augen.

Diese Auseinandersetzung mit Kotzebue hat eine Vorgeschichte, in die auch Schiller verwickelt ist.

August von Kotzebue, 1761 in Weimar geboren, eine widersprüchliche Persönlichkeit, im Alter von vierundzwanzig Jahren bereits als Präsident des Gouvernementsmagistrates der Provinz Estland geadelt, ein umtriebiger Mann, politik- und theatererfahren, von 1797 bis 1799 Direktor des Wiener Hoftheaters, später am Zarenhof in Petersburg Leiter des deutschen Theaters, erfolgreichster, meistgespielter Bühnenschriftsteller seiner Zeit.

Im Februar und März 1802 und eben an jenem 29. Mai 1802 hält er sich in Weimar auf.

Kotzebue verehrt Schiller, seinen »Wallenstein« wollte er in Wien auf die Bühne bringen, scheiterte an der Zensur. Briefe werden gewechselt. Und nun die persönliche Begegnung, die Kontakte werden enger. Kotzebue hofiert den Dramatiker, plant für den 5. März – Schillers Namenstag – eine Ehrung für ihn in Weimar.

Goethe gegenüber gestalten sich Kotzebues Beziehungen dagegen schwieriger. Goethe lädt ihn nicht in sein Haus, pflegt keinen gesellschaftlichen Umgang mit ihm. Als Theaterdirektor aber hat er selbstverständlich Kotzebues Stücke im Repertoire; sie sind publikumswirksam und füllen die Kasse. Nun bietet Kotzebue ihm sein neuestes Lustspiel, »Die deutschen Kleinstädter«, zur Uraufführung an. Es enthält viele satirische Spitzen gegen die jungen Romantiker.

Goethe nimmt das Stück an, ändert, streicht alle Ausfälle gegen

Friedrich und August Wilhelm Schlegel. Ebenso die gegen August Vulpius, den Bruder seiner Lebensgefährtin.

Darüber kommt es zwischen Goethe und Kotzebue zum Streit.

Kotzebue bittet Schiller um Vermittlung. Dieser antwortet ihm am 2. März 1802: *Ich habe mir schon vorgestern Abend die ›Kleinstädter‹ vom G⟨e⟩h⟨eime⟩r⟨a⟩th Göthe zum Lesen ausgebeten, da Sie mich dazu autorisiret hatten. Nach sorgfältigem Durchlesen des Stücks finde ich nichts ›willkührliches‹ in seiner Verfahrungsart; er hat keine andere Stelle weggestrichen, als solche, die den Partheigeist reizen konnten, den er von dem Theater verbannen will ... Was mich betrifft, so versichre ich Ihnen nochmals, daß ›ich‹ aus dem Stücke nichts auf mich beziehe; wiewohl ich versichert bin, daß alle diejenigen, welchen es darum zu thun seyn könnte, Streit zwischen uns zu erregen, nicht ermangeln werden, jene Stanze, womit Sie einen Act schließen, und wobei Sie schwerlich nur an mich gedacht haben, als einen Ausfall auf mich vorzustellen. Und selbst, wenn dem wirklich so wäre, würde ich Ihnen keinen Krieg darüber machen, denn die Freiheit der Comödie ist groß, und die gute heitre Laune darf sich viel herausnehmen; nur die Leidenschaft muß ausgeschloßen seyn.*

Schiller stellt sich eindeutig auf Goethes Seite. Was ihn selbst anbelangt, so gibt er sich großzügig.

Sein Brief ist vom 2. März. In drei Tagen soll Kotzebues Ehrung für ihn stattfinden.

Ob der macht- und intrigengewohnte Kotzebue von vornherein darauf aus war, mit der Feier für den einen den anderen zu treffen, oder ob erst Goethes Vorbehalte gegen ihn und der Streit mit ihm die Dinge zuspitzen, er nun bewußt einen Keil zwischen Goethe und Schiller treiben, Spannungen zwischen den Freunden erzeugen will, muß dahingestellt bleiben.

*Da es mit Goethe nicht glückt, macht er Schillern unsinnig die Cour*, schreibt Caroline Schlegel, eine kluge Beobachterin der Szene. *Frommans z. B. behaupten, ... daß er ihn gänzlich anbetet und aufrichtig über alle Schauspieldichter der Erde stellt.*

Schiller ist den Werbungen Kotzebues gegenüber wohl nicht ganz unempfänglich; fühlt sich geschmeichelt, sieht vielleicht darin auch ein kleines Äquivalent zu den Schmähungen durch die Schlegels. Er freut sich jedenfalls auf die Feier, verspricht sich *Vergnügen ... von dieser Vorstellung*, wie ein Brief vom 5. März bezeugt.

Kotzebue plant, an diesem Tag Ausschnitte aus Schillers Dramen, aus »Maria Stuart« und der in Weimar noch nicht gespielten »Jungfrau von Orleans«, zu zeigen. Für sein Projekt hat er auch Hofdamen – einige davon gehören zum Kreis von Goethes Mittwochsgesellschaft – gewonnen, unter anderem Louise von Göchhausen, Henriette von Wolfskehl und Amalie von Imhoff. Letztere wird die Rolle der Maria übernehmen. Henriette von Egloffstein die der Jungfrau von Orleans. Weiter ist an eine szenische Wiedergabe von Schillers »Lied von der Glocke« gedacht. Kotzebue selbst will als Meister Glockengießer auftreten, eine große Glockenform aus Pappe soll zerschlagen und in ihr Schillers Dannecker-Büste sichtbar werden, die als Höhepunkt des Spektakels bekränzt werden soll.

Die Vorbereitungen sind im vollen Gange. Das Ganze soll im Stadthaus von Weimar vor sich gehen.

Als am 3. März die Dekorationen vor dem Stadthaus abgeladen werden und die Zimmerleute bereitstehen, verweigert der Bürgermeister den Zutritt zum Aufführungsort wegen einer möglichen Beschädigung des Saales. Er gibt an, auf höheren Befehl zu handeln. Auch die Herausgabe des in der Bibliothek befindlichen Originals der Dannecker-Büste wird von dem dafür zuständigen Heinrich Meyer abgelehnt.

Kotzebue verhandelt.

Ohne etwas zu erreichen.

An diesem 3. März schreibt die in Weimar lebende Mutter Kotzebues einen empörten Brief an Goethe, in dem sie ihm an den Vorgängen die Schuld gibt. Diesen Einmischungsversuch der *Kotzebübin* kommentiert der Romantikerkreis: *So ist der Gott unter die Fischweiber geraten.* Goethe weist Anna Christiane Kotzebue am 4. März in harschem Ton zurück (das Konzept seiner Antwort ist überliefert), verbittet sich *unerlaubte Zudringlichkeiten dieser Art*, und verläßt noch am selben Tag die Stadt, zieht sich nach Jena zurück.

Die Feier für Schiller findet nicht statt.

Die mißglückte Ehrung bringt die öffentliche Meinung in Weimar gegen Goethe auf. Ihm wird unterstellt, er habe die Feier aus persönlicher Animosität gegen August Kotzebue, und auch weil er darin einen Affront gegen sich selbst erblickt, vereitelt.

*Auch gerät ganz Weimar über die Sache in Aufruhr ... es gehn die dummsten Gerüchte und Urteile herum, Goethe soll neidisch sein, nicht sowohl auf Kotzebue als vielmehr auf Schiller ...*

Wie nun verhält sich Schiller?

Am 5. März richtet er an die Darstellerin seiner Jungfrau, Henriette von Egloffstein, folgende Zeilen: *Ich will hoffen, daß die bösen Geister, welche die heutige Vorstellung gestört haben, nur an dem Tag und nicht an der Sache selbst ihre schlimme Laune haben auslaßen wollen, und daß das Vergnügen welches ich mir von dieser Vorstellung versprach, nur aufgeschoben ist. Auf jeden Fall aber habe ich mich über die freundliche Gesinnung so lieber und verehrter Freunde und Freundinnen zu freuen, und werde sie stets mit dem dankbarsten Herzen verehren.*

Bereits wenige Tage später ein deutlicher Sinneswandel. Er macht einen Rückzieher, beeilt sich, seine Vorfreude zu verkleinern, die beabsichtigte Ehrung zu bagatellisieren, sie gar als peinlich für sich darzustellen.

Erfährt er in jenen Tagen, daß sich hinter den *bösen Geistern* der Landesherr höchstpersönlich verbirgt, im Einvernehmen möglicherweise mit seinem besten Freund?

*Wir glauben freilich auch, daß Goethe an der Saal-Affäre nicht unschuldig ist, vermutlich mit Schiller und dem Herzog einverstanden*, notiert Caroline Schlegel. *Schiller ist herzlich froh gewesen, daß sie ihm seine »Glocke« nicht aufgeführt haben.*

Oder aber begreift Schiller, welche Rolle ihm bei dieser Kotzebueschen Inszenierung bezogen auf Goethe zugedacht war?

Charlotte Schiller, die zuweilen Gedichte schreibt, versucht sich an dem Thema als Dramatikerin, verfaßt einen kleinen Schwank »Der verunglückte 5. März«. In der 1860-1865 von Ludwig Urlichs besorgten Edition ihrer Selbstzeugnisse und Briefe wird dieser Text ihr zugeschrieben. Charlotte stellt es so dar, daß Herrn Firlefanz alias Kotzebue inmitten seiner Vorbereitungen von einem Bediensteten ein Billett des zu Ehrenden übergeben wird, in dem dieser seine Teilnahme verweigert, und der eitle Kotzebue sich daraufhin selbst feiert.

In diese Richtung gehen auch Schillers fünf Tage nach dem nicht stattgefundenen Ereignis niedergeschriebene Zeilen.

10. März 1802, Schiller an Goethe: *Der fünfte Merz ist mir glücklicher vorübergegangen als dem Cæsar der fünfzehente und ich höre von dieser großen Angelegenheit gar nichts mehr. Hoffentlich werden Sie bei Ihrer Zurückkunft die Gemüther besänftigt finden. Wie aber der Zufall immer naiv ist und sein muthwilliges Spiel treibt, so hat der Herzog den Bürgermeister den Morgen nach jenen Geschichten wegen seiner großen Verdienste zum ›Rath‹ erklärt.*

Mit der Anspielung auf Cäsar, der am 15. März 44 v. Chr. ermordet wurde, und der auf das *muthwillige Spiel* des *Zufall* bei der Beförderung des Stadtoberhauptes rückt Schiller den Vorgang mit einer gewissen doppeldeutigen Ironie ins Licht eines glimpflich überstandenen Unfalls.

Goethe nimmt Sicht und Ton des Freundes sofort auf, interpretiert die Verhinderung der Feier als günstig für ihn, schreibt am 16. März: *Dafür daß Sie den 5ten März so glücklich überstanden, wären Sie dem Bürgermeister, als einem zweyten Aesculap, einen Hahn schuldig geworden, da er unterdessen von oben herein solchen Lohn empfangen, können Sie Ihre Dankbarkeit in petto halten.*

Er geht noch weiter, spricht die Vermutung aus, daß Schiller die Hintergründe wohl besser kenne. Er selbst *wisse eigentlich immer noch nicht wie sie zusammenhängen*, obgleich er *mit darin verwickelt* sei. *Vielleicht waren Sie glücklicher als ich.*

Dann erinnert er an alte Zeiten: *Übrigens weiß ich nicht viel zu sagen, als daß mir Abends, wenn es 7 Uhr werden will sehr oft der Wunsch entsteht, Sie ... auf ein paar Stunden bei mir zu sehen.*

Geschickt macht er den Freund zum Boten der Versöhnung mit den gegen ihn aufgebrachten Weimarer Kreisen. Spielt auf die Mittwochsgesellschaft an, die seit Oktober 1801 in seinem Haus stattfindet, und die Damen, die sich für Kotzebues Schiller-Ehrung engagiert haben. *Wenn die dabey interessirte Gesellschaft das Abenteuer vom 5ten huius mensis einiger Masen verschmerzt hat, so wollen wir bald wieder ein Picknik geben und die neuen Lieder, die ich mitbringe, versuchen.*

*Ich werde mich wohl bald entschliessen meinen hießigen Aufenthalt abzubrechen und wieder zu Ihnen zu kommen*, schreibt er am 19. März. *Wollen Sie sich erkundigen: ob die Freunde Mittwoch Abends bey mir zusammen kommen wollen? und in jedem Falle das Ja oder Nein in mein Haus wissen lassen.*

Schiller erwidert am 20. März: *Die Gesellschaft werde ich Ihrem Auftrage gemäß einladen, und bin voll Erwartung, ob man sich hinlänglich abgekühlt haben wird, um mit gutem Anstand zu einem freundschaftlichen Verhältniß zurück zu kehren.*

Am 23. März ist Goethe wieder in Weimar. *Auf den Abend* ist Schiller *schönstens* zu ihm *eingeladen.*

Die Mittwochsgesellschaft aber ist zerstört. Einen *Brief* findet Goethe vor. *Daß wenigstens Eine unter Vieren empfindet, wie schmerzlich mir es war, Ihren Namen unter dem Scheidebriefe zu sehen*, läßt er Henriette von Egloffstein wissen. In *einem Anfall von Unglauben* habe sie *zweifeln* können. Er bittet, fleht: *geliebte Freundin ... wenn Sie durch alte Gefühle und durch neue Überzeugungen zurückzukehren geleitet werden könnten.*

Vergeblich.

In seinen »Tag- und Jahresheften« resümiert Goethe: *Unsere kleine Versammlung trennte sich und Gesänge jener Art gelangen mir nie wieder.* Von *Erschütterung*, die *in der Folge auf unsern geselligen Kreis schädlich gewirkt* habe, ist die Rede. Entstanden sei ein *entschiedener Riß, der wegen eines am fünften März zu feyernden Festes in der Weimarischen Societät sich ereignete.*

Jenes *Fest* – nun spricht er es deutlich aus – sieht er als Konkurrenzunternehmen zu seinem Theater, Kotzebue habe *der öffentlichen Bühne eine geschlossene entgegen ... setzen* wollen, er sei darauf aus gewesen, *Schillers Wohlwollen zu erschleichen, mich durch ihn zu gewinnen, oder, wenn das nicht gelingen sollte, ihn von mir abzuziehen.*

Dafür, daß Schiller ebendies – vermutlich mit Erschrecken – begreift, spricht nicht nur, daß sein Arbeitsgespräch mit Goethe auch in der Zeit von dessen Aufenthalt in Jena nicht abreißt, sondern vor allem auch die Art, wie er diesen über die Entwicklung der *weim. Zustände* auf dem laufenden hält. *... die Societät* scheine, schreibt er am 17. März, *nach den heftigen Zuckungen, die sie ausgestanden, noch ganz entkräftet und in kaltem Schweiß zu liegen. Der Herzog, den man auch zu präoccupiren suchte, hat mich vor einigen Tagen über den Vorgang quästionirt, und ich habe ihm die Sache in dem Licht vorgestellt, worin ich sie sehe.*

Mit deutlicher Distanz zu des Herzogs Voreingenommenheit für Kotzebue informiert er Goethe über Details des Gesprächs und läßt keinen Zweifel aufkommen, wem seine Loyalität gilt.

Beim Theaterskandal um die »Alarcos«-Aufführung am 29. Mai stehen die Freunde Seite an Seite.

Die gemeinsame Arbeit: Vorhaben werden besprochen. *Mit dem Karlos bin ich auf ziemlich gutem Wege und hoffe in 8 oder 10 Tagen damit zu Stande zu seyn*, schreibt Schiller. Am 19. Juni wird das Stück in Weimar aufgeführt.

Goethe setzt sich beim Herzog für die »Jungfrau von Orleans« ein. Schiller zögert: *Die Jungfrau v⟨on⟩ O⟨rleans⟩ wollen wir aber erst in Lauchstädt spielen laßen, ehe wir hier damit auftreten. Ich muß mir dieses aus bitten, weil sich der Herzog einmal bestimmt dagegen erklärt hat und ich auch nicht von ferne den Schein haben möchte, als wenn ich die Sache betrieben hätte.*

Lauchstädt ist die Sommerspielstätte des Weimarer Theaters, die durch die Nähe der Universitäten von Halle und Leipzig einen guten Publikumszuspruch hat. Unter Goethes Leitung ist das dortige Haus umgebaut worden, am 21. Juni reist er mit seiner

Frau Christiane und seinem Sohn zur Einweihungsfeier nach Lauchstädt; am 26. Juni wird das neue Theater eröffnet.

Schiller hat in diesem Sommer 1802 mit seiner Gesundheit zu tun. *Catarrhfieber, Krampfhusten.* Anfang und Ende Juni ist er krank. Auch im Juli.

Und noch immer ist Baulärm im neubezogenen Haus an der Esplanade. Am 12. Juni klagt er: *Ich sehne mich sehr nach einem ruhigen Auffenthalt, denn bei mir geht es jezt sehr lermend zu, da oben und unten gehämmert wird, und der Boden zittert, ganz buchstäblich genommen, unter meinen Füßen.*

Er berichtet Goethe von *einer recht misanthrophischen Laune..., die aber leider zu pathologisch paßiv war, um den Schwung des Ewigen Zorns zu erreichen.*

Goethe, der ebenso sensibel auf Lärm reagiert, kommt zu Hilfe, bietet dem Freund sein Gartenhaus an: *Sie werden einen Schlüssel zu meinem Garten und Gartenhaus erhalten machen Sie sich den Aufenthalt einiger maßen leidlich und genießen der Ruhe, die in dem Thale herrscht.*

Schiller ist unzufrieden mit seiner Arbeitssituation. *Es ist Zeit, daß mir auch wieder etwas gelinge ... Es ist zwar mancherlei gesammelt worden, aber es wartet noch auf eine glückliche Entladung.* Ihn beschäftigen mehrere Pläne. Er wendet sich dem »Warbek« zu, dem »Wilhelm Tell«; nach *langem Hin und Herschwanken von einem Stoffe zu andern* entscheidet er sich im August für »Die Braut von Messina«.

Goethe, in Bad Lauchstädt, ist in die Theaterwelt eingetaucht. Teilt dem in Weimar zurückgebliebenen Freund am 5. Juli Erfolg, Höhe der Einnahmen und die Besucherzahlen bei den einzelnen Vorstellungen mit.

Um dann eine Bemerkung hinzuwerfen, die entweder der Ungeduld und dem Erfolgszwang des Theaterdirektors geschuldet ist oder aber einem Ehrgeiz für Schiller, der an dessen Intentionen völlig vorbeigeht.

*Mein alter Wunsch*, schreibt er Schiller, *in Absicht auf die poe-*

*tischen Productionen, ist mir auch hier wieder lebhaft geworden: daß es Ihnen möglich seyn könnte, gleich anfangs concentrirter zu arbeiten, damit Sie mehr Productionen und, ich darf wohl sagen, theatralisch wirksamere lieferten. Das Epitomisiren eines poetischen Werks, das zuerst in eine große Weite und Breite angelegt war, bringt ein Schwanken zwischen Skizze und Ausführung hervor, das dem ganz befriedigenden Effect durchaus schädlich ist. Wir andern, die wir wissen woran wir sind empfinden dabey eine gewisse Unbehaglichkeit und das Publikum kommt in eine Art von Schwanken, wodurch geringere Productionen in Avantage gesetzt werden. Lassen Sie das, was ich hier aus dem Stegreife sage, einen Text unserer künftigen Unterredung seyn.*

Schiller wartet das avisierte Gespräch nicht ab, sondern antwortet sofort und deutlich.

Zunächst dämpft er als erfahrener Theaterpraktiker den Optimismus des Freundes: *Sie haben also 9 Tage hintereinander gespielt, das will viel sagen und ist eine große Anstrengung von Seiten der Schauspieler; aber aus der Leere des Hauses in den Vorstellungen während der Woche sehe ich doch, daß Sie die reichliche Gabe nicht allzulang fortsetzen dürfen. Auch zu Lauchstädt sind es also, wie Ihr Repertorium besagt, die Opern, die das Haus füllen. So herrscht das Stoffartige überal, und wer sich dem Theaterteufel einmal verschrieben hat, der muß sich auf dieses Organ verstehen.*

Dann geht er auf Goethes ihn selbst betreffende Äußerungen ein. *Ich gebe Ihnen vollkommen recht, daß ich mich bei meinen Stücken auf das dramatischwirkende mehr concentriren sollte. Dieses ist überhaupt schon, ohne alle Rücksicht auf Theater und Publicum, eine poetische Foderung* ... Und nun, sich entschieden abgrenzend: *aber auch nur insofern es eine solche ist, kann ich mich darum bemühen. Soll mir jemals ein gutes Theaterstück gelingen, so kann es nur auf poetischem Wege seyn, denn eine Wirkung ad extra, wie sie zuweilen auch einem gemeinen Talent und einer bloßen Geschicklichkeit gelingt, kann ich mir nie zum Ziele machen, noch, wenn ich es auch wollte, erreichen. Es ist also hier nur von der höchsten Aufgabe selbst die Rede, und nur die erfüllte Kunst wird meine individuelle Tendenz ad intra überwinden können, wenn sie zu überwinden ist.*

Goethes Forderung nach schnellem, auf *Wirkung ad extra* bedachtem Schreiben stellt er den *poetischen Weg,* die *individuelle Tendenz ad intra* gegenüber; *denn ohne eine gewisse ›Innigkeit‹,* schließt er, *vermag ich nichts und diese hält mich gewöhnlich bei meinem Gegenstande fester, als billig ist.*

## IV

Mit ziemlicher Wahrscheinlichkeit ist es Goethe, der mitbewirkt, daß Schiller Ende 1802 in den Adelsstand erhoben wird. Ein Liebesdienst für den Freund, um dessen Stellung am Weimarer Hof zu stärken. Wir erinnern uns Schillers bitterer Äußerung vom Februar 1802: *Da ich nun zwey Jahre hier wohne, ohne nach Hof eingeladen worden zu seyn ... so wünsche ich auch fürs künftige ... davon ausgeschloßen zu bleiben.*

Doch ist Schiller nicht ohne Rang und Würden. Seit 1784 ist er »Weimarischer Rath«, seit 1790 »Sachsen-Meiningischer Hofrath«. 1789 haben ihm die vier Erhalterstaaten der Jenaer Universität den Titel eines *Professor philosophiae extraordinarius* verliehen. 1798 wird der längst aus dem Lehramt Ausgeschiedene zum *Professor philosophiae ordinarius honorarius* ernannt. Er ist Mitglied verschiedener Gesellschaften, der »Kurpfälzischen Deutschen Gesellschaft« zu Mannheim, der »Kurfürstlichen Akademie nützlicher Wissenschaften« zu Erfurt, der »Naturforschenden Gesellschaft« zu Jena.

Mit keinem der Titel oder Mitgliedschaften aber sind finanzielle Vorteile verbunden, die seine Situation als freiberuflicher Autor verbessern würden. Als er 1797 in die Schwedische Akademie, die *Académie Royale des Inscriptions; Belles Lettres, Histoire et Antiquités à Stockholm,* gewählt wird, schreibt er mit kaum verhohlener Enttäuschung: *Dieser Tage bin ich mit einem großen prächtigen PergamentBogen aus Stockholm überrascht worden. Ich glaubte, wie ich das Diplom mit dem großen wächßernen Siegel aufschlug, es müßte wenigstens eine Pension herausspringen, am Ende wars aber bloß ein Diplom der Academie der Wißenschaften ...*

Im April oder Mai 1802 muß Goethe eine erste Unterhaltung mit Schiller über die Nobilitierung geführt haben. Er selbst, die Herzogin Louise, Frau von Stein und die beiden von Wolzogens treten gegenüber Carl August als Fürsprecher auf.

Am 2. Juni teilt der Herzog dem kaiserlichen Gesandten in Berlin mit, daß er vorhabe, Schiller in den *ReichsAdelStand* zu erheben. Er erkundigt sich nach der Verfahrensweise.

Dem kaiserlichen Hof in Wien muß der Entwurf eines Wappens und ein Lebenslauf, ein *Curriculum vitae* des zu Adelnden übersandt werden.

Christian Gottlob Voigt wird mit der Vorbereitung beauftragt. Er sendet Schiller zunächst heraldische Fachliteratur, Bücher über Wappenkunde. Schiller scheint es wenig zu interessieren, er entgegnet, *daß Sie Selbst das Wappen quæstionis nach Ihrem eigenen Gutdünken bestimmen mögen, wobei ich bloß erinnre, daß ich meinem bißher gebrauchten Wappen gerne möglichst nahe bleiben möchte. Das wachsende Einhorn auf dem Helm ist auf dem Herzoglichen Wappen zu Parma und macht eine gute Wirkung. Es wird wohl kein Eingriff seyn, sich deßselben zu bedienen.*

Voigt läßt Schiller seinen Entwurf des *Curriculum vitae* lesen. Dieser dankt am 18. Juli 1802 *aufs schönste ... für das brillante diplomatische Testimonium das Sie mir ertheilen.* Ironisch heißt es: *Es ist freilich keine kleine Aufgabe, aus meinem Lebenslauf etwas heraus zu bringen, was sich zu einem Verdienst um Kaiser und Reich qualifizierte, und Sie haben es vortreflich gemacht sich zulezt an dem Ast der deutschen Sprache fest zu halten.*

Voigts Schreiben hat folgenden Wortlaut: *Schiller stammt von ehrsamen VorEltern ab; sein Vater hat als Officier lange Jahre in Herzoglich Würtembergischen Diensten gestanden. Seine Ehe-*

*gattin stammt aus dem altadligen Geschlecht von Lengefeld. Er selbst erhielt seine wissenschaftliche Ausbildung in der Militär-Academie zu Stuttgart. Er wurde in der Folge zum ordentlich öffentlichen Lehrer auf die Academie Jena, berufen, wo er, besonders über Geschichte, mit allgemeinem und seltnen Beyfall Vorlesungen hielt. Seine historischen Schriften, sind in der gelehrten Welt mit eben so großem Beyfall aufgenommen, als die in den Umfang der schönen Wissenschaften gehörigen. Besonders haben seine Gedichte dem Geist der deutschen Sprache und des deutschen Patriotismus einen neuen Schwung gegeben, so daß er um das deutsche Vaterland und dessen Ruhm sich allerdings große Verdienste erworben hat. Selbst das Ausland hat seine Talente geschätzt, und mehrere ausländische gelehrte Gesellschaften außer Deutschland haben ihn zum Ehren Mitglied aufgenommen.*

Kein Wort über die skandalumwitterten »Räuber«, keines über »Wallenstein«, den die Zensur in Wien verbot, wie übrigens auch »Fiesco« und »Don Carlos«; die vorsichtige Apostrophierung der dramatischen Arbeiten *als die in den Umfang der schönen Wissenschaften gehörigen*. Kein Wort über die Verleihung der Ehrenbürgerschaft durch die französische Nationalversammlung – auch wenn die Papiere, durch welche *Schiller das französische Bürgerrecht vorlängst conferirt worden*, in der Hofbibliothek verwahrt werden –, dagegen die Erwähnung der *ausländische⟨n⟩ gelehrte⟨n⟩ Gesellschaften.*

Am 5. August 1802 gehen Lebenslauf und Wappenentwurf nach Wien. Mit Hilfe des dortigen Hofkanzlers und des weimarischen Geschäftsträgers in Wien nimmt die Sache ihren Fortgang.

Am 15. August wird Kaiser Franz II. von Fürst Colloredo-Mansfeld, zusammen mit einer Reihe ähnlicher Gesuche, *unter Nr.* 4 der *allerunterthänigste Wunsch des Herzogs von Weimar* ... vorgetragen, den *in seinem Hoflager sich aufhaltenden Gelehrten ... Herrn Hofrath Schiller,* den *in der literarischen Welt genug bekannten und ausgezeichneten Schriftsteller ... wegen seiner von ganz Teutschland anerkannten Gelehrsamkeit und schönen Dichtertalente ... in den Reichsadelstand zu erheben ... besagter Herr Hofrath werde der huldreichsten Willfahrung Eurer kais. Mait. nicht unwürdig seyn ...*

Am 7. September erfolgt die Unterschrift unter die Ernennung. Am 19. September meldet der »Schwäbische Merkur«, daß *Seine Kaiserliche Majestät ... aus eigener Bewegung den berühmten Dichter Schiller in den ReichsAdelStand erhoben* habe. Ein Jahrzehnt nach seiner Nobilitierung als *citoyen* des revolutionären Frankreichs wird Schiller in den *heiligen römischen ReichsAdelstand aus römisch kaiserlicher Machtvollkommenheit* erhoben.

Rechnet Schiller mit einer Erhöhung seiner Besoldung aus diesem Anlaß? Carl August macht keine Anstalten. Nicht einmal die Unkosten deckt er aus der herzoglichen Schatulle. Der weimarische Geschäftsträger in Wien läßt wissen, *daß die Taxe für den ersten Grad des Reichsadelsstandes und ein adeliches Wappen mit einem gekrönten Helme fl. 401, 30 k. beträgt* und *der Kanzlist, welcher das Diplom expediret, gewöhnlich, wegen der Auszierungen, ein Douceur von ... fl.* 27 erhält. Die Summe von 428 Gulden und 30 Kronen wird aus der Weimarer Stadtkasse, von den Steuergeldern der Untertanen, bezahlt.

Am 16. November 1802 bringt ein Bote eine Schatulle vom Schloß in das Haus an der Esplanade. Ein Begleitschreiben Carl Augusts dazu: *Daßjenige was beykommender Harnisch in sich enthält mögen Ihnen und den Ihrigen zum nutzen und zur Zufriedenheit gereichen. Den freudigsten antheil nehme ich an Ihrer Wapnung wenn dieses Ereigniß Ihnen einen angenehmen Augenblick verschaffet ...*

Ein großer Foliobogen, das gemalte ritterliche Wappen, das kaiserliche Siegel. Schiller trägt an diesem Tag in seinen Kalender ein: *Der Adelsbrief aus Wien.*

Am 27. November teilt er seinem Verleger Cotta mit, daß er sein *Adels Diplom in optima forma erhalten* habe. ... *Sie können ... leicht denken, daß mir, für meine eigene Person, die Sache ziemlich gleichgültig ist ... Die Anregung zu dieser Sache ist vom Herzog von Weimar geschehen, der mir dadurch etwas angenehmes erzeigen und meine Frau, welche bisher nicht nach Hof gehen konnte, auf einen gleichern Fuß mit meiner Schwägerin setzen wollte; denn es hatte etwas unschickliches, daß von 2 Schwestern die Eine einen vorzüglichen Rang am Hofe, die andre gar keinen Zutritt zu demselben hatte.*

Daß für Charlotte die Wiedererlangung des durch ihre Heirat mit einem Bürgerlichen verlorenen Adelstitels bei ihrer großen Affinität zur Hofwelt über die Freude hinaus wohl existentiell gewesen sein muß, kann man Schillers Bemerkung entnehmen: *Lolo ist jezt recht in ihrem Element, da sie mit ihrer Schleppe am Hofe herumschwänzelt.*

Charlotte selbst gibt sich bescheiden, lenkt den Blick auf ihren Mann. An ihre Schwägerin schreibt sie am 29. Oktober, sie habe nicht *so etwas gesucht ... doch ist mir jeder Beweis einer öffentlichen Achtung, der Schiller wiederfährt, erfreulich, weil ich gern sehe, daß man seine Verdienste anerkennt.*

# Zehntes Kapitel

## I

Das Jahr 1803. Ein langer Winter. Trockene Kälte. Schneefall dann. Von einem *eisernen Himmel* über Weimar schreibt Schiller, *alles* liege *von Schnee begraben und es sieht so aus, als wenn es in Ewigkeit nicht wieder Sommer werden könnte ...*

Schiller arbeitet an seiner »Braut von Messina«. Und ist, wie sein Kalender ausweist, seit Januar mit großer Regelmäßigkeit Gast am Fürstenhof. So gleichgültig, wie er seine Nobilitierung Cotta und Körner gegenüber darstellt, scheint sie ihm doch nicht zu sein.

Goethe dagegen lebt zurückgezogen, sieht nur seine Familie und gelegentlich Schiller.

Dieser ist höchst unzufrieden mit dem Freund. *Seit einem Vierteljahr hat er, ohne krank zu seyn, das Haus ja nicht einmal die Stube verlassen ... Wenn Goethe noch einen Glauben an die Möglichkeit von etwas Gutem und eine Consequenz in seinem Thun hätte, so könnte hier in Weimar noch manches realisiert werden in der Kunst überhaupt und besonders im dramatischen.*

Schiller sieht die Literatur in einer Krise: *Es ist jezt ein so kläglicher Zustand in der ganzen Poesie, der Deutschen und Ausländer ... Die ›Schlegel‹- und ›Tiekische‹ Schule erscheint immer hohler und frazenhafter, während daß sich ihre Antipoden immer platter und erbärmlicher zeigen, und zwischen diesen beiden Formen schwankt nun das Publicum.*

*An ein Zusammenhalten zu einem guten Zweck ist nicht zu denken*, fährt er resigniert fort, *jeder steht für sich und muß sich seiner Haut wie im Naturstande wehren.*

Er vermißt Goethes Engagement. *Er ist jezt ordentlich zu einem Mönch geworden und lebt in einer bloßen Beschaulichkeit, die zwar keine abgezogene ist aber doch nicht nach außen productiv wirkt.*

Und: *Allein kann ich nichts machen* ... Dieser bittere Satz steht in einem an Wilhelm von Humboldt gerichteten Brief, geschrieben am 17. Februar 1803. Ein Nachsatz vom 3. März: *Dieser Brief hat eine schwermüthige Stimmung, ich thäte vielleicht besser ihn nicht abzusenden* ... Tage später schickt er ihn ab.

Ein Tiefpunkt in den Beziehungen zwischen Schiller und Goethe? Nicht nur in ihrem Zeitverständnis unterscheiden sie sich.

Goethe sei *manchmal ganz Hypochonder*, schreibt seine Lebensgefährtin Christiane, *ich stehe viel aus, weil es aber Krankheit* ist, *so thue ich Alles gerne. Daß* Goethe *wirklich, wenn auch nicht äußerlich krank* sei, *ist gewiß*, fügt ihr Bruder hinzu. Seine anhaltende Krise. Ärger. Die Ursache: *Das Kotzebuesche Wesen hat ihn sehr getroffen.*

*Merkel und Kotzebue haben sich vereiniget der Literarischen Welt eine Brille aufzusetzen u in einem eigenen Journale, werden sie beweisen, daß Goethe gar kein Dichter ist, daß M. und K. allein Kenner des Geschmacks sind u daß K. eigentl. Deutschlands einziger Dichter ist*, schreibt Christian August Vulpius im Dezember 1802.

Kotzebue ist Ende 1802 nach Berlin gegangen. Hat dort mit Garlieb Merkel zusammen das Journal »Der Freimüthige« gegründet. Massiv setzt er nun in der Öffentlichkeit seine Angriffe auf Goethe fort. Die ersten Nummern seiner Zeitschrift sind voll gehässiger Polemik. Hof- und Stadtgespräch in Berlin.

Und in Weimar. *Der Schuft hat sogar Parthie hier*, kommentiert Vulpius. *Der verwittwete Hof, hat gleichsam offene Fehde gegen G., u dort hängt alles auf des Kotzen Buben Seite. Man sollte sie ihm alle zu fressen geben. Das Volk hier verdient G. gar nicht!*

Goethe selbst wird die Kotzebue-Partei in Weimar *den Todfeind aller Weimarischen Thätigkeit* nennen.

Goethes Souveränität, die er in der Zeit der »Xenien« gegenüber dem *Possenspiel* des *Autorenwesen⟨s⟩* bewies: *man muß nur vor ihren Augen gelassen auf und abgehen*, hat ihn verlassen. Damals war er – in Übereinstimmung mit Schiller – bereit, auf feindlichem Fuß mit seiner Umgebung zu leben. Ich hoffe, schrieb er im Oktober 1796 an Meyer, *wir sollen uns bei unserm bösen Ruf erhalten und ihnen mit unserer Opposition noch manchen bösen Tag machen.*

Jetzt aber ist er des Streits und des Niveaus, auf dem er geführt wird, überdrüssig, zieht sich zurück.

Goethe *beurteilen Sie ganz recht*, schreibt Christiane Vulpius am 7. Februar 1803 an Nikolaus Meyer, *wenn Sie überzeugt sind, daß er zu den Kotzebueischen Ausfällen schweigen wird ... Er arbeitet viel mehr diesen Winter Manches, ... es geht bei ihm, wie Sie wissen, immer vorwärts ...*

Das Gegenteil von dem, was Schiller sagt. Beide haben recht. Denn Goethe schreibt insgeheim an dem Drama »Die Natürliche Tochter«. Bewußt verbirgt er es vor dem Freund.

Sein Bedürfnis nach *absoluter Einsamkeit* ein Zeichen der Spannungen zwischen ihnen? Ist Goethe es jetzt, der, wie einst Schiller beim »Wallenstein«, befürchtet, *über den Haufen gerannt zu werden*?

Als Schiller von dem Stück erfährt – Mitte/Ende März wohl – muß er sich Wilhelm von Humboldt gegenüber korrigieren: *Daß er zu ›der‹ Zeit wo Sie, nach meinem lezten Brief, an seiner Productivität ganz verzweifeln mußten, mit einem neuen Werk hervorgetreten, wird Sie eben so wie mich selbst überrascht haben, denn auch mir hatte er wie der ganzen Welt ein Geheimniß daraus gemacht.*

Ist die Zurückhaltung beiderseitig?

Auch Goethe, der den Freund an der »Braut von Messina« arbeitend weiß, wird diesmal nicht dessen erster Zuhörer und erster Leser sein.

*Lassen Sie mich nun auch wieder bey Ihnen anfragen, ... ob ich auch bald von dem tragischen Schmause etwas werde zu genießen haben?* schreibt er am 4. Februar, lädt Schiller für den Abend zusammen mit dem *Herrn Schwager* und *den beyden Damen* zu sich.

*Ihre heutige Einladung können wir ... nicht annehmen*, erwidert Schiller. *Mein Stück ist fertig und da ich etwas davon in diesen Tagen verlauten ließ, so hat der Herzog v⟨on⟩ Meinungen* (Meiningen) *den Wunsch geäusert es zu hören. Weil es nun mein Dienstherr ist, dem ich eine Attention schuldig bin und es sich gerade trift, daß ich seinen Geburtstag dadurch feiere, so werde ich es heute Abend um 5. Uhr in einer Gesellschaft von Freunden und Bekannten und Feinden vorlesen. Sie will ich nicht dazu einladen, weil Sie ungern ausgehen und wie ich glaube auch lieber das Stück allein lesen oder hören.*

Goethe reagiert, wenn nicht verstimmt, so doch mit dem Hinweis auf seine Kompetenz: *Sagen Sie mir doch ein Wort wie die gestrige Vorlesung abgelaufen? denn ein geübter Autor weiß wahre Theilnahme von Ueberraschung zu unterscheiden, so wie Höflichkeit und Verstellung zu würdigen. Zunächst bitte ich um Mittheilung des Stücks ...*

Schiller erwidert am 5. Februar: *Das Exemplar aus welchem ich gestern vorlas muß ich, der Verhältniße wegen, an den Herzog schicken ... Vielleicht aber kann ich Ihnen doch noch vor Abend ein anderes Exemplar verschaffen. Als dann wollen wir, wenn es Ihnen recht ist, etwa morgen mittag zusammenkommen und darüber konferieren, denn ich wünschte das Stück, wenn es die Bühne betreten soll, baldmöglichst zu diesem Gebrauche einzurichten ...*

Gespräch der Freunde am 6. Februar. Am 12. Februar dann bittet Goethe Schiller, *das Theaterexemplar des Trauerspiels* zu *beschleunigen*, macht den Vorschlag, am *22ten oder 24ten Leseprobe* zu halten.

Wie wichtig Schiller dieses Stück ist, läßt sich auch daran ablesen, wie rasch und an wie viele Stellen er es verschickt. Am 8. Februar läßt er Herrn Reichskanzler von Dalberg eine Abschrift als Geburtstagspräsent zukommen. Am 11. geht das Stück als Satzvorlage an seinen Verleger Cotta, mit der Bitte, eine Kopie davon *in aller Eile* zu machen und *nach Wien* zu schicken. Am 14. sendet er es an Körner, zehn Tage später an Iffland.

*Ich habe mir mit diesem Werke eine verteufelte Mühe gegeben*, heißt es an Cotta, *es ist das erste soviel ich weiß, das in neueren Sprachen nach der Strenge der alten Tragödie gefaßt ist.*

Die Idee, Zelter zu bitten, *die lyrischen Intermezzos* des Chors *nach GesangsWeise recitiren zu laßen und mit einem Instrument zu begleiten.*

*Goethen* läge es *sehr am Herzen*, so Schiller am 28. Februar an Zelter. Dieser ist in Berlin unabkömmlich, seine Weimar-Reise kommt nicht zustande.

Goethe übernimmt die Aufgabe. Der Musiker Eberwein überliefert, daß es *sehr ergötzlich war, den Geheimerat Goethe zu sehen, wie er gleich einem Kapellmeister mit der Hand das Tempo und den Rhythmus der Chöre markierte.*

Sechs Leseproben und acht Theaterproben finden für die »Braut von Messina« statt.

Aber Schatten fallen auf die Unternehmung, trüben die intensive Arbeitsatmosphäre. Einwände des Herzogs. Wiederum gerät Goethe in das Spannungsfeld zwischen Schiller und Carl August.

Der Herzog ist unzufrieden, er habe das Stück *nicht mit wohlbehaglichen Gefühle* gelesen, Schiller *reitet auf einen Steckenpferde, von den ihn nur die Erfahrung wird absitzen helfen; ... undeutsche Worte und ... Wortversetzungen, die poetische Förmelchens bilden, deren Niederschreibung auf Pulverhörner gar nicht umfassend gewesen wären*, mißfallen ihm, er mäkelt herum, *extrahirt* manches, was er Goethe mündlich mitteilen wolle.

Einiges *habe* er *schon gesucht Schillern auszureden*, heißt es im Brief an Goethe, in dem Carl August durchblicken läßt, daß er, obgleich ihm das Stück mißfällt, nichts dagegen unternehmen werde: *hüthe ich mich wohl, etwas der Aufführung dieses Stükkes entgegen zu setzen* ... Er betont: *indeßen verschließe ich meinen Mund wohlbedächtig darüber.*

Das *wohlbedächtige* Verschließen seines Mundes hat den Grund, daß ihn nicht eigentlich das Stück, sondern eine andere

Sache weitaus stärker ärgert: die Haltung Schillers gegenüber der Schauspielerin Caroline Jagemann. Nach einem Streit zwischen ihr und Schillers Schwägerin Caroline von Wolzogen *zogen sich* – so der Herzog – *Schillers ... zurücke. Nun fängt das zurückziehn des sämtlichen nachfolgenden Publikums aber an, dergestalt unangenehm zu werden, daß es mir sehr beschwerlich fällt, es ruhig mit anzusehn.*

Genau an dem Tag, an dem in Schillers Haus die erste Leseprobe zur »Braut von Messina« stattfinden soll, am 27. Februar, beauftragt Carl August Goethe: *Vieleicht könntest du die heutige Gelegenheit benutzen, um mit Schillern ernsthaft über die Sachen zu reden, und ihm begreiflich zu machen, daß sein Hauswesen die Jagemann wohl in seiner Mitte bißweilen sehen könnte ... Dieser Weg würde die Bahn zu andern erwünschten Communicationen öfnen ... Als Künstlerinn ist die Jagemann eintzig ihrer Art in Deutschland, vor die paar Thaler, die sie hier bekömmt, bleibt sie schwerlich hier ...*

Mit einer Anspielung auf Schillers Kritik an der fürstlichen Mätressenwirtschaft in »Kabale und Liebe« fährt er fort: *ich kan versichern daß sie ›durch mich‹ das Marck des Landes nicht aus sauget; also würden Bezeigungen einer gewißen Achtung, oder die Vermeidung des Gegentheils wenigstens, keine unschädliche retribution des hiesigen Publicums gegen ihre Verdienste seyn; und Schillern nebst den seinigen würde es nicht mißstellen, wenn er in diesem Stücke den gewünschten Weg ging; mich würde es sehr glücklich machen, weil nichts an meiner vollkommenen Zufriedenheit mit meinem Schicksahle fehlt, als das Gefühl, daß ich der Jagemann in Ansehung ihrer bürgerlichen Existenz viel koste, und daß ich in der Furcht schwebe, ihr Hierseyn würde ihr endlich doch, mit allem attachment für mich, in einiger Zeit ganz unerträglich werden, wenn ›unsere Gesellschaft‹ fortführe, sich so inhuman gegen sie zu betragen. Deiner Weißheit überlaße ich dieses alles.*

Deutliche Worte.

Goethes Konflikt. Einerseits leidet er selbst unter der Mätresse. Goethe habe *viel Gram der Cantatrice J wegen, die jetzt alles ist*

... *Sie kommt oft mit 5-6000 Reichstaler Schmuck und Ketten aufs Theater*, heißt es bei Christian August Vulpius. Andererseits weiß Goethe um die Spannungen zwischen Schiller und der Jagemann.

Goethe bleibt der Leseprobe in Schillers Haus fern. Traut er sich die erbetene Vermittlung nicht zu, ist er mit seiner *Weißheit* am Ende?

Auffällig bemüht er sich, die nächsten Proben in sein Haus zu ziehen. Ganz sicher, um ein zwangloses Zusammensein der Jagemann mit der Schillerschen und Wolzogenschen Familie zu arrangieren. Schiller zeigt sich kooperativ; schreibt am 28. Februar an Goethe: *Mein Schwager hat schon vor 3 Tagen die Reussische Familie auf Morgen zum Thee bei sich eingeladen und würde es also sehr bedauern, wenn Ihre Abendgesellschaft morgen zu Stande käme.* Goethe darauf, am selben Tag: *Ich will also meine Gesellschaft morgen aufgeben ...* Er schlägt vor, daß man *Donnerstag oder Freytag eine* – Leseprobe – *bey mir halten kann, wozu ja vielleicht Ihre Frauenzimmer kämen, und man sonst noch einen Freund einlüde, damit, zugleich mit diesem Geschäfft, eine gesellige Unterhaltung entstünde, an der es ohnehin mitunter bey uns gebricht.*

In einem undatierten Billett bittet Schiller, *die Frau* (gemeint ist Caroline von Wolzogen) zu entschuldigen, sie würde *recht gerne zugegen seyn*, es plage sie aber ein *heftiger Rheumatism. Vieleicht*, fügt er hinzu, *sieht Mlle Jagemann sie einen Augenblick, wir wollen es übrigens schön zierlich und artig einrichten, daß die Verhältnisse ihr Recht erhalten.*

Goethe hat die Vermittlerrolle an Schiller weitergereicht.

Möglicherweise steht Carl Augusts Überreaktion bei der Uraufführung der »Braut von Messina« in Zusammenhang mit dem Vorausgegangenen.

*Vor 9 Tagen, ist die Braut v⟨on⟩ Meßina hier zum erstenmal gegeben ... worden*, berichtet Schiller am 28. März 1803 nach Dresden. *Der Eindruck war bedeutend und ungewöhnlich stark, auch imponierte es dem jüngern Theil des Publicums so sehr, daß man mir nach dem Stücke im Schauspielhauß ein Vivat brachte, welches man sich sonst hier noch niemals herausnahm.*

Der Herzog gibt sich empört, fordert eine polizeiliche Untersuchung. Es wird festgestellt, *daß die Veranlassung zu dieser Acclamation vom Balkon ausgegangen*, der lauteste Vivatrufer wird namentlich dingfest gemacht. Es ist Carl Julius Schütz aus Jena. Die Unziemlichkeit soll geahndet werden.

Goethe muß – *als Fürstlicher zu diesem Geschäft bestellter Commissarius*, so seine offizielle Funktion – mit dem Datum des 21. März 1803 ein Schreiben an den Jenaer Stadtkommandanten Herrn von Hendrich richten: *Ew. Hochwohlgeboren habe ich auf besondern Befehl Serenissimi den Auftrag zu ertheilen: daß Dieselben gedachten Doktor Schütz vor sich kommen lassen, um von ihm zu vernehmen, wie er als ein Eingeborner, dem die Sitten des hiesigen Schauspielhauses bekannt seyn mußten, sich eine solche Unregelmäßigkeit habe erlauben können?* Von *Serenissimi Mißfallen und eine⟨r⟩ bedrohlichen Weisung für künftige Fälle* ist die Rede. Und: *Bey uns kann kein Zeichen der Ungeduld Statt finden, das Mißfallen kann sich nur durch Schweigen, der Beyfall nur durch Applaudiren, bemerklich machen ...*

Schon im Juni 1797 hatte Goethe in dieser lächerlichen Weise im Namen des Herzogs vorgehen müssen, damals hatten sich *die Jenaischen Studierenden unanständig betragen.*

Jetzt bemerkt er Tage später in einem Brief an Schiller sarkastisch: *Mich verlangt sehr Sie zu sehen. Die verwünschte Acclamation neulich hat mir ein Paar böse Tage gemacht.*

Am 2. April wird Goethes lange geheimgehaltene »Natürliche Tochter« uraufgeführt. Ein Trauerspiel in hochstilisierten Blankversen; der erste Teil einer geplanten Trilogie. Die Hauptrolle, die der Eugenie, spielt Caroline Jagemann. *Liebes schönes Kind* nennt Goethe sie in einem Billett, dankt ihr für ihre *schönen Bemühungen.*

Keine Vivatrufe, die Reaktion des Publikums ist eher verhalten. Karl August Böttiger spricht schulmeisterlich, wie immer, von *zuviel unverdaulicher Kost auf eine Mahlzeit.* Caroline Herder dagegen hält das Stück für *das Höchste, Schönste, was* Goethe *je gemacht hat ... Das Publikum und die jenaischen Studenten sind freilich noch zu sehr an den Schillerschen Klingklang und Bombast gewöhnt, der ihre Ohren kitzelt. Daher hat es ›den‹ Beifall nicht gehabt, den ihm aber auch nur die Verständigen geben können ... Daß die Schillersche Partei so laut entgegen diesem Stück ist, ist auch ein Zeichen, wie es mit dem Verhältnis dieser zwei Geister steht.* Diese Äußerung ein Zeichen dafür, wie stark die unterstellte Rivalität von Schiller gegen Goethe nach der verunglückten Kotzebue-Inszenierung noch im Bewußtsein der Weimarer Gesellschaft ist.

Schiller selbst äußert sich positiv über Goethes neues Stück. ... *die hohe Symbolik mit der er den Stoff behandelt hat ... ist wirklich bewundernswerth.* Allerdings schränkt er ein: *Des theatralischen hat er sich zwar darinn noch nicht bemächtigt, es ist zu viel Rede und zu wenig That ...* Aber er empfiehlt Iffland das Stück für Berlin. *Goethe hat kürzlich ein sehr vortrefliches Stück von einer hohen rührenden Gattung auf die Bühne gebracht, das auch einen guten Succeß auf unserm Theater gehabt hat. Es wird auch gewiß an andern Orten Wirkung thun ...*

Während der »Braut von Messina« in Berlin ein großer Erfolg beschieden ist – *es ist Ihr Triumph, nicht meiner*, so Schiller an Iffland –, hat Goethes »Natürliche Tochter« keinen *Succeß* in der preußischen Metropole. Das Stück fällt durch, wird *ausgepocht*. Schadow habe die *Auspocher* bestellt, berichtet Fichte süffisant an Schiller, will aber als Informant nicht genannt werden.

Für Goethe trifft die Nachricht vom Mißerfolg auf dem Berliner Theater mit einer Äußerung Herders zusammen, die ihn zutiefst kränkt. Es ist ein halbes Jahr vor Herders Tod, es ist das letzte Gespräch zwischen den beiden. Herder spricht zunächst beifällig vom Stück, fügt aber am Schluß hinzu, daß Goethes »Natürliche Tochter« ihm lieber sei als dessen natürlicher Sohn. Einen *zwar heiter ausgesprochenen aber höchst widerwärtigen Trumpf* nennt Goethe dies, erinnert sich noch Jahre später an das *schreckliche Gefühl ... das* ihn *ergriff; ich sah ihn an, erwiederte nichts und die vielen Jahre unseres Zu-*

*sammenseins erschreckten mich in diesem Symbol auf das fürchterlichste. So schieden wir...*

Goethes »Natürliche Tochter« und Schillers »Braut von Messina« gehören nicht zu den bekanntesten Dramen und haben in der Bühnengeschichte wenig Furore gemacht. Dennoch sind es interessante experimentelle Stücke; für heutige Theaterleute eine Herausforderung. Als Stilmittel der modern eingesetzte Chor, der mit dem Wechsel zwischen allgemeiner (nach antikem Vorbild) und individueller Wertung (in gleichsam Brechtscher Weise) dem Zuschauer Distanz und Reflexion ermöglicht. Schillers poetologischer Text »Über den Gebrauch des Chors in der Tragödie«, sein *Wort über den tragischen Chor.* Er habe, gesteht er Goethe bei dessen Niederschrift, seine *Noth* damit, *so drükt das ganze Theater mit samt dem ganzen Zeitalter auf mich ein, ... ich will suchen etwas recht ordentliches zu sagen, und der Sache, die uns gemeinsam wichtig ist, dadurch zu dienen.*

Geht Goethe auf die darin geäußerten Gedanken ein? Es gibt keinen Beleg dafür.

## II

Das Tagesgeschäft der Bühnenarbeit steht offenkundig im Vordergrund.

Am 23. April 1803 wird »Die Jungfrau von Orleans« erstmals in Weimar gegeben. Goethe hat Carl August die Zustimmung dazu abgerungen. Die Hauptrolle übernimmt nicht Caroline Jagemann, sondern die unerfahrenere Amalie Malcolmi, die schon die Isabella in der Uraufführung der »Braut von Messina« gespielt hatte. *Denn ob wir gleich keine großen Talente bei unserm Theater haben, so störte doch nichts, und das Ganze kam zum Vorschein*, kommentiert Schiller, der allein, ohne den Freund, die Einstudierung des Stückes übernommen hat. *Ich habe mir mit den Proben viel zu thun gemacht*, erfährt Körner, und: *das Stück ist aber auch scharmant gegangen und hat einen ganz ungewöhnlichen Erfolg gehabt.* Am 30. April und 7. Mai wird es wiederholt, bis Ende 1804 zwölfmal in Weimar gespielt.

Von *vielen theatralischen Zerstreuungen* ist bei Schiller die Rede.

Anfang Mai 1803 übersetzt er auf Wunsch des Herzogs aus dem Französischen Picards Lustspiele »Der Neffe als Onkel« und »Der Parasit«. Am 18. Mai und am 12. Oktober werden die Stükke in Weimar uraufgeführt.

Am 20. und 28. August ist er bei Hofe. Am 29. August kommt der schwedische König Gustaf IV. Adolf mit seiner Gemahlin nach Weimar. Am 30. August wird in Anwesenheit der Majestäten »Wallensteins Tod« gegeben. Gustaf Adolf zeichnet Schiller für seine »Geschichte des Dreißigjährigen Kriegs« mit einem Brillantring aus. *Du kannst Dir leicht denken*, schreibt er an Wilhelm von Wolzogen, *wie sehr mich dieses überrascht und erfreut hat. Wir Poeten sind selten so glücklich, daß die Könige uns lesen, und noch seltner geschieht's, daß sich ihre Diamenten zu uns verirren. Ihr Herren Staats- und Geschäftsleute habt eine große Affinität zu diesen Kostbarkeiten; aber unser Reich ist nicht von dieser Welt.*

Am 2. Juli reist Schiller nach Bad Lauchstädt. Bis zum 14. Juli hält er sich dort auf. Drei seiner Stücke stehen auf dem Spielplan des dortigen Theaters: »Wallensteins Lager«, »Die Braut von Messina« und sein jüngst aufgeführtes. *Heute ist »Die Jungfrau von Orleans« und es wird unmenschlich voll werden*, berichtet Christiane am 11. Juli 1803 an Goethe. Anderentags dann: *Die Einnahme war 358 Taler.* Es ist eine der höchsten in der Lauchstädter Theaterkasse.

Der Erfolg der Schillerschen Stücke. Die andere Atmosphäre in Lauchstädt. Beifallsbekundungen werden hier nicht wie in Weimar geahndet. *Die Vivats ... rissen während der Anwesenheit des Dichters gar nicht ab*, berichtet ein Augenzeuge.

*Man hat mir gestern nach dem Ball noch in später Nacht eine Musik gebracht, wobei viele Studenten aus Halle und Leipzig waren, sodaß ich noch nicht recht habe ausschlafen können, auch des Morgens haben sie mich mit Musik begrüßt*, schreibt Schiller am Tag nach der Aufführung seiner »Braut von Messina« an Charlotte.

Ein Student namens Krahn überliefert, daß die jungen Leute in Schillers Quartier eindrangen und den bereits Ausgezogenen nötigten, sich wieder anzukleiden, indem *jeder ein Kleidungstück ergriff ... sodaß wir alle den Eingeladenen umgaben wie Kammerdiener, bereit ihn anzuziehen. Das Gelächter Schillers machte uns dreister und fast willenlos fuhr er in die Kleider. Mehr gezogen und getragen als gehend brachten wir ihn richtig in den Saal ... Fast eine Stunde blieb Schiller bei uns, wahrhaftig ein Bursche unter Burschen ...*

Lauchstädt, berichtet der Gefeierte nach Weimar, *fand ich sehr volkreich und dabei ganz zwanglos, so daß ich mich in der Masse der Menschen recht gern mit fortbewege, es* sei *für die Societät auf eine artige und anständige Weise gesorgt, ... ziemlich behaglich, zutraulich und fröhlich* sei die *Gesellschaft hier.*

Schiller macht die Bekanntschaft des Prinzen Eugen von Württemberg, Bruder des Regenten von Württemberg, verkehrt mit ihm, er trifft den angehenden Dichter Friedrich de la Motte Fouqué. Nimmt, wie belegt ist, an allen Geselligkeiten teil, selbst an einer Geländejagd mit mehreren Parteien; *Schiller war neutral*, berichtet Christiane an Goethe.

*... wenn man sich einmal frisch resolviert gar nichts zu thun*, liest dieser im Brief des Freundes, *so läßt sichs unter dem Treiben einer Menge, die auch nichts zu thun hat, ganz leidlich müßig gehen. Länger freilich als 8 oder 12 Tage möchte ich einen solchen Zustand nicht aushalten*, schränkt er ein.

Selbst diese wenigen Tage gönnt er sich nicht. Während er Bälle und Soupers besucht, Kahnpartien bei Mondschein unternimmt, zu Pferde an der Geländejagd beteiligt ist, durch Alleen und Anlagen spaziert, gehen ihm Arbeitspläne durch den Kopf.

Es ist das »Tell«-Drama, das ihn beschäftigt.

Die Verbindung zwischen dem Lauchstädter Theaterpublikum in jenen heiteren Sommertagen und dem sich entwickelnden Konzept des »Tell«.

*Es führt zu nützlichen Betrachtungen zuweilen ein andres Publicum zu sehen*, heißt es an Goethe. Charlotte gegenüber spricht er sogar von einem *neuen Publicum. Die Ansicht eines neuen Publicums giebt mir viel neue Blicke über das theatralische Wesen, und ich bin ziemlich gewiß, daß ich künftig viel bestimmter und zweckmäßiger für das Theater schreiben werde, ohne der Poesie das geringste zu vergeben.*

Verinnerlicht er jetzt, was Goethe ihm im Vorjahr *über theatralisch wirksamere ... Productionen* schrieb und was er damals als unzumutbare Aufforderung zu Routinearbeit zurückwies?

Versöhnt er, der das Publikum Jahre zuvor mit *geladener Flinte* empfangen wollte, sich mit ihm? Stellt sich der für seine frühen Mannheimer Theaterjahre charakteristische Enthusiasmus wieder ein?

Bei der Entwicklung des Stücks scheinen Publikums- und Bühnenwirksamkeit, die *Wirkung ad extra*, an die vorderste Stelle zu treten. Als Beleg dafür kann der Brief an Iffland gesehen werden, geschrieben am 12. Juli 1803 in Lauchstädt. Vom »Tell« ist die Rede: *Noch vor Ablauf dieses Winters verspreche ich Ihnen den ›Tell‹ ... Dieses Werk soll, hoff' ich, Ihren Wünschen gemäß ausfallen und als ein Volksstück Herz und Sinne interessiren.*

Noch ist nichts auf dem Papier.

*... an die wirkliche Ausführung hat mich der verzweifelte Kampf mit dem Stoff bis jezt noch nicht kommen laßen*, gesteht er Iffland am 5. August, *aber das theatralisch wirkende, das Volksmäßige ist in hohem Grade da – in meinem Plan nehmlich ...*

Mußte er beim »Wallenstein« *jeden Gedanken an die Aufführung verbannen*, weil er sonst Gefahr lief, seine *poetische Freiheit* zu verlieren, so tritt bei »Wilhelm Tell« fast die Umkehrung ein. Die Theaterwirksamkeit wird zum Motor.

Noch *vor Ablauf ›dieses‹ Monats*, kündigt er Iffland an, werde er ihm die *Decorationen ... bestimmen.* Der *Maschinenmeister* werde viel zu tun haben. *Auf ein schönes Geläut*, bittet er Iffland, *müssen Sie denken, denn dieses Schweitzerische Stück fängt billig mit dem Klang der Heerden, mit dem Kuhhirten und dem Kuhreihen an ... Auch muß ich bitten, daß ich Geßlern einmal zu ›Pferd‹ auf die Bühne bringen kann.* Und: *Dieses verspreche ich Ihnen ... daß Sie von mir kein Stück mehr lesen sollen, welches nicht auf die Gewalt der theatralischen Erscheinung berechnet ist.*

Schiller geht einen mutigen und entschiedenen Schritt auf das Publikum zu. Das Experimentelle seines Theaterkonzeptes. Will er – nach den Erfahrungen mit der »Braut von Messina« – die Weimarer Bühne publikumswirksamer machen, sie aus dem Elitären, aus der Privatheit einer halbhöfischen Aufführungsstätte hin zu einer mit großer Öffentlichkeit führen?

Mehrfach ist von einem *Volksstück* die Rede.

Für das *ganze Publikum* solle *das Stück* sein. Daher die Arbeit mit Massenszenen und opernhaften Effekten.

Daß Schiller dabei nicht in erster Linie das Weimarer Theater, sondern das Königliche Schauspielhaus in Berlin vor Augen hat, ist nicht unwesentlich. *Für Berlin und Sie war das Stück zunächst bestimmt, und soll auch dort zuerst auf die Bühne treten*, schreibt er an Iffland. Und es heißt, der »Tell« solle ein *mächtiges Ding werden, und die Bühnen von Deutschland erschüttern.*

Ein großes Wagnis, das Schiller eingeht. Die Geschichte der Rezeption beweist: es ist ihm gelungen. Nach den »Räubern« ist »Wilhelm Tell« sein populärstes und meistgespieltes Stück.

Am 25. August 1803 trägt Schiller in seinen Kalender ein: *Diesen Abend an den Tell gegangen.* Ab September intensive Arbeit. Am 18. Februar 1804 die Notiz: *Den Tell geendigt.* Ein Schreibprozeß von nicht einmal einem halben Jahr. Mit äußerster Konzentration treibt er den Text voran.

Unterbrechungen immer wieder durch Krankheit. Mitte September, Ende November, Anfang Dezember, Ende Januar.

Abhaltungen anderer Art. Eine Reise nach Jena. Er logiert im

Schloß in Goethes Quartier. Der Grund seines Aufenthaltes? Der Aderlaß an der Universität? Goethes Zeitungsengagement? *Ich war einige Tage in Jena, wo es jezt nicht erfreulich aussieht, weil Loder, Paulus und Schütz ... wegziehen und noch kein Ersatz dafür da ist.* Er sei *bekümmert* über den *Verfall der Universität. Ich bin nicht ganz unthätig gewesen, das hiesige Ministerium und den Herzog zu einem nachdrücklicheren Schritt zu bewegen ... Hätte mich die Natur zu einem academischen Lehrer gestempelt, so entschlöß ich mich kurz und gut und gienge selbst wieder hinüber ... Aber dieses ist nicht mein Fach ... Also kann ich nichts thun, als mich ärgern.*

Wenig Zutrauen hat er zu Goethes auf die Weiterführung beziehungsweise Neugründung der Jenaer »Allgemeinen Literatur-Zeitung« sich richtende Aktivitäten. *An der neuen Litt⟨eratur⟩ Zeitung in Jena habe ich nur dem Nahmen nach Theil, mit der Direction befaß ich mich nicht, und mit recensiren werde ich auch wenig, die ganze Sache ist unverständig angefangen und es kann nichts dabei heraus kommen. Ich fürchte, daß man sich prostituieren wird.* Schillers pessimistische Einschätzung wird sich nicht bewahrheiten, die Zeitung wird ein Erfolg, bis 1841 wird sie existieren.

Schillers für Goethe schmerzliches Desinteresse hängt mit einem weitreichenden Entschluß zusammen: seine Zeit als Herausgeber, sein Engagement für andere Autoren ist vorbei.

Die Arbeit an der »Thalia«, den »Horen« und dem »Musen-Almanach« hat ihn *auf immer und ewig davon abgeschreckt*; auch hat sich seine *Natur*, wie er Körner schon 1802 eingestand, *gänzlich verändert: jeden Augenblick* hält er seitdem *für verloren, den* er *nicht einem poetischen Werk* widmet.

Seine ganze Energie konzentriert er auf sein Drama, den »Tell«.

Im November 1803 der vollständige Rückzug. Keinerlei Zerstreuung mehr, keine Komödienbesuche. *In meiner jetzigen Ein- und Abgeschloßenheit erfahre ich nur an dem immer kürzeren Tagesbogen, daß sich die Zeit bewegt.*

Schiller in seinem Arbeitszimmer. Sein Schreibtisch. Der Lichteinfall von links. Die Morgenseite. Die Giebelwand hat er aufbrechen, ein Fenster nach Osten einsetzen lassen. Die anderen Fenster in der Mansarde gehen nach Süden. Fahles Frühwinterlicht, die Esplanade, Gärten, freies Feld, Ruhe.

In der Arbeitsstube in die Dachschräge eingebaute Regale für Bücher. Griffbereit für den »Tell« Tschudis »Chronicon Helveticum«. Ein Kupfer von der Apfelschußszene, der Fronvogt Geßler zu Pferde. Landkarten an den Wänden. Bereits im Vorjahr bat Schiller Cotta um *eine genaue Special Charte von dem Waldstättensee und den umliegenden Cantons.* Und Körner um *einige gute Schriften über die Schweitz*, weil *das Lokale an diesem Stoffe soviel bedeutet. ... ich möchte gern soviel möglich örtliche Motive nehmen.*

Wenn es ihm gelänge, *das auszuführen was* er *im Kopf habe ...* Der mühselige, von Krisen und Verzweiflung begleitete Weg vom Kopf aufs Papier, der Weg von der *Idee* zur *Erfüllung*. Von einem *Fegfeuer*, in dem seine *arme Seele leidet*, schreibt Schiller. Wieder muß er, wie *ein Thier, dem gewisse Organe fehlen*, alles mit seiner Imagination erschaffen.

Die fehlende Kenntnis der Originalschauplätze. *Mich würde es bei meinem jetzigen Geschäft sehr fördern, wenn ich auch die Alpen und Alpenhirten in der Nähe gesehen hätte!* So an den aus der Schweiz zurückgekehrten Cotta. Noch Anfang Dezember 1803 will Schiller dorthin. *Ohnehin bin ich entschlossen, eh ich das Stück drucken lasse, nach der Schweiz zu gehen.*

Goethe wird später den Eindruck erwecken, daß er Schiller den »Tell«-Stoff abgetreten hat, und seinen Anteil daran betonen.

*In Schillern lag dieses Naturbetrachten nicht. Was in seinem Tell von Schweizerlokalität ist, habe ich ihm alles erzählt*, äußert er 1827 gegenüber Eckermann. Und mit Bezug auf seine eigenen »Tell«-Pläne: *Von allem diesen erzählte ich Schillern, in dessen Seele sich meine Landschaften und meine handelnden Figuren zu einem Drama bildeten. Und da ich andere Dinge zu tun hatte und die Ausführung meines Vorsatzes sich immer weiter verschob, so trat ich meinen Gegenstand Schillern völlig ab ...*

Schiller nur der Übernehmende, Ausführende von Goethes Idee? Zum einen ist der fragwürdige Filter der Eckermannschen Niederschrift zu bedenken. Zum andern: Die Zeugnisse aus der Entstehungszeit sprechen eine andere Sprache.

Wohl ist 1797 nach Goethes Rückkehr aus der Schweiz zwischen den Freunden von dessen »Tell«-Epos die Rede. Danach aber nicht mehr. 1802 wird Schiller zu Ohren kommen, er arbeite an einem »Tell«. *Dieses ganz grundlose Gerücht* habe ihn aufmerksam gemacht, schreibt er im April 1803 an Iffland, *ich las die Quellen, ich bekam Lust, die Idee zu dem Stück entwickelte sich bei mir, und so wird ... die Prophezeihung eben dadurch erfüllt werden, daß sie gemacht worden ist.*

Sowohl Goethes Eintragungen in sein Tagebuch als auch die Schillers in seinen Kalender belegen, daß ihre Arbeitskontakte während der Entstehung des »Tell« nicht übermäßig intensiv waren. Goethes Tagebuch verzeichnet am 22. Juli 1803: *Hofr. v. Schiller spaziren. Anlage von Tell.* Am 24. Juli: *Schiller. Constr⟨uction⟩ von Tell.*

Mündlicher Austausch möglicherweise, Fragen, Ratschläge. Die nächste überlieferte Mitteilung ist vom 12. oder 13. Januar 1804. Schiller schreibt an Goethe: *Indem ich mich erkundige wie es mit Ihrer Gesundheit steht, frage ich zugleich an, ob Sie Sich gestimmt und aufgelegt fühlen, von etwas poetischem Notiz zu nehmen. Denn in diesem Fall wollte ich Ihnen den großen ersten Act des Tell zuschicken, welchen ich an Iffland abzusenden gedrungen werde, und nicht gern ohne Ihr Urtheil aus den Händen geben möchte.*

Goethe ist – im Unterschied zum Vorjahr – wieder der erste Leser.

Aber noch ist es nicht soweit. Ende November bis Mitte Dezember 1803 ist Schiller krank. Im Haus an der Esplanade die schmale Schlafkammer nach der Nordseite, vom Arbeitszimmer nur durch eine leichte Wand und eine Tapetentür getrennt. Ein zweites Bett wird vielleicht in sein Arbeitszimmer gestellt – wie es während der letzten Lebensmonate geschehen wird.

Husten, Atemnot. Aufstehen, zum Schreibtisch Gehen, Durchstreichen, Ändern; ein neuer Satz, Umherwandern, erschöpftes Ausstrecken auf der Bettstatt. Auch während der Krankheit kein Stillstand, das Stück hört nicht auf, durch seinen Kopf zu wandern.

Ab Mitte Dezember dann der *rasche* und, wie er dem für fast zwei Monate in Jena weilenden Goethe mitteilt, *wirklich anstrengende Wechsel von productiver Einsamkeit und einer ganz heterogenen SocietätsZerstreuung.*

Einladung von Freunden. Am 16. Dezember treffen 400 frische Austern in Weimar ein, eine Aufmerksamkeit des Hamburger Theaterdirektors Herzfeld für Schiller. Dieser bedankt sich für *der Meeresgöttin wundersame Gabe, das angenehme Geschenk ... Es ist in einer fröhlichen Gesellschaft guter Freunde, mit dankbarer Erinnerung an den Geber, fröhlich verzehrt worden.* Schiller als Gastgeber, heiter, feiernd in der Beletage seines Hauses. Ein guter Weißwein zu den Austern. Schillers Weinkeller kann es inzwischen, wie aus seinen Weinbestellungen und Rechnungen hervorgeht, durchaus mit dem Goethes aufnehmen.

Die größte *SocietätsZerstreuung* aber ergibt sich aus der Anwesenheit von Germaine Baronne de Staël-Holstein, der berühmten Madame de Staël. Von Mitte Dezember bis zum Februar hält sich die aus Frankreich Verwiesene mit ihren beiden Kindern und ihrem Lebensgefährten Benjamin Constant in Weimar auf.

Schiller klagt: *Mein Stück ... nimmt mir den ganzen Kopf ein, und nun führt mir der Dämon noch die französische Philosophin hieher, die unter allen lebendigen Wesen, die mir noch vorgekommen, das beweglichste, streitfertigste und redseligste ist. Sie ist aber auch das gebildetste und geistreichste weibliche Wesen und wenn sie nicht wirklich interessant wäre so sollte sie mir auch ganz ruhig hier sitzen. Du kannst aber denken, wie eine solche ganz entgegengesezte, ... aus einer ganz andern Welt zu uns hergeschleuderte Erscheinung mit unserm deutschen, und vollends mit meinem Wesen contrastieren muß. Die Poesie leitet sie mir beinah ganz ab ...*

Widerwillig und zugleich fasziniert läßt sich Schiller auf die

Arbeitsstörung ein. *Ich sehe sie oft*, gesteht er Mitte Januar Körner. *Man muß sie ... ihres schönen Verstandes selbst ihrer Liberalität und Vielseitigen Empfänglichkeit wegen hochschätzen und verehren.*

Der Dresdner Freund erwidert: *Es ist ein Glück, daß Du mit dem Tell schon so weit bist, sonst würde ihm die gefährliche Französinn Schaden gethan haben ... wer producirt, darf nichts lieben, als sein Werk, und soll alles hassen, was ihn davon abzieht.*

Der Balanceakt: *SocietätsZerstreuung* und *productive Einsamkeit.*

Am 12. oder 13. Januar die Beendigung des ersten Aktes vom »Tell«. Die erwähnte Anfrage an Goethe. Dieser reagiert sofort. Bereits am 13. schreibt er: *Das ist denn freylich kein erster Act, sondern ein ganzes Stück und zwar ein fürtreffliches, wozu ich von Herzen Glück wünsche und bald mehr zu sehen hoffe.*

Goethe ist nach seinen eigenen Worten *krank und grämlich*, ist aber, wie im Vorjahr, der Werbende: *wenn Sie morgen nach Hofe fahren, so kommen Sie einen Augenblick vorher zu mir, mein Wagen kann Sie abholen und so lange warten*, bittet er ihn am 14. Januar. Sein Tagebuch vom 15. vermerkt Schillers Besuch: *Abends Hr. Prof. Meyer und Hr. Hofr. v. Schiller.*

Und Schiller schickt weiteres. Die Rütli-Szene. Bereits am 18. Januar kann Goethe sie lesen. *Hier kommt ... das Rütli zurück, alles Lobes und Preißes werth ... Ich verlange sehr das übrige zu sehen. Alles Gute zur Vollendung.*

Am 23. beklagt sich Goethe über die Zurückgezogenheit des Freundes: *bei diesem langen Auseinanderseyn wird es einem doch zuletzt wunderlich*. Zugleich äußert er Verständnis; mehr noch, er bekennt – eine Liebeserklärung –, daß er den *Trost* habe, daß Schillers *Arbeit nicht ganz unterbrochen worden denn das ist das Einzige von dem was ich übersehe das unersetzlich wäre das wenige, was ich zu thun habe, kann noch allenfalls unterbleiben. Halten Sie sich ja stille bis Sie wieder zur förmlichen Thätigkeit gelangen.*

Am 18. Februar 1804 trägt Schiller in seinen Kalender ein: *Den Tell geendigt.* Letzte Korrekturen werden ihn bis in den April hinein beschäftigen.

Die Inszenierung des »Wilhelm Tell« an der Weimarer Bühne wird die letzte große gemeinsame Arbeit der Freunde. Am 19. Februar geht der »Tell« an Goethe, mit der Bitte um rasche Durchsicht, *weil der Rollenschreiber darauf wartet.* Am 21. Februar sendet Goethe das Manuskript zurück. Am 20. Februar waren die letzten Szenen des »Tell« auch an Iffland nach Berlin gegangen.

Am 24. Februar schreibt Schiller an Goethe: *Anbei übersende die Rollen vom Tell, mit meiner Besetzung, und bitte Sie, nun das weitere darüber zu verfügen.*

Daß *die Proben gemeinschaftlich und vielfach mit Sorgfalt behandelt wurden*, erinnert sich Goethe.

Am 1. März findet die erste Leseprobe statt. Schiller wird krank. Der Freund springt ein. Am 5. oder 6. März bedankt sich Schiller: *Es ist mir recht zum Trost, daß Sie sich des Tell annehmen wollen.* Am 8. März Probe auf der Bühne. Weitere am 9., 13. und 15. März. Am 16. ist Hauptprobe. Am 17. März 1804 die Premiere.

Goethe berichtet stolz nach Berlin an Zelter: *Was unser Schauspiel zu leisten vermag, hat sich beym Tell gezeigt, der recht gehörig gegeben worden.* Humboldt gegenüber nennt er den »Tell« ein *außerordentliches Product ... das mit Recht eine große Sensation macht.*

Schiller ist überaus zufrieden. ... *die Vorstellung hat mir große Freude gemacht ... mit dem größten Succeß* sei das Stück *gespielt worden ... Der Tell hat auf dem Theater einen größern Effect als meine andern Stücke ... Ich fühle, daß ich nach und nach des theatralischen mächtig werde.*

Zur *Sensation*, von der Goethe spricht, trägt auch die politische Brisanz des Stückes bei. Von *im hohen schönen Schwunge dargestellten Menschenrechten* schreibt Iffland. Aber eher wegen *politischer Bedencklichkeit* besorgt als bewundernd. Er fragt, ob

Schiller mit seinem »Tell« den *Pöbel zu einem tumultuarischen Aufjauchzen reizen* wolle. Spielt er damit auf die »Räuber« an? Sieht er das erste und das letzte Stück in einer geheimen Verbindung?

Politischer Gehalt und Tagesaktualität sind durchaus von Schiller gewollt und bewußt kalkuliert. Mit dem »Wilhelm Tell« *denke* er, *den Leuten den Kopf wieder warm zu machen. Sie sind auf solche Volksgegenstände ganz verteufelt erpicht, und jetzt besonders ist von der schweizerischen Freiheit desto mehr die Rede, weil sie aus der Welt verschwunden ist.*

Die Verwandlung der Sansculottenheere in Eroberungstruppen. Napoleon überzieht Europa mit Kriegen. 1797/98 ist er in die Schweiz einmarschiert, hält das Land besetzt. Die Kantone haben schnell kapituliert. Nur der Kanton Schwyz hat zwei Monate länger standgehalten.

Schillers »Tell« ist ein Freiheitsdrama, aber kein Drama einer revolutionären Volkserhebung. Die Volkserhebung, wie sie stattfindet, kommt bei ihm nicht vor; er läßt keinen Zweifel, daß er auf die Wiedereinsetzung des alten Rechtes baut.

Dennoch: im Handlungsverlauf des Dramas die Darstellung eines Aufstands, die Rechtfertigung des Mordes an einem Politiker, die Konstituierung einer freien Republik, und, in der Schlußszene, die Proklamation politischer Freiheitsrechte für alle.

Und das zu einer Zeit, wo jede republikanisch gesinnte Äußerung als revolutionsfreudig und jakobinisch diffamiert wird. Die politischen Bedenken des Berliner Theaterdirektors sind unter diesem Aspekt durchaus nachvollziehbar.

Wie geht man in Weimar mit dieser Tendenz des Stückes um? Schiller und Goethe lösen das Problem einvernehmlich: durch eine massive Selbstzensur. Schiller stellt eine Bühnenfassung her, in der *viele schwürige oder bedenkliche Stellen* gestrichen sind; sie sei *wesentlich verkürzt und z. b. der ganze fünfte Act weggelassen …*

Fast beiläufig steht das in einem Brief Schillers an Körner vom 10. Dezember 1804, mit dem er diese Bühnenversion auch für eine eventuelle Aufführung in Dresden empfiehlt. Da nennt er auch den Grund für die Streichung des 5. Aktes: *weil wir des Kaisermords nicht erwähnen wollten.*

Das Eingreifen des Herzogs ist überflüssig. Autor und Theaterdirektor – das *wir* deutet auf die Einigkeit der Freunde – erledigen es von sich aus, kommen der Zensur zuvor.

Wie heikel die Sache dennoch ist, geht aus der Art und Weise hervor, wie Iffland sie behandelt. Streng konspirativ. Er schickt seinen Freund und Vertrauten, den Theatersekretär Pauli, in geheimer Mission nach Weimar. Die Reise ist als Privatreise getarnt. *Es soll ›hier‹ Niemand wißen, daß und weshalb er geht. Es muß, dünckt mich in ›Weimar‹ Niemand wißen weshalb er dort ist,* schreibt Iffland am 7. April an Schiller. *Meine Fragen und Wünsche … dürfen dort und hier nicht bekannt werden. Ich glaube man machte damit für Sie, mich und die Tendenz des Tell, ein Aufheben ohne Noth.*

Am 10. April trifft Pauli mit diesem Brief und einem detaillierten Fragebogen in Weimar ein. Am linken Rand hat Iffland seine Fragen – unter anderen auch rein theaterpraktische – notiert, am rechten ist Raum für Schillers Antworten. Hinsichtlich der politischen Bedenken kann Schiller zu seiner Textstelle: *»Es hebt die Freiheit siegend ihre Fahne!«* Ifflands Anmerkung lesen: *kann einen andern Effect machen, als Schiller will …* Zu der Stelle: *Die Kinder rennen mit Trümmern über die Bühne und rufen: »Freiheit! Freiheit!«*, schreibt Iffland: *Ich weiß nicht, was mehr zur Sache gehört als dieser Ruf. Doch möchte ich wünschen, sie riefen etwas, das mehr den Haß gegen Geßler verkündete, als den Jubel über das Ende der monarchischen Regierung.* Schiller ändert, schreibt rechts an den Rand statt des zweimaligen Rufes nach *Freiheit* die Worte *Rettung und Erlösung!*

Zum zweiten Aufzug, zweite Szene, Vers 1275 notiert Iffland: *Die Rede des Stauffacher: »Nein, eine Grenze hat Tirannenmacht« pp »Wir stehn vor unsre Weiber, unsre Kinder!« wünsche ›ich‹ (:nur ich:) geändert. Die Berliner ›Regierung‹ verstattet alles, was man in keiner Monarchie verstattet. Diese philoso-*

*phisch-freie Regierung kann es auch verstatten. Aber diese im hohen, schönen Schwunge dargestellten Menschenrechte, mahnen an eine mißverstandene, die Europa leiden machten. ›Will‹ der Dichter einen Pöbel – wie jede ›so‹ große Volcksmaße ihn hat, zu einem tumultuarischen Aufjauchzen reizen?? Dieses – mit dem, was nachkommt – könnte einen Effect machen, den der Dichter nicht will und den ich nicht wünschen kann.*

Pauli reist zurück. *Hier übersende ich Ihnen ... die veränderte Leseart der drei bedenklich gefundenen Stellen*, Schiller am 14. April an Iffland. *Anders konnt ich mich nicht faßen, ohne dem Geist des ganzen Werks zu widersprechen, denn wenn man einmal ein solches Süjet, wie der Wilhelm Tell ist gewählt hat, so muss man nothwendig gewiße Saiten berühren, welche nicht jedem gut ins Ohr klingen. Können die Stellen, wie sie jezt lauten, auf einem Theater nicht gesprochen werden, so kann auf diesem Theater der Tell überhaupt nicht gespielt werden ...*

Er fährt fort: *Wegen des Übrigen worin ich nicht nachgeben konnte, Tells Monolog und die Einführung des Parricida, berufe ich mich auf das was ich Herrn Pauli mündlich sagte. Der Casus gehört vor das poetische Forum und darüber kann ich keinen höhern Richter als mein Gefühl erkennen.*

Iffland wird sich mit der Inszenierung Zeit lassen. Aber auch in der preußischen Metropole wird »Wilhelm Tell« ein Erfolg. Er wird in Mannheim und anderen deutschen Städten gespielt werden. In Wien erst 1810, auch da wird der 5. Akt ersatzlos gestrichen, damit, wie der Zensor Freiherr von Hager in seinem Gutachten schreibt, *kein Schatten auf den Kaiser fällt.*

## III

Die Weimarer Uraufführung des »Wilhelm Tell« am 17. März 1804. *Die Zahl der Fremden, die herbeigeströmt kamen, war so enorm, daß schon nachmittags 3 Uhr der ganze Theaterplatz voll*

*Menschen stand.* Die Vorstellung dauerte *von 1/2 6 Uhr abends bis 11 Uhr nachts.*

Bringen gemeinsame Theaterarbeit und Erfolg Schiller und Goethe wieder einander näher?

Kaum.

Noch immer divergiert das Schrittmaß.

Schillers Produktivität, sein Eins-Sein mit der Arbeit: *Meine beste Freude ist meine Thätigkeit, sie macht mich glücklich in mir selbst und unabhängig nach aussen ...*

Goethe dagegen weiterhin in der Krise, zwar stets *beschäftigt*, wie er selbst sagt, aber er kann *nichts leisten*, ist *krank und grämlich*, mehr noch, er ist lebensüberdrüssig. Das Nachlassen seiner Kraft schiebt er aufs Alter: *weil man mit den Jahren doch immer weniger productiv wird ...*

*... und* – schlußfolgert er – *also sich ... und die Zustände der andern etwas genauer erkundigen kann.* Eine Anspielung auf sein Engagement für das Jenaer Zeitungsprojekt. Für das er auch weiterhin dem skeptischen Schiller gegenüber wirbt: *Auch verdiene ich wohl daß man mich ein wenig verstärkt*, schreibt er dem Freund im Januar 1804, *denn ich habe die vergangnen vier Monate mehr als billig an diesem Alp geschleppt und geschoben.*

Schiller aber lassen *die Zustände der andern* kalt, ihm geht es einzig um Goethes schöpferische Seite, darum, ihn wieder zum Dichter zu machen. Aber er hat wenig Hoffnung. *Kann ich aus Goethen einen POETISCHEN FUNKEN herausschlagen, so soll es an mir nicht fehlen, aber leider sehe ich jetzt wenig Anschein dazu, da ihm andere Sachen den Kopf warm machen*, heißt es resigniert.

Vermißt er den für ihre Freundschaft einst so beglückenden Austausch?

Er, der zu Ende des ersten Jahrfünfts ihrer Freundschaft überzeugt ist, zu Goethe aufgeschlossen zu haben, der über weite Strecken auch selbstbewußt die Führung der *Weggefährten* übernimmt, muß die Erfahrung machen, daß Goethe sich nicht von ihm bestimmen läßt, nicht das tut, was er von ihm erwartet: unablässig produktiv zu sein, seine *poetische Muse ... zu commandiren.*

Im Gegenteil: *was ich zu thun habe, kann noch allenfalls unterbleiben*, sagt Goethe.

Ist das in Schillers Augen ein Zurückbleiben?

Liest man die Briefe, die sie im zweiten Jahrfünft ihrer Beziehung austauschen, wird man feststellen: sie sind in Umfang und Gehalt gegenüber denen des ersten deutlich reduziert. Grundsätzliche Erörterungen literarischer Probleme finden kaum noch statt. Ist die hohe Spannung der *Zweyheit* einem Nebeneinander gewichen? Einem Miteinander auf dem Gebiet der praktischen Theaterarbeit?

Schillers enttäuschtes: *Allein kann ich nichts machen ...*

Sein kritischer Blick auf die Situation in Weimar. *Hier leben wir in einem wahren Mangel alles Kunstgenußes*, klagt er. *Goethe befindet sich seit mehreren Wochen unpaß, Herder hat uns gar verlassen ...* Von *traurige⟨n⟩ Betrachtungen* ist die Rede, von *Todesgedanken*, deren er sich *kaum erwehren* könne.

Drei Tage nach der Uraufführung des »Wilhelm Tell«, einen Tag nach der glänzenden zweiten Aufführung im wiederum überfüllten Theater, schreibt Schiller an Wilhelm von Wolzogen nach St. Petersburg: *ich verliere hier zuweilen die Geduld ... ich bin nicht Willens in Weimar zu sterben.*

Seine hochgradige Unzufriedenheit; er denkt ans Weggehen. *Nur in der Wahl des Orts, wo ich mich hinbegeben will, kann ich mit mir noch nicht einig werden ...* Vom *südlichen Deutschland* ist die Rede, aber auch vom *Norden*, wo er *mit Freuden* hinziehen würde.

*... es gefällt mir hier mit jedem Tag schlechter ... Es ist überal beßer als hier,* so sein Fazit.

Keine fünf Wochen später bricht Schiller zu einer Reise auf. *Es war ein Einfall der eben so schnell ausgeführt wurde als er entstand ...* Er macht ein Geheimnis daraus. Niemand in Weimar weiß, wohin er fährt.

Mit seiner Frau und den beiden Söhnen verläßt er die Stadt. Der zehnjährige Carl, der siebenjährige Ernst. Die vierjährige Caroline bleibt daheim. Charlotte ist wieder schwanger, ist bereits am Ende des sechsten Monats. Die Reise mit der Kutsche eine Strapaze für alle, besonders aber für sie.

26. April 1804. Über Weißenfels reist die Familie nach Leipzig, wo Schiller mit Cotta zusammentrifft, der zur Frühjahrsmesse in der Stadt ist. Über Wittenberg und Potsdam geht es weiter. Das Ziel ist die preußische Metropole. Am 1. Mai trifft Schiller in Berlin ein, steigt mit Frau und Kindern im »Hôtel de Russie« Unter den Linden Nr. 23 ab.

... *Schillers Ankunft* habe *ein lebhaftes allgemeines Interesse erregt*, ist in der Zeitung zu lesen.

Schillers Kalender hält in knappen Notizen die Ereignisse der Berliner Tage fest.

Am Abend des 2. Mai Mozarts »Zauberflöte« mit der umjubelten Margarethe Josephine Lanz als Königin der Nacht.

Am 3. Mai Besuch bei der Familie des Oberfinanzrates von Hagen, seine Ehefrau ist eine Freundin Charlottes. Am selben Tag Aufwartungen bei Christoph Wilhelm Hufeland, einem der Professoren, die die Jenaer Universität verlassen haben, bei Iffland und Zelter. Am Abend im Schauspielhaus am Gendarmenmarkt ein Konzert. Iffland hat für Logenplätze gesorgt. Ein Cellostück von Romberg und ein von Prinz Louis Ferdinand komponiertes Quartett werden aufgeführt.

Am 4. Mai ist Schiller mit seiner Familie des Mittags Gast in Ifflands Landhaus am Tiergarten. Ganz sicher wird über die Vorbereitungen zur Aufführung des »Wilhelm Tell« gesprochen, über andere auf dem Spielplan stehende Schillersche Stücke. Und über das endliche Zustandekommen des schon lange geplanten Berlin-Aufenthaltes. Die Jahre zurückliegende Einladung der Königin Luise. Der nicht ausgeführte Reiseplan im Jahr 1801. Die 1802 geäußerte Absicht, *einige Monate in Berlin zu wohnen*. Vielleicht Iffland gegenüber an diesem Maitag die Bekundung seines Interesses, sich in Berlin etablieren zu wollen.

Vom Tiergarten zurück ins Hotel Unter den Linden. Am Abend des 4. Mai sieht Schiller im Schauspielhaus am Gendarmenmarkt eines seiner Stücke, die »Braut von Messina«. Am 8. Mai berichtet die »Königlich privilegierte Berlinische Zeitung«: *Bei seinem Eintritt in die Loge* sei Schiller *mit allgemeinem Beifall von der Versammlung empfangen* worden; *freudiger Zuruf hieß ihn herzlich willkommen, und wiederholte sich so lange und so laut, bis die Musik begann.*

Am 5. Mai, einem Samstag, eine Einladung zur Mittagstafel des Prinzen Louis Ferdinand. Am Sonntag die »Jungfrau von Orleans« in Ifflands Inszenierung.

Dann *gänzliche Erschöpfung, ein catarrhalisches Fieber*, Schiller muß das Bett hüten. Drei Tage ohne Eintrag im Kalender.

Am Abend des 10. Mai die Aufführung von Ifflands Stück »Die Aussteuer«. Am 11. Glucks »Iphigenie auf Tauris«. Am 12. mit der Familie zum Mittagessen bei Hufeland. Der Jenaer Medizinprofessor ist zum Königlichen Leibarzt und Direktor der Charité aufgestiegen. Sein Angebot an die Familie Schiller, das Hotel zu verlassen und zu ihm in die Friedrichstraße Nr. 130 zu ziehen. Für *die liebevolle Aufnahme, die wir bei Ihnen erfuhren*, bedankt sich Schiller.

Am Abend des 12. Mai nochmals der Besuch einer Aufführung der »Jungfrau von Orleans«.

Am 13. Mai, einem Sonntag, ein besonderes Ereignis. Schiller wird am Vormittag von Königin Luise im Schloß Charlottenburg empfangen.

Zu Mittag speist er bei Iffland. Einen Tag später sieht er diesen in der Hauptrolle seines »Wallenstein«. Am 15. Mai besucht er Zelter in der Singakademie. Abends sieht er eine Aufführung von Voltaires »Mérope«.

An diesem 15. Mai muß Schiller mit dem Theatersekretär Pauli zusammengetroffen sein. Es findet sich zwar kein Eintrag darüber in seinem Kalender, aber einen Tag später wendet sich Iffland vermittelnd an den Vertrauten Wilhelms III., den preußischen Kabinettsrat Karl Friedrich Beyme. *Gegen Herrn Sekretär Pauli hat Herr v. Schiller gestern geäußert, daß er gern in Berlin zu bleiben wünsche. Mindestens einige Jahre. Ob es nicht zu bewirken seyn möchte, daß er als Academicien ... mit einem Gehalte für das National-Theater arbeiten könne. ... Im Laufe des Gesprächs hat er ebenfalls geäußert ... für das Studium der Geschichte des Kronprinzen dienen zu können ... Doch war das lezte eine mehr hingeworfene Wendung im Gespräch ... Als Herr Pauli äußerte, daß es ihm höchstwahrscheinlich dünke, daß man die Ehre seines Besitzes hier wünschen müsse, hat er gegen den Schluß des Gesprächs gesagt – »wenn mir nur in Potsdam ein Anlaß oder eine Gattung Eröffnung gegeben würde«.*

Der 16. Mai ist wieder ohne Kalendereintrag. Am 16./17. Mai trifft der Weimarer Herzog zu einer militärischen Inspektion in Berlin ein. Er erfährt von Schillers Aufenthalt in der Stadt. Ob es eine Begegnung mit ihm gegeben hat, ist nicht überliefert.

17. Mai: Potsdam. Einladung mit der Familie nach Sanssouci zu einem Frühstück mit dem preußischen Königspaar. Die Fahrt nach Potsdam. Empfang, Gespräch. *Auch* die *beiden Jungens waren mit und Karl hat mit dem Kronprinzen Freundschaft gestiftet.* Danach eine Audienz beim Kabinettsrat Beyme. Im Namen des Königs bietet Beyme Schiller ein Jahresgehalt von 3000 Talern und den freien Gebrauch einer Hofequipage an, wenn er sich entschlösse, in die preußische Metropole zu ziehen. Das ersehnte Wort. Der Ruf nach Berlin. Ein großzügiges Angebot.

Von Potsdam aus tritt Schiller mit seiner Frau und den beiden Söhnen die Heimreise an. Aufenthalt in Wittenberg, Leipzig und Naumburg. Naumburg, schon Thüringen, ist die letzte Poststation. Hier verfehlte der siebenundzwanzigjährige Schiller im Juli 1787 den Weimarer Herzog, der nach Berlin unterwegs war.

Die Wegstrecke von Naumburg nach Weimar.

Schwatzen der Kinder.

Charlottes Schweigen.

Schiller vor der Entscheidung.

Schweigt Charlotte vor Erschöpfung? Was sie bewegt, wird sie wenig später Fritz von Stein in einem Brief offenbaren. Von *gro-*

*ßer Sorge* spricht sie. *Wir waren ... in Berlin; man* sei *sehr artig gegen Schiller* gewesen *und machte ihm vortheilhafte Anträge, dort zu bleiben. Mein ganzes Herz ist verwundet bei diesen Aussichten; denn so trostlos wie die Natur, waren mir die näheren menschlichen Verhältnisse auch ...* Und zur Rückkehr nach Thüringen schreibt sie: *ich weinte fast, als ich die erste Bergspitze wieder erblickte. Diese Krisis hat sehr auf meine Gesundheit eingewirkt, ich hatte Fieber aus Angst, ich wollte gefaßt scheinen und Schiller durch meine Wünsche nicht beschränken.*

Am 21. Mai, nach fünfundzwanzig Tagen Abwesenheit, das Passieren des Weimarer Stadttores. Das Haus an der Esplanade.

Spricht nicht auch Schiller von *Rücksichten auf seine Familie*? Vor allem denkt er an seine Kinder. Er könne *in Berlin eher Aussichten für* seine *Kinder finden ... Daß ich bei dieser Reise nicht bloß mein Vergnügen beabsichtete*, schreibt er eine Woche nach der Rückkehr an Körner, *kannst Du Dir leicht denken; es war um mehr zu thun, und allerdings habe ich es jezt in meiner Hand, eine wesentliche Verbeßerung in meiner Existenz vorzunehmen ... Um meinen Kindern einiges Vermögen zu erwerben muß ich dahin streben, daß der Ertrag meiner Schriftstellerei zum Kapital kann geschlagen werden, und dazu bietet man mir in Berlin die Hände.* Auch Iffland gibt gegenüber dem Vertrauten des Königs als Schillers Motiv an: *für die Kinder ein Kapital zu sammeln.*

Und seine Arbeit?

*Berlin gefällt mir und meiner Frau beßer als wir erwarteten. Es ist dort eine große persönliche Freiheit und eine Ungezwungenheit im bürgerlichen Leben*, heißt es. Und im selben Brief: *Hier in Weimar bin ich freilich absolut frey und im eigentlichsten Sinn zu Hause.*

Das Für und Wider, Preußen kontra Thüringen. Aber eigentlich weiß er längst, er bleibt in Weimar. Die Ferne hat die Nähe in ein anderes Licht gerückt. Charlottes Abneigung gegen Berlin mag daran mitgewirkt haben.

Schiller hat, so stellt es sich mir dar, einen Umzug nach dem Norden, nach Berlin, nie ernsthaft in Erwägung gezogen. Er weiß, daß sein Körper einer solchen einschneidenden Veränderung nicht standhalten, daß es ihn Kraft kosten würde, die er dringlich für sein Werk braucht.

Die Reise und die herbeigeführte Entscheidungssituation sind eher ein Test. Vor allem seiner gesellschaftlichen Wertschätzung. Diese wird ihm, dem einst vom württembergischen Monarchen des Landes Verwiesenen, dem Exilanten, nun durch den ehrenvollen Ruf an den preußischen Königshof bestätigt. Das ist wohl der Sinn.

Diese Reise – Schillers letzte überhaupt – erscheint mir auch als ein Sich-Wehren gegen den Tod. Ausgelöst durch jene bedrängenden Weimarer Erfahrungen, jene *Todesgedanken* im Winter 1803/1804.

Noch einmal Beifall hören, den Ruhm genießen, sich gefeiert sehen von einem großen, fremden Publikum. Wie verständlich diese Sehnsucht. Sie erfüllt sich: *freudiger Zuruf ... anhaltend ... laut*. In jenem Königlichen Schauspielhaus am Gendarmenmarkt.

Heute steht Schiller dort, überlebensgroß, umgeben von den vier Grazien, auf einem Sockel, eine Schriftrolle in der einen Hand, mit der anderen das antike Gewand raffend, mit wallendem Haar in der bekannten Danneckerschen Pose, den versteinerten Blick in die Ferne gerichtet. Im Dezember 2003 ist Weihnachtsmarkt vor dem Schauspielhaus. Ich bin dort. Künstlicher Schnee aus einer rotierenden Lichtkugel fällt auf Schiller. Man kann, ihm zu Füßen, im Freien unter Wärmeschirmen sitzen, bis in die Nacht hinein Wein trinken.

Die rotierende Kugel, die die Farben wechselt. Die Zeit springt zurück. Eine hagere Gestalt steigt die Stufen empor, Schiller in seiner Loge; keine Lockenfülle, keine heroische Geste, schütteres Haar, ich sehe einen bereits vom Tode gezeichneten Mann, sehe ihn, wie ihn Schadow in jenen Tagen in Berlin in seiner berührenden Zeichnung festgehalten hat.

Höre den Beifall. Was kann ihm Nachruhm sein, das Gefühl des lebendigen Da-Seins ist alles. Iffland als Wallenstein auf der

Bühne im Schauspielhaus im Mai 1804. Iffland, der im Januar 1782 den Franz Moor in jener legendären Mannheimer Uraufführung der »Räuber« gespielt hat.

*Ich habe ein Bedürfniß ›gefühlt‹, ›mich‹ in einer fremden und ›größeren‹ Stadt zu bewegen*, wird Schiller Wolzogen gestehen. *Einmal ist es ›ja‹ meine Bestimmung, für eine ›größere‹ Welt zu schreiben, meine ›dramatischen‹ Arbeiten sollen auf ›sie‹ wirken, und ich sehe mich hier in so engen kleinen Verhältnißen, daß es ein Wunder ist, wie ich nur einiger maaßen etwas leisten kann, das für die größere Welt ist.*

Wie so oft folgt bei Schiller der vehement vertretenen Behauptung die Relativierung, er rechtfertigt die *engen kleinen Verhältniße* in Weimar. Das *rege Leben einer großen Stadt* sei *zur Bereicherung des Geistes, und die stillen Verhältniße einer kleinen* bieten sich *zur ruhigen Sammlung* an; *denn aus der größern Welt schöpft zwar der Dichter seinen Stoff, aber in der Abgezogenheit und Stille muss er ihn verarbeiten.*

So wie der Ruf an die Tübinger Universität endet der an den preußischen Hof damit, daß Schiller über diesen Umweg die finanziellen Modalitäten seiner Weimarer Lebensumstände verbessert.

Am 4. Juni teilt er Carl August das vorteilhafte Berliner Angebot mit, läßt durchblicken, daß er in Thüringen bleiben wolle. Goethe ist es, der das Schreiben an den Herzog reicht, *zu huldvoller Beherzigung*, und um ein Gespräch bittet.

Der Herzog erwidert, Schiller möge seine Wünsche äußern. In einem Brief an Goethe stellt Schiller seine Bedingung: Verdopplung des Gehaltes auf *800 für jezt und Hofnung ..., in einigen Jahren das 1000 voll zu machen.*

Carl August gewährt es, verspricht die Verdopplung um 400 Taler. *Ihre Großmuth, gnädigster Herr, fixiert nun auf immer meinen Lebensplan*, dankt Schiller am 8. Juni.

Da hat ihm Goethe bereits Carl Augusts Vorschlag übermittelt, er möge den preußischen Hof doch wissen lassen, daß er sich zwar in Weimar fixieren, aber für einige Monate im Jahr auch in Berlin leben wolle. Schiller hätte besser getan, dem Vorschlag nicht zu folgen. Welche Hintergedanken der Herzog damit verbindet, geht aus einem Brief an Voigt hervor: *um* seinen *Spaß mit den Berlinern zu haben ..., damit Schiller vielleicht die Berliner um eine tüchtige Pension* wird *prellen* können.

Am 18. Juni wendet sich Schiller an Beyme. Er habe sich entschlossen, um in seiner *Kunst vorzuschreiten und in das Ganze der dortigen Theateranstalt zweckmäßiger einzugreifen* ... einige Monate des Jahres in Berlin zu leben. Da es, argumentiert er, *die großmüthige Absicht des Königs* sei, *mich in diejenige Lage zu versetzen, die meiner Geistesthätigkeit die günstigste ist,* so erbitte er *Zweytausend Reichsthaler.* Diese würden ihn *vollkommen in den Stand setzen, die nöthige Zeit des Jahrs in Berlin mit Anstand zu leben und ein Bürger des Staats zu seyn, den die ruhmvolle Regierung des vortreflichen Königs beglückt.*

*Ich erwarte nun in Kurzem von dorther Antwort,* heißt es am 3. Juli an Körner, am 16. Juli an Hufeland: *indem ich nun täglich eine Entscheidung darüber erwarte.* An Zelter ist von *jedem Posttag* die Rede.

Der Posttag kommt nicht. Der preußische Hof hält es nicht für nötig zu antworten. In taktloser Weise schweigt man. Auf Schillers Schreiben vom 18. Juni 1804 wird im preußischen Kabinett, vermutlich von Beyme, notiert: *Ad A⟨ct⟩a. bis sich Gelegenheit findet.*

Schiller habe keine Beschützer unter den deutschen Fürsten gefunden, wird Goethe 1828 anläßlich der Herausgabe seines Briefwechsels mit Schiller schreiben. Der Weimarer Herzog kann es nicht mehr auf sich beziehen, sein Leben ist 1828 zu Ende gegangen. Beyme, noch immer am preußischen Hof, fühlt sich zu einer Verteidigung herausgefordert, in mehreren Zeitungen läßt er eine Erklärung drucken, daß nur Schillers Erkrankung und sein frühzeitiger Tod *den großmüthigen Monarchen und unser engeres Vaterland um den Vorzug gebracht, in Schiller einen ausgezeichneten Preußen mehr zu zählen.*

Kein Wort von Schillers Brief und Bitte, vom Schweigen des Königshofes, dem *Ad A⟨ct⟩a.*

## IV

*Uebermorgen ziehen wir nach Jena wo meine Frau ihre Niederkunft erwarten wird*, schreibt Schiller am 16. Juli 1804 an Cotta.

Im August soll das Kind kommen.

Charlottes Ängste. Verständlich nach der lebensgefährlichen Erkrankung, die 1799 der Geburt des dritten Kindes folgte. Jena gibt ihr die vertraute Umgebung zurück, die Griesbachin als Beistand, ebenso Doktor Stark. Im Haus von Friedrich Niethammer, dem Philosophieprofessor, findet die Familie Aufnahme.

Bereits am 25. Juli ist es soweit. Eine Tochter wird geboren, sie erhält den Namen Emilie Henriette Louise. Alles geht gut. Auch vom Kindbett erholt sich Charlotte schnell.

Schiller dagegen erkrankt gefährlich. Fieber, er muß das Bett hüten, *eine starke Kolik*, ein *harter Anfall.* Der körperliche Zusammenbruch nach der Reiseanstrengung, eine Folge der seelischen Belastung, die das vergebliche Warten mit sich brachte?

Nicht die für ihn stets ungünstige Winterzeit streckt ihn nieder, sondern mitten im Hochsommer, bei *unerträglicher Hitze*, geschieht es. *Eine plötzliche große Nervenschwächung in solch einer Jahrszeit ist in der That fast ertödend*, schreibt er am 3. August an Goethe.

Er weiß, daß er dem Tod nahe war. *Es wäre freilich sehr traurig für mich gewesen, so über Hals und Kopf davon zu müssen …*

Er ist dem Tode nah. Von diesem *harten Anfall* im Hochsommer wird er sich nicht wieder erholen. Eine permanente Krankheitszeit beginnt.

Am 10. August heißt es, er fühle sich *sehr matt und angegriffen.* Am 14., er könne *nur mit zitternder Hand schreiben.*

Noch im September spürt er *kaum eine Zunahme von Kräften ... Besonders ist der Kopf angegriffen und das bischen Schreiben wird mir sauer... Es ist mir nach der schwersten Krankheit nicht so übel zu Muth gewesen, wenigstens hat es nicht so lang gedauert.*

Mitte Oktober kehrt der *Glaube* an seine *Genesung* zurück. Eine kurze Phase der Besserung.

Aber bereits im November ein erneuter Einbruch, ein *heftiger Catarrh.*

Die ganze ihm feindliche Winterzeit über hält er an. *In keinem Winter habe ich noch so viel ausgestanden ... unaufhörlich* sei er *von einem Catarrh geplagt,* der ihm *fast allen Lebensmuth ertödet.*

Am 20. Januar 1805: *So wie das Eis wieder anfängt aufzutauen geht auch mein Herz und mein Denkvermögen wieder auf ...* Eine vergebliche Hoffnung.

Im Februar wieder ein Fieberanfall, *bis auf die Wurzeln* sei er *erschüttert, das Fieber* habe ihn *in einem schon so geschwächten Zustand überfallen,* am 22. Februar an Goethe.

Mit der Erwartung des Frühlings Rückkehr von Lebensmut. Einschränkend: *aber ich werde Mühe haben, die harten Stöße, seit neun Monaten, zu verwinden,* am 25. April an Körner, *und ich fürchte, daß doch etwas davon zurückbleibt; die Natur hilft sich zwischen 40 und 50 nicht mehr so als im 30sten Jahr.*

Und erneut die Zuversicht: *Indeßen will ich mich ganz zufrieden geben, wenn mir nur Leben und leidliche Gesundheit bis zum 50 Jahr aushält ...* Er schreibt das zwei Wochen vor seinem Tod.

*Leben* – das bedeutet für ihn vor allem: Arbeiten.

Doch der Eindruck, daß alles in Schillers Leben seiner Arbeit zu- und untergeordnet ist, relativiert sich, betrachtet man ihn in seinem Verhältnis zu seinen Kindern.

Selbst auf die Reise nach Berlin nimmt er die Söhne mit, sogar bei der Audienz beim preußischen Königspaar sind sie zugegen.

Schiller als Vater, ein besonderes Kapitel. Eine Insel in seinem

Arbeitsdasein? Die er mit Freuden bewohnt, auf der er Kraft schöpft?

Man kann von Schiller sagen: seine leiblichen Kinder waren ihm ebenso wichtig wie seine geistigen. Er war gern Vater; war ein liebevoller, geduldiger Vater.

Sein erster Sohn wird 1793 geboren, nach Schillers schwerer Krankheit, als er bereits dem Tod gegenübergestanden hatte. Es sei ihm, schrieb er da, *als wenn ich die auslöschende Fackel meines Lebens in einem andern wieder angezündet sähe, und ich bin ausgesöhnt mit dem Schicksal.*

*... der Kleine wird mit jedem Tag stärker*, schreibt er Schwester und Schwager am 24. August 1794 nach Meiningen, *und macht uns unaussprechlich viel Freude. Er fängt an am Leitband zu gehen, und zu sprechen, obgleich*, fährt er fort, mit Anspielung auf das vom Schwager herausgegebene »Hennebergische Idiotikon«, *sein ganzes Dictionaire in ›Hotto‹ besteht und Du also noch nicht viel Materialien zu einem Idiotikon bei ihm sammeln könntest.*

An die Eltern dann am 21. November 1794: *Der kleine Goldsohn wird jetzt charmant. Er geht seit 5 Wochen und jagt schon im Zimmer herum, als ob er es schon ein Jahr lang getrieben hätte. Auch fängt er an viel zu plappern und versteht schon recht vieles. Er zeigt ein sehr lenksames weiches Herz, denn wenn er etwas gethan hat, was ihm verboten worden, so darf ich ihn nur ernsthaft ansehen, und er kommt gelaufen und küßt mich, mich wieder gut zu machen.*

Welche Rolle das Kind in seinem Tagesablauf spielt, geht auch aus diesem Brief hervor: *Sobald ich aufstehe erhalte ich einen Besuch von ihm, Mittags ißt er mit uns am Tische, und des Abends haben wir auch unsre Freude mit ihm. Ich kann nicht beschreiben, wie viel mir das Kind ist.*

Das eigene Kranksein läßt ihn den Sohn besonders intensiv erleben; *mir*, schreibt er am 18. Januar 1796, *der ich nur in dem engsten Lebenskreis existiere, ist das Kind so zum Bedürfnis geworden, daß mir in manchen Momenten bange wird, dem*

*Glück eine solche Macht über mich eingeräumt zu haben.* (Goethes bittere Erfahrungen – vier seiner Kinder sterben kurz nach der Geburt – bleiben Schiller erspart.)

Als 1796 der zweite Sohn, Ernst, geboren wird, schreibt er: *Jetzt also kann ich meine kleine Familie anfangen zu zählen. Es ist eine eigene Erfahrung, und der Schritt von Eins zu Zwei ist viel größer als ich dachte. ... der kleine Kaka* (Carl) *machte große Augen über das Brüderchen und kann sich noch nicht recht darein finden.*

Die Geburt der Tochter 1799 – für sie wird von Anfang an eine Amme besorgt, da Ernst als Kind, das nicht gestillt wurde, die ersten zwei Jahre kränkelte – ist für Schiller eine besondere Freude; sein *kleines Schätzchen*, sein *kleines Carolinchen* nennt er sie. Die *kleine Caroline* sei ein *ganz angenehmes Kind und wer sie sieht, hat seine Freude an ihr*, schreibt er im April 1802; und im Januar 1803: *Die kleine Caroline blüht jezt wie das Leben und macht uns unausgesprochen viel Freude. ... alle drei machen mir große Freude, und geben mir eine neue Existenz.*

Erstaunlich ist, als welch praktischer Hausvater sich Schiller, den einst ein *zerrissener Strumpf* aus seinen *idealischen Welten* stürzen ließ, im Laufe der Jahre erweist, auch dann, wenn seine Frau ihn mit einem oder mehreren Kindern allein läßt.

Im Juni 1798 reist sie mit Carl zu ihrer Mutter nach Rudolstadt; Schiller bleibt mit dem knapp zweijährigen Ernst zurück. (Freilich: Kindermädchen und Köchin hat er zur Seite). *Ernstchen ist wohl auf*, berichtet er Charlotte, *und unterhält mich an einem fort mit seinen vier Wörtern.*

Im Sommer 1800 ist Charlotte vom 27. Juni bis zum 13. Juli mit Ernst bei ihrer Mutter. Schiller ist mit Carl und der an Windpocken erkrankten Caroline allein. ... *Karlinchen hat diese Nacht keine neuen Blattern mehr bekommen*, berichtet Schiller am 29. Juni. *Karl hält sich recht brav und hat schon viel nach der Mama gefragt.* Am 4. Juli dann: *Carlinchen beßert sich auch, es ist immer freundlich wenn man mit ihm spricht und wie Christine sagt so schläft es jezt auch besser.* Am 10. Juli: *ich laße es jezt in der untern kühlen Stube schlafen, weil es in den Mansarden unerträglich heiß ist.*

Dann aber doch ein leiser Vorwurf an Charlotte: *Es war mir freilich nicht lieb, statt Deiner einen Brief zu erhalten, der Deine Ankunft noch um vier Tage später aussezt.*

Im August 1802, wiederum ist Schiller allein, schreibt er Charlotte: *das Karlinchen ist allerliebst und äuserst erfinderisch in Tournüren* – im Drumherum-Reden –, *wenn sie gern etwas haben möchte und nicht fodern darf. ... Bei Tische stoßt sie jeden Tag ihr Glas an und läßt Mama leben.*

Charlottes Abwesenheit im August des übernächsten Jahres nutzt Schiller, um *Anordnungen ... im Hauß zu machen ...: das Cabinetchen ist schon gedielt, auch der Christine ihre Kammer wird ordentlich und bewohnlich eingerichtet. Die Kinderstube ist jezt recht comfortable, und auch das Schlafzimmer daran. Zu dem harten Sopha laße ich aus Pferdehaarkißen, die ich noch vorräthig hatte eine neue Matraze machen, zwey eichene Comoden und zwey neue eichene Tische hineinsetzen ... Die Sopha- und Stutzkappen aus den guten Zimmern lasse ich waschen, wie auch die Vorhänge ...*

Im Herbst 1803, vom 3. bis 17. Oktober, ist Schiller mit allen drei Kindern allein. Charlotte reist wiederum zu ihrer Mutter. *Wir befinden uns sehr wohl, nur Karl leidet an seinen Würmern und hat einen Husten ... Karolinchen ist sehr vergnügt und lobt mich in einem fort, daß ich sein höfliches Hofrätchen sey. Auch Ernstchen ist wohl auf und meint aber, die Manna könnte wohl auch wieder kommen.* So am 10. Oktober. Am 13.: *Es geht noch alles gut bei uns, außer daß Karl seinen Hustenreiz noch nicht verloren ...* Am 11. Oktober ist das Töchterchen vier geworden. *Liebchens Geburtstag,* schreibt er Charlotte, *wollen wir bei Deiner Zurückkunft feiern, sie hat ihn selbst feierlich begangen und in die Stube gemacht.*

Schiller als besorgter und zugleich heiterer Vater.

Er selbst trennt sich nicht gern von seiner Familie. Als er zur Beendigung der »Maria Stuart« auf Schloß Ettersburg ist, fragt er Charlotte schon nach wenigen Tagen: ob sie ihn *besuchen könne mit dem kleinen Volk und das Karlinchen mitnehmen. Du träfest etwa gegen 12 Uhr ein und wir bleiben zusammen biß um 6 Uhr abends.*

Und als er mit Goethe die »Wallenstein«-Trilogie inszeniert, nimmt er Frau und Kinder gleich ganz mit nach Weimar.

*Küße die lieben Narren recht herzlich von mir,* heißt es am 4. Juli 1803 aus Bad Lauchstädt, und vier Tage später: *Oft, liebes Herz, habe ich Deiner und der lieben Kinder gedacht.*

Charlotte, die er *meine kleine Maus* nennt, zuweilen auch Dritten gegenüber, während sie von ihm als *Schiller, mein Schiller* spricht, bleibt mir stets etwas fremd. Vor allem die späte Charlotte, die nach Schillers Tod, stößt mich ab, durch ihren Standesdünkel, ihren Patriotismus, ihr »Trinklied für Deutsche«, ihr »Marschlied«; durch ihre Art, wie sie das Weihrauchfaß über ihrem toten Mann schwenkt, in ihren Briefen, Gedichten, ihren »Fragmenten über Schiller, Goethe und ihre Zeitgenossen«.

Die Charlotte aber, die an Schillers Seite lebt, die Mutter der *lieben Narren,* ist mir sympathisch nah. Geduldig und vorurteilsfrei – und in völliger Übereinstimmung mit Schiller – läßt sie ihre Kinder aufwachsen. Wiederholt sie ihre eigene Kindheit? Die mit ihrer schönen Mutter, der chère mère, und dem fast dreißig Jahre älteren Vater wohl eine sehr harmonische war. Ihren Vater, den Oberförster und Gutsinspektor – durch einen Schlaganfall, den er mit zwanzig erlitt, behindert, dabei lebensklug, naturverbunden und liebevoll –, verlor sie, als sie neun war.

Die Passagen in Charlottes Briefen, in denen sie von ihren Kindern erzählt, gehören für mich zu den schönsten.

Sie unternimmt viel mit ihren Kindern. *Ich bin auch botanisiren gegangen,* schreibt sie am 9. Juli 1800 von Rudolstadt, *und ich will es fortsetzen in Weimar weil es die Kinder beschäftigt.* Sie macht Ausflüge mit ihnen nach Oberweimar. Begleitet sie auf den Jahrmarkt; *der Herr Karl hat tausend Wünsche zum Jahrmarckt, die aber leider unbefriedigt bleiben müßen, weil sie thöricht sind.*

Selbst ins Theater nimmt Charlotte ihren noch nicht vierjährigen Sohn mit, er sieht Mozarts Oper »Don Juan«. Am 29. Mai 1800 schreibt sie: *Ernst war gestern im Juan hat aber das lezte verschlafen, doch ist er sehr erfreut über das was er gesehen hat.*

Und immer wieder Klagen über Trennungen: *Der Herr Karl jammert sehr daß der Papa fort ist, und den schönsten Regenbogen nicht gesehen hätte diesen Abend*, am 10. April 1799. Und kleine Begebenheiten, so am 28. März 1801: *Das Liebchen* (Caroline) *marschiert am Sopha herum, der En* (Ernst) *wäre gestern bald vom Stuhl gefallen, und als ich ihm sagte er habe mich erschreckt so sagte er ganz freundlich, Ich habe mich garnicht erschrocken. Man sah recht dem kleinen närrischen Egoisten in dieser äußerung.*

In Übereinstimmung entscheiden Charlotte und Schiller auch über Schulausbildung und Lehrer der Söhne.

Gewiß werden die Kinder mit ins Theater genommen, wenn die Stücke des Vaters gespielt werden. Möglicherweise sind sie auch zugegen, wenn er aus seinen Dramen vorliest. Die Neugier der Söhne. Das Interesse. Überliefert ist, daß Carl in der »Braut von Messina« – er ist neun Jahre alt – als Page auf der Bühne stand. Vielleicht bettelte er den Vater an, bei den nächsten Stükken wieder mitwirken zu dürfen.

Je älter die Söhne werden, desto drängender wird für Schiller die Frage ihrer Ausbildung und Zukunftssicherung. Wenn er nun in Zusammenhang mit seinen leiblichen Kindern auch von seinen geistigen spricht, so geht es ihm dabei um die materielle Versorgung der beiden Söhne und der Töchter, die er als ein wichtiges Motiv seines Geldverdienen-Wollens benennt. (Auch die Entschuldung des Hauses spielt eine Rolle.)

Er konzentriert die wenigen Kräfte auf sein letztes großes Drama, den »Demetrius«. Es wird Fragment bleiben. Pläne dazu gehen in die Jahre 1802/1803 zurück. Da steht »Bluthochzeit zu Moskau« in seiner Dramenliste. Den Arbeitsbeginn vermerkt der Kalender am 10. März 1804. In Zusammenhang mit den Überlegungen, nach Berlin zu gehen, drängen sich andere Stoffe in den Vordergrund. Der der Sophia Dorothea von Hannover, der Großmutter Friedrichs I., ein Stoff, der sich als preußisches Staatsdrama eignen würde. Opportunistisches Kalkül? Das Fallenlassen des Planes dann.

Die Rückkehr zum »Demetrius«. Auch dahinter Kalkül? Das Interesse an dem Stoff wird nicht unwesentlich durch die bevorstehende Verbindung des Weimarer Hofes mit dem russischen Herrscherhaus befördert. Schiller nimmt daran in besonderer Weise Anteil, da sein Schwager, Wilhelm von Wolzogen, der rasch Karriere am Weimarer Hof gemacht hat, mit der diplomatischen Mission der Verbindung der beiden Herrscherhäuser betraut ist. Und seit Herbst 1799 mehrfach nach St. Petersburg reist, um die Eheschließung von Carl Augusts Sohn, Erbprinz Carl Friedrich, mit der russischen Großfürstin Maria Paulowna, der Schwester des Zaren Alexander I., vorzubereiten.

Wolzogen nutzt seine Aufenthalte am Zarenhof auch, um für Schillers Werk zu werben. Er versucht, »Don Carlos« und »Die Braut von Messina« am dortigen Theater unterzubringen. Überreicht der Zarin ein Exemplar des »Don Carlos«. Sie zeigt sich beeindruckt und macht Schiller einen Brillantring zum Geschenk.

Wolzogen hat ihn im Gepäck, als er Anfang November 1804 nach erfolgreicher Mission – die Ehe zwischen Carl Friedrich und Maria Paulowna ist am 3. August in Petersburg geschlossen worden – die junge Russin mit großem Gefolge nach Weimar führt.

Geschichte und Gegenwart. Letztere verführt Schiller, den polnisch-russischen Stoff des falschen Demetrius beiseite zu legen.

Für die Ankunft Maria Paulownas in Weimar sind große *Festivitäten* geplant. Schiller hat offenbar vor, daran teilzunehmen, wie aus einem Brief an Cotta hervorgeht, in dem er um Geld bittet: *Die Ankunft unserer Erbprinzeßin kann mir verschiedne ausserordentliche Ausgaben machen.*

Daß er ein Huldigungsspiel für Maria Paulowna verfassen wird, ist nicht von vornherein geplant. Am 22. November berichtet er Körner: *Auf dem Theater wollten wir uns anfangs ... nicht in Unkosten setzen, sie zu bekomplimentieren. Aber etliche Tage vor Ihrem Anzug wurde Goethen Angst ... In dieser Noth sezte man mir zu, noch etwas Dramatisches zu erfinden, und da Goethe seine Erfindungkraft umsonst anstrengte, so mußte ich endlich mit der meinigen noch aushelfen. Ich arbeitete also in 4 Tagen ein kleines Vorspiel aus ...*

Er springt für Goethe ein. Fühlt sich mit dieser Auftragspoesie nicht ganz wohl.

Einerseits nennt er das Stück eine *flüchtige Arbeit*, ein *Machwerk*, schickt es Körner mit der ironischen Bemerkung, er wolle sicher *gern wißen ..., wie ich mich bei einer solchen Gelegenheit aus dem Handel gezogen*. Andererseits erfreut ihn der Erfolg; *in aller Eile* habe er *noch ein kleines Drama gedichtet, welches über alle Erwartungen gut reußierte und executiert wurde*, berichtet er Cotta.

Nach dem Einzug Maria Paulownas in Weimar am 9. November begegnet Schiller ihr am 11. November bei einem Empfang bei Hofe. Er zeigt sich beeindruckt von ihr, *im höchsten Grade liebenswürdig, verständig und gebildet* sei sie. Mit der jungen Fürstin – achtzehn ist sie – habe das Herzogtum *eine unschäzbare Acquisition gemacht ... Ich verspreche mir eine schöne Epoche für unser Weimar...* Er setzt – zu Recht, wie sich erweisen wird – Hoffnungen in sie als Mäzenatin der Künste. Das ist auch das Thema seines kleinen Stückes, das er ihr am Morgen des 12. November zukommen läßt, mit der Widmung: *Ihrer Kaiserlichen Hoheit der Frau Erbprinzessin Maria Paulowna von Rußland in Ehrfurcht geweiht und vorgestellt auf dem Hoftheater zu Weimar den 12. Nov. 1804.*

Am Abend des 12. November dann, *frisch eingelernt*, die Aufführung. Wie wichtig ihm das kleine Stück war, geht auch daraus hervor, daß er Sonderdrucke, *einen aparten Abdruck*, anfertigen lassen und 25 Exemplare der Zarin nach Petersburg schicken will, daß er »Die Huldigung der Künste«, sein letztes vollendetes Stück, an den Anfang einer *Sammlung* seiner *Theaterstücke* stellt.

Strapaziöse Festwochen. Schiller muß dafür zahlen; *leider ist meine Gesundheit so hinfällig, daß ich jeden freien Lebensgenuss gleich mit Wochenlangem Leiden büßen muß.*

*Ein heftiger Catarrh den ich mir bei den lezten Festivitäten gehohlt, hat mich ... hart mitgenommen ... Und so stockt denn auch meine Thätigkeit trotz meinem besten Willen!*

Sind es seine verminderten Kräfte, die ihn von der Weiterarbeit am »Demetrius« abhalten und ihn Mitte Dezember für den Wunsch des Herzogs empfänglich machen, sich wieder einer Übersetzung zu widmen?

*Ich bin recht froh*, wird er am 15. Januar Goethe schreiben, *daß ich den Entschluß gefaßt und ausgeführt habe ... So ist doch aus diesen Tagen des Elends wenigstens etwas entsprungen, und ich habe indeßen doch gelebt und gehandelt.* Natürlich muß es ein von Carl August geliebtes französisches Stück sein, ein *Paradepferd der französischen Bühnen*, wie Schiller ironisch bemerkt. Es ist Jean Racines Tragödie »Phèdre«. Am 17. Dezember beginnt Schiller die Arbeit, am 14. Januar beendet er sie. Die Uraufführung zum Geburtstag der Herzogin am 30. Januar 1805 ist wohl von Anfang an in seinem Blick. Kurz vor der Premiere sendet er das Manuskript an Carl August. Dieser ist des Lobes voll, *Racine selbst* hätte seinen *ganzen Beyfall* gegeben, es sei ein *meisterwerck*. Carl August, der Kenner der Materie, kann es nicht lassen, am 5. Februar bekommt Schiller eine Liste mit 50 Korrekturvorschlägen, überwiegend metrischer Art. Schiller läßt sie in seinen Schubladen verschwinden. Das Drama wird postum 1806 in Cottas Edition »Theater von Schiller« publiziert.

Nach dieser Übersetzung Mitte Januar 1805 dann endlich die Rückkehr zum »Demetrius«. Intensivste Arbeit. *Vor dem Ende des Sommers*, heißt es am 23. Februar an Iffland, solle er sich *keine Hofnung machen*, weil *gar höllisch viel bei diesem Stück zu thun ist*.

Ich nehme den »Demetrius« zur Hand. Die Samborszenen, das Szenar, die Expositionsszenen der zweiten Fassung, die Marfa-Szenen. Schillers Kommentare. Volker Brauns »Dmitri«. Jürgen

Tellers Essay zu Brauns und Schillers Drama. Eine erregende Lektüre.

Schiller hat die Geschichte des falschen Zarewitsch Dimitri, eine Geschichte über Machtgier, Manipulation und Gewalt, in einer jeglichen Idealismus beiseite lassenden Weise verarbeitet; radikal, schonungslos. Die charismatische Herrscherfigur des falschen Demetrius, rückt er sie nicht in die unmittelbare Nähe der Jahrhundertgestalt Napoleons, von dessen Herrschaft ihm seine Schwägerin Caroline von Wolzogen als Augenzeugin berichtet (von Juni bis September 1802 hatte sie sich mit ihrem Mann in Paris aufgehalten). Von ihrer *republikanischen Reise* sei sie, schreibt Goethe 1803, als *die entschiedenste Tyrannenfeindin zurückgekommen.*

In Schillers Todesjahr beginnt die kriegerische Neuordnung Europas, die erst nach Napoleons Abdankung 1814 unter Metternich rückgängig gemacht wird. Napoleon, der sich 1804 in Aachen als Nachfolger Karls des Großen feiern läßt, dehnt seinen Eroberungsfeldzug über Europa bis nach Rußland aus. Die Verbindung zwischen dem realen Usurpator und der Figur des Demetrius, den seine Schwäche zum Tyrannen mutieren läßt. Napoleons Fall wird diesen von Schiller hergestellten Zusammenhang in der Substanz bestätigen. Wenn der illegitime Herrscher sein Charisma einbüßt, das ihn an die Macht kommen ließ, bricht auch die soziale Ordnung zusammen.

Ist das wirklich ein Fragment? Oder nicht vielmehr die Summe von Schillers Denken? Ein Werk, in dem der frühe Gestus und Impuls der »Räuber« wiederkehrt, in dem die Schicksalsphilosophie des »Wallenstein« aufgehoben ist und das weit entfernt ist von der vergleichsweise idyllischen Sicht im »Wilhelm Tell«. Es ist angelegt als ein politisches Trauerspiel in großem Stil, in dem Schiller die durchlebte historische Umbruchperiode der Französischen Revolution mit ihren Folgen verarbeitet. Die Lektüre des Stücks führt mich zu keinem Ende, sondern in die Gegenwart. Geschichte nicht als Fortschritt, sondern als stete Wiederholung? Der Kreislauf: Das ewig *von neuem* beginnende *Alte*.

Nach Schillers Tod will Goethe den »Demetrius« vollenden. Scheitert daran.

*... bis in die letzte Zeit hatten wir den Plan*, erinnert er sich, *öfters durchgesprochen ..., ich war Zeuge wie er die Exposition in einem Vorspiel bald dem Wallensteinischen, bald dem Orleanischen ähnlich ausbilden wollte, wie er nach und nach sich in's Engere zog, die Hauptmomente zusammenfaßte, und hie und da zu arbeiten anfing.* Er schreibt das in seinen »Tag- und Jahresheften«, *beiräthig und mittätig* habe er *eingewirkt, das Stück war mir so lebendig als ihm.*

Briefzeugnisse, Tagebuch- beziehungsweise Kalenderaufzeichnungen enthalten keinerlei Hinweise dazu.

Auch persönliche Gespräche dürfte es nur wenige gegeben haben. *Wir sahen uns diesen Winter selten, weil wir beide das Haus nicht verlassen durften*, schreibt Schiller. Kaum Kontakte. Auch Goethe ist in diesem Winter schwer krank, Lungenentzündung, Nierenkoliken, man fürchtet um sein Leben.

Goethe spricht von *Stockung* in ihren Begegnungen, aber davon, daß *Papiere* hin- und hergegangen seien.

Es sind fast überwiegend seine *Papiere*, die er Schiller Ende Februar und im April 1805 zur Beurteilung schickt. Der Freund erledigt die Durchsicht selbstlos. Ob Goethe, frage ich mich, diese Selbstlosigkeit Schillers je begriffen hat? Zu Schillers Brief vom 18. August 1802 ist keine Antwort Goethes überliefert: *Hätten wir uns*, schreibt Schiller, *ein halb Dutzend Jahre früher gekannt, so würde ich Zeit gehabt haben, mich ihrer wissenschaftlichen Unternehmungen zu bemächtigen, ich würde ihre Neigung vielleicht unterhalten haben, diesen wichtigen Gegenständen die letzte Gestalt zu geben, und in jedem Fall würde ich ein redlicher Verwalter des Ihrigen gewesen sein.*

Am 22. Februar, nachdem Schillers Fieberanfälle und Goethes Nierenkoliken abgeklungen sind, schreibt Schiller dem Freund: *Es ist mir erfreulich wieder ein paar Zeilen Ihrer Hand zu sehen, und es belebt wieder meinen Glauben, daß die alten Zeiten zurükkommen können, woran ich manchmal ganz verzage.*

*Möge es sich täglich und stündlich mit Ihnen beßern und mit mir auch, daß wir uns bald mit Freuden wieder sehen.*

Am 24. Februar antwortet Goethe: *Hier sende Rameau's Neffen mit der Bitte ihn morgen mit der fahrenden Post nach Leipzig zu senden.* Er geht davon aus, daß der Freund seine eigene Arbeit sofort zur Seite legt und noch am selben Tag die Übersetzung durchsieht. *Sind Sie ja wohl so gut, noch einen derben Umschlag darum machen zu lassen, daß das Manuscript nicht leide.*

Als Gegengabe verspricht er dem Freund: *Die Phädra werde ich recht gern in jedem Sinne durchsehn.*

Er schließt: *Ich fahre täglich aus und setze mich mit der Welt wieder in einigen Rapport. Ich hoffe Sie bald zu besuchen und wünsche Sie bey wachsenden Kräften zu finden.*

Ob und wann die Begegnung zustande kam, wissen wir nicht. Am 26. sendet Goethe mit der Bemerkung, *da Sie in Ihrer jetzigen Lage wahrscheinlich leselustig sind*, ihm *ein tüchtiges Bündel Literaturzeitungen* und anderes. Und wieder: *Ich wünsche sehnlichst Sie wiederzusehen.* Schiller reagiert am 28. Februar: *Mit wahrem Vergnügen habe ich die Reihe der ästhetischen Recensionen gelesen ...*

Goethe dankt am selben Tag: *Sie haben mir eine große Freude gemacht durch die Billigung meiner Recensionen.*

Schiller hatte noch hinzugefügt, daß die *Lectüre* seine *Reconvalescenz* befördern werde. *Es geht noch immer zum Beßern und ich denke nächstens die Luft zu versuchen ... Vielleicht, wenn der Wind sich legt, wage ich mich morgen hinaus und besuche Sie.*

Im alten Ton zärtlicher Besorgtheit erwidert Goethe: *Ich wünsche sehr Sie wiederzusehen. Wagen Sie sich aber doch nicht zu früh aus, besonders bey dieser wilden Witterung.*

Nach dem Zeugnis des fünfundzwanzigjährigen Johann Heinrich Voß, der abwechselnd am Krankenbett des einen und des anderen wacht, mit beiden befreundet ist, besucht Schiller am 1. März 1805 Goethe.

Er sei zugegen gewesen, berichtet Voß. *Sie fielen sich um den Hals und küßten sich in einem langen herzlichen Kusse, ehe eines von Ihnen ein Wort hervorbrachte. Keiner von ihnen erwähnte weder seiner, noch des andern Krankheit* ... Diese Schilderung von Voß ist die einzige, die von körperlicher Nähe, Intimität berichtet; schwer vorstellbar bei diesen Männern, die lebenslang beim *Sie* bleiben. Vielleicht sind es beider überstandene Ängste, die diese Nähe zulassen.

Am 7. März hat Goethe einen Rückfall, am 4. April eine erneute schwere Nierenkolik. Aus der Zeit zwischen 29. Februar und 18. April ist kein einziger Brief Goethes an Schiller überliefert.

Schiller dagegen lebt auf, *die beßre Jahreszeit läßt sich endlich ... fühlen und bringt wieder Muth und Stimmung.* Er überwindet die *Muthlosigkeit ..., die das schlimmste Uebel in meinen Umständen ist.*

Arbeit am »Demetrius«. *Ich habe mich mit ganzem Ernst endlich an meine Arbeit angeklammert und denke nun nicht mehr so leicht zerstreut zu werden. Es hat schwer gehalten, nach so langen Pausen und unglücklichen Zwischenfällen, wieder posto zu faßen und ich mußte mir Gewalt anthun. Jetzt aber bin ich im Zuge*, schreibt er am 27. März an Goethe.

Er ist erschrocken über *die Stockung*, die die lange Krankheit nicht nur in *alle* seine *Geschäfte*, sondern auch in seine *freundschaftlichen Verhältnisse gebracht* hat; *nur nach und nach werde ich die verlornen Fäden wieder finden und anknüpfen können.*

Das tut er am 2. April. Ein Posttag. Briefe an Paulus und Niethammer nach Würzburg. Und drei Briefe nach Rom. Herr von Herda aus Weimar bricht zu einer Reise nach Italien auf. Eine Gelegenheit, Briefe mitzugeben.

Einer ist an Graß gerichtet, einen Bekannten aus Schillers frühen Jenaer Jahren, Theologe, Landschaftsmaler, in Sizilien und Neapel und jetzt in Rom lebend. Der zweite ist an einen Freund aus der Leipziger Zeit, den Maler Johann Christian Reinhart, den Schiller wohl zuletzt 1787 bei jenem winterlichen Ritt durch den Thüringer Wald in Meiningen sah; Reinhart zeichnete ihn damals. Er lebt nun ebenfalls in Rom wie auch Wilhelm von Humboldt, an den der dritte Brief gerichtet ist.

Der Ton der Briefe ist heiter, gelöst, Nähe suchend. Schiller geht erinnernd in frühe Jahre zurück, greift mit wachen Wünschen in Künftiges. Für ihn, der Jahre zuvor schrieb: *Leider ist Italien und Rom besonders kein Land für mich*, kommt der Süden als Sehnsuchtsbild in den Blick.

Schiller dankt Graß für eine im Vorjahr gesandte Zeichnung einer italienischen Landschaft. Wünscht neue Arbeiten von Reinhart zu sehen und in Weimar zu haben, wo die italienische Landschaftsmalerei allein von Philipp Hackert vertreten wird.

*Wie gern, ... versezte ich mich zu Ihnen unter Ihren schönen Himmel, in Ihre herrliche Natur*, schreibt er an Graß, *wenn der Körper so leicht den Wünschen folgen könnte. Aber ein unermeßlicher Raum liegt zwischen uns und ich kann mit meiner Gesundheit keine solche Probe machen.*

An Humboldt heißt es, es reue ihn nicht, Weimar Berlin vorgezogen zu haben, aber: *Wäre ich freilich ein ganz unabhängiger Mensch, so würde ich dem Süden um vier Grade näher rücken.*

Und bezogen auf Goethe und sein Kranksein: *Alles räth ihm ein milderes Clima zu suchen ... Ich liege ihm sehr an, wieder nach Italien zu gehen ...* (Als *armen Nordländer* sieht sich Goethe, der über das *Entbehren* von Italien, von Rom, *zeitlebens nicht zur Ruhe kommt.*)

Seinem *alten guten* Reinhart gegenüber äußert Schiller den Wunsch, daß sie *in dieser Welt doch noch einmal* möchten zusammengeführt werden.

Und an Humboldt schreibt er: *Für unser Einverständnis sind keine Jahre und Räume.* Ihn, dem er 1789 erstmals begegnet ist, mit dem er im September 1802 letztmalig in Weimar zusammentraf, nennt er seinen *Rathgeber und Richter.*

Der bedeutsamste seiner drei Rom-Briefe vom 2. April 1805 ist an Wilhelm von Humboldt gerichtet. Er ist der Adressat von Schillers letztem großen Bekenntnisbrief, fünf Wochen vor seinem Tod geschrieben.

Schiller, der in seinem letzten Jahrzehnt immer entschiedener von seinem hochfliegenden Idealismus abgerückt ist, aber doch

Idealist bleibt, bekennt sich noch einmal ausdrücklich zu den *Grundideen der Idealphilosophie*. Denn *am Ende*, schreibt er an Humboldt, *sind wir ja beide Idealisten und würden uns schämen, uns nachsagen zu lassen, daß die Dinge uns formten und nicht wir die Dinge.*

Schiller betont die Unfruchtbarkeit der *speculativen Philosophie* für sein Schaffen, sie habe ihn *durch ihre hohle Formeln verscheucht*. Zugleich nennt er die *tiefen Grundideen der Idealphilosophie* einen *ewigen Schatz*.

Er spricht von seiner *Deutschheit*, in der ihn Madame de Staël, die Französin, *aufs neue ... bestärkt* habe.

Äußert sich zum Zustand der deutschen Literatur: *Um die poetische Production in Deutschland sieht es aber höchst kläglich aus, und man sieht wirklich nicht, wo eine Litteratur für die nächsten 30 Jahre herkommen soll.* Die Brüder Schlegel werden für die *traurige Unfruchtbarkeit und Verkehrtheit die jezt in unserer Litteratur sich zeigt*, verantwortlich gemacht, sie seien *eine Folge* ihres *bösen Einflußes*. Ein strenger Blick auf den Weg anderer.

Aber auch auf den eigenen. Ein gnadenlos kritischer Blick, radikal zweifelt er an, ob seine Öffnung zu Bühne und Publikum hin der richtige Weg war. *Noch hoffe ich*, schreibt er, *in meinem poetischen Streben keinen Rückschritt gethan zu haben, einen Seitenschritt vielleicht, indem es mir begegnet seyn kann, den materiellen Foderungen der Welt und der Zeit etwas eingeräumt zu haben. Die Werke des dramatischen Dichters werden schneller als alle andre von dem Zeitstrom ergriffen, er kommt selbst wider Willen mit der großen Masse in eine vielseitige Berührung, bei der man nicht immer rein bleibt. Anfangs gefällt es, den Herrscher zu machen über die Gemüther, aber welchem Herrscher begegnet es nicht, daß er auch wieder der Diener seiner Diener wird, um seine Herrschaft zu behaupten. Und so kann es leicht geschehen seyn, daß ich, indem ich die deutschen Bühnen mit dem Geräusch meiner Stücke erfüllte, auch von den deutschen Bühnen etwas angenommen habe.*

Ein Zeugnis von großer Lauterkeit.

Ein letztes Mal ist in allen drei Briefen nach Rom von seinen Kindern die Rede. Dem Wunsch, den alten Freund Reinhart wiederzusehen, fügt er an: *Will es aber nicht gehen, so schicke ich Ihm in 8 Jahren meinen ältesten Sohn, der kann dann die Kunst bei Ihm studieren.*

Und an Graß: Sein *Haus* sei *lebendig geworden, Sie würden sich wundern, wenn Sie meine Söhne sähen, davon der ältste jezt bald zwölf Jahr alt ist. Viel Freude habe ich in diesen 12 Jahren erlebt* ... Durch seine schriftstellerische Arbeit hoffe er seinen Kindern *die nöthige Unabhängigkeit zu verschaffen*, heißt es an Humboldt. *Sie sehen, daß ich sie ordentlich wie ein Hausvater unterhalte, aber ein solches Häuflein von Kindern als ich um mich habe, kann einen wohl zum Nachdenken bringen.*

Zum »Demetrius«, über den er wenig später an Körner schreibt: *Wenn ich Dir auch gleich meinen Gegenstand nennte, so würdest Du Dir doch keine Idee von meinem Stücke machen können, weil alles auf die Art ankommt wie ich den Stoff nehme und nicht wie er wirklich ist*, heißt es an Humboldt lediglich, daß er ihn *wohl bis Endes dieses Jahrs beschäftigen* werde. Und wieder spricht er von der magischen Zeitgrenze: *wenn ich nur bis in mein fünfzigstes Jahr so fortfahre* ...

Am 19. April 1805 setzt Goethes Korrespondenz mit Schiller wieder ein.

Mit zahlreichen Bitten an ihn. Bei Cotta wird eine Gesamtausgabe seiner Werke vorbereitet, dazu müssen Überlegungen angestellt, vor allem aber die alten Verträge mit Göschen geprüft werden. *Ihre Freundschaft und Einsicht in das Geschäft überhebt mich die unerfreulichen Papiere gegenwärtig durchzusehen.*

Schiller erledigt es umgehend, *als redlicher Verwalter des Ihrigen.*

*Für die Durchsicht der Papiere danke ich Ihnen recht sehr*, Goethe am 20. April. *Lassen Sie uns die Sache gelegentlich näher besprechen und ein Arrangement, so wie die weitere Bearbeitung vorbereiten.*

Der nächste Wunsch vom 23. April betrifft Goethes Anmerkungen zu »Rameaus Neffe« von Diderot. *Haben Sie die Gefälligkeit sie durchzugehen und was Sie etwa für allzu paradox, gewagt und unzulänglich finden, anzustreichen, damit wir darüber sprechen können.* Goethe erklärt seine Arbeitsweise, dem Buch würden erläuternde Anmerkungen zu Personen und Gegenständen hinzugefügt. Schließt: *Genug, ich wiederhohle, haben Sie die Güte die Blätter durchzulesen, die Sache durchzudenken und mit mir diese Tage darüber zu conferiren. Das beste Lebewohl.*

Wiederum reagiert Schiller sofort, übernimmt sogar – wie bereits im März – die Beförderung der Manuskriptteile an den Verleger.

Am 25. April – am Morgen wohl – eine Sendung vom Frauenplan zur Esplanade: *Hier endlich der Rest des ›Manuscripts‹, das ich noch einmahl anzusehen und sodann nach Leipzig abzuschikken bitte.*

An diesem Tag besucht Goethe Schiller. Es ist das letzte Zusammensein der Freunde. Noch ein kurzes Zusammentreffen an der Esplanade wird am 1. Mai folgen.

Weder Goethes Tagebuch noch Schillers Kalender verzeichnet diese Begegnung. Von ihr wissen wir lediglich aus einem Brief, den Schiller am gleichen Tag an Körner schreibt: *er* – Goethe – *gieng so eben aus meinem Zimmer ...*

Welche Themen mögen sie in diesem letzten Gespräch berührt haben? Goethe klagt am 31. Dezember 1805: *Ach! warum steht nicht auf dem Papiere, was Schiller über das Werk* – die Übersetzung von »Rameaus Neffe« – *und meine Arbeit geäußert. Es war eine der letzten Materien, über die wir uns unterhielten.*

Wäre über »Demetrius« gesprochen worden, hätte er das nicht auch erinnert?

Vermutlich ging es am 25. April allein um Goethe, seine Anmerkungen zu Diderot. Goethe erwartet vielleicht schon eine Meinung über das am Morgen Zugesandte. Aber Schiller hat noch keine Gelegenheit gefunden, das Manuskript durchzusehen.

Er wird sein Urteil schriftlich fixieren, nachdem der Freund gegangen ist. Ohne Datum, zwischen dem 25. und 29. April schickt er ihm das Papier. *Indeßen seh ich mich*, schreibt er, *gerade bei diesem lezten Artikel in einiger Controvers mit Ihnen, sowohl was das Register der Eigenschaften zum guten Schriftsteller, als was deren Anwendung auf Voltaire betrift. Zwar soll das Register nur eine empirische Aufzählung der Prædicate seyn, welche man bei Lesung der guten Schriftsteller auszusprechen sich veranlaßt fühlt, aber stehen diese Eigenschaften in Einer Reihe hinter einander, so fällt es auf, Genera und Species, Hauptfarben und Farbentöne neben einander aufgeführt zu sehen. Wenigstens würde ich in dieser Reihenfolge die großen vielenthaltenden Worte, Genie, Verstand, Geist, Styl etc vermieden und mich nur in den Schranken ganz partieller Stimmungen und Nüanzen gehalten haben.*

*Dann*, merkt er an, *vermisse ich doch in der Reihe noch einige Bestimmungen wie ›Character‹, ›Energie‹ und ›Feuer‹, welche gerade das sind, was die Gewalt sovieler Schriftsteller ausmacht...*

Und er vervollständigt die Liste: *aber ich wünschte doch, daß das was man ›Gemüth‹ nennt..., auch wäre ausgesprochen worden. ›Gemüth‹ und ›Herz‹ haben Sie in der Reihe nicht mit aufgeführt...*

Es ist der letzte Brief Schillers an Goethe. Obgleich in ihm von Fremdem, Drittem die Rede ist, wirkt er doch wie ein Selbstporträt, ich lese ihn als ein letztes Wort, eine Art Vermächtnis.

Goethes an den Freund gerichtete letzte Zeilen dagegen sind von der heiteren Selbstverständlichkeit ihres weiteren Zusammenwirkens getragen; ein kleines Arbeitspapier, ebenfalls undatiert, vermutlich zwischen dem 26. und 27. April geschrieben: *Beyliegende kleine Note haben Sie ja wohl die Gefälligkeit nach Leipzig zu befördern und gelegentlich den beyliegenden Versuch, die Farbengeschichte zu behandeln, durchzulesen. Lassen Sie das Manuscript bey sich liegen, bis ich den Schluß dieses Capitels zuschicke. Voran liegt ein kurzes Schema zur Übersicht des Ganzen.*

# V

Im März und April 1805, den beiden Monaten vor seinem Tod, ist Schiller häufig am Hof. Am 28. April zum letzten Mal.

Im *grünen Galakleid*, wie Voß überliefert. Es ist jene vorgeschriebene Hofuniform mit Schulterstücken. In dieser Uniform sah ihn Madame de Staël am Abend des 15. Dezember 1803 in den Räumen der Herzogin Louise zum ersten Mal und hielt ihn *für den Kommandanten der Streitkräfte des Herzogs; durchdrungen* fühlte sie sich *von Achtung für den General*, der ihr wenig später *unter dem Namen Herr Schiller* vorgestellt wurde.

Am 29. April besucht Schiller das Theater. Auch am folgenden Abend. Am 1. Mai macht er sich mit Caroline von Wolzogen auf den Weg, um Schröders Lustspiel »Die unglückliche Ehe aus Delikatesse« anzusehen. Als sie vor das Haus treten, jene letzte kurze Begegnung mit Goethe; *ich fand ihn im Begriff ins Schauspiel zu gehen, wovon ich ihn nicht abhalten wollte: ein Mißbehagen hinderte mich ihn zu begleiten, so schieden wir vor seiner Haustüre.*

Nach dem Theaterbesuch Unwohlsein. Schüttelfrost. Fieber. Es folgt eine rasche Verschlechterung seines Zustands. Ein Bett wird im Arbeitszimmer aufgestellt. Zwischen den Fieberschüben arbeitet er noch immer am »Demetrius«.

Doktor Stark, der ihm im Hochsommer 1804 das Leben rettete, wie Charlotte schrieb, ist nicht zugegen. Der Weimarer Arzt Huschke übernimmt die Behandlung. Diagnostiziert ein *rheumatisches Seitenstechfieber.* Nach heutigen Erkenntnissen war es eine akute Lungenentzündung, die das Herz in Mitleidenschaft zieht.

Goethe reitet *täglich* aus, wie er in einem Brief vom 2. Mai schreibt.

Sein Sich-Abschirmen vor Krankheit und Tod. Aus jenen Maitagen ist ein Billett an Charlotte Schiller überliefert: *Sagen Sie mir doch, l. Frau. wie es Schillern ergeht? Ich wäre selbst gekommen; aber es hilft nichts zusammen zu leiden.*

Während Schillers letzter Krankheit sei Goethe *ungemein niedergeschlagen* gewesen, schreibt der junge Voß an Anton Niemeyer nach Kassel, habe aber auf Nachrichten aus dem Haus an der Esplanade mit Schweigen reagiert. *»Das Schicksal ist unerbittlich, und der Mensch ist wenig!« Das war alles, was er sagte; und wenige Augenblicke nachher sprach er von heitern Dingen.*

Über Schillers letzte Tage, insbesondere über den 9. Mai, ist viel geschrieben worden. Von jenem Bad, das Doktor Huschke am Morgen verordnete, aus dem ihm sein langjähriger Sekretär Georg Friedrich Rudolph und Johann Michael Färber, ein zur Pflege hinzugezogener Bediensteter der Wolzogens, heraushalfen. Von jenem Glas Champagner, das Doktor Huschke zur Belebung des Kreislaufs empfahl. Die Berichte von Rudolph und Färber über die letzten Stunden. Die Briefe von Charlotte Schiller, die Erinnerungen von Caroline von Wolzogen. Im Nach- und Wiedererzählen Veränderungen. Widersprüche. Jeder will derjenige gewesen sein, der ihm zuletzt am nächsten war.

In dem Bericht, den der abwesende Herzog von Doktor Huschke, seinem Leibmedikus, fordert, ist mehrfach von Schillers Ängsten die Rede. Am 6. Mai, er *klagte über Angst, und der Puls wurde klein ... Den 9. hatte er unruhig geschlafen, phantasiert; früh äußerte er mir, daß er Herzensangst gehabt habe; ich riet ihm noch ein stärkendes Bad zu nehmen ... allein nach dem Bade bekam er eine Ohnmacht, welche sich auf Einreibungen am Kopfe legte; er schlief nachher und phantasierte. Gegen Abend um 1/2 6 Uhr bekam er schnell einen Nervenschlag. Auf Reiben, Moschus innerlich und flüchtige kräftige Einreibungen schien sichs zu beruhigen; allein 3/4 auf 6 Uhr repetierte der Schlag heftig, und er blieb plötzlich.*

Auf Schillers Schreibtisch soll der »Demetrius« gelegen haben. Blätter mit den Marfa-Szenen ...

Schillers Tod am Abend des 9. Mai 1805 im obersten Stockwerk in seinem Arbeitszimmer im Haus an der Esplanade.

Warum Charlotte einer Obduktion zugestimmt hat, zumal Doktor Stark nicht vor Ort ist und der Anatomieprofessor Loder im Vorjahr Jena verlassen hat, ist unklar. Charlotte Schiller hat sich auch später nie dazu geäußert. Am Nachmittag des 10. Mai wird in Weimar die Leichenöffnung von Huschke und Herders Sohn, dem jungen Arzt Gottfried Herder, vorgenommen.

Am gleichen Tag erfolgt die Abnahme der Totenmaske durch den Bildhauer Johann Christian Ludwig Klauer. Und Ferdinand Carl Christian Jagemann zeichnet den Toten.

Betrachtet man die Maske, spürt man, wieviel Energie, wieviel Kraft noch in diesem Gesicht ist; es wirkt nicht zerquält, nicht einmal erschöpft, der Mund hat im Zusammengepreßtsein noch etwas Entschlossenes.

In der Zeichnung dagegen ist alles weich, es scheint, als hielte Jagemann den Übergang vom Leben zum Tode fest, fast wie ein erschöpft Schlafender wirkt Schiller, die dünnen Haarsträhnen, in den leicht herabgezogenen Mundwinkeln der Ausdruck von Enttäuschung; aber sanft, versöhnlich.

Am 12. Mai 1805 wird Schiller, wie es in Weimar üblich war, nach Mitternacht zu Grabe getragen.

Der Weg von der Esplanade zum Jakobsfriedhof.

Künstlerfreunde und Verehrer tragen den Sarg. Der sechsundzwanzigjährige Carl Leberecht Schwabe und sein Bruder. Die Bildhauer Klauer und Weiser, der Kupferstecher und Maler Starke und der junge Heinrich Voß. Und Jagemann. Und Friedrich Wilhelm Riemer.

In das der Landschaftskasse gehörende Leichengewölbe wird der Sarg gesenkt. Es ist die Gruft für Angehörige des mittleren Adels und Bürgertums, für Zugereiste, Fremde, die nicht im Besitz eines Erbbegräbnisses auf dem Jakobskirchhof sind.

Anderntags findet in der Jakobskirche die Trauerfeier statt. *Nachmittags 3 Uhr* sei, meldet das »Weimarische Wochenblatt« am 15. Mai, *des Vollendeten Todesfeyer mit einer Trauerrede von Sr. Hochwürd. Magnificenz, dem Herrn General-Superintendent Vogt, in der St. Jacobskirche begangen und von Fürstl. Capelle vor und nach der Rede eine Trauermusik aus Mozarts Requiem aufgeführt.*

Der spartanisch schöne Kirchenraum der Jakobskirche. Die Trauergäste. Charlotte Schiller, achtunddreißig ist sie; fünfzehn Jahre währte ihre Ehe mit Schiller. Die halbwüchsigen Söhne Carl und Ernst. Caroline die viereinhalb ist. In die Totenfeier hinein, so ist überliefert, tönt das helle Lachen von Schillers noch nicht einjähriger Tochter Emilie.

Die Stimme des Kindes.

Mozarts »Requiem«, das *Confutatis maledictis* vielleicht, oder das *Lacrimosa*, das *Agnus Dei* ... Ich verlasse Friedrich Schiller.

*Es bleibt nichts als das Werk.*

# Anhang

# Lebens- und Werkdaten

1759 10. 11.: Johann Christoph Friedrich Schiller wird in MARBACH am Neckar als zweites Kind der Gastwirtstochter Elisabetha Dorothea Schiller, geborene Kodweiß, und des Hauptmanns und Wundarztes Johann Caspar Schiller geboren. Die Schwester Elisabeth Christophine Friederike (geb. 4.9.1757) ist zwei Jahre alt.

1764 Jahresbeginn: Umzug der Familie nach LORCH.

1765 Frühjahr: Eintritt in die Dorfschule in Lorch; Lateinunterricht bei Pfarrer Moser.

1766 Geburt der Schwester Louise Dorothea Katharina. Dezember: Übersiedlung der Familie nach LUDWIGSBURG.

1767 Jahresbeginn: Eintritt in die Ludwigsburger Lateinschule.

1772 Erste dramatische Versuche.

1773 16.1.: Eintritt in die »Militär-Pflanzschule« (Carlsschule, Militärakademie) des Herzogs Carl Eugen. Kasernierung auf Schloß SOLITUDE.

1774 Januar: Aufnahme des Jurastudiums an der Militärakademie.

1775 November: Verlegung der Militärakademie nach STUTTGART. Dezember: Schillers Vater übernimmt Leitung der herzoglichen Baum-Schule.

1776 Januar: Wechsel zum Medizinstudium. Ab Frühjahr Philosophieunterricht bei Jakob Friedrich Abel. Das Gedicht *Der Abend* wird im »Schwäbischen Magazin« gedruckt.

1777 Geburt der Schwester Caroline Christiane (Nanette).

1779 Dissertation in lateinischer Sprache: *Philosophie der Physiologie*; Ablehnung durch die Gutachter und Verbot der Drucklegung.

1780 November: Einreichung der neuen Dissertation, *Versuch über den Zusammenhang der thierischen Natur des Men-*

*schen mit seiner geistigen*; die Arbeit wird angenommen. 15.12.: Entlassung aus der Militärakademie; Beginn der Tätigkeit als Regimentsmedikus in Stuttgart.

1781 Sommer: Beginn der Freundschaft mit Andreas Streicher und Henriette von Wolzogen. Gegen Jahresende: Besuch bei dem auf der Festung Hohenasperg eingekerkerten Dichter Christian Friedrich Daniel Schubart. Das Schauspiel *Die Räuber* erscheint mit fingiertem Druckort im Selbstverlag.

1782 13.1.: Uraufführung der *Räuber* in Mannheim; Juli: Herzog Carl Eugen verurteilt Schiller wegen heimlicher Reise nach Mannheim zu zweiwöchigem Arrest; August: er verbietet ihm das Schreiben nichtmedizinischer Schriften. 22.9.: Flucht aus Württemberg mit Andreas Streicher; Fluchtstationen: MANNHEIM, FRANKFURT AM MAIN und OGGERSHEIM. 7.12. bis 24.7.1783: in BAUERBACH bei Meiningen, Asyl auf dem Gut von Henriette von Wolzogen unter dem Pseudonym Dr. Ritter; Freundschaft mit dem Meininger Bibliothekar Reinwald. *Anthologie auf das Jahr 1782* mit Schillers früher Lyrik.

1783 Leidenschaft zu Charlotte von Wolzogen; Rückkehr nach MANNHEIM, 27.7. bis 9.4.1785 dort; 1.9. bis 31.8.1784 Anstellung als Theaterdichter. Herbst: Erkrankung an einem epidemischen Fieber. *Die Verschwörung des Fiesko zu Genua*. Ein republikanisches Trauerspiel.

1784 11.1.: Uraufführung von *Fiesko* in Mannheim, 13.4.: von *Kabale und Liebe* in Frankfurt am Main. 9.5.: erste Begegnung mit Charlotte von Kalb. 26.6.: Rede *Vom Wirken der Schaubühne auf das Volk* vor der »Kurpfälzischen Deutschen Gesellschaft«; Wahl zu deren Mitglied. Dezember: Auf Vermittlung von Charlotte von Kalb liest Schiller den ersten Akt seines *Don Carlos* am Hof in Darmstadt in Anwesenheit des Herzogs Carl August von Sachsen-Weimar-Eisenach, der ihm am 26.12. den Titel eines Weimarischen Rates verleiht.

1785 März: Erstes Heft der »Thalia« (Rheinische Thalia) erscheint. 17.4. bis 11.9.: in LEIPZIG; Begegnung mit Ludwig Ferdinand Huber und den Schwestern Dora und Minna Stock sowie dem Verleger Georg Joachim Göschen; 1.7.: erste Begegnung mit Christian Gottfried Körner; Beginn einer lebenslangen Freundschaft. 12.9. bis 20.7.1787: in LOSCHWITZ und DRESDEN als Gast Körners; finanzielle Unterstützung durch ihn.

1786 Übernahme der Zeitschrift »Thalia« (bis 1795, ab 1792 unter dem Titel »Neue Thalia«) durch den Leipziger Verleger Göschen; in der »Thalia« erscheinen: Ode *An die Freude*, *Verbrecher aus Infamie* und *Philosophische Briefe*.

1787 Buchausgabe: *Don Karlos Infant von Spanien*; Uraufführung in Hamburg. Juli: Reise nach Weimar; 21.7. bis 18.5.1788 in WEIMAR; u. a. Begegnung mit Wieland, Herder und der Herzoginmutter Anna Amalia. August: Kurzreise nach Jena mit Charlotte von Kalb. Historische Studien. Oktober: Beginn der Mitarbeit an der Jenaer »Allgemeinen Literatur-Zeitung«. 21.11. bis 7.12.: Reise zur Schwester Christophine nach MEININGEN, Besuche in BAUERBACH und bei Charlotte von Lengefeld und ihrer Schwester Caroline von Beulwitz in RUDOLSTADT. *Geisterseher.*

1788 Januar bis April: Charlotte von Lengefeld in Weimar. 19.5. bis 12.11.: in VOLKSTEDT und RUDOLSTADT; enge Kontakte mit den Schwestern Lengefeld; 7.9.: Begegnung mit Goethe. *Die Götter Griechenlandes*, *Geschichte des Abfalls der vereinigten Niederlande von der Spanischen Regierung*, Briefe *über Don Carlos*. 12.11. bis Ende April 1789: in WEIMAR. 15.12.: Berufung zum außerordentlichen Professor der Universität Jena, auf Empfehlung von Goethe.

1789 11.5. bis August 1793: in JENA; Philosophieprofessur; 26./27.5.: Antrittsvorlesung, publiziert unter dem Titel: *Was heißt und zu welchem Ende studiert man Universalgeschichte?* Dezember: Beginn der lebenslangen Freundschaft mit Wilhelm von Humboldt. Vorlesungen über Universalgeschichte. 3.8.: Heimliche Verlobung mit Charlotte von Lengefeld in Bad Lauchstädt. *Der Geisterseher. Eine Geschichte aus den Memoiren des Grafen von O*** (bereits zuvor in Fortsetzungen in der »Thalia« erschienen). *Allgemeine Sammlung historischer Memoires*, erster Band. Rezension von Goethes *Egmont*. Dezember: Carl August gewährt 200 Taler Jahresgehalt.

1790 Januar: Ernennung zum Meiningischen Hofrat. 22.2.: Heirat mit Charlotte von Lengefeld. Vorlesungen über Universalgeschichte, die Theorie der Tragödie, europäische Staatengeschichte. Bekanntschaft mit dem dänischen Dichter Jens Baggesen und mit Friedrich von Hardenberg (Novalis). *Allgemeine Sammlung historischer Memoires*, dritter Band. Fragment *Der versöhnte Menschenfeind*. Die dreiteilige *Geschichte des Dreißigjährigen Kriegs* beginnt zu erscheinen (bis 1792).

1791 Januar: lebensbedrohliche Erkrankung. Beginn der Kant-Studien. Bis April: mehrere Rückfälle; lebenslängliche gesundheitliche Beeinträchtigung. Juli: Kuraufenthalt in KARLSBAD. Rezension *Über Bürgers Gedichte*. Ende November: Auf Vorschlag von Baggesen setzen der dänische Prinz Friedrich Christian von Schleswig-Holstein-Augustenburg und der dänische Finanzminister Ernst Heinrich Graf von Schimmelmann Schiller für drei Jahre eine Pension von jährlich 1000 Talern aus.

1792 Januar: Krankheit. April/Mai: Aufenthalt bei Körner in DRESDEN; Bekanntschaft mit Friedrich Schlegel. Herausgabe der vier Bände *Merkwürdige Rechtsfälle als ein Beitrag zur Geschichte der Menschheit* von François Gayot Pitaval (mit eigener Vorrede; bis 1794). 26.8.: Verleihung der französischen Bürgerrechte durch den Nationalkonvent in Paris. Vorlesungen über Ästhetik. *Kleinere prosaische Schriften*, erster Band.

1793 August bis Mitte Mai 1794: in SCHWABEN; HEILBRONN, LUDWIGSBURG; 14.9.: Geburt des ersten Sohnes, Carl

Friedrich Ludwig, in Ludwigsburg. September: Begegnung mit Hölderlin. *Kallias oder Über die Schönheit*; *Über Anmuth und Würde*; *Vom Erhabenen*. 24.10: Tod des Herzogs Carl Eugen.

1794 TÜBINGEN. Rezension *Über Matthissons Gedichte*. März bis Mai: in STUTTGART; 4.5.: Beginn der Freundschaft mit dem Verleger Johann Friedrich Cotta. Mai bis 3.12.1799: wieder in JENA; Ende der Vorlesungstätigkeit. Begegnung mit Johann Gottlieb Fichte. 13.6.: erster überlieferter Brief an Goethe; 20.7.: Begegnung im Hause Batschs; Beginn der Freundschaft. 14.-27.9.: Besuch bei Goethe ihn Weimar. *Über die ästhetische Erziehung des Menschen in einer Reihe von Briefen*.

1795 Herausgabe der literarischen Zeitschrift »Die Horen« (bis 1897), finanziert von Cotta; Beiträge von Fichte, Goethe, Herder, Wilhelm von Humboldt, Jacobi, August Wilhelm Schlegel, Voß u. a., und des *Musen-Almanach⟨s⟩ für das Jahr 1796*. *Über naive und sentimentalische Dichtung*. 3.4.: Ablehnung eines Rufs nach Tübingen als ordentlicher Professor der Philosophie.

1796 23.3.: Tod der Schwester Nanette. März/April: Bearbeitung von Goethes *Egmont* für Ifflands Inszenierung in Weimar; Aufenthalte dort 23.3. bis 20.4. und 25./26.4. Juni: Jean Paul bei Schiller. 11.7.: Geburt des zweiten Sohnes, Ernst Friedrich Wilhelm. Freundschaft mit August Wilhelm Schlegel. 7.9.: Tod des Vaters. Oktober: Erscheinen des von Schiller herausgegebenen *Musen-Almanach für das Jahr* 1797 mit Epigrammen von Schiller und Goethe (*Xenien*).

1797 Ernennung zum Mitglied der Akademie der Wissenschaften in Stockholm. März: Kauf des Gartenhauses in Jena. 19.5. bis 16.6. Goethe in Jena – »Balladenjahr«: *Der Taucher*, *Der Handschuh*; *Die Kraniche des Ibykus*; *Der Ring des Polykrates*; *Ritter Toggenburg*; gemeinsame Arbeit am *Musen-Almanach für das Jahr* 1798 (»Balladen-Almanach«). Zerwürfnis mit Friedrich Schlegel wegen dessen

Kritik an den »Horen«. Trennung von August Wilhelm Schlegel als Mitarbeiter der Zeitschrift.

1798 Ernennung zum unbesoldeten Honorarprofessor der Universität Jena. Aufgabe der »Horen«. 12.10.: Uraufführung von *Wallensteins Lager* zur Wiedereröffnung des Weimarer Theaters; Inszenierung gemeinsam mit Goethe.

1799 30.1.: Uraufführung von *Piccolomini.* 20.4.: Uraufführung von *Wallensteins Tod* in Weimar; fortdauernde Zusammenarbeit mit Goethe. Begegnung mit Ludwig Tieck. 11.10: Geburt der Tochter Caroline Henriette Louise. Schwere Erkrankung von Charlotte Schiller. 3.12.: Übersiedlung nach WEIMAR. Verdopplung des Jahresgehalts auf 400 Taler durch den Herzog. *Lied von der Glocke.*

1800 Februar: schwere Erkrankung. Publikation der Trilogie *Wallenstein; Gedichte von Friedrich Schiller*, erster Teil. 14.5: Uraufführung von Schillers *Macbeth*-Bearbeitung, 14.6.: Uraufführung *Maria Stuart* in Weimar. *Kleinere prosaische Schriften*, zweiter Band, darin u. a. *Über naive und sentimentalische Dichtung* (seit 1797 bereits in drei Folgen in den »Horen« erschienen).

1801 *Maria Stuart* und *Die Jungfrau von Orleans. Eine romantische Tragödie* erscheinen. August/September: Reise nach DRESDEN und LEIPZIG. 11.9.: Uraufführung der *Jungfrau von Orleans* in Leipzig. Lessings *Nathan der Weise* wird in Schillers Bearbeitung in Weimar aufgeführt. *Kleinere prosaische Schriften*, dritter Band.

1802 30.1.: Uraufführung von Schillers *Turandot* (nach Gozzi). 5.3.: Verhinderte Kotzebuesche Schiller-Ehrung. 29.4.: Einzug in das Haus an der Esplanade in Weimar; Tod der Mutter. 15.5.: Aufführung von Goethes *Iphigenie* in Schillers Bearbeitung in Weimar. *Gedanken über den Gebrauch des Gemeinen und Niedrigen in der Kunst*; *Turandot. Prinzessin von China* nach Gozzi. 7.9.: Kaiser Franz II. erhebt Schiller in den erblichen Adelsstand. *Kleinere prosaische Schriften*, vierter Band.

1803 19.3.: Uraufführung der *Braut von Messina* in Weimar.

23.4.: erste Aufführung der *Jungfrau von Orleans* in Weimar. Juli: Aufenthalt in BAD LAUCHSTÄDT. *Gedichte von Friedrich Schiller*, zweiter Teil. Übersetzung und Uraufführung der Lustspiele *Der Neffe als Onkel* (18.5.) und *Der Parasit* (12.10.) von Picard. Dezember: Bekanntschaft mit Madame de Staël.

1804 17.3.: Uraufführung *Wilhelm Tell* in Weimar. 26.4.: Reise nach BERLIN; begeisterter Empfang beim Berliner Publikum; Audienz bei der Königin Luise im Schloß Charlottenburg und beim preußischen Königspaar in Sanssouci. Ruf nach Berlin mit Jahresgehalt von 3000 Talern und freiem Gebrauch einer Hofequipage. Entscheidung für Weimar. Der Herzog verdoppelt das Jahresgehalt auf 800 Taler. Erneut schwere Erkrankung. 25.7.: Geburt der Tochter Emilie Henriette Louise. 12.11.: Uraufführung der *Huldigung der Künste* zum Empfang des Weimarischen Erbprinzen Karl Friedrich und seiner Ehefrau, der Zarentochter Prinzessin Maria Paulowna, in Weimar. Arbeit am *Demetrius;* das Drama bleibt Fragment.

1805 Übersetzung und Bearbeitung der *Phädra* (*Phèdre*) von Racine. 25.4./1.5.: letzte Begegnungen mit Goethe. 9. Mai: Tod infolge Lungenentzündung. Beisetzung im Kassengewölbe auf dem Jakobsfriedhof in Weimar.

# Literaturverzeichnis

## *Quellen*

### Friedrich Schiller

*Schillers Werke.* Nationalausgabe, begründet von Julius Petersen, fortgeführt von Lieselotte Blumenthal und Benno von Wiese. Hrsg. im Auftrag der Stiftung Weimarer Klassik und des Schiller-Nationalmuseums Marbach von Norbert Oellers. Weimar 1943 ff.
Darin insbesondere: *Briefe.* Bde. 23-32; des weiteren: *Briefe an Schiller.* Bde. 33/I, 34/I, 35, 36/I, 37/I, 38/I, 39/I, 40/I.

Schiller, Friedrich: *Werke und Briefe in zwölf Bänden* [Frankfurter Ausgabe]. Hrsg. von Otto Dann u. a. Frankfurt am Main 1988-2004.
Darin insbesondere: Briefe I: 1772-1795. Hrsg. von Georg Kurscheidt. Band 11, 2002; Briefe II: 1795-1805. Hrsg. von Norbert Oellers. Band 12, 2002.

Schiller/Goethe: *Der Briefwechsel zwischen Schiller und Goethe.* Hrsg. von Emil Staiger. Frankfurt am Main 1966.

Schiller/Goethe: *Der Briefwechsel zwischen Schiller und Goethe.* Im Auftrage der Nationalen Forschungs- und Gedenkstätten der klassischen deutschen Literatur in Weimar hrsg. von Siegfried Seidel. 3 Bde. Leipzig 1984.

Schiller/Humboldt: *Der Briefwechsel zwischen Friedrich Schiller und Wilhelm von Humboldt.* Hrsg. von Siegfried Seidel. 2 Bde. Berlin 1962.

Schiller/Humboldt: *Briefwechsel zwischen Schiller und Wilhelm von Humboldt.* Mit einer Vorerinnerung über Schiller und den Gang seiner Geistesentwicklung von Wilhelm Humboldt. Stuttgart und Tübingen 1830.

Schiller/Körner: *Briefwechsel zwischen Schiller und Körner.* Von

1784 bis zum Tode Schillers. Mit einer Einleitung von Ludwig Geiger. 4 Bde. Stuttgart 1892-1896.

Schiller/Körner: *Briefwechsel zwischen Schiller und Körner.* Hrsg. von Klaus L. Berghahn. München 1973.

Hoven, Friedrich Wilhelm von: *Lebenserinnerungen.* Mit Anmerkungen hrsg. von Hans-Günther Thalheim und Evelyn Laufer. Berlin 1984.

Körner, Theodor: *Schillers Leben.* Verfaßt aus Erinnerungen der Familie, seinen eigenen Briefen und den Nachrichten seines Freundes Körner. Stuttgart und Tübingen 1845.

Wolzogen, Caroline von: *Schillers Leben, verfaßt aus Erinnerungen der Familie, seinen eignen Briefen und den Nachrichten seines Freundes Körner.* Stuttgart und Tübingen 1845 (zuerst 1830).

### Charlotte Schiller

Urlichs, Ludwig (Hrsg.): *Charlotte von Schiller und ihre Freunde.* 3 Bde. Stuttgart 1860 ff.

Geiger, Ludwig (Hrsg.): *Charlotte von Schiller und ihre Freunde.* Auswahl aus ihrer Korrespondenz. Berlin o. J. (1908).

### Johann Caspar Schiller

Schiller, Johann Caspar: *Die Baumzucht im Grossen aus Zwanzigjährigen Erfahrungen im Kleinen in Rücksicht auf ihre Behandlung, Kosten, Nutzen und Ertrag beurtheilt* (1795). Hrsg. Gottfried Stolle. Marbach am Neckar 1993.

Schiller, Johann Caspar: *Meine Lebens-Geschichte* (1789). Mit einem Nachwort hrsg. von Ulrich Ott. Marbach am Neckar 1993.

### Johann Wolfgang Goethe

Goethe, Johann Wolfgang: *Mit Schiller. Briefe, Tagebücher und Gespräche* vom 24. Juni 1794 bis zum 9. Mai 1805. Teil I: 24.6.1794-31.12.1799; Teil II: 1.1.1800-9.5.1805. Hrsg. von Volker C. Dörr und Norbert Oellers. Frankfurt am Main 1998 und 1999 (= Goethe, Johann Wolfgang: Sämtliche Werke, Briefe,

Tagebücher und Gespräche [Frankfurter Ausgabe]. II. Abteilung: Briefe, Tagebücher und Gespräche. Bd. 4 [31] und 5 [32]).

Goethe, Johann Wolfgang: *Amtliche Schriften*. Teil II: Aufgabengebiete seit der Rückkehr aus Italien. Hrsg. von Irmtraut und Gerhard Schmid. Frankfurt am Main 1999 (= Goethe, Johann Wolfgang: Sämtliche Werke, Briefe, Tagebücher und Gespräche [Frankfurter Ausgabe]. I. Abteilung: Sämtliche Werke. Bd. 27).

Goethe, Johann Wolfgang: *Schriften zur Morphologie*. Hrsg. von Dorothea Kuhn. Frankfurt am Main 1987 (= Goethe, Johann Wolfgang: Sämtliche Werke, Briefe, Tagebücher und Gespräche [Frankfurter Ausgabe]. I. Abteilung: Sämtliche Werke. Bd. 24).

Goethe, Johann Wolfgang: *Tag- und Jahreshefte*. Hrsg. von Irmtraut Schmid. Frankfurt am Main 1994 (= Goethe, Johann Wolfgang: Sämtliche Werke, Briefe, Tagebücher und Gespräche [Frankfurter Ausgabe]. I. Abteilung: Sämtliche Werke. Bd. 17).

*Goethes Leben von Tag zu Tag*. Eine dokumentarische Chronik. Hrsg. von Robert Steiger. 8 Bde. Zürich und München 1982 ff. Hier: Bd. 2: 1776-1788 (1983); Bd. 3: 1789-1798 (1984); Bd. 4: 1799-1806 (1986).

Unterberger, Rose: *Die Goethe-Chronik*. Frankfurt am Main und Leipzig 2002.

*Briefwechsel des Herzogs-Großherzogs Carl August mit Goethe*. Hrsg. von Hans Wahl. 3 Bde. Berlin 1915.

*Goethes Briefwechsel mit seiner Frau*. Hrsg. von Hans Gerhard Gräf. Bd. I: 1792-1806. Frankfurt am Main 1916.

Eckermann, Johann Peter: *Gespräche mit Goethe in den letzten Jahren seines Lebens*. Hrsg. von Christoph Michel unter Mitwirkung von Hans Grüters. Frankfurt am Main 1999 (= Goethe, Johann Wolfgang: Sämtliche Werke, Briefe, Tagebücher und Gespräche [Frankfurter Ausgabe]. I. Abteilung: Sämtliche Werke. Bd. 12 [39]).

Alt, Peter-André: *Schiller.* Leben – Werk – Zeit. Eine Biographie. 2 Bde., München 2000.

Barner, Wilfried/Lämmert, Eberhard/Oellers, Norbert: *Goethes und Schillers Literaturpolitik.* Stuttgart 1984.

Beck, Adolf: *Hölderlins Diotima. Susette Gontard.* Gedichte – Briefe – Zeugnisse. Frankfurt am Main 1980.

Böttiger, Karl August: *Literarische Zustände und Zeitgenossen.* Begegnungen und Gespräche im klassischen Weimar. Hrsg. von Klaus Gerlach und René Sternke. Berlin 1998 (2. Auflage).

Buchwald, Reinhard: *Schiller.* Leben und Werk. Ungekürzte Ausgabe in einem Band. Wiesbaden 1959 (4., neu bearbeitete Auflage).

Campe, Joachim Heinrich: *Briefe aus Paris* (1790). Mit einem Vorwort hrsg. von Helmut König. Berlin 1961.

*Caroline ‹Schlegel›.* Briefe aus der Frühromantik. Nach Georg Waitz vermehrt, eingeleitet und erläutert von Erich Schmidt. 2 Bde. Leipzig 1913.

Dresen, Adolf. »Dämmerung der Moderne. Schillers Problem der Legitimität«. In: Sinn und Form 6 (1999), S. 913 f.

Gellhaus, Axel und Norbert Oellers: *Schiller.* Bilder und Texte zu seinem Leben. Köln, Weimar, Wien 1999.

Germann, Dietrich und Eberhard Haufe (unter Mitwirkung von Lieselotte Blumenthal) (Hrsg.): *Schillers Gespräche.* Weimar 1967.

Grüning, Uwe/Schultz, Hartwig/Härtl, Heinz: *Befreundet mit diesem romantischen Tal.* Beiträge zum Romantikerkreis in Jena. Jena 1993.

Günther, Gitta/Wolfram Huschke/Walter Steiner (Hrsg.): *Weimar.* Lexikon zur Stadtgeschichte. Weimar 1993.

Häusner, Sabine: *Der Arzt und Medizinalrat Friedrich Wilhelm von Hoven (*1759-1838): sein Leben, seine Werke und seine Freundschaft zu Friedrich Schiller. Würzburg 2003.

Hahn, Karl-Heinz: *Arbeits- und Finanzplan Friedrich Schillers für die Jahre* 1802-1809. Weimar 1981 (3. Auflage).

Hecker, Max und Julius Petersen (Hrsg.): *Schillers Persönlichkeit*. Urtheile der Zeitgenossen und Documente. 3 Bde. Weimar 1904-1909.
Hecker, Max: *Schillers Tod und Bestattung*. Nach Zeugnissen der Zeit im Auftrag der Goethe-Gesellschaft dargestellt. *Leipzig* 1935.
Heine, Heinrich: *Werke und Briefe in vierzehn Bänden*. Bd. IX. Hrsg. von Hans Kaufmann. München 1964.
Iffland, Wilhelm August: *Meine theatralische Laufbahn* (1798). Mit Anmerkungen und einer Zeittafel hrsg. von Oscar Fambach. Stuttgart 1976.
Jean Paul: *Sämtliche Werke*. Hrsg. von Norbert Miller. München 1959 ff.
Kaim, Lore, Gerhard Scholz (Hrsg.): *Reise nach Egipten*. Satirische Dichtungen und Zeichnungen von Friedrich Schiller. Berlin 1959.
Kiene, Hansjoachim: *Schillers Lotte*. Porträt einer Frau in ihrer Welt. Düsseldorf 1984.
Klauss, Jochen: *Alltag im ›klassischen‹ Weimar 1750-1850*. Weimar 1990.
Klieme, Günter und Hans Joachim Neidhardt: *Museum zur Dresdner Frühromantik*. Hrsg. vom Stadtmuseum Dresden. München, Berlin 1999.
Koopmann, Helmut, in Zusammenarbeit mit der Deutschen Schillergesellschaft Marbach (Hrsg.): *Schiller Handbuch*. Stuttgart 1998.
Kühlenz, Fritz: *Schiller in Thüringen*. Stätten seines Lebens und Wirkens. Rudolstadt 1973.
Müller-Harang, Ulrike: *Das Weimarer Theater zur Zeit Goethes*. Weimar 1991.
Nationale Forschungs- und Gedenkstätten der klassischen deutschen Literatur in Weimar und vom Schiller-Nationalmuseum in Marbach a. N.: *Friedrich Schiller*. Stätten seines Lebens und Wirkens. Weimar 1955.
Oellers, Norbert: *Schiller*. Geschichte seiner Wirkung bis zu Goethes Tod. 1805-1832. Bonn 1967.
Oellers, Norbert: *Schiller – Zeitgenosse aller Epochen*. Doku-

mente zur Wirkungsgeschichte Schillers in Deutschland. Teil I: 1782-1859. Frankfurt am Main 1970; Teil II: 1860-1966. München 1976.

Oellers, Norbert (Hrsg.): *Gedichte von Friedrich Schiller.* Interpretationen. Stuttgart 1976.

Oellers, Norbert: *Friedrich Schiller.* Zur Modernität eines Klassikers. Hrsg. von Michael Hofmann. Frankfurt am Main und Leipzig 1996.

Oesterle, Kurt: »Taumeleien des Kopfes. Schillers Hemmungen, einen Roman zu beenden, und die Wiedergeburt der Kunst aus dem Geist der Theorie«. In: *Siegreiche Niederlagen. Scheitern:* Die Signatur der Moderne. Hrsg. von Martin Lüdke und Delf Schmidt. Reinbeck bei Hamburg 1992 (Rowohlt LiteraturMagazin 30, S. 42-61).

Ortlepp, Paul: »Schillers Bibliothek und Lektüre«. In: Neue Jahrbücher für das klassische Altertum, Geschichte und deutsche Literatur, 18 (1915), S. 375-406.

Pfäfflin, Friedrich, in Zusammenarbeit mit Eva Dambacher: *Schiller.* Ständige Ausstellung des Schiller-Nationalmuseums und des Deutschen Literaturarchivs in Marbach am Neckar. Katalog. Marbach 1980.

Quincey, Thomas De: *Literarische Portraits: Schiller, Herder, Lessing, Goethe.* Erstmals ins Deutsche übertragen, hrsg. und kommentiert von Peter Klandt. Hannover 1998.

Richter, Karl und Walter Müller-Seidel: *Klassik und Moderne.* Die Weimarer Klassik als historisches Ereignis und Herausforderung im kulturgeschichtlichen Prozeß. Stuttgart 1983.

Schäfer, Else: *»Das große Epitaphium«.* Die Gräber der Dichtermütter in Cleversulzbach. Marbach am Neckar 1989 (Spuren 6).

Schäfer, Ulfried: *Philosophie und Essayistik bei Friedrich Schiller.* Würzburg 1995.

Schiller, Friedrich: *Demetrius.* Fragment/Volker Braun: *Dmitri.* Stück. Hrsg. von Jürgen Teller. Leipzig 1986.

Schöne, Albrecht: *Schillers Schädel.* München 2002.

Schubart, Christian Friedrich Daniel: *Leben und Gesinnungen.*

Von ihm selbst im Kerker aufgesetzt. Reprint der Ausgabe Stuttgart 1791 und 1793. Mit einem Nachwort von Claus Träger. Leipzig 1980.

Schulz, Gerhard: *Die deutsche Literatur zwischen Französischer Revolution und Restauration.* Erster Teil: Das Zeitalter der Französischen Revolution 1789-1806 (= Geschichte der deutschen Literatur von den Anfängen bis zur Gegenwart. Begründet von Helmut de Boor und Richard Newald. Siebenter Bd. Erster Teil). München 1983.

Schwab, Gustav: *Urkunden über Schiller und seine Familie.* Stuttgart 1840.

Sengle, Friedrich: *Das Genie und sein Fürst.* Die Geschichte der Lebensgemeinschaft Goethes mit dem Herzog Carl August von Sachsen-Weimar-Eisenach. Ein Beitrag zum Spätfeudalismus und zu einem vernachlässigten Thema der Goetheforschung. Stuttgart, Weimar 1993.

Streicher, Andreas: *Schillers Flucht aus Stuttgart und Aufenthalt in Mannheim von 1782 bis 1785.* Hrsg. von Paul Raabe. Stuttgart 1959 (zuerst 1836).

Theml, Christine: *»Größe zu lieben war meine Seligkeit«.* Biographische Skizzen zu Caroline von Beulwitz-Wolzogen. Jena 1996.

Theml, Christine: *Friedrich Schillers Jenaer Jahre.* Jena 1999.

Uhland, Robert: *Geschichte der Hohen Karlsschule in Stuttgart.* Stuttgart 1953.

Unseld, Siegfried: *Goethe und seine Verleger.* Frankfurt am Main und Leipzig 1991.

Werner, Hans-Georg: *Schillers literarische Strategie nach der Französischen Revolution.* Berlin 1991.

Württembergisches Landesmuseum Stuttgart unter Mitwirkung des Hauptstaatsarchivs Stuttgart, der Staatsgalerie Stuttgart, der Württembergischen Landesbibliothek Stuttgart, des Schiller-Nationalmuseums Marbach und des Stadtarchivs Stuttgart: *»Die hohe Carlsschule«.* Ausstellung. Im Museum der Bildenden Künste Stuttgart. Vom 4. November 1959 bis 31. Januar 1960.

Zeller, Bernhard: *Schiller*. Eine Bildbiographie. München 1958.
Zeller, Bernhard und Walter Scheffler (Hrsg.): *Schiller*s *Leben und Werk in Daten und Bildern*. Frankfurt am Main 1977.

# Nachbemerkung

Mein Dank gilt den Editoren der Schiller-Nationalausgabe und der Schiller-Ausgabe des Deutschen Klassiker Verlages, insbesondere den Herausgebern der Briefbände, die mit ihren Editionen die Grundlage für meine Arbeit schufen.

Der Hermann-Hesse-Stiftung in Calw danke ich für den dreimonatigen Aufenthalt in Schwaben.

Für die Lektorierung danke ich Dr. Vera Hauschild. Für freundliche Hilfe habe ich Dr. Stefan Haupt, Ursula Emmerich, Prof. Bernhard Zeller, Brigitte Raitz, Prof. Walter Raitz, Dr. Ingrid Pergande-Kaufmann, Christine Razum und meinem Sohn Tobias Damm zu danken.

Mecklenburg, 31. Mai 2004 *Sigrid Damm*

# Inhalt

Erstes Kapitel

*Seite 7-52*

**I:** Ich gehe mit dem Gedanken um, über Schiller zu schreiben – **II:** Ich lese Schiller – **III:** *Da tritt ein junger Mann auf, der mit dem ersten Schritte schon Caravanen von Theaterschriftstellern hinter sich schleudert:* Uraufführung der »Räuber« in Mannheim – Arreststrafe und Schreibverbot durch den württembergischen Monarchen – Flucht aus Schwaben. – **IV:** Der *Deserteur*: Leben in Verstecken unter falschem Namen – Schulden, Geldnot – Zuflucht in Thüringen: Exil in Bauerbach – **V:** Mannheim: *Mein Clima ist das Theater, in dem ich lebe und webe; und meine Leidenschaft ist glüklicherweise auch mein Amt* – »Kabale und Liebe«/»Fiesko« – Geldnot – Frauen; Liebe zu Charlotte von Kalb – Lesung am Darmstädter Hof in Anwesenheit des Weimarer Herzogs – Konflikte mit dem Schauspielensemble, die Flickwort-Affäre – Kündigung als Theaterautor – Mannheim der Kerker: *der hiesige Horizont ligt schwer und drükend auf mir*

Zweites Kapitel

*Seite 53-95*

**I:** Ein *Paquete aus Leipzig*: Christian Gottfried Körner als Mäzen – Reise nach Leipzig, Aufenthalt in der Messestadt – Ode »An die Freude« – Übersiedlung nach Dresden – der »Zirkel der Vier« – eine Liebesaffäre – Tharanth: Beendigung des »Don Carlos« – **II:** Ankunft in Weimar – Wiedersehen mit Frau von Kalb: *Charlotte hat alle Hofnung daß unsre Vereinigung im October zu Stand kommen wird – Wie wenig ist Weimar, da der Herzog, Göthe,*

*Wieland und Herder ihm fehlen* – **III**: Winterritt nach Südthüringen – Besuch der Schwester Christophine in Meiningen – Aufenthalt in Bauerbach: *Keine von allen Plätzen, die ehmals meine Einsamkeit intereßant machte, sagte mir jetzt etwas mehr* – **IV**: *Ich sehne mich nach einer bürgerlichen und häußlichen Existenz*: das *Heurathsproject* – Marktorientierung: Hinwendung zur Historie, zur *Oekonomische⟨n⟩ Schriftstellerei* – **V**: Suche nach einer vermögenden Frau: *Könntest Du mir... eine Frau mit 12000 Thl. verschaffen ... und die Academie in Jena möchte mich dann im Asch lecken* – Die Begegnung mit den Schwestern Lengefeld: *Sie gehören zu meiner Seele ...*

Drittes Kapitel
*Seite 96-143*

**I**: Goethes Rückkehr aus Italien – erste Begegnung in Rudolstadt – Goethe zeigt die kalte Schulter – Goethes *Promemoria* an das »Geheime Consilium«: Schiller erhält eine Professur in Jena **II**: Schillers verzweifeltes Ringen: *Dieser Mensch, dieser Goethe ist mir nun einmal im Wege* – **III**: Der Umzug nach Jena – das *Abentheuer auf dem Katheder*: die Antrittsvorlesung – *Diese Professur soll der Teufel holen* – **IV**: Verlobung mit Charlotte von Lengefeld; Liebe zu Caroline von Beulwitz – seelische Wirrnisse: die Utopie eines Lebens zu dritt – **V**: Februar 1790: Heirat: Charlotte, das *sanfte Licht über* seinem *Daseyn* – Erfolg als Historiker – Ziel, der *erste Geschichtsschreiber Deutsch⟨lands⟩* zu werden – **VI**: Januar 1791: Lebensbedrohliche Erkrankung – Existenznöte – Aufgabe des Lehramts – Die Nachricht von Schillers Tod – Totenfeier in Dänemark – Der dänische Prinz von Augustenburg stellt Schiller eine jährliche Pension von 1000 Talern aus

Viertes Kapitel
*Seite 144-190*

I: Kant-Lektüre – Aufgabe der Historiographie – Die Jahre der ästhetischen Schriften – Die Französische Revolution als historisch-biographischer Hintergrund – 1792: Ernennung zum Ehrenbürger Frankreichs durch die Nationalversammlung in Paris – II: Der radikale Bruch: Abwendung von der Französischen Revolution – Plan, nach Paris zu reisen, um öffentlich für die Sache des Königs zu streiten. Enttäuschung über die Vorgänge in Frankreich: das Konzept *der ästhetischen Erziehung des Menschen* – III: Reise nach Schwaben. Ein *beßres Vaterland ... als Thüringen*? – Hoffnung auf Rehabilitierung durch Herzog Carl Eugen – ... *der Herzog sucht etwas darinn, mich zu ignorieren* ... – Geburt von Schillers erstem Sohn – Tod des Übervaters – IV: Wiedersehen mit dem leiblichen Vater elf Jahre nach der Flucht. Johann Caspar Schiller. Die Mutter Elisabetha Dorothea Schiller – V: Die Enttäuschung Schwaben – Existenzängste – Vom *physischen Widerwillen gegen das Schreiben* – Geistige Einsamkeit – Umzug von Ludwigsburg nach Stuttgart – Dannecker modelliert Schiller. Ludovike Simanowiz malt ihn – Begegnung mit dem Verleger Johann Friedrich Cotta

Fünftes Kapitel
*Seite 191-230*

I: Wieder in Thüringen – Annäherung an Goethe: *die ungeheuere Kluft*, die *zwischen* ihren *Denkweisen* klafft – Schillers Energie, die Brücke zu bauen – Ausleuchtung des Terrains der Gegensätze – die Begegnungen vom 20. und 22. Juli 1794: der Beginn der Freundschaft – II: ... *voll Erwartung, was die Berührungen mit Göthen neues in mir entwickeln werden.* Schiller im Haus am Frauenplan: die *vierzehntägige Conferenz* – Erste Bewährungsprobe: die Herausgabe von Goethes »Erotica Romana« – Der *Gerichtshof* des Herzogs über Schiller – III: *In seinem Hause sahe ich noch niemand als ihn.* Verbergen von Christiane Vulpius – Ausschluß von Christiane aus der Freundschaft. Einbeziehung von Schillers Frau Charlotte – Schiller über Goethes *falsche Begriffe über das Häußliche Glück* – **IV**: Arbeitsfreundschaft – Der verspätete Ruf nach Tübingen – Ratschläge des Vaters – Ablehnung der Professur – Entscheidung über sein *Schicksal*: Thüringen als der Ort, wo er *auf immer bleiben* will

Sechstes Kapitel
*Seite 231-281*

**I**: Schiller schließt die *philosophische Bude* – Sein Herz schmachtet *nach einem betastlichen Objekt*: Rückkehr zur Poesie – **II**: 1795: der Alltag der Freundschaft. Unterschiedliche Existenzweisen: Schiller zwischen *papiernen Fensterscheiben* – Goethe: *in die Welt hineingeworfen* – **III**: Schillers ehrgeiziges Zeitschriften-Projekt »Die Horen« und sein Scheitern – Wechsel vom Herausgeber zum Satiriker – *Das Kind, welches Göthe und ich miteinander erzeugen*: die »Xenien« – erste Gemeinsamkeit in der literarischen Öffentlichkeit; *mordbrennerische Füchse*, *Pfähle ins Fleisch der Kollegen* – **IV**: *... schon 12 Wochen ist kein Feuer und Licht verlescht worden*: Der Tod der Schwester Nanette – französische Soldaten auf der Solitude – Krankheit und Tod von Schillers Vater Johann Caspar

Siebentes Kapitel
*Seite 282-331*

**I**: Arbeitsrefugium in *freyer Luft*: Kauf eines Gartens und Gartenhauses in Jena – *... diese Verbesserung meiner Existenz ist mir alles wert ...* – **II**: Ich lese die »Wallenstein-Trilogie« – Geschichte als Paradigma der Gegenwart? – *die bloße Wahrheit ...* das *eigentliche Schicksal*, die *Weltseele zu Pferde* – Zündschnüre an die *Sprengsätze* legen. Die Herausforderung: »Wallenstein«

auf der Bühne – III: Der Gang *auf der Breite eines Scheermessers*: die Entstehungsgeschichte des »Wallenstein«: – Sommer 1797: Balladenwettstreit – Einschnitt: Goethes achtmonatige Abwesenheit – Schillers Verhältnis zu Wieland, Herder und den Brüdern Schlegel – Goethes Rückkehr: gegenseitige Freundschaftsversicherung – Schiller über Goethe: nur er *konnte mich fähig machen, meine subjectiven Grenzen soweit auseinander zu rücken.* Goethe über Schiller: *Sie haben ... mich wieder zum Dichter gemacht* – IV: »Wallenstein« auf dem Weimarer Theater – Goethe als Regisseur: *Schillern hoffe ich noch das Vorspiel zu entreißen ...* – Uraufführung von »Wallensteins Lager« am 12. Oktober 1798 – Schreibprozeß und Aufführungspraxis fließen ineinander – Gemeinsame Regie bei den »Piccolomini« (30. Januar 1799) und »Wallensteins Tod« (20. April 1799)

Achtes Kapitel
*Seite 332-377*

I: Weimar: Hoffnung und Enttäuschung – Hintergründe für Carl Augusts Einladung des Dramatikers – Der Eklat mit Fichte – Herzogliche Rüge für Goethe – Schillers Verhalten im Atheismusstreit – Gesuch an den Herzog, um den Weimar-Aufenthalt finanzieren zu können – II: ... *wenn ich erst der Wallensteinischen Massa werde los seyn, so werde ich mich als einen ganz neuen Menschen fühlen* – der besessene Arbeiter: »Maria Stuart« – Spazierfahrten mit Goethe – »Wallenstein«-Aufführung in Weimar vor dem preußischen Königspaar – Klagen über *absolute Einsamkeit* – »Das Lied von der Glocke« – Geburt des dritten Kindes, schwere Erkrankung seiner Frau – 3. Dezember 1799: Umzug nach Weimar – III: Nähe zu Goethe – die *Weimarische Sozietätswoge* – Goethes »Mahomet«, Schillers »Macbeth« – Rückzug nach Schloß Ettersburg, um »Maria Stuart« zu beenden – Zensureingriff des Herzogs – Theatererfolg der »Maria Stuart« – Verkaufserfolg des »Wallenstein« – Plan zur »Jungfrau von Orleans« – Scheitern von Schillers Engagement für die Jahrhundertfeier in Weimar – Zurückweisung durch den Herzog – **IV:** Januar 1801: Wegen schwerer Erkrankung Goethes Übernahme seiner Theaterarbeiten – 14. April Beendigung der »Jungfrau von Orleans« – Aufführungsverbot durch den Herzog – Rückzug Schillers aus der praktischen Theaterarbeit – Reise nach Dresden und Leipzig – Uraufführung der »Jungfrau von Orleans« in Leipzig – Ovationen des Publikums – 20. September: Rückkehr nach Weimar – der vorgezeichnete Weg: Arbeitspläne der nächsten Jahre – finanzielle Absicherung durch den Verleger Cotta

Neuntes Kapitel
*Seite 378-417*

**I:** Magische Zeitgrenze: *das fünfzigste Jahr* – Schillers Erfolge. Goethes anhaltende Schaffenskrise – Schiller als Leser von Goethes »Faust« – **II:** 1802 Kauf des Hauses an der Esplanade – Finanzierung – Am Tag des Einzuges Tod der Mutter: von der *Verflechtung der Schicksale schmerzlich angegriffen ...* – Elisabetha Dorotheas Lebensweg seit 1796. Erkrankung an Krebs. Tod in Cleversulzbach – Schiller: *In Verhältnißen des Kindes zu den Aeltern haben nur persönliche Dienste einen Werth* – **III:** 15. Mai 1802: Goethes »Iphigenie« in Schillers Bühnenbearbeitung – Kotzebues geplante Schiller-Ehrung und ihr Scheitern – Vermeidung eines Eklats zwischen Schiller und Goethe – Theaterpläne – Sommer 1802: Krankheit – August: Beginn der Arbeit an der »Braut von Messina« – Zurückweisung von Goethes Forderung nach Routinearbeit – **IV:** November 1802: Schiller wird in den Adelsstand erhoben

Zehntes Kapitel
*Seite 418-472*

I: Das Jahr 1803: *Allein kann ich nichts machen* ... – Schiller vermißt Goethes Solidarität – Uraufführung von Schillers »Braut von Messina« und Goethes »Natürlicher Tochter« – II: *Von theatralischen Zerstreuungen* – Schiller in Bad Lauchstädt – Ein *anderes Publikum* – »Wilhelm Tell«: ein *mächtiges Ding*, das die *Bühnen von Deutschland erschüttern* soll – Arbeitsqual: im *Fegfeuer*, der Weg von der *Idee* zur *Erfüllung* – III: 17. März 1804: die Weimarer Aufführung des »Wilhelm Tell«, die letzte große Gemeinschaftsarbeit der Freunde – Massive Selbstzensur – Ifflands *politische Bedencklichkeit:* der »Tell« als ein den *Pöbel zu einem tumultuarischen Aufjauchzen* reizendes Stück – Schiller: *Der Casus gehört vor das poetische Forum* ... – Mißmut über Weimar – Todesgedanken: ... *ich bin nicht Willens in Weimar zu sterben* ... – Reise nach Potsdam und Berlin – Der Ruf an den preußischen Hof – Rückkehr und Entscheidung für Weimar – IV: Juli 1804 schwere Erkrankung, von der er sich nicht wieder erholt – Geburt des vierten Kindes – Schiller als Vater – Übersetzung von Racines »Phèdre« – »Die Huldigung der Künste« – Arbeit am »Demetrius« – Nähe zu Goethe – V: Das Ende – die Maitage 1805 – Tod am 9. Mai 1805

Anhang

Lebens- und Werkdaten
475

Literaturverzeichnis
Quellen
Benutzte Literatur
483

Nachbemerkung
491

# Im Insel Verlag und Suhrkamp Verlag erschienen

*Cornelia Goethe*
(1988, 1992/it 1452)

*Vögel, die verkünden Land*
Das Leben des Jakob Michael Reinhold Lenz
(1989, 1992/insel taschenbuch [it] 1399)

*Ich bin nicht Ottilie*
Roman
(1992, 1999/st 2999)

*Diese Einsamkeit ohne Überfluß*
Prosa
(1995, 2000/st 3175)

*Christiane und Goethe*
Eine Recherche
(1998, 2001/it 2800, 2004/it 3009)

*Atemzüge*. Essays
(1999/it 2585)

Gemeinsam mit Joachim Hamster Damm und Tobias Damm
*Tage- und Nächtebücher aus Lappland*
(2002)

Herausgaben

*Die schönsten Liebesgedichte*
(1996/it 1872, 2000)

*Caroline Schlegel-Schelling*
Die Kunst zu leben
Mit einem Essay herausgegeben
(1997/it 1921)

*»Behalte mich ja lieb!«*
Christianes und Goethes Ehebriefe
Ausgewählt und mit einem Nachwort versehen
(1998/Insel-Bücherei 1190)

Christiane Goethe
*Tagebuch 1816 und Briefe*
In Verbindung mit dem Goethe-Nationalmuseum Weimar
nach der Handschrift herausgegeben
(1999/it 2561)

*Romantische Märchen*
Ausgewählt und mit einem Nachwort versehen
(2002/it 2829)

Friedrich Schiller
*Die seligen Augenblicke*
Gedichte
Ausgewählt und mit einem Nachwort versehen
(2005/Insel-Bücherei)